La Estrella Resplandeciente de la Mañana

David Metzler

APIA

Asociación Publicadora Interamericana

Belize—Bogotá—Caracas—Guatemala—Managua
México—Panamá—San José—San Juan
San Salvador—Santo Domingo—Tegucigalpa

Título del original: *Jesus*
Traductor: Armando Collins
Dirección editorial: Miguel A. Valdivia
Diagramación del interior: Steve Lanto
Diseño portada e ilustración: Ideyo Alomía Lozano

Las citas bíblicas han sido tomadas de la versión Nueva Reina-Valera, excepto cuando se indica lo contrario.

PRINTED IN MEXICO

Editado por Agencia de Publicaciones México Central, A.C.

Primera edición: Septiembre 2000

ISBN 1-57554-222-6

**IMPRESO EN LOS TALLERES DE
LITOGRAFIA MAGNO GRAF, S.A. DE C.V.
CALLE "E" No. 6
PARQUE INDUSTRIAL PUEBLA 2000
PUEBLA, PUE.**

En Agradecimiento

Deseo darle gracias a mi esposa, Margery, por 25 años de amor cristiano. Su paciencia, ánimo, y sugerencias útiles transformaron una vaga idea en la realidad de un libro. Gracias también a mis hijas, Jessica y Janna, por mostrar comprensión a la vez que me dejaban saber que ellas también contribuyeron al proceso de la escritura… "Papá, ¿otra vez en la computadora?"

Deseo dar gracias a mis padres, Richard e Yvonne, por trabajar diligentemente para mandarnos a mis dos hermanas y a mí a la escuela adventista. Se sacrificaron mucho para darnos una educación cristiana, porque pensaron que valía la pena. Afortunadamente, cuando mi padre murió el 29 de septiembre de 1999, pude compartir con él el manuscrito final de este libro y agradecerle personalmente por los desafíos que tanto él como mi madre gustosamente enfrentaron para que nosotros conociéramos a Cristo a una temprana edad.

A los miembros de la Iglesia Adventista del Séptimo Día de Jacksonville en Jacksonville, Carolina del Norte, también les estoy agradecido. Su ánimo me mantuvo en el camino durante períodos cuando otras presiones parecieron ahogar mi progreso espiritual y me dejaron sin ánimo. Aunque ya no compartimos el repaso de la Escuela Sabática cada sábado de mañana, ustedes permanecen en mi mente y oraciones. Gracias al primer anciano Doc Baysden (ahora fallecido), al director de diáconos Harry Rose, a Frank Mattson, al pastor Mario Muñoz y a todos los demás, por ayudarme a iniciarme como maestro. "¡Hablemos de Jesús!"

Gracias a Elena G. de White. Para mí, sus palabras proféticas son inspiradas y de valor permanente. La Sra. White conocía a Jesús de una manera en que pocos de nosotros hemos tenido el privilegio de conocerlo. Aunque nunca lo habría buscado, ella merece con creces el honor de infundirle vida genuina a la experiencia histórica de Cristo. *El Deseado de todas las gentes* es lectura obligada para todo aquel que desea conocer más acerca de la Palabra encarnada. Sus últimas palabras, "yo sé en quien he creído", dan testimonio de su fe de toda la vida en Jesús. Ojalá que todos pudiésemos emular tal fe.

Lo más importante es mi agradecimiento a nuestro Señor por la ayuda que me dio cuando en ocasiones me tocó luchar en oración para completar esta humilde versión de su historia. Sin su amor y sacrificio, no habría historia que contar. Debido a que Jesús *sí vino* y murió por cada uno de nosotros, tenemos la oportunidad de hacer eco a las últimas palabras de Pablo, quien dijo: "He peleado la buena batalla, he acabado la carrera, he guardado la fe. Por lo demás, me está guardada la corona de justicia, que me dará el Señor, Juez justo, en aquel día. Y no sólo a mí, sino también a todos los que aman su venida" (2 Tim. 4:7, 8). ¡Amén! ¡Ven, Señor Jesús!

Dedicatoria

Siempre seremos estudiantes. En la tierra nueva, el amor de Dios y el sacrificio de Cristo serán nuestros eternos temas de estudio. Este libro va dedicado a todos los humildes estudiosos de la verdad que desean obtener una experiencia más amplia a partir de la historia de nuestra redención. Dios nos conceda el privilegio de animarnos siempre los unos a los otros, y aprender sin cesar del gran Maestro.

"Sería bueno que cada día dedicásemos una hora de reflexión a la contemplación de la vida de Cristo. Debiéramos tomarla punto por punto, y dejar que la imaginación se posesione de cada escena, especialmente de las finales. Y mientras nos espaciemos así en su gran sacrificio por nosotros, nuestra confianza en él será más constante, se reavivará nuestro amor, y quedaremos más imbuidos de su Espíritu. Si queremos ser salvos al fin, debemos aprender la lección de penitencia y humillación al pie de la cruz" (*El Deseado de todas las gentes,* p. 63).

"Ninguna luz brilló ni brillará jamás tan claramente sobre el hombre caído, como la que emanó de la enseñanza y el ejemplo de Jesús" (*Ibíd.,* p. 191).

NIÑEZ Y JUVENTUD
Cristo, nuestro Salvador

Primer Advenimiento (5 a.C.) al Otoño del 27 d.C.

Mateo 1:1-2:23

Marcos 1:1, 2

Lucas 1:1-2:52

Juan 1:1-18

El Deseado de todas las gentes, pp. 23-71

Más Allá del Comienzo

En el principio existía el Verbo, y el Verbo estaba con Dios, y el Verbo era Dios. Juan 1:1.

La Biblia comienza con la creación de nuestro mundo. "En el principio creó Dios los cielos y la tierra" (Gén. 1:1). Según Génesis, Dios creó nuestro mundo, pero ¿qué sucedió antes de la semana de la creación? Si bien el Génesis nos revela la naturaleza de la creación, Juan nos revela al Creador mismo. Nos dice que "en el principio existía el Verbo" (Juan 1:1).

En un pasado más remoto de lo que la mente humana puede comprender, en lo infinito de una eternidad que no podemos vislumbrar, Cristo siempre existió. Trajo nuestro mundo a la existencia, "y nada de cuanto existe fue hecho sin él" (vers. 3). Dios existía antes de la creación de la humanidad o de los ángeles. "Fue su mano la que colgó los mundos en el espacio, y modeló las flores del campo... Y sobre todas las cosas de la tierra, del aire y el cielo, escribió el mensaje del amor del Padre".[1]

Recordamos la preocupación de Moisés cuando se le instruyó que dijera a los hijos de Israel que el Dios de sus padres lo había enviado para liberarlos de la esclavitud. Pensó que podrían cuestionar sus credenciales. Moisés pidió un nombre para que Israel pudiera reconocer a su Dios. Dios respondió a Moisés: "Así dirás a los israelitas, 'Yo Soy me ha enviado a vosotros'" (Éxo. 3:14). En el nombre YO SOY aparece una maravillosa expresión de la continuidad de la existencia de Dios. ¡El Señor siempre ha existido!

Juan 1:1 contiene los fundamentos del edificio sobre el cual construiremos nuestro estudio, "El Brillante Lucero Matutino". Aunque es diferente del Padre, el Hijo ha estado "con el Padre, desde toda la eternidad".[2] "Nunca hubo un tiempo cuando él no haya estado en estrecha relación con el Dios eterno".[3] Su naturaleza es igual a la del Padre. "Aunque la Palabra de Dios habla de la humanidad de Cristo cuando estuvo en esta tierra, también habla definidamente acerca de su preexistencia. El Verbo existía como un ser divino, como el Hijo eterno de Dios en unión y en unidad con el Padre".[4] "Porque de tal manera amó Dios al mundo, que ha dado a su Hijo unigénito, para que todo aquel que en él cree, no se pierda, mas tenga vida eterna" (Juan 3:16 Reina-Valera 1960).

Sólo al comprender la divinidad de Jesús, comenzamos a apreciar su humanidad. Nada muestra mejor el maravilloso amor de Dios que la entrega de una parte de sí mismo, su Hijo.

Un Plan: "Dios con Nosotros"

Y el Verbo se hizo carne, y habitó entre nosotros, lleno de gracia y de verdad. Y vimos su gloria, gloria que, como Hijo único, recibió del Padre. Juan 1:14.

El plan de redención no surgió en forma precipitada. Revela el carácter de Dios, que dio a su Hijo unigénito para rescatarnos. Dios es amor y su gobierno se basa en ese principio. El gran conflicto es el choque del sistema egoísta de Satanás con el sistema altruista de Dios. Aunque Lucifer declaró que sería "semejante al Altísimo" (Isa. 14:14), Cristo *es* el Altísimo. "Quien, aunque era de condición divina, no quiso aferrarse a su igualdad con Dios, sino que se despojó de sí mismo, tomó la condición de siervo, y se hizo semejante a los hombres" (Fil. 2:6-7). Cristo no sólo se degradó al nivel humano, sino que tomó "la condición de hombre, se humilló a sí mismo, y se hizo obediente hasta la muerte, y muerte de cruz" (ver. 8).

"Desde los días de la eternidad, el Señor Jesucristo era uno con el Padre; era 'la imagen de Dios', la imagen de su grandeza y majestad, 'el resplandor de su gloria'".[5] La naturaleza humana se compenetró de la imagen divina, y la recubrió. Si Cristo hubiese venido en su gloria y esplendor celestiales, la humanidad hubiera sido incapaz de soportar su gloria. "En ningún sentido dejó Cristo de ser Dios cuando se hizo hombre. Las dos naturalezas se unieron y llegaron a ser inseparables; sin embargo, cada una mantuvo su identidad individual".[6]

Este misterio nos abruma, pero la magnitud de la encarnación no termina allí. El Verbo era con Dios desde la eternidad, pero él "eligió" hacerse carne para poder rescatarnos del pecado. Para siempre estamos vinculados con Dios el Padre. Mediante su Hijo volvemos a ser miembros de la familia de Dios. "Nuestro pequeño mundo, que es bajo la maldición del pecado la única mancha oscura de su gloriosa creación, será honrado por encima de todos los demás mundos en el universo de Dios. Aquí, donde el Hijo de Dios habitó en forma humana; donde el Rey de gloria vivió, sufrió y murió; aquí, cuando renueve todas las cosas, estará el tabernáculo de Dios con los hombres".[7]

"Comprado con sangre por Cristo, gozoso al cielo ya voy; librado por gracia infinita, cual hijo en su casa estoy".[8]

Cristo abandonó los atrios celestiales para que fuésemos llamados hijos e hijas de Dios por toda la eternidad.

Para Darlo a Conocer

A Dios nadie lo vio jamás. El Hijo único, que es Dios, que está en el
seno del Padre, él lo dio a conocer. Juan 1:18.

Dios no permitió que Moisés lo viera cara a cara, para evitar su muerte
instantánea. Escondido en la hendidura de una peña y cubierto por la mano de
Dios, alcanzó sólo a ver la espalda del Señor después que había pasado (Éxo.
33:18-20). Sólo Cristo podía representar dignamente a Dios, mostrando las
profundidades del amor que el Padre siente por los pecadores. Cuando Dios
dio su Hijo al mundo, nos otorgó un regalo exclusivo. Ningún ángel podría
haber revelado "en la carne" el misericordioso amor de Dios. Su plan de
redimirnos le costaría la vida a su propio Hijo. El tema favorito de la conversación
de Jesús mientras estaba en la tierra era el amor de su Padre. Jesús era el ejemplo
mismo de ese amor. En respuesta a la pregunta de Felipe: "'Señor, muéstranos
al Padre, y nos basta', Jesús respondió: '¿Tanto tiempo hace que estoy con
vosotros, y no me has conocido, Felipe? El que me ha visto a mí, ha visto al
Padre'" (Juan 14:8-9).

Quince siglos antes que Jesús viniera, Dios mandó a Israel que le
construyera un santuario para habitar entre ellos (Éxo. 25:8). La gloria de
Dios descansaba sobre el propiciatorio encima del arca en el Lugar Santísimo
del santuario. De nuevo vemos en el Hijo ese mismo deseo de morar con la
humanidad. En el monte de la transfiguración, cuando la divinidad pasó a
través de la humanidad, Juan presenció la gloria de su Señor. Pedro hace
mención del mismo suceso cuando escribió que fue "testigo" de su majestad.
"Porque él recibió honra y gloria del Padre Dios, cuando una voz vino desde
la magnífica gloria, y dijo: 'Este es mi Hijo amado. En él me complazco'" (2
Ped. 1:17).

La mayoría de los judíos no reconocieron a Jesús como el Mesías. "Las
ovejas perdidas de la casa de Israel" (Mat. 15:24) lo rechazaron porque tenían
la idea que el Mesías los salvaría de la opresión romana. Pero no todos se
habían olvidado de las profecías acerca de Cristo como el Varón de dolores.
Muchas personas sinceras esperaban la venida del Prometido. A veces nos
apresuramos a señalar al antiguo pueblo de Israel y nos extrañamos de su
ceguera; sin embargo muchos hoy cierran sus ojos a las señales de su segunda
venida.

¿Le reconoceremos como nuestro Salvador cuando vuelva otra vez?
Le invitamos a conocer a Cristo hoy, y a través de él, a su Padre.

Los Autores de los Evangelios

Toda la Escritura es inspirada por Dios. 2 Timoteo 3:16.

El tema de los cuatro Evangelios es Cristo: su encarnación, su ministerio público, su muerte, su resurrección y su ascensión al cielo; sin embargo, cada uno presenta un cuadro peculiar de la misión y vida del Hijo de Dios.

Mateo escribió para los judíos y los cristianos de origen judío. Procuraba convencer al pueblo judío de que Jesús era el Hijo de Abrahán y de David, Rey de Israel, el verdadero Mesías. Su libro presenta a Cristo como el Gran Maestro y muestra qué lugar ocupa en el cuadro mayor de la historia judía. Para lograrlo, Mateo señala el cumplimiento de las profecías judías del Antiguo Testamento, que no impresionarían a los lectores gentiles de su tiempo.

Marcos no fue testigo de los sucesos que describe, pero estaba familiarizado con el Evangelio porque había escuchado las declaraciones de Pedro. Al escribir su libro para los que no eran judíos, explicó las costumbres judías (como la Pascua) para los lectores que no estaban familiarizados con esas actividades. Por cuanto a los romanos les impresionaban las obras maravillosas, Marco enfatizó los milagros.

Lucas, colaborador de Pablo, era historiador y médico. Investigó el linaje de Cristo desde Adán, el padre de la humanidad, mientras que Mateo, al escribir para los judíos, investigó los antepasados de Cristo desde Abrahán. Lucas también escribe acerca de la interacción de Cristo con los gentiles y los ciudadanos romanos. Por cuanto produjo los registros más completos del Evangelio, es de su pluma que aprendemos mucho en cuanto al nacimiento de Jesús y su ministerio en Perea.

Juan es un teólogo. El más joven de los discípulos, abrió su corazón a Jesús y habló de lo que vio con sus propios ojos (1 Juan 1:1-3). Como testigo, Juan es el único que registra el primer ministerio de Cristo en Judea y su primera obra con los dirigentes judíos. Es interesante notar que Juan registra las controversias en el templo pero no los milagros. Revela al Padre en el plan de salvación y con frecuencia cita a Jesús refiriéndose al Padre como "El que me envió". Hablando a los cristianos, Juan presenta a Jesús como el Creador y Salvador crucificado del mundo.

"El Creador de todas las ideas puede impresionar a diferentes mentes con el mismo pensamiento, pero cada una puede expresarlo de una manera diferente, y sin embargo sin contradicción. El hecho de que existan esas diferencias no debiera dejarnos perplejos o confundidos. Es muy raro que dos personas vean o expresen la verdad de la misma manera. Cada una se ocupa de puntos particulares que su idiosincrasia y educación la capacitan para apreciar. La luz solar que cae sobre diferentes objetos, les da matices diferentes".[9]

Gracias a Dios por la Luz.

La Plenitud del Tiempo

Pero cuando se cumplió el tiempo, Dios envió a su Hijo.
Gálatas 4:4.

Las profecías del Antiguo Testamento habían señalado por mucho tiempo la venida del Mesías. La promesa hecha a Adán y a Eva en el Jardín del Edén se había repetido en las profecías de Daniel y en las palabras de Jacob que había declarado: "No será quitado el cetro de Judá, y el legislador de entre sus pies, hasta que venga Siloh" (Gén. 49:10). Muchos pensaban que el cetro prometido derribaría a los romanos, por eso la venida del Ungido llegó a ser la esperanza de la nación oprimida. Algunos comprendieron con exactitud la profecía de Daniel, pero la mayoría la interpretó en forma errónea. Ignorando los pasajes que señalaban el humilde advenimiento de Cristo, Israel eligió aferrarse de las glorias proféticas de la segunda venida.

"Pero, como las estrellas en la vasta órbita de su derrotero señalado, los propósitos de Dios no conocen premura ni demora... Así también fue determinada en el concilio celestial la hora en que Cristo había de venir; y cuando el gran reloj del tiempo marcó aquella hora, Jesús nació en Belén".[10] Llegó durante el tiempo más favorable de la historia. El griego era el idioma universal. La mayor parte del mundo estaba en paz bajo el gobierno romano y viajar era generalmente seguro y rápido en la mayoría de los lugares del Imperio. Los judíos que estaban esparcidos por el mundo podían volver sin peligro a Jerusalén para sus fiestas anuales. Tales peregrinos podían esparcir las noticias del Mesías. Palestina seguía siendo el centro de la cultura judía y la gente veía con interés la religión judía. Muchos gentiles conocían las profecías bíblicas mejor que algunos dirigentes judíos.

Aunque en cierta forma la nación mantenía su propio gobierno, Roma tenía el poder y esto producía descontento interno. Muchos despreciaban la forma como los judíos gobernaban, porque usaban las legiones romanas para reforzar el reino sanguinario de Herodes. Los impuestos elevados causaban descontento general. Roma elegía de entre sus propios acólitos a los que ocupaban el puesto de sumo sacerdote. "Y llegada la plenitud del tiempo, la Divinidad se glorificó derramando sobre el mundo tal efusión de gracia sanadora, que no se interrumpiría hasta que se cumpliese el plan de salvación".[11]

¡El reloj celestial marca inexorablemente el acercamiento de la segunda venida! Ninguno de nosotros sabe la hora cuando el Maestro aparecerá; sin embargo, las circunstancias parecen favorecer su pronto regreso. Sigamos confiando que él regresará "llegada la plenitud del tiempo".

No Creíste mis Palabras

Zacarías preguntó al ángel: "¿Cómo puedo estar seguro de eso?"
Lucas 1:18.

El rey David dividió el sacerdocio en 24 grupos. Cada grupo de sacerdotes servía dos veces al año durante una semana, comenzando el servicio el sábado por la tarde, a las 3:00 p.m. y terminando el siguiente sábado a las 9:00 a.m. En ocasiones especiales se requería que los 24 grupos asistieran al templo. Los sacerdotes se reunían en un semicírculo y echaban suertes para determinar quién participaría. Cada hombre levantaba uno o más dedos que se contaban. El jefe del grupo escogía un número al azar y comenzaba a contar los dedos hasta que llegaba a ese número. Los primeros elegidos limpiaban el altar de bronce y preparaban el sacrificio. El segundo grupo limpiaba el candelabro y el altar del incienso. El tercero ofrecía incienso y oraba; ésta era la tarea más importante. El cuarto quemaba la carne del sacrificio en el altar y concluía el servicio.

"El privilegio de oficiar en el altar de oro en favor de Israel era considerado como un alto honor, y Zacarías era, en todo sentido, digno de él. Este privilegio solía corresponder a cada sacerdote sólo una vez en la vida, y era, por lo tanto, el momento culminante de su vida".[12] Zacarías escogió un ayudante que quitara los carbones quemados del altar, y otro que colocara los nuevos. Luego esparció el incienso en los carbones. Mientras el dulce aroma del humo ascendía ante el Lugar Santísimo, él oraba por Israel.

De pronto, el ángel del Señor apareció a la derecha del altar, el lado que era una indicación de favor. Sorprendido, Zacarías no se fijó en esta señal de aprobación "y el temor se apoderó de él". Las primeras palabras del ángel fueron: "No temas" (Luc. 1:13). Gabriel, que fue el mismo ángel que dio a conocer a Daniel el tiempo profético de la venida del Mesías, apareció ahora para anunciar el nacimiento de un hijo a Zacarías y a Elizabet. Zacarías había comenzado a creer que él y su esposa jamás tendrían un hijo. Aunque conocía la historia de Isaac, se había olvidado que Dios cumple lo que promete. Como resultado de su incredulidad, el ángel declaró que Zacarías se quedaría mudo hasta el nacimiento del niño prometido.

"El nacimiento del hijo de Zacarías, como el del hijo de Abrahán y el de María, había de enseñar una gran verdad espiritual, una verdad que somos tardos en aprender y propensos a olvidar. Por nosotros mismos somos incapaces de hacer bien; pero lo que nosotros no podemos hacer será hecho por el poder de Dios en toda alma sumisa y creyente".[13]

Yo Soy Gabriel

> *El ángel respondió: "Yo soy Gabriel, que estoy en la presencia de*
> *Dios, y he sido enviado a hablarte y darte esta buena noticia".*
> *Lucas 1:19.*

$\mathcal{D}$espués del Hijo de Dios, el ángel Gabriel ocupa un puesto de alto honor en los atrios celestiales. "Estoy en la presencia" es una expresión reservada en los tiempos del Antiguo Testamento para un ministro o elevado oficial con deberes en los atrios reales. Cristo mismo dijo que en el cielo los ángeles "ven siempre el rostro de mi Padre" (Mat. 18:10). La Biblia y los escritos de Elena G. de White tienen mucho que decir en cuanto a Gabriel. "Antes de su caída, Lucifer era el primero de los querubines que cubrían el propiciatorio, santo y sin mácula".[14] Después de la caída de Lucifer, Gabriel tomó su lugar. En hebreo, Gabriel significa "hombre de Dios". "Fue Gabriel, el ángel que sigue en jerarquía al Hijo de Dios, quien trajo el mensaje divino a Daniel. Fue Gabriel, 'su ángel', a quien envió Cristo para revelar el futuro al amado Juan".[15]

Gabriel habló con Daniel (Dan. 8:16; 9:21) y anunció la venida del Mesías. Habló con Zacarías (Luc. 1:19) y María (vers. 26-27). Probablemente también se apareció a José (Mat. 1:20). Más tarde el ángel fortaleció a Cristo en el Getsemaní (*El Deseado de todas las gentes*, p. 643) y lo protegió de la turba (*Ibíd.*, p. 644*)*. Él hizo rodar la piedra de la tumba y llamó al Salvador para que saliera (*Ibíd.*, p. 725). El ángel fue uno de los dos que acompañaron a Cristo durante su ministerio aquí en la tierra (*Ibíd.*, p. 735) y aparecieron a los discípulos mientras Cristo ascendía al cielo (*Ibíd.* p. 771). Finalmente, Gabriel se presentó a Juan en la isla de Patmos (*Ibíd.*, pp. 73-74; Apoc. 1:1), llamándose a sí mismo "siervo contigo, y con tus hermanos los profetas" (Apoc. 22:9).

¿Cuál es la tarea de los ángeles? "¿No son todos ellos espíritus servidores, enviados para ayudar a los que han de heredar la salvación? (Heb. 1:14). Los ángeles siempre han tomado parte en los planes de Dios. Conversaban con Adán y Eva y luego cuidaron el acceso al árbol de la vida. Más tarde cerraron la puerta del arca, poniendo a salvo dentro de ella al fiel Noé y a su familia. Ellos también visitaron a Abrahán y a Lot. Repetidamente intervinieron por Israel en las batallas. En el Nuevo Testamento formaron la estrella que los magos siguieron, y consolaron a los discípulos mientras Cristo ascendía. Hoy velan por nosotros.

> *"Aunque no estemos siempre conscientes de la presencia constante de*
> *los ángeles en nuestras vidas, con seguridad podemos saber que*
> *siempre estamos bajo su amoroso cuidado".[16]*

La Sierva del Señor

Entonces el ángel agregó: "¡No temas, María! Porque has hallado gracia ante Dios". Lucas 1:30.

Una vez más Gabriel apareció con un mensaje, esta vez a una joven comprometida con un hombre de su mismo pueblo que había estado casado. Su prometido era un carpintero llamado José, descendiente directo del rey David y de la casa de Judá. Sabemos poco de José, excepto que era pobre (Luc. 2:24), y que tenía por lo menos cuatro hijos de su matrimonio anterior (Mat. 12:46; 13:55).

La súbita aparición de un ángel a María, y más importante aún, el mensaje que éste traía, era un honor muy elevado; sin embargo, estaba comprometida con José. ¿Por qué la había elegido Dios y cómo afectaría esto sus planes futuros? Ella conocía la Escritura y rápidamente se puso a repasar las profecías mesiánicas. Deben haberle resultado familiares, especialmente ya que el Mesías prometido surgiría de su propia tribu. Sus oraciones y las de la nación estaban por cumplirse.

María pertenecía a la casa de David, y a través de ella Jesús sería el "linaje de David" (Rom. 1:3). Aunque Elizabet y Zacarías eran de descendencia sacerdotal, María y José tenían ascendencia real. Las palabras del ángel le causaron perplejidad a María: "El Espíritu Santo vendrá sobre ti, y el poder del Altísimo te cubrirá con su sombra. Por eso, el que ha de nacer será llamado Santo, el Hijo de Dios" (Luc. 1:35). El nacimiento de Cristo vincularía la divinidad con la humanidad. El embajador de Dios, el Espíritu Santo, sería el agente mediante el cual Dios ejercitaría su poder para cumplir la profecía mesiánica.

La reacción de María fue diferente a la de Zacarías, porque él dudó que Dios pudiera hacer que Elizabet concibiera en su avanzada edad. María, llena de fe sencilla, no dudó. Ella sabía que "nada es imposible para Dios" (vers. 37). Tan pronto como comprendió la voluntad de Dios, y obtuvo suficiente información para llevar a cabo su parte en el plan, María se sometió a su parte.

"Dios... primero permitió que María estuviera plenamente convencida del hecho de que la naturaleza del evento que se le anunciaba estaba fuera del alcance del poder humano, que era imposible desde el punto de vista de los hombres, antes de presentarle los medios por los cuales se llevaría a cabo. Así es como Dios nos induce a apreciar su grandeza y su poder, y nos enseña a tener confianza en él y en sus promesas".[17]

Su Nombre es Juan

*Entonces por señas preguntaron a su padre, cómo lo quería llamar. Él
pidió una tablilla y escribió: "Juan es su nombre". Lucas 1:62, 63.*

El ángel Gabriel vino a María con el anuncio del nacimiento de Jesús
cuando Elizabet tenía seis meses de embarazo. María salió inmediatamente de
Nazaret para visitar a su parienta. Zacarías y Elizabet probablemente vivían en la
ciudad de Hebrón. La joven quedó con Elizabet durante tres meses (Luc. 1:56),
posiblemente hasta que su tía dio a luz a Juan. Pero María no visitó a Elizabet para
comprobar lo que el ángel había dicho en cuanto al futuro nacimiento de Jesús o
para confirmar el mensaje del ángel acerca del embarazo de Elizabet. Fue porque
creyó sus palabras. Tan pronto como llegó, María confirmó su fe al encontrar a
Elizabet embarazada. ¡Qué maravillosos relatos y esperanzas deben haber compartido
estas devotas mujeres mientras se preparaban para el nacimiento de sus hijos! El
compañerismo cristiano es uno de los dones más grandes que encontramos en la
vida. "Ningún cristiano debiera estar demasiado ocupado como para no comunicarse
con los que puedan necesitar la ayuda que él pueda proporcionarles".[18]

Cuando Elizabet dio a luz, sus vecinos y parientes se regocijaron con ella.
La cultura del Medio Oriente consideraba la esterilidad una maldición, y la de
Elizabeth se había terminado. Zacarías todavía no podía hablar. Al octavo día
los padres llevaron al niño para ser circuncidado. La ceremonia era importante
porque simbolizaba el comienzo de una relación de pacto con Dios. Durante
el rito, el niño recibía un nombre. Por lo regular se perpetuaba el nombre
familiar. Esto era específicamente importante en el caso del hijo primogénito,
porque mostraba continuidad y respeto por la generación previa.

Muchos de los que estaban presentes en la ceremonia eran sin duda
compañeros de sacerdocio con sus familias. Tal vez un amigo cercano realizaba la
función sacerdotal del día. Los amigos procuraban honrar a Zacarías llamando a
su hijo como él, pero Elizabet dijo: "No, se llamará Juan". Su declaración sorprendió
a todos porque no era ésa la costumbre. Así que preguntaron a Zacarías cuál era
el nombre que él quería. Pidió una tablilla y escribió: "Su nombre es Juan".
Entonces, después de nueve meses de completo silencio, Zacarías recobró de
pronto el habla. Sus primeras palabras fueron para alabar a Dios.

*¡Era apropiado que las primeras palabras de Zacarías fueran de
alabanza a Dios, ya que las últimas que pronunciara habían sido de
duda! "Mientras que toda otra voz quedaba en silencio y aguardaba
en quietud y humildad delante de Dios, Zacarías halló que 'el
silencio del alma' había hecho 'más distinta la voz de Dios'".[19]*

Un Hombre "Justo"

"Dará a luz un hijo, y lo llamarás Jesús, porque él salvará a su pueblo de sus pecados". Mateo 1:21.

Mateo omite mucho del aspecto humano del nacimiento de Cristo. Se concentra más bien en el cumplimiento de las profecías del Antiguo Testamento. Sin embargo, Lucas describe muy detalladamente el nacimiento y la niñez de Jesús. Algunos piensan que Lucas obtuvo de María misma la información en cuanto a la infancia de Jesús. Por cierto que su narración presenta el punto de vista de la madre, mientras que Mateo revela el de José.

Después de haber visitado durante tres meses a su prima Elizabeth, María regresó a Nazaret. Aunque estaba encinta, todavía estaba comprometida a casarse con José. Él no tenía idea que María había sido favorecida por un milagro. "Por eso decidió dejarla secretamente". Sabemos poco acerca de José, pero la Biblia lo llama hombre "justo". En otras palabras, él observaba estrictamente las leyes de Moisés y las tradiciones de su pueblo. José se preguntaba si sería correcto casarse con María, que supuestamente era adúltera. Todo lo que José tenía que hacer si quería divorciarse era declarar que la novia "no era complaciente". Un hombre podía hacerlo por cualquier motivo. Pero José no quería abochornar a María haciendo público lo que pronto sería evidente para todos en Nazaret. Muchos podrían pensar que el hijo que llevaba en su vientre era de José, concebido antes de la ceremonia formal de matrimonio. La situación presentaba un dilema moral y ético, difícil para un hombre "justo". ¿Qué hacer? Después de todo, el bebé no era de él. Entonces Dios le reveló su voluntad en un sueño. El ángel calmó los temores de José y le dijo que debía recibir por fe a María por esposa, porque ella daría a luz un hijo.

El ángel le dijo a Zacarías que *su* esposa *le daría* un hijo, pero a José, Gabriel sólo le explicó que María tendría un Hijo. José sería el padre terrenal de ese Hijo, pero Jesús sería el Hijo de Dios y no el hijo de José. Según las costumbres, José debía dar al niño el nombre de Jesús el octavo día de su nacimiento. "Los padres hebreos solían dar a sus hijos nombres que tenían gran significado. Con frecuencia expresaban en ellos los rasgos de carácter que deseaban ver desarrollarse en sus hijos".[20] El nombre escogido por Dios para su Hijo es significativo: "¡Jehová es salvación!" José actuó por fe. "El papel de José fue humilde, pero indispensable, y su pronto cumplimiento de las órdenes del ángel fue de gran importancia, tanto para María como para la opinión pública".[21]

¿Qué cualidades habrá poseído este padre terrenal que Dios escogió para su propio Hijo? Podemos aprender mucho de este humilde y obediente siervo del Señor.

Piernas de Hierro

En esos días Augusto César ordenó levantar un censo en todo el
mundo. Lucas 2:1.

Julio César fue asesinado por sus rivales porque muchos pensaban que
él quería ser rey. La mayoría de los romanos esperaban que el cónsul Marco
Antonio reorganizaría la nación sobre una base más democrática, pero Octavio,
sobrino-nieto de César, de 18 años de edad, llegó a Roma para afirmar su
posición como heredero presunto. En el año 43 a.C, un triunvirato compuesto
de Marco Antonio, Octavio y Lépido se dividió el imperio. Durante esta alianza,
Herodes, gobernador de Celesiria, que huía de una rebelión en Palestina, llegó
a Roma. Después de haber hallado gracia ante Antonio y luego ante Octavio,
el senado romano, en el año 40 a.C., por votación unánime nombró a Herodes
rey de Judea. "Aunque Herodes contaba con el apoyo de los romanos, necesitó
tres años para poder ocupar su trono". Para el año 37 a.C ya "era amo de una
ciudad en ruinas y rey de una nación que lo odiaba".[22]

Antonio se olvidó de sus deberes cuando Cleopatra VII, reina de Egipto,
plantó en su cabeza el sueño de ser rey. En el año 32 a.C., Octavio le declaró la
guerra a Antonio, y venció a las fuerzas navales de éste a la altura de Accio, al oeste
de Grecia. Antonio y Cleopatra huyeron a Egipto, donde ambos se suicidaron.
Por el año 30 a.C., la última gran monarquía griega que surgiera del imperio de
Alejandro el Grande, pasó a ser una provincia romana. Así se terminó de cumplir
la interpretación que Daniel había hecho de la imagen que Nabucodonosor viera
en sueños (Dan. 2:40). Las piernas de hierro romanas gobernaban ahora el mundo
civilizado. Octavio se cuidó de no repetir el error de su tío abuelo. Hizo que el
senado le diera el nuevo título de Augusto ("majestuoso") y gobernó como "primer
ciudadano". "Augusto fue un gobernante sabio y moderado que proporcionó
paz y prosperidad a su vasto imperio. Durante un censo decretado por él, comenzó,
en Belén, la era del Nuevo Testamento".[23]

Palestina era una espina al costado del Imperio Romano. Los judíos
resistían amargamente el censo porque significaba el registro de la propiedad,
así como los nombres, y formaba la base para la tasa de impuestos. "Como
antaño Ciro fue llamado al trono del imperio universal para que libertase a los
cautivos de Jehová, así también Augusto César hubo de cumplir el propósito
de Dios de traer a la madre de Jesús a Belén".[24]

La profecía se cumple aunque surjan y caigan naciones y
gobernantes. Dios todavía se encarga de los asuntos humanos y de las
naciones, de modo que sus propósitos se lleven a cabo.

La Ciudad de David

"Pero tú Belén Efrata, pequeña entre los millares de Judá, de ti saldrá el que será Señor de Israel". Miqueas 5:2.

Belén Efrata está a 8 kilómetros al sur de Jerusalén, en Judea. La Escritura la llama Efrata para distinguirla de Belén de Zabulón. Miqueas no deja lugar a dudas en cuanto a la ciudad de su profecía, diciéndonos que es "Efrata" y "pequeña entre los millares de Judá". Belén se menciona repetidamente en la Biblia; la primera vez, como el lugar hacia donde Jacob se dirigía cuando Raquel murió al dar a luz a Benjamín (Gén. 35:16-20). Booz llegó de Belén cuando Rut espigaba los campos de trigo y cebada (Rut 2). Tal vez el nombre, Belén, que significa "casa del pan", se haya originado en los campos de trigo que rodeaban la ciudad.

Es fácil imaginar las manadas de ovejas que pastaban en las laderas de las colinas. Allí cuidaba David los rebaños de su padre. "David era hijo de aquel efrateo de Belén de Judá, llamado Isaí, que tenía ocho hijos" (1 Sam. 17:12). Los tres hijos de Sarvia: Joab, Abisai y Asael, eran de la ciudad de David y lo apoyaron en su campaña para ser rey de Judá. Cuando Abner, general del ejército de Saúl, mató a Asael, hermano de Joab, éste tomó a su hermano menor y lo llevó a Belén para enterrarlo (2 Sam. 2:12-32).

Más tarde los filisteos tomaron Belén y la guarnecieron. David deseaba beber agua del pozo de su pueblo. "Entonces los tres valientes atravesaron el campamento filisteo, sacaron agua de la cisterna de Belén, que estaba a la puerta, y la trajeron a David. Pero él no la quiso beber, sino que la derramó ante el Señor" (2 Sam. 23:16). No es de extrañar que la Escritura se refiera a Belén como la "ciudad de David". Realmente, su historia es muy variada.

"Pero José y María no fueron reconocidos ni honrados en la ciudad de su linaje real. Cansados y sin hogar, siguieron en toda su longitud la estrecha calle, desde la puerta de la ciudad hasta el extremo oriental, buscando en vano un lugar donde pasar la noche. No había sitio para ellos en la atestada posada. Por fin, hallaron refugio en un tosco edificio que daba albergue a las bestias, y allí nació el Redentor del mundo".[25]

¡Belén, la ciudad de David, la ciudad del Rey del cielo!

Su Primogénito

Y dio a luz a su hijo primogénito. Lo envolvió en pañales y lo acostó
en un pesebre, porque no hubo lugar para ellos en el mesón.
Lucas 2:7.

El viaje de Nazaret a Belén sin lugar a dudas era muy difícil para una mujer en su noveno mes de embarazo. Los caminos de Palestina eran, como el terreno, desparejos y ásperos. Al llegar a Belén, María y José no tenían parientes donde quedar. Despedir a una persona de su propia tribu sin ofrecerle alimentos y alojamiento era una grave falta, pero los cuartos de la posada estaban llenos. Los descendientes de Judá, Benjamín y Leví llenaban el pueblo.

La tradición afirma que el nacimiento tuvo lugar en una cueva del vecindario de Belén, pero Elena de White menciona "un edificio rústico donde las bestias se refugiaban". "Los niños eran envueltos en pañales y luego fajados con una especie de venda para sostener los pañales. Los niños hebreos recién nacidos eran lavados con agua, frotados con sal, y luego envueltos y fajados".[26] El Hijo de Dios no tuvo guardería, ni cuna, ni mecedora, ni un lugar de honra en el hogar. El Hijo de Dios recostó su cabeza en un pesebre lleno de paja para los bueyes y los burros.

Las leyes romanas no requerían que María apareciera en Belén. Sabiendo que se le acercaba la hora de dar a luz y conociendo la profecía referente a Belén como el lugar de nacimiento del Mesías, tal vez ella eligió acompañar a José. Sea cual fuere la razón, el Rey de reyes descendió de los atrios celestiales y del trono de Dios, a un edificio rústico donde las bestias se refugiaban, a una tierra tenebrosa y llena de pecado. "Al contemplar la encarnación de Cristo en la humanidad, nos quedamos estupefactos ante un misterio inexplicable, algo que la mente humana no puede comprender. Mientras más lo enfocamos, más maravilloso nos parece. ¡Cuán amplio es el contraste entre la divinidad de Cristo y el indefenso bebé en el pesebre de Belén!

¿Cómo podemos franquear la distancia que hay entre el poderoso Dios y un indefenso niño?... Al contemplar la humanidad de Cristo, contemplamos a Dios, y vemos en él el brillo de su gloria, la imagen expresa de su persona".[27]

¡Alabado sea Dios! ¡Ha nacido la estrella resplandeciente de la
mañana!

Los que Tuvieron Hambre y Sed

Pero el ángel les dijo: "No temáis, porque os traigo una buena noticia, que será de gran gozo para todo el pueblo". Lucas 2:10.

Un ángel desciende a la tierra pare ver quiénes están preparados para dar la bienvenida a Jesús. Los sacerdotes continúan sus rituales, los fariseos exhiben su piedad orando a grandes voces, y los reyes siguen gobernando a la gente. En las escuelas de los rabinos de Palestina se siguen enseñando las mismas profecías, sin pensar en su cumplimiento maravilloso que está a punto de suceder. El ángel vuelve chasqueado. "Todo el pueblo debería haber estado velando y esperando para hallarse entre los primeros en saludar al Redentor del mundo. En vez de todo esto, vemos, en Belén, a dos caminantes cansados que vienen de los collados de Nazaret, y que recorren toda la longitud de la angosta calle del pueblo hasta el extremo este de la ciudad, buscando en vano lugar de descanso y abrigo para la noche. Ninguna puerta se abre para recibirlos. En un miserable cobertizo para el ganado, encuentran al fin un refugio, y allí fue donde nació el Salvador del mundo".[28]

Un pequeño pero fiel número de personas velaban y esperaban la venida del Mesías. Los pastores que vivían por temporadas en las llanuras día y noche, oraban por el Rey que debía ocupar el trono de David. El invierno en Judea es frío y húmedo en las montañas, y los pastores no abandonaban sus rebaños durante la época de lluvia. Más tarde, entre la primavera y el otoño, favorecidos por el clima, es cuando estos hombres devotos y sencillos se habrán reunido bajo las estrellas para conversar acerca de la venida de su futuro Rey.

Las llanuras donde el joven David había cuidado los rebaños de su padre, serían ahora testigos de la más grandiosa noticia que jamás hubiera recibido la humanidad. Mientras hablaban quedamente en el silencio de la noche, mientras contemplaban el cielo estrellado, de pronto el velo entre el mundo invisible y el nuestro se descorrió y vieron a un ángel. A menudo no nos damos cuenta que el mensaje que los pastores recibieron es también "buenas nuevas" para nosotros. Habla del amor redentor que Dios siente por la humanidad caída. La historia del Evangelio *es* buenas noticias. Y es "a los que lo esperan", a quienes Cristo aparecerá "la segunda vez, sin relación con el pecado... para salvar" (Heb. 9:28).

Como los pastores, todos los que encuentran a Cristo compartirán su gran gozo con los demás (Lucas 2:17).

Los Escogidos y las Profecías

Porque un Niño nos es nacido, Hijo nos es dado, y el gobierno estará sobre su hombro. Será llamado Maravilloso, Consejero, Dios Poderoso, Padre eterno, Príncipe de Paz. Isaías 9:6.

Adán y Eva fueron los primeros en recibir la promesa de un Redentor. "Enemistad pondré entre ti y la mujer, y entre tu descendencia y el Descendiente de ella. Tú le herirás el talón, pero él te aplastará la cabeza" (Gén. 3:15). Dios quebrantaría el poder de Satanás. Abrahán tuvo una revelación de la venida del Mesías. Jesús dijo: "Abrahán, vuestro padre, se gozó en que vería mi día. Y lo vio, y se gozó" (Juan 8:56). Cuando Jacob estaba por morir, llamó a sus hijos y le dijo a Judá. "Judá, tus hermanos te alabarán… No será quitado el cetro de Judá, y el legislador de entre sus pies, hasta que venga Siloh, y a él obedecerán las naciones" (Gén. 49:8-10).

Moisés declaró: "Un profeta de en medio de los tuyos, de tus hermanos, como yo, te levantará el Señor tu Dios. A él oirás" (Deut. 18:15). Cuando Balaam fue llamado para maldecir a Israel, habló de un Redentor: "Lo veré, pero no ahora. Lo miraré, pero no de cerca. Saldrá ESTRELLA de Jacob, se levantará cetro en Israel" (Núm. 24:17). David predijo la llegada de Cristo como "la luz matinal cuando sale el sol, en una mañana sin nubes" (2 Sam. 23:4). Oseas agregó que "su venida es tan segura como el alba" (Ose. 6:3). Como el amanecer hace retroceder la oscuridad, así Malaquías dijo, "… nacerá el Sol de Justicia, y en sus alas traerá sanidad" (Mal. 4:2).

Los judíos habían estudiado las profecías pero sin interés espiritual. Al poner atención a los detalles triviales de la ley, pensaban crearse una reputación de santidad, pero esperaban llenos de orgullo el tiempo cuando su nación prevalecería. Mateo escribió para convencer a esos mismos judíos que el Hombre que habían crucificado ya había cumplido las profecías en su vida. Ellos fracasaron en interpretar correctamente las profecías, que señalaban la humillación y muerte del Mesías en su primer advenimiento, porque prefirieron exaltar la gloria que acompañaba su segunda venida. Existe peligro en cualquier interpretación de la Biblia que procure satisfacer nuestros intereses egoístas.

¡Oh! ¡Qué lección encierra esta maravillosa historia de Belén!…
¡Cómo nos amonesta a que tengamos cuidado, no sea que por
nuestra criminal indiferencia, nosotros también dejemos de discernir
las señales de los tiempos, y no conozcamos el día de nuestra
visitación![29]

Nacido Bajo la Ley

*Cuando se cumplieron los días de la purificación de ellos, conforme a
la Ley de Moisés, lo llevaron a Jerusalén para presentarlo al Señor.
Lucas 2:22.*

Alos ocho días de edad, Jesús fue circuncidado en obediencia al pacto
de la ley. Nacido "bajo la ley" (Gál. 4:4), ahora debía ser dedicado al Señor
como "primogénito". Los judíos redimían o devolvían al varón primogénito
por la suma de cinco denarios, aproximadamente el sueldo de cinco días. La
ley de Leví decía que la "impureza" de una madre que daba a luz a un varón
duraba 40 días, y luego debería ir al templo para "presentar" al niño y ser
"purificada". Si José y María hubiesen sido ricos, habrían traído un cordero
para ofrenda. Pero sólo tenían dos tortolitas, una para el holocausto y la otra
como ofrenda por el pecado. "Como sustituto del hombre, Jesús debía
conformarse a la ley en todo detalle".[30]

Llevando vestimenta de campesinos, la pareja entró al templo con su
humilde ofrenda y entregó el bebé al sacerdote. Este lo sostuvo delante del altar,
lo devolvió a su madre, y preguntó el nombre del niño para inscribirlo en la lista
de los primogénitos. Una de las primeras responsabilidades de José como padre
legal del niño, era darle un nombre. "El sacerdote cumplió la ceremonia oficial...
No sospechó, al tener al niñito en sus brazos, que se trataba de la Majestad del
cielo, el Rey de gloria. No pensó que ese niño era aquel cuya gloria Moisés había
pedido ver. Pero el que estaba en los brazos del sacerdote era mayor que Moisés;
y cuando dicho sacerdote registró el nombre del niño, registró el nombre del que
era el fundamento de toda la economía judaica... Era Shiloh, el pacificador. Era
Aquel que se presentara a Moisés como el YO SOY... Era Aquel, que de antiguo
predijeran los videntes. Era el Deseado de todas las gentes, la Raíz, la Posteridad
de David, la brillante Estrella de la Mañana".[31]

El niño por el cual la pareja pagó el dinero del rescate, algún día pagaría
el rescate por todos los pecadores. El sacerdote no reconoció al Salvador del
mundo. Sólo vio a dos galileos pobres bendecidos con un hijo varón que les
ayudaría a ganar el sustento diario. Y mientras dedicaba con indiferencia al
Hijo de Dios en el templo, para que llevara a cabo su magnífica obra en favor
de la humanidad, el suceso pasó casi inadvertido.

*Hoy es privilegio nuestro velar esperando "la bendita esperanza, la
gloriosa aparición de nuestro gran Dios y Salvador Jesucristo" (Tito
2:13).*

Mis Ojos Han Visto tu Salvación

Ahora Señor, conforme a tu promesa, despide a tu siervo en paz.
Porque mis ojos han visto tu salvación. Lucas 2:29, 30.

Simeón, un hombre justo y piadoso de Jerusalén, había estado esperando fielmente al Mesías. Dios le había prometido que no gustaría la muerte sin que la profecía del Mesías se cumpliese. Su estudio constante de las Escrituras lo había convencido que vería las profecías cumplidas en su época. A diferencia del sacerdote, cuyos ojos no se fijaron en el Deseado de todas las gentes, a pesar de haberlo sostenido en sus brazos, Simeón había vivido bajo los principios bíblicos. Por lo tanto, no fue la suerte lo que atrajo a Simeón al templo el día que José y María presentaron a Jesús. El Espíritu lo había guiado para estar allí en ese preciso momento. Al acercarse a la escena, sintió la profunda impresión de que ese niño era especial. "Para el sacerdote asombrado, Simeón era un hombre arrobado en éxtasis. El niño había sido devuelto a María, y él lo tomó en sus brazos y lo presentó a Dios, mientras que inundaba su alma un gozo que nunca sintió antes".[32]

María y José conocían la divinidad de su niño; sin embargo no dejaron de asombrarse al ver que un desconocido conocía el secreto que ellos habían guardado. Simeón describió a Jesús como "luz para ser revelada a los gentiles, y la gloria de tu pueblo Israel", palabras que reflejaban el mensaje de los pastores. Su nacimiento era un gozo para *todas* las gentes. Simeón pareció ignorar a José, y se dirigió solamente a María. "Este es puesto para caída y levantamiento de muchos en Israel; por señal de contradicción, y para que se manifiesten los pensamientos de muchos corazones; mientras que a ti una espada traspasará tu corazón"(Luc. 2:34, 35). Esta fue la primera vislumbre del Calvario que María tuvo. Esa madre viviría a la sombra de la cruz.

También Ana, la profetisa que asistía fielmente a los servicios de mañana y tarde, escuchó el testimonio de Simeón. Su corazón fue conmovido y se acercó para alabar a Dios. "Estos humildes adoradores no habían estudiado las profecías en vano. Pero los que ocupaban los puestos de gobernantes y sacerdotes en Israel, aunque habían tenido delante de sí los preciosos oráculos proféticos, no andaban en el camino del Señor, y sus ojos no estaban abiertos para contemplar la Luz de la vida".[33]

Si queremos tener los ojos abiertos durante los últimos días, debemos transitar por el camino del Señor, como lo hicieron Ana y Simeón.

Saldrá Estrella de Jacob

Al ver la estrella, los magos sintieron inmensa alegría. Mateo 2:10.

La esperanza mesiánica se había esparcido entre los judíos hasta los lugares más lejanos de la civilización. La noche del nacimiento, una luz extraña y misteriosa había aparecido en el cielo occidental. Su brillo no se desvaneció, aunque ningún astrólogo la había descubierto antes. Impresionados, los magos del oriente estudiaron sus rollos y descubrieron el significado del símbolo. Tal vez habrán leído Números 24:17: "Saldrá ESTRELLA de Jacob". En sueños recibieron la indicación de ir en busca del Mesías. "Como Abrahán, no sabían al principio adónde debían ir, sino que siguieron a medida que la estrella los guiaba por su camino".[34]

En esos días la gente del Mediterráneo consideraba que el Oriente abarcaba Siria, Arabia y Mesopotamia. Para llegar a Jerusalén tendrían que viajar a pie más de un mes o varias semanas a caballo. Y posiblemente les llevaría más tiempo si viajaban sólo de noche, cuando la estrella estaba más visible. "Esa estrella era un distante grupo de resplandecientes ángeles, pero los sabios lo ignoraban".[35] Los magos llegaron a Jerusalén en torno al tiempo de la dedicación de Cristo en el templo. Al trasponer la cumbre del monte de las Olivas, vieron a Jerusalén extendida a sus pies. Seguramente encontrarían allí alguien que les diera noticias del Mesías y su estrella. Dios los había dirigido a Jerusalén en vez de Belén, para llamar la atención de la nación judía al nacimiento de Cristo. Su visita despertó interés; sin embargo, los dirigentes judíos se ofendieron porque los gentiles se enteraron primero de este acontecimiento.

Herodes temió que se estuviese maquinando un complot contra él. Él era edomita, pero este nuevo Príncipe provenía de David. Reuniendo a los principales de los sacerdotes y los escribas, los interrogó acerca de la profecía mesiánica. Al principio ellos vacilaron, pero al ser amenazados, escudriñaron más profundamente la Escritura. "Ellos le dijeron: 'En Belén de Judea, porque así está escrito por el profeta': 'Tú, Belén de Judá, de ningún modo eres la menor entre los príncipes de Judá, porque de ti saldrá un Guiador, que apacentará a mi pueblo Israel' " (Mat. 2:5, 6). Los sacerdotes y gobernadores podrían haber buscado y encontrado el lugar de nacimiento ellos mismos, pero probablemente hicieron caso omiso al relato de los pastores, pensando que no valía la pena investigar, para no rebajar su dignidad. ¡Ni los informes de esos ricos gentiles, ni los de los humildes pastores lograron persuadirlos a viajar esos ocho kilómetros hasta Belén! "Así empezaron a rechazar a Cristo los sacerdotes y rabinos".[36]

Si el pueblo de Dios quiere encontrarse con Cristo, debe esforzarse en buscarlo. Pero hallarlo no es difícil, porque no se encuentra lejos de nosotros.

Un Herodes no tan Grande

Al oír esto, el rey Herodes se turbó, y toda Jerusalén con él.
Mateo 2:3.

*P*or sobre todo, Herodes era un político. En Roma, donde la situación política tenía tantas variaciones como el curso del Jordán, para sobrevivir había necesitado aguda percepción y gran agilidad. A los últimos enemigos de su reino, los arrinconó en el templo. Allí resistieron durante tres meses; luego Herodes los exterminó en forma atroz con la ayuda de las fuerzas romanas. Cualquiera que en la opinión del rey significara un peligro para su trono, tenía la vida insegura. Gradualmente llegó al punto de no confiar en nadie. Constantemente procuraba descubrir intentos de traición entre sus familiares. El menor indicio bastaba para motivarlo a asesinar a sus parientes más cercanos y a sus mejores amigos. Sus propios dos hijos (Aristóbulo y Alejandro), educados en Roma, a su retorno descubrieron que otro hijo (Antipas) había conspirado contra ellos. Ambos, junto con trescientos de sus simpatizantes, murieron apedreados.

La llegada de los magos a Jerusalén produjo gran excitación. Las noticias también llegaron a oídos de Herodes. Cualquiera que se atreviera a venir a la ciudad declarando que buscaba al rey de los judíos, después de haber visto su estrella en el oriente y que deseaba adorarlo, no podía menos que llamar de inmediato la atención de Herodes. "La venida de Cristo fue el suceso más grandioso que haya tenido lugar desde la creación del mundo. El nacimiento de Cristo, que trajo gozo a los ángeles de cielo, no fue bienvenido entre los poderes reales del mundo. Se despertaron sospechas y envidia en el rey Herodes, y en su perverso corazón hizo planes tenebrosos para el futuro".[37]

La indiferencia de los sacerdotes en esparcir información acerca del Mesías, parecía evidencia de un complot. "No es de extrañarse que toda la ciudad se turbara también, porque sus residentes conocían demasiado bien las atrocidades de las cuales era capaz Herodes. Temeroso de una revuelta popular, bien podría haber decretado la muerte de centenares o de miles de personas".[38] "Esta fue la recepción que el Salvador tuvo cuando vino a este mundo caído".[39]

Por interpretar erróneamente las profecías mesiánicas, los escribas y sacerdotes pusieron en peligro al niño Jesús. La creencia común proclamaba un Mesías temporal que reinaría con poder y gloria en todo el mundo. Satanás promovió esta distorsión. Herodes se propuso matar a Cristo tan pronto como lo encontrara.

La interpretación errónea de las Escrituras es todavía hoy tan peligrosa para nuestra vida espiritual, como lo fue para la seguridad física de Cristo.

Sueños

Y avisados en sueño que no volvieran a Herodes, regresaron a su país
por otro camino. Mateo 2:12.

Herodes invitó entonces a los magos a entrevistarse privadamente con él
para que le ayudaran a encontrar al Niño. Sin sospechar las atrocidades que Herodes
hacía con cualquiera que amenazara su trono, los inocentes extranjeros accedieron
a ayudar. Al atardecer, los magos salieron de Jerusalén, gozosos de ver de nuevo la
estrella. A ocho kilómetros de distancia estaba Belén y el objeto de su búsqueda.
Nada espectacular señalaba el lugar, ni encontraron ninguna guardia real para proteger
al recién nacido Rey. Ellos mismos lo descubrieron en una humilde casa.
Desenvolvieron sus presentes, y postrándose le adoraron. Cuando se visitaba a un
alto oficial o príncipe, era la costumbre llevar un regalo de homenaje. Por eso ellos
presentaron a Jesús tres regalos valiosos: incienso, oro y mirra. El incienso despedía
un olor dulce cuando se lo quemaba en los ritos sagrados. Los antiguos usaban la
mirra en el aceite santo, para hacer perfume, y para embalsamar muertos.

Mediante un sueño, José recibió advertencia de huir a Egipto con María y el
Niño. Egipto era ahora una provincia romana que estaba fuera del alcance de
Herodes. La frontera egipcia era Wadi-el-arish, situada a 160 kilómetros al sureste
de Belén. José se apresuró. "Y mediante los regalos de los magos de un país pagano,
el Señor suministró los medios para el viaje a Egipto y la estada en esa tierra extraña".[40]

Los magos se proponían dar cuenta de su éxito a Herodes, pero en un
sueño recibieron una orden divina de no comunicarse más con él, así que
emprendieron el viaje de regreso a su país por otro camino. Sin embargo, Herodes
esperaba con impaciencia en Jerusalén el regreso de los magos. A medida que
transcurría el tiempo y ellos no aparecían, se despertaron sus sospechas.
Posiblemente los sacerdotes desleales los habían alertado. Tenía que tratarse de
un complot, ya que los magos lo habían evadido. La astucia había fracasado, pero
le quedaba el cruel recurso de la fuerza. El rey envió inmediatamente a Belén un
destacamento de soldados endurecidos, con órdenes de matar a todos los niños
menores de dos años. La cultura hebrea consideraba que los recién nacidos tenían
un año, así que los niños que debían morir todavía no habían alcanzado su
primer cumpleaños. "Tal fue la recepción del Salvador cuando vino a la tierra.
Parecía no haber lugar de descanso o de seguridad para el niño Redentor. Dios
no podía confiar su amado Hijo a los hombres, ni aun mientras llevaba a cabo su
obra a favor de la salvación de ellos".[41]

Nunca debemos olvidar que desde la cuna hasta la cruz, el Padre
también participó activamente en nuestra salvación.

Retorno al Hogar

Levántate, toma al niño y a su madre, y vuelve a Israel; porque han muerto los que procuraban quitar la vida del niño. Mateo 2:20.

La matanza de los inocentes de Belén había ensombrecido el largo y sangriento reinado de Herodes. Cuando murió, aproximadamente el año 4 a.C., en su testamento dividió el reino entre los hijos que le quedaban. Arquelao, el mayor, recibió Judea, Samaria e Idumea, llegando a ser un "etnarca" o "gobernador de la gente". Herodes Antipas llegó a ser "tetrarca" de Galilea y Perea, es decir, "gobernador de la cuarta parte de una provincia". Felipe, también un "tetrarca", gobernó los seis distritos del noroeste. Una comisión judía pidió al emperador Augusto que colocara Palestina directamente bajo un gobernador romano, antes que obligar a la nación a someterse a los hijos de Herodes. El que esos dirigentes judíos tan orgullosos e independientes estuvieran dispuestos a llegar a esos extremos con tal de no quedar bajo el gobierno de los descendientes de Herodes, nos dice mucho. Desafortunadamente, Augusto confirmó el testamento de Herodes.

Arquelao era un tirano, cruel como su padre. En el año 6 a.C., Augusto lo desterró a Galia y colocó Judea y Samaria bajo un procurador romano. (En torno al año 26 d.C., Poncio Pilato fue nombrado procurador). Antipas gobernó bien porque fue astuto. Jesús se refirió a él como "ese zorro" por su habilidad de evitar trampas e intrigas. El hijo tenía gran amistad con Tiberio, sucesor de Augusto como emperador, en el año 14 d.C. En honor de Tiberio, Antipas construyó la ciudad de Tiberias, a la orilla occidental del Mar de Galilea y trató de cambiar el nombre del lago a "Mar de Tiberias". Felipe fue el mejor gobernador. Su matrimonio con Salomé, hija de Herodías, afirmó los vínculos con su hermano Antipas en Galilea. Felipe construyó su capital cerca de una de las fuentes del Jordán y la llamó Cesarea, en honor al emperador. Como ya existía una ciudad con ese nombre cerca del Mediterráneo, la ciudad de Felipe llegó a conocerse como Cesarea de Filipo.

En ese tiempo de caos en el mundo político, José recibió su tercer sueño de que haya registro. En él se le avisó que ya podía volver a la tierra de Israel. "Considerando a Jesús como heredero del trono de David, José deseaba establecerse en Belén; pero al saber que Arquelao reinaba en Judea en lugar de su padre, temió que los designios del padre contra Cristo fuesen llevados a cabo por el hijo".[42] En vez de ello, decidió volver a su tierra de Nazaret. Su retorno fue el cumplimiento de la profecía: "Cuando Israel era muchacho, yo lo amé y de Egipto llamé a mi hijo" (Ose. 11:1).

Al estudiar las profecías del Antiguo Testamento y notar la forma exacta como cada una se cumplió, el cristiano reafirma su fe en la Palabra de Dios.

Un Nazareno

Al llegar, habitó en el pueblo de Nazaret. Así se cumplió lo que
dijeron los profetas, que Jesús había de ser llamado nazareno.
Mateo 2:23.

En las alturas de las colinas de Galilea, al norte de Samaria y a varios días de viaje al norte de Jerusalén, se encuentra la pequeña ciudad de Nazaret, aproximadamente a mitad de camino (27 km) entre la orilla sur del Mar de Galilea al este, y el Mediterráneo al oeste. Probablemente ocupaba la ladera occidental en una extensión de unos dos kilómetros hacia la planicie de Esdraelón. Hacia el norte estaban las montañas del Líbano y el monte nevado de Hermón.

Nazaret era tan pequeña que no se encontraba ni aun entre las 200 ciudades que el historiador Josefo enumeró. En el tiempo de Cristo, Galilea era una provincia rural que contenía una mezcla de judíos y gentiles. Muchos la consideraban "atrasada" y por lo general menos refinada que Judea. Aun entre los galileos, Nazaret tenía mala reputación. Natanael simplemente expresó la opinión común acerca de los nazarenos cuando preguntó "¿Puede salir algo bueno de Nazaret?" Este fue el lugar al que llegaron Jesús y sus padres después de salir de Egipto. "A qué grado debe haberse humillado el Hijo de Dios, que tuvo que vivir en una ciudad tan mala y despreciada como era Nazaret. El lugar más santo de la tierra hubiera sido profundamente honrado por la presencia del Redentor del mundo por un año. Para los palacios de los reyes hubiera sido una exaltación el recibir a Cristo como su huésped. Pero el Redentor del mundo se privó de los atrios reales e hizo su hogar en una insignificante ciudad de la montaña por 30 años, dando distinción así a la despreciada Nazaret".[43]

Poco conocemos de la niñez de Cristo. Rodeado por la naturaleza y enseñado por su madre, pasó sus primeros años continuamente expuesto a las tentaciones. Tenía que estar constantemente en guardia para mantenerse puro y sin mácula entre tanto pecado y maldad. "Cristo mismo no escogió ese lugar. Su Padre celestial se lo eligió, para que su carácter fuese probado de diversos modos. La vida temprana de Cristo fue sometida a severas pruebas, dificultades y conflictos a fin de que desarrollase el carácter perfecto que hace de él el modelo para la infancia, la juventud y la edad madura".[44]

La dedicación a Dios y la devoción al deber hacen que cualquier
lugar sea honorable.

La Luz de la Gracia de su Padre

Y el niño crecía, se fortalecía, y se llenaba de sabiduría. Y la gracia de Dios estaba sobre él. Lucas 2:40.

"**E**n los días de Cristo, el pueblo o ciudad que no hacía provisión para la instrucción religiosa de los jóvenes, se consideraba bajo la maldición de Dios. Sin embargo, la enseñanza había llegado a ser formalista".[45] Jesús no recibió instrucción en la sinagoga. El trabajo útil, el estudio de la naturaleza, el escudriñamiento de las Escrituras y las cosas que lo rodeaban en la vida diaria de una pequeña aldea, eran como libros de texto de la escuela de Dios, que le ayudaban a desarrollar su mente. Su conocimiento y sabiduría sobrepasaban la de sus compañeros.

En su criterio, los escribas y ancianos pensaban que podrían fácilmente moldear a un niño tan gentil y dócil. Sin embargo, mientras más lo intentaron, más descubrieron que su sabiduría era superior a la de ellos. "No pudiendo convencerle, buscaron a José y María y les presentaron su actitud disidente. Así sufrió él reprensión y censura".[46] A veces María le rogaba que contemporizara con sus enseñanzas, pero nada podía persuadirlo a desviarse de sus principios; por eso los rabinos le hicieron la vida muy amarga. "Aun en su juventud tuvo que aprender la dura lección del silencio y la paciente tolerancia".[47]

"La vida de Cristo estaba señalada por el respeto y el amor hacia su madre".[48] Amaba a sus hermanos pero ellos lo despreciaban; y no eran los únicos. "Había quienes trataban de vilipendiarle a causa de su nacimiento, y aun en su niñez tuvo que hacer frente a sus miradas escarnecedoras e impías murmuraciones. Si hubiese respondido con una palabra o mirada impaciente, si hubiese complacido a sus hermanos con un solo acto malo, no habría sido un ejemplo perfecto".[49] Cuando se negaba a participar en algún acto prohibido, sus amigos lo acusaban de cobarde y raro. Sin embargo, recibía los insultos con paciencia. Aunque evitaba las dificultades, su ejemplo inmaculado era una reprensión constante para los pecadores que lo rodeaban. "El perfecto desarrollo del carácter sin pecado de Jesús, desde la niñez hasta la juventud, es quizá el hecho más admirable de toda su vida. Asombra a la imaginación".[50]

Satanás fue incansable en sus esfuerzos por vencer al Niño de Nazaret. Desde sus primeros años, Jesús fue guardado por los ángeles celestiales; sin embargo, su vida fue una larga lucha contra las potestades de las tinieblas... [Satanás] no dejó sin probar medio alguno de entrampar a Jesús.

"Ningún hijo de la humanidad tendrá que llevar una vida santa en medio de tan fiero conflicto con la tentación como nuestro Salvador".[51]

Conforme a la Costumbre

Cuando él tuvo doce años, subieron a Jerusalén conforme a la costumbre de la fiesta. Lucas 2:42.

El año duodécimo separaba a un niño judío de la niñez. Al cumplir 13 años de edad, (al fin del duodécimo año), un joven hebreo tomaba en sus manos la responsabilidad de observar los mandamientos. En la época de Cristo, todos los hombres de Israel debían presentarse delante del Señor en Jerusalén durante las fiestas anuales de la Pascua, Pentecostés y la fiesta de las Cabañas. Los israelitas devotos viajaban de todas partes hacia el templo. Para ellos la Pascua era la fiesta religiosa más importante del año.

Nazaret estaba a unos 140 km al norte de Jerusalén. Samaria se interponía entre los peregrinos y la ciudad santa. "Los judíos que viajaban de Galilea a Judá en los días de Jesús, evitaban, si les era posible, tomar la ruta más corta que pasaba por Samaria, debido a la hostilidad entre judíos y samaritanos".[52] Para lograrlo, tenían que tomar un atajo por el valle del Jordán. La mayoría bajaba hacia el río por senderos escabrosos y empinados, subiendo luego unos mil metros hasta llegar a Jerusalén.

El tiempo de la Pascua ocurría a fines de marzo o principios de abril. El clima era templado y la tierra se vestía de la primavera. Los peregrinos viajaban juntos para seguridad y compañerismo. A menudo una caravana estaba formada de los habitantes de un solo pueblo. Los vecinos planeaban la excursión con varias semanas de anticipación. Cuando los devotos llegaban a Jerusalén, contaban una y otra vez los relatos de la liberación de Egipto. Los sacerdotes sacrificaban el cordero de la Pascua el día catorce, y la gente lo comía después de la puesta del sol del día quince. Ese era el primero de los siete días de la Fiesta de los Panes sin Levadura (ázimos). El día dieciséis, el sacerdote mecía una gavilla de cebada delante del Señor. Los días 15 y 21 del mes eran considerados días de reposo, aunque cayeran en cualquier día de la semana. Los días del 14 al 16 eran considerados como los más importantes. Después del 16, los que tenían que volver a sus casas podían hacerlo.

"Todas las ceremonias de la fiesta eran figuras de la obra de Cristo. La liberación de Israel del yugo egipcio era una lección objetiva de la redención, que la Pascua estaba destinada a rememorar. El cordero inmolado, el pan sin levadura, la gavilla de las primicias, representaban al Salvador".[53]

¿Ha llegado a ser mero formalismo nuestra experiencia religiosa? Oremos para que Dios abra nuestros ojos y podamos experimentar una comprensión más profunda y amplia de las cosas de Dios.

Los Negocios de mi Padre

Tres días después lo hallaron en el templo, sentado en medio de los
maestros, oyéndolos, y preguntándoles. Lucas 2:46.

José y María cumplieron con asistir a la Pascua y comenzaron a volver.
Ninguno tenía la menor duda de que Jesús iba con el grupo que los acompañaba.
Durante esos viajes los peregrinos compartían entre sí el cuidado de sus hijos.
"Jesús nunca había dado a sus padres una razón válida para que se inquietaran.
Pensaron que él conocía los planes de ellos de regresar con 'la compañía', y que
sabía cuándo debían partir".[54] Día tras día, mientras los sacerdotes llevaban a
cabo los servicios pascuales, Jesús veía con creciente claridad que su significado
se aplicaba a él, y el misterio de su misión le fue revelado. Al darse cuenta que
él era el Hijo de Dios, entró al templo para comprender más profundamente
su misión y comunicarse con Dios a solas.

Mientras meditaba, se sintió atraído a uno de los pórticos techados del templo.
Allí, los rabinos hacían que sus alumnos se sentaran en el suelo mientras ellos les
enseñaban las Escrituras. Comentaban algún pasaje y respondían las preguntas de
los alumnos. Jesús se acercó para escucharlos. Les hizo agudas preguntas, porque
deseaba saber qué interpretación daban a las profecías que hablaban de la venida
del Mesías. Pronto se dieron cuenta que Jesús era un alumno prodigioso. Se sintieron
asombrados por sus sabias respuestas a las difíciles preguntas que le hacían. Jesús
conocía las Escrituras con amplitud y profundidad. Las explicaba con originalidad
e inteligencia. En seguida vieron en él a un futuro maestro de Israel. Todos deseaban
asegurárselo como alumno, para educarlo bajo su dirección.

Al detenerse la caravana a descansar, por fin José y María descubrieron la
ausencia de Jesús. El temor se apoderó de sus corazones al recordar las intenciones
que Herodes había tenido, de matarlo en su infancia. ¿Cómo pudieron ser tan
descuidados? Volviendo a Jerusalén, comenzaron la búsqueda. Al día siguiente,
en el templo, oyeron de pronto una voz familiar. Al hallarlo en la escuela de los
rabinos, su madre lo reprendió por causarles esa preocupación. En la respuesta
que dio a su madre, Jesús demostró por primera vez que comprendía su relación
especial con Dios. "'¿Por qué me buscabais?... ¿No sabíais que en los negocios
de mi Padre me conviene estar?' Y como no parecían comprender sus palabras,
él señaló hacia arriba. En su rostro había una luz que los admiraba. La divinidad
fulguraba a través de la humanidad".[55]

Jesús no merecía la censura, porque él no los había abandonado.
Ellos habían sido los que lo dejaron. Él jamás nos abandona; somos
nosotros los que elegimos separarnos de él.

El Hijo del Carpintero

Entonces descendió con ellos a Nazaret, y estaba sujeto a ellos. Lucas 2:51.

María se dio cuenta en el templo que Jesús tenía en mente su relación con su Padre celestial y no con José. "María había ponderado estas palabras en su corazón; sin embargo, aunque creía que su hijo había de ser el Mesías de Israel, no comprendía su misión".[56] Así como Jesús había estado separado de ella por tres días, cuando fuese ofrecido por los pecados del mundo, lo volvería a perder por tres días. Aunque su misión ahora estaba clara, Jesús siempre se mantuvo fiel a sus padres. Regresó a su hogar con José y María, y durante 18 años guardó en su corazón el secreto de su misión. Cada mañana meditaba, escudriñaba las Escrituras y oraba.

Jesús llegó a ser conocido como "el hijo del carpintero" (Mat. 13:55). "Estaba haciendo el servicio de Dios tanto cuando trabajaba en el banco del carpintero como cuando hacía milagros para la muchedumbre".[57] Su trabajo era tan perfecto como su carácter. "Durante toda su vida terrenal, Jesús trabajó con fervor y constancia. Esperaba mucho resultado; por lo tanto intentaba grandes cosas".[58] Hacía todas sus tareas con gozo y eficacia. A menudo su familia escuchaba las palabras de un Salmo o algún canto mientras trabajaba. "Trabajó con su padre José en el oficio de carpintero, y cada objeto que hizo lo hizo bien, con sus diferentes partes coincidiendo exactamente de manera que todo el objeto podía soportar la prueba".[59] Cuando Jesús respondió al mensaje de Juan el Bautista, José ya había muerto, porque "en Nazaret [el llamado de Juan] repercutió en la carpintería *que había sido* de José y Uno reconoció el llamamiento".[60]

Diariamente el Rey de gloria recorría las calles de la pequeña aldea, rumbo a la carpintería, y de vuelta al hogar. "Cristo había sido el Jefe de las huestes celestiales; sin embargo, no tomó esto como excusa para evadir el trabajo, dejando que sus padres lo mantuviesen. Desde muy joven, aprendió a trabajar y fielmente cumplía con sus responsabilidades diarias, contribuyendo así al mantenimiento de la familia. Cristo era la luz y el gozo de la familia".[61] Los ángeles se maravillaban de que Jesús se hubiera humillado a tomar la forma humana y aceptar una vida de oscuridad y trabajo duro.

Los cristianos deberíamos esperar mucho, intentar mucho y lograr mucho, porque al seguir su ejemplo podemos obtener fuerzas para enfrentar las labores diarias.

Creciendo en Gracia

Y Jesús crecía en sabiduría, en estatura, y en gracia ante Dios y ante los hombres. Lucas 2:52.

Jesús pasó sus primeros 30 años de vida en una pequeña aldea de montaña, preparándose para su breve ministerio de tres años y medio. Durante ese tiempo no realizó milagros, no predicó sermones ni sanó enfermos. "La vida de Cristo en Nazaret había sido tan apartada del mundo que no lo conocían como el Hijo de Dios, su Redentor. Era considerado sólo como el hijo de José y María. Su vida en la niñez y la juventud fue admirable. Su silencio en cuanto a su elevado carácter y misión presenta una lección instructiva para toda la juventud".[62] La vida sencilla de Jesús desarrolló sus poderes espirituales, mentales y físicos. Temprano en la mañana se alejaba a un lugar desolado para leer las Escrituras, meditar y orar. Rodeado de las escenas de la naturaleza, desarrollaba ilustraciones que más tarde llegarían a ser parábolas. "Toda profecía concerniente a su trabajo y meditación le resultaba familiar, especialmente lo que tenía que ver con la humillación, el juicio y la intercesión. En su niñez y juventud el objeto de su vida siempre estaba frente a él, lo cual lo movía para realizar la tarea de meditar en favor de los caídos".[63]

Desde que, a los doce años, comprendió la misión que debía cumplir, hasta el momento que entregó su Espíritu al Padre, el peso de la responsabilidad por la salvación de la humanidad nunca le fue levantado. ¿Quién puede apreciar la carga que él llevó sin quejarse? Su vida fue abnegada y sacrificada. Siempre estaba dispuesto a servir; "vivió para beneficiar a otros".[64] Era siempre bondadoso y considerado, y tomaba la parte del oprimido. Cuando sus hermanos trataban con dureza a alguna persona, Jesús la buscaba y le dirigía palabras de aliento. "Daba un vaso de agua fría a los menesterosos y ponía quedamente su propia comida en sus manos".[65]

Resultaba un gozo estar en la compañía de Jesús. Demostrando paciencia, tacto, cortesía, gozo y simpatía, caminaba entre los impacientes, rudos, descorteses, fríos y crueles habitantes de Nazaret. Su religión pura y sin mácula llevaba la bondad de su Padre a los que necesitaban ánimo. "Jesús es nuestro ejemplo. Son muchos los que se espacian con interés en el período de su ministerio público, mientras pasan por alto la enseñanza de sus primeros años. Pero es en su vida familiar donde es el modelo para todos los niños y jóvenes".[66]

Al crecer en la sabiduría que viene del Señor, podremos servir a otros como él lo hizo.

COMIENZO DEL MINISTERIO
Cristo, nuestro Ejemplo

Otoño del 27 d.C. a la Primavera del 28

Mateo 3:1-4:11

Marcos 1:3-13

Lucas 3:1-4:13

Juan 1:19-2:12

El Deseado de todas las gentes, pp. 72-127

Grande Ante la Vista del Señor

Y el niño crecía y se fortalecía en espíritu. Y vivió en lugares desiertos hasta que se manifestó a Israel. Lucas 1:80.

El Antiguo Testamento concluye (Mal. 3:1; 4:5, 6) y el Nuevo Testamento comienza (Luc. 1:16) con el tema de que "hará volver a muchos... al Señor su Dios". La codicia, lujuria, glotonería e incapacidad de discernir las cosas espirituales, habían rebajado al pueblo de Dios de la elevada condición que debía haber mantenido. Ellos esperaban a un Mesías que librara a Israel del gobierno romano. A pesar de haber leído las mismas Escrituras, Juan el Bautista comprendió que Israel sería una nación santa sólo cuando el pueblo despertara de su letargo. ¡Debían tener algo en lo cual creer! El propósito central del ministerio de Juan era preparar el camino para que el pueblo aceptara a Jesús de Nazaret como el Mesías. Antes que los hijos de Israel pudiesen aceptar el Evangelio de Jesús, tenían que reconocer primero su necesidad de salvación.

Los padres de Juan murieron durante su niñez, y Dios lo llamó al desierto de Judea para cumplir su misión. "Porque él será grande ante el Señor... y hará volver a muchos israelitas al Señor su Dios" (Luc. 1:15, 16). Fue en el desierto lóbrego y desolado, entre el Mar Muerto y las alturas del sur de Palestina, que Juan estableció su hogar. A solas, en las noches silenciosas del desierto, escuchaba la voz de Dios. Las estrellas expandían su inteligencia para comprender mejor el ilimitado amor de Dios. Rodeado de colinas áridas, desfiladeros salvajes y cuevas rocosas, Juan el Bautista aprendió que la meditación silenciosa en la voluntad de Dios era esencial para enfocar nuestros afectos en los asuntos eternos. "Cuando todas las demás voces quedan acalladas, y en la quietud esperamos delante de él, el silencio del alma hace más distinta la voz de Dios".[67]

Dedicado a Dios como nazareo desde su nacimiento, hizo él mismo voto de consagrar su vida a Dios. Aun en la soledad del desierto Satanás trató de tentarlo, pero con la ayuda del Espíritu Santo logró reconocer los ataques y pudo resistir su poder. De vez en cuanto, viajaba a las aldeas cercanas para observar a la gente y aprender cómo acercarse a ellos con su mensaje.

El mensaje original de Juan, proclamado en la primera venida de Jesús, de nuevo será proclamado por todo cristiano antes de su segunda venida: "Arrepentíos, que el reino de los cielos se ha acercado!" (Mateo. 3:2).

Carácter y Vida

Así, Juan el Bautista fue al desierto, y predicaba el bautismo del arrepentimiento para el perdón de los pecados. Marcos 1:4.

Había agitación y confusión en Judea. Por fin Roma había quitado del poder a Arquelao el tirano, hijo de Herodes el Grande, y colocado a Judá directamente bajo un gobernador romano. Ahora la gente estaba expuesta a prácticas introducidas por los gobernadores paganos. Los fariseos predicaban la estricta observancia de la ley, mientras la resistencia fanática predicaba la revolución. De pronto, un mensaje nuevo y diferente surgió del desierto. El que lo traía estaba vestido como los profetas de la antigüedad, y apareció junto al río Jordán con el poder de Elías. Su mensaje: "Arrepentíos, porque el reino de los cielos se ha acercado", hacía que la gente recordara los antiguos profetas. Despertada de su sueño, la nación se congregó a orillas del Jordán.

El río Jordán se extiende por 320 kilómetros para cubrir los 104 km que hay en línea recta desde el Mar de Galilea hasta el Mar Muerto. Aunque su anchura es de unos treinta metros y su profundidad de uno a tres metros, tiene partes caudalosas. Era el mismo río lodoso donde Naamán rehusó bañarse cuando Eliseo le dijo que lo hiciera para curarse de la lepra (2 Rey. 5:1-15). La misma corriente turbia que una vez se abrió milagrosamente para conquistar Canaán, de nuevo llegó a ser el centro de atención del pueblo de Dios.

Multitudes se congregaban para escuchar a Juan, que con valor llamaba a toda la nación a que abandonasen el pecado y se preparasen para recibir al Mesías. Muchos confesaron su estado espiritual y pidieron ser bautizados. El bautismo era sólo un símbolo. Sin el verdadero arrepentimiento era un gesto inútil. Sin embargo, muchos escribas, saduceos y fariseos se bautizaban por hallar favor ante el Príncipe venidero. Pero Juan se dio cuenta que eran unos oportunistas y les hizo frente con la abrumadora pregunta: "¡Oh generación de víboras! ¿Quién os enseñó a huir de la ira que vendrá? Haced, pues, frutos dignos de arrepentimiento" (Mat. 3:7-8). Ellos no ayudaban a los necesitados, no atendían a las viudas, no protegían a los débiles, no alimentaban a los hambrientos, ni socorrían al extranjero. "Juan declaró a los judíos que su situación delante de Dios había de ser decidida por su carácter y su vida. La profesión era inútil. Si su vida y su carácter no estaban en armonía con la ley de Dios, no eran su pueblo".[68]

"Dios no envía mensajeros para que adulen al pecador. No da mensajes de paz para arrullar en una seguridad fatal a los que no están santificados. Impone pesadas cargas a la conciencia del que hace mal, y atraviesa el alma con flechas de convicción".[69]

Voz de Uno que Clama en el Desierto

Este es aquel de quien el profeta Isaías dijo: "Voz que clama en el desierto.
Preparad el camino del Señor. Enderezad sus sendas". Mateo 3:3.

*L*os profetas del Antiguo Testamento predijeron la misión de Juan cuando escribieron: "Yo envío mi mensajero, que preparará el camino delante de mí" (Mal. 3:1). "Voz que clama: 'Preparad en el desierto el camino al Señor, enderezad calzada en la soledad a nuestro Dios'" (Isa. 40:3). Juan se refirió a sí mismo como la "voz" de Isaías 40:3 (Juan 1:23); y Jesús lo llamó el "mensajero" de Malaquías 3:1 (Mat. 11:7-14).

Los antiguos reyes enviaban mensajeros para anunciar a sus súbditos las visitas que planeaban hacerles. Se esperaba que los habitantes organizaran el trabajo en detalle para "preparar" la ruta por la cual el rey viajaría. Por lo regular, los caminos estaban en muy mal estado, así que grupos de trabajadores parchaban los hoyos y nivelaban la carretera hasta que estuviese lo suficientemente llana para la carroza del rey. La gente comprendió el mensaje de Juan: su Príncipe vendría, por lo tanto deberían prepararse para su llegada; pero la obra a la cual Juan se refería, envolvía la preparación de sus corazones. "Había esperado que las alturas del orgullo y el poder humano fuesen derribadas".[70]

El ministerio de Juan comenzó en Judea con el fin de dar primero la oportunidad a los sacerdotes y gobernantes para que escuchasen y aceptasen su mensaje. Las multitudes aumentaban conforme los que lo escuchaban volvían a sus lugares con informes favorables. El poder del mensaje, así como la curiosidad, hacía que la gente viajara hacia el desierto para escuchar y ser bautizados por el nuevo profeta. El bautismo no era algo nuevo; Juan no había inventado este rito. Los judíos bautizaban a los prosélitos sumergiendo completamente sus cuerpos en el agua. Ese bautismo fue aceptado, porque la delegación enviada a interrogar a Juan "el Bautista" no desafió el rito, sino su autoridad de realizarlo (Juan 1:18-28). En los tiempos del Antiguo Testamento se consideraba el bautismo como una forma simbólica de lavar los pecados. El mensaje de Juan era muy diferente del concepto comúnmente aceptado en el Nuevo Testamento, el cual reservaba el bautismo para los gentiles que se convertían. ¡Pero Juan estaba llamando a los judíos para que se bautizaran! Para un judío ya no era suficiente ser descendiente de Abrahán. "Todos los que se hacían súbditos del reino de Cristo, decía él, debían dar evidencia de fe y arrepentimiento... En su vida diaria, se notará la justicia, la misericordia y el amor de Dios".[71]

La verdadera prueba de conversión, hoy como entonces, es una vida
transformada.

El Bautismo

Entonces Jesús vino de Galilea a Juan, al Jordán, para ser bautizado por él. Mateo 3:13.

*L*as noticias referentes al profeta del desierto llegaron a la pequeña carpintería de Nazaret. Durante seis meses Juan había presentado su mensaje, y ahora estaban por comenzar las fiestas otoñales: Rosh Hashanah, Yom Kippur y la Fiesta de las Cabañas. "Dejando su trabajo diario, se despidió de su madre, y siguió en las huellas de sus compatriotas que acudían al Jordán".[72]

Jesús y Juan eran primos; sin embargo no se habían comunicado directamente uno con el otro. "La Providencia lo había ordenado así. No debía haber ocasión alguna de acusarlos de haber conspirado juntos para sostener mutuamente sus pretensiones".[73] Cuando era niño, Juan había oído hablar de la visita al templo de Jerusalén. Creía que Jesús era el Mesías, aunque sin tener seguridad positiva de ello, por el hecho de que Jesús había quedado durante tantos años en Nazaret sin anunciar su misión. Se le había revelado que el Mesías vendría a pedirle el bautismo y que recibiría una señal divina cuando el momento llegase. Así, Juan aguardaba pacientemente que el Hijo de Dios se manifestara.

.   Un día mientras Juan predicaba, Jesús se presentó y pidió el bautismo. Juan reconoció en él una pureza de carácter que nunca había visto en nadie. "La misma atmósfera de su presencia era santa e inspiraba reverencia".[74] ¿Cómo podía Juan bautizar al que era santo? El Bautista quiso negarse, exclamando: "Yo necesito ser bautizado por ti, ¿y tú vienes a mí?" (Mat. 3:14). ¿Cómo podía él ofrecer el bautismo de arrepentimiento a Aquel tan puro y sin pecado? "Con firme aunque suave autoridad, Jesús contestó: 'Deja por ahora, porque así nos conviene cumplir toda justicia'".[75] Y Juan, cediendo, condujo a Jesús al Jordán. Identificándose con los pecadores, el Salvador dejó un ejemplo para sus seguidores.

"El que Cristo se sometiera al bautismo de Juan confirmó el ministerio del Bautista y colocó el sello de aprobación celestial sobre él".[76] El bautismo del Mesías fue el acto de coronación del ministerio de Juan. De allí en adelante Juan se dio cuenta que Cristo debería crecer y él menguar en importancia. Después de salir del agua, Jesús se arrodilló en oración a orillas del río. "Se estaba abriendo ante él una era nueva e importante".[77] Ya no era más un simple ciudadano de Nazaret. Jesús ahora comenzaría su ministerio público.

¿Oramos antes de comenzar una nueva tarea?

Mi Hijo Amado

Cuando todo el pueblo era bautizado, Jesús también fue bautizado.
Y mientras él oraba, el cielo se abrió. Lucas 3:21.

Lucas es el único autor que menciona la oración de Cristo a orillas del Jordán. Jesús sabía que los judíos no buscaban la clase de reino que él traía. Sabía que tendría que enfrentar la disensión, la mentira, la discordia y la vileza. "Debía hollar la senda y llevar la carga solo. Sobre Aquel que había depuesto su gloria y aceptado la debilidad de la humanidad, debía descansar la redención del mundo. Él lo veía y sentía todo, pero su propósito permanecía firme. De su brazo dependía la salvación de la especie caída, y extendió su mano para asir la mano del Amor omnipotente".[1] De allí en adelante su vida sería muy diferente de la que había dejado atrás en Nazaret.

Para enfrentar la tarea que le esperaba, Jesús tendría que depender constantemente del amor del Padre. Allí, a orillas del Jordán, obtuvo evidencia de que Dios, el Padre, había aprobado su humanidad. Con lágrimas rogó por nosotros. "Nunca antes habían escuchado los ángeles semejante oración. Ellos anhelaban llevar a su amado Comandante un mensaje de seguridad y consuelo. Pero no; el Padre mismo contestará la petición de su Hijo. Salen directamente del trono los rayos de su gloria".[2] Por un momento las puertas del invisible mundo se abrieron, y Jesús vio al Espíritu Santo descender como paloma de luz. La paloma es muy significativa, porque representaba el símbolo con que los rabinos designaban a la nación de Israel. Mientras Cristo oraba para obtener fuerza, sabiduría y ayuda en su misión, el Espíritu Santo lo ungió con un poder especial para que cumpliera la tarea que le esperaba.

Fuera de Juan, pocos vieron la manifestación celestial. Los que se congregaron a orillas del Jordán observaban en silencio la figura de Jesús arrodillado. Una luz que nunca antes habían visto glorificó su rostro vuelto hacia el cielo, y escucharon una voz que decía: "Este es mi Hijo amado, en el cual tengo contentamiento". Cuando Dios dijo: "Este es mi Hijo amado", incluyó a toda la humanidad. Dios aceptó a su Hijo como *nuestro* representante. Dios todavía nos ama. "Por el pecado, la tierra quedó separada del cielo y enajenada de su comunión; pero Jesús la ha relacionado otra vez con la esfera de gloria. Su amor rodeó al hombre, y alcanzó el cielo más elevado.

"La luz que cayó por los portales abiertos sobre la cabeza de nuestro
Salvador, caerá sobre nosotros mientras oremos para pedir ayuda con
que resistir a la tentación".[3]

En el Desierto

Lleno del Espíritu Santo, Jesús volvió del Jordán, y fue llevado por el
Espíritu al desierto. Lucas 4:1.

Luego de su bautismo, Jesús fue al desierto para meditar y contemplar el sacrificio que debía hacer por la humanidad. Su triunfo recobraría el dominio que Adán había perdido en el Edén. Estaba por intensificarse entre Dios y Satanás la gran batalla por los habitantes de esta tierra. "Al nacer Jesús, Satanás supo que había venido un Ser comisionado divinamente para disputarle su dominio. Tembló al oír el mensaje del ángel que atestiguaba la autoridad del Rey recién nacido. Satanás conocía muy bien la posición que Cristo había ocupado en el cielo como amado del Padre. El hecho de que el Hijo de Dios viniese a esta tierra como hombre le llenaba de asombro y aprensión. No podía sondear el misterio de este gran sacrificio. Su alma egoísta no podía comprender tal amor por la familia engañada".[4]

Satanás no podía creer que el Generalísimo de las huestes celestiales se rebajara tanto, al grado de adoptar las limitaciones de la degenerada humanidad. ¿Por qué Cristo había dejado los recintos celestiales por las colinas de la tierra? ¿Por qué el Padre y el Hijo valoraron tanto a los seres humanos que procuraron rescatarlos? El engañador decidió atacar cuando Jesús estaba físicamente débil, hambriento y agotado mentalmente. Después de haber pasado 40 días rodeado de la gloria del Padre, Jesús se sintió solo cuando ésta se alejó. Ahora estaba más vulnerable que nunca ante el poder sutil del tentador.

"Las tentaciones de Satanás continuaron durante todos los 40 días del ayuno de Jesús. Las tres tentaciones mencionadas en los versículos 3-13 [de Lucas 4] representan la culminación de las mismas, y tuvieron lugar hacia el final del período".[5]

"Muchos sostienen que era imposible que Cristo fuera vencido por la tentación... Pero nuestro Salvador tomó la humanidad con todo su pasivo. Se vistió de la naturaleza humana, con la posibilidad de ceder a la tentación. No tenemos que soportar nada que él no haya soportado".[6] Jesús fue sometido continuamente a la tentación desde su nacimiento. Si Jesús no hubiese poseído todas las debilidades humanas, sus victorias habrían sido inútiles para nosotros. El poder de la Palabra lo sostuvo y la permanencia del Espíritu Santo lo fortalecía, pero la prueba era severa.

"Ni siquiera por un pensamiento cedió a la tentación. Así también
podemos hacer nosotros".[7]

No Sólo de Pan Vive el Hombre

Pero Jesús respondió: "Escrito está: 'No sólo de pan vive el hombre, sino de toda Palabra que sale de la boca de Dios' ". Mateo 4:4.

No sabemos el lugar exacto de la tentación, pero la tradición lo ubica en la zona árida y rocosa del occidente de Jericó. Es posible también que Jesús haya ido al oriente del Mar Muerto, al lugar donde está el monte Nebo. Jesús no invitó la tentación, ni se colocó en el terreno de Satanás. "Antes de venir a la tierra, el plan estuvo delante de él, perfecto en todos sus detalles. Pero mientras andaba entre los hombres, era guiado, paso a paso, por la voluntad del Padre".[8] Después de pasar 40 días sin alimentos, Jesús estaba físicamente débil. Satanás había presenciado el bautismo de Jesús, había visto la gloria del Padre descender sobre su Hijo, y había oído a Dios llamarlo su Amado Hijo. Sabiendo la importancia de lo que estaba en juego, Satanás se dio cuenta que no podía confiar la tentación del Hijo de Dios a uno de sus ángeles malos. Debía él mismo realizar la seducción del Embajador divino a la humanidad.

De la misma forma como lo hiciera en el Jardín del Edén miles de años antes, Satanás estaba tratando ahora de separar para siempre a los seres humanos de su Dios. La tentación de la indulgencia propia por la cual Adán cayó es una de las pruebas más fieras. Disfrazando su apariencia, Satanás se acercó a Jesús. "Cuando el tentador vino a él, le dijo: 'Si eres Hijo de Dios, di que estas piedras se hagan pan'. Aunque se presentó como ángel de luz, delataban su carácter estas primeras palabras: 'Si eres Hijo de Dios'. En ellas se insinuaba la desconfianza".[9] Satanás estaba resuelto a hacer que Jesús dudara de las palabras que su Padre había pronunciado en su reciente bautismo.

En su afán de confundir al debilitado Salvador, Satanás mezcla la verdad con el error y la prueba llega a ser más sutil. "Uno de los ángeles más poderosos, dijo, ha sido desterrado del cielo. El aspecto de Jesús indica que él es aquel ángel caído, abandonado de Dios y de los hombres".[10] De inmediato, Jesús reconoció a Satanás y rehusó entrar en conflicto. No probaría su divinidad con un milagro. "Ni en esta ocasión, ni en ninguna otra ulterior en su vida terrenal, realizó él un milagro en favor suyo. Sus obras admirables fueron todas hechas para beneficio de otros".[11]

"Toda promesa de la Palabra de Dios nos pertenece... Cuando nos veamos asaltados por las tentaciones, no miremos las circunstancias o nuestra debilidad, sino el poder de la Palabra. Toda su fuerza es nuestra".[12]

Que te Sostengan

"Si eres el Hijo de Dios, échate abajo, que escrito está: 'A sus ángeles mandará por ti que te sostengan en sus manos, para que tu pie no tropiece en piedra'". Mateo 4:6.

Satanás siguió presionando a Jesús con más fuerza. El lugar de la tentación se trasladó a las afueras del templo de Jerusalén. El diablo dio evidencia de ser un conocedor de la Escritura. Si Jesús se colocaba en una situación donde su Padre tuviese que intervenir para salvarlo, el tentador hubiera demostrado la debilidad de la naturaleza humana de Jesús. Experimentar con la misericordia del Padre, exhibiendo inútilmente su cuidado protector, hubiese traspuesto la confianza y destruido el ejemplo perfecto de Cristo.

"El pecado de la presunción está cerca de la virtud que consiste en tener perfecta fe y confianza en Dios".[13] Si Jesús se hubiese arrojado del templo, sólo Satanás y los santos ángeles hubieran presenciado el acto. El engañador tergiversó la Palabra de Dios, de tal manera que parecía aprobar algo pecaminoso. Al dejar fuera el elemento clave del Salmo 91:11, 12 ("que te guarden en todos tus caminos [los de Dios]") Satanás tergiversó la intención de la cita. Dios nos protege sólo cuando andamos fielmente por sus caminos.

"El tentador no puede nunca obligarnos a hacer lo malo. No puede dominar nuestra mente, a menos que la entreguemos a su dirección. La voluntad debe consentir y la fe abandonar su confianza en Cristo, antes que Satanás pueda ejercer su poder sobre nosotros. Pero todo deseo pecaminoso que acariciamos le da un punto de apoyo".[14] Jesús declaró: "Escrito está también: 'No tentarás al Señor tu Dios'" (Mat. 4:7). Estas mismas palabras las dirigió Moisés a los hijos de Israel cuando murmuraron pidiendo agua en el Sinaí a pesar de haber visto ya las obras dramáticas y maravillosas que Dios había realizado a su favor. La liberación de Egipto, el cruce del Mar Rojo, el maná que los alimentaba, todo eso era prueba suficiente para que confiasen en su capacidad de liberarlos. Sin embargo, en poco tiempo desconfiaron del cuidado de Dios y dudaron de su protección.

La fe de Cristo nunca vaciló. Manifestando perfecta confianza y plena fe en su Padre, no necesitó probar el amor de Dios. La fe madura de Jesús lo llevó a colocar su vida bajo la voluntad del Padre para discernir claramente el amor de Dios.

"No debiéramos presentar nuestras peticiones a Dios para probar si cumplirá su Palabra, sino porque él la cumplirá; no para probar que nos ama, sino porque él nos ama".[15]

Al Señor tu Dios Adorarás

Entonces respondió Jesús: "Vete, Satanás, que escrito está: Al Señor tu Dios adorarás, y a él sólo servirás". Mateo 4:10.

Ahora Satanás se presentaba como el príncipe del mundo. "Era un poderoso ángel, aunque caído".[16] Llevando a Jesús a una alta montaña, hizo desfilar delante de él una vista panorámica de todos los reinos del mundo en toda su gloria. Escondiendo los efectos del pecado, le muestra los hermosos campos, bosques, templos y ciudades del mundo. Ahora Satanás susurra: "Todo esto te daré, si te postras y me adoras". Pero el engañador se había robado todas estas cosas; no tenía derecho a disponer de ellas. Cristo era el verdadero Dueño de la tierra, porque "todas las cosas fueron hechas por él" (Juan 1:3). Con sólo arrodillarse y adorar a Satanás, recibiría de sus manos la tierra sin necesidad de más sacrificio. Lo único que Satanás quería era que Jesús le transfiriese su obediencia, quitándola de Dios el Padre. Desde luego, al postrarse en adoración, Jesús habría cometido blasfemia.

Cristo enfrentó al diablo con la Escritura: "Vete, Satanás, que escrito está: Al Señor tu Dios adorarás. Y a él sólo servirás". "Satanás tiembla y huye delante del alma más débil que busca refugio en ese nombre poderoso".[17] Así como Jesús venció la tentación, mediante el apóstol se nos pide: "Someteos pues a Dios. Resistid al diablo y él huirá de vosotros" (Sant. 4:7).

Nunca podremos comprender el tremendo interés que los ángeles tuvieron en la lucha entre Cristo y Satanás, mientras contemplaban la prueba por la que pasaba su General. Jesús cayó al suelo, agotado por lo que acababa de pasar. "Había soportado la prueba, una prueba mayor que cualquiera que podamos ser llamados a soportar. Los ángeles sirvieron entonces al Hijo de Dios, mientras estaba postrado como moribundo. Fue fortalecido con alimentos y consolado por un mensaje del amor de su Padre, así como por la seguridad de que todo el cielo había triunfado en su victoria".[18] "El costo de la redención de la raza humana nunca podrá ser comprendido plenamente hasta que los redimidos estén con el Redentor cerca del trono de Dios".[19]

Satanás se acerca a nosotros con tentaciones similares. A veces las promesas de Dios parecen estar lejanas, mientras que las glorias de nuestro mundo son tentadoras y cercanas. Si Satanás logra capturar el afecto humano, sabe que se ha enseñoreado de nosotros. Nadie puede amar las cosas de este mundo y ser salvo.

Debemos mantener nuestros ojos fijos en la recompensa que tiene el elevado llamado de Dios en Cristo Jesús.

Acerquémonos al Trono de la Gracia

Porque no tenemos un Sumo Sacerdote incapaz de simpatizar con nuestras debilidades; sino al contrario, fue tentado en todo según nuestra semejanza, pero sin pecado. Hebreos 4:15.

Jesús tomó la naturaleza humana con el riesgo de caer en pecado. Dios "le dejó arrostrar los peligros de la vida en común con toda alma humana, pelear la batalla como la debe pelear cada hijo de la familia humana, aun a riesgo de sufrir la derrota y la pérdida eterna".[20] Sólo así podía Cristo afirmar que había sido probado en todo *como nosotros*. Únicamente en su condición humana enfrentó Cristo las pruebas. "No debía ejercer su poder divino para escapar de esa agonía. Como hombre, debía sufrir las consecuencias del pecado del hombre. Como hombre, debía soportar la ira de Dios contra la transgresión... Sintiendo quebrantada su unidad con el Padre, temía que su naturaleza humana no pudiese soportar el venidero conflicto con las potestades de las tinieblas. En el desierto de la tentación, había estado en juego el destino de la raza humana. Cristo había vencido entonces".[21]

Jesús reconoció a Satanás desde un principio, porque lo había visto caer del cielo como un rayo (Luc. 10:18). Hoy, "Satanás obra con los hombres con más cuidado que con Cristo en el desierto de la tentación, porque sabe que allí perdió la batalla. Es un enemigo vencido. No se presenta al hombre directamente para exigirle el homenaje de un culto exterior. Pide simplemente a los hombres que pongan sus afectos en las buenas cosas de este mundo".[22] Nuestro Salvador conoce los límites de nuestra tolerancia y ha prometido adaptar nuestras pruebas para que las podamos soportar. "No os ha venido ninguna tentación, sino humana. Pero Dios es fiel, y no os dejará ser tentados más de lo que podáis *resistir*. Antes, junto con la tentación os dará también la salida, para que podáis soportar" (1 Cor. 10:13). Nuestra única salvación está en el nombre de Dios y su Palabra. "Torre fuerte es el Nombre del Señor, a él corre el justo, y queda seguro" (Prov. 18:10). Jesús fortaleció su mente con la Palabra desde su niñez. Citando tres textos de Deuteronomio, resistió y rechazó las tentaciones del maligno.

"Todo el que nace de Dios vence al mundo. Y ésta es la victoria que vence al mundo, nuestra fe" (1 Juan 5:4). "Así, la fe viene por el oír, el oír por medio de la Palabra de Cristo" (Rom. 10:17).

La Delegación de Jerusalén

Cuando los judíos de Jerusalén enviaron sacerdotes y levitas, a
preguntar a Juan: "¿Quién eres tú?", éste fue el testimonio de Juan.
Juan 1:19.

Juan se hallaba predicando cerca de Jericó. Su fama se había extendido
más allá de los círculos comunes y había alcanzado a los dirigentes políticos y
religiosos. El Sanedrín ya no podía evadir las preguntas que la gente había
estado haciendo acerca del mensaje de Juan. Los sacerdotes, los maestros y los
gobernantes de la nación se reunieron bajo la dirección del sumo sacerdote en
el monte del templo en Jerusalén. Para pertenecer a la asamblea especial, un
hombre debía ser maduro en años, poseer conocimientos generales más allá de
la religión judía, no tener ningún impedimento físico, ser casado y tener hijos.
Ejercitando el derecho de controlar la enseñanza pública, sólo los hombres
podían validar las credenciales de Juan para enseñar. Sólo un verdadero profeta,
que hablara directamente inspirado por Dios, no necesitaba de su sanción.

La asamblea despachó una delegación para encontrarse con el nuevo
maestro. El grupo, compuesto mayormente de fariseos, viajó los 40 kilómetros que
distan desde Jerusalén al Jordán y se acercó a la multitud que rodeaba a Juan el
Bautista. La gente se hacía a un lado para dejar pasar a los rabinos. Las costosas
túnicas de los sacerdotes y el vestuario de pelo de camello de Juan, hacían un fuerte
contraste. La delegación le preguntó a Juan: "¿Quién eres tú?" No se referían a su
identidad, sino a su autoridad para enseñar o predicar. Juan sabía que muchos
pensaban que él era el Mesías, por lo que les contestó: "Yo no soy el Cristo". La
tradición decía que Elías aparecería en persona para proclamar al Mesías y que "el
profeta" Moisés se levantaría de los muertos. Basándose en esa idea popular, los
sacerdotes le preguntaron: " '¿Quién, pues? ¿Eres Elías?' Dijo: 'No soy'. '¿Eres el
profeta?' Y respondió 'No'. Entonces le dijeron: ¿Quién eres, pues?, para que demos
respuesta a los que nos enviaron. ¿Qué dices de ti mismo?' " (Juan 1:20-22). Juan
respondió en forma clara: "Yo soy *la voz* que clama en el desierto. Enderezad el
camino del Señor" (vers. 23). Isaías había predicho la venida de Juan (Isa. 40:3).

Los fariseos tenían su respuesta. Juan decía ser la voz de Dios, su intérprete.
El problema central, relativo a su autoridad de bautizar, no fue resuelto. "La
nación judía no podría haberle hecho mayor elogio ni haber dado un testimonio
más elocuente acerca del poder de su mensaje. Ciertamente, su proclamación de
la venida del Mesías fue tan efectiva, que el pueblo creyó que él era el Mesías".[23]

¿Pueden los demás ver a Jesús en usted? Es obra de él transformarnos,
y tarea nuestra someternos.

Fariseos + Saduceos = Víboras

Cuando Juan vio que muchos fariseos y saduceos venían a su
bautismo, les decía: "¡Generación de víboras! ¿Quién os enseñó a
huir de la ira venidera? Producid frutos dignos de arrepentimiento".
Mateo 3:7, 8.

Muchos expertos creen que el término "fariseo" significa "separatista". Esta secta judía conservadora adoptó el nombre de "Hasidim", o "piadosos", porque proponían la separación de la religión judía del gobierno civil. Pensaban que el linaje sacerdotal debería preocuparse sólo de la religión y dejar el gobierno a las organizaciones políticas. También pensaban que los enredos políticos debilitaban el sumo sacerdocio y lo alejaba de su responsabilidad tradicional de interpretar la ley. A pesar de esto, los fariseos eran populares y formaban el partido mayoritario.

Eran los "doctores de la ley" (expertos en la ley religiosa) y teólogos, los que se autodenominaban guías espirituales de la nación. Sus conceptos incluían la creencia en una vida futura donde los justos serían recompensados por su virtud, y los malos castigados perpetuamente. Uno podría describirlos como legalistas, nacionalistas y mesiánicos.

Por otro lado, los saduceos se preocupaban más de los intereses civiles, políticos y seculares de la nación. Buscaban estabilidad política mediante alianzas que pudieran hacer avanzar la nación en dirección a los blancos de ellos. La mayoría eran aristocráticos. Extremadamente conservadores, aceptaban el Pentateuco pero rechazaban casi todo el resto del Antiguo Testamento y negaban el valor de la tradición. En esto eran exactamente lo opuesto de los fariseos. Los saduceos rechazaban toda enseñanza relativa a la vida, la recompensa o el castigo futuros, ya que esos conceptos no aparecían en el Pentateuco. Tampoco creían en ángeles ni espíritus. En algunas formas los saduceos dependían de sí mismos y no de Dios.

Ningún grupo buscaba el bautismo por la razón correcta. Ambos partidos querían bautizarse para ganar la confianza de la gente y para proteger sus opciones en el evento de la llegada de un Mesías que apoyara el ministerio de Juan el Bautista. "Al usar la palabra 'víboras', Juan se refirió a los individuos malignos y antagónicos que se oponían amargamente a la voluntad expresa de Dios. Juan exhortó a estos hombres a que produjesen frutos de arrepentimiento.

O sea, demostrad una conversión genuina, que vuestro carácter ha
sido transformado... Ni las palabras ni la profesión, sino los frutos, el
abandono del pecado y la obediencia a los mandamientos de Dios,
demuestran el genuino arrepentimiento y la verdadera conversión.[24]

El Cordero de Dios
. . . .

Al día siguiente, Juan vio a Jesús que venía hacia él, y dijo: "¡Este es el Cordero de Dios, que quita el pecado del mundo!" Juan 1:29.

Pocos escucharon la voz de Dios en el bautismo de Jesús, pero Juan la reconoció como la señal prometida que identificaba al Redentor. Profundamente conmovido, supo que había bautizado al Mesías. Durante el tiempo que Jesús pasó en el desierto, Juan estudió con nuevo interés las profesías mesiánicas. Aunque todavía no comprendía la distinción bíblica entre el primero y el segundo advenimientos, se dio cuenta que debía haber un significado más profundo. Contemplando la multitud que se agolpaba a orillas del río, descubrió a Jesús. Como Jesús no se identificó como el Mesías, Juan dirigió la atención de la gente hacia él diciendo: "Yo bautizo con agua, pero en medio de vosotros está Aquel a quien vosotros no conocéis. Este es el que viene después de mí, de quien no soy digno de desatar la correa de su sandalia" (Juan 1:26-27). Los dirigentes de Jerusalén se sorprendieron. ¿El Mesías, aquí, ahora, ante su presencia? "Las palabras de Juan no podían aplicarse a otro, sino al Mesías prometido. Este se hallaba entre ellos. Con asombro, los sacerdotes y gobernantes miraban en derredor suyo esperando descubrir a aquel de quien había hablado Juan. Pero no se le distinguía entre la multitud".[25]

Al día siguiente, Juan volvió a ver a Jesús entre la multitud y lo identificó como el Cordero de Dios. Algunos creyeron pero otros dudaron o rechazaron la idea. El Hombre que Juan señaló llevaba vestimentas humildes. No daba señales exteriores de ser el libertador. Su tiempo en el desierto había cambiado su apariencia. Estaba más pálido, más demacrado y delgado que cuando vino la primera vez a Juan para ser bautizado. Sin embargo, el rostro de Cristo era único, porque emanaba un amor que se podía ver aunque no hablase. La gente sintió la compasión que él expresaba por su condición. Era humilde y amable, pero parecía rodeado de un aura de poder espiritual. "¿Era éste el Cristo? Con reverencia y asombro, el pueblo miró a Aquel que acababa de ser declarado Hijo de Dios".[26] Este Mesías no era un rey que los conduciría a la victoria contra los romanos. "Las palabras que los sacerdotes y rabinos tanto deseaban oír, a saber, que Jesús restauraría ahora el reino de Israel, no habían sido pronunciadas".[27] Ningún rey que ellos conocieran mostraría tal humildad. Su Mesías no se asociaría con los pobres ni conversaría con los despreciados.

Las apariencias, aun hoy, pueden engañar. ¿Enfocamos nuestra atención en el mensaje o en la apariencia del mensajero?

"¿Qué Buscáis?"

Andrés, hermano de Simón Pedro, era uno de los dos que habían
oído a Juan, y habían seguido a Jesús. Juan 1:40.

Para Juan el Bautista ese día había sido especial. Hasta donde sabemos, esa fue la última vez que Juan estuvo en presencia de su Salvador. Entre los discípulos de Juan había dos buscadores de la verdad. Ambos habían oído a Juan llamar a Jesús "el Cordero de Dios", pero ¿qué habría querido decir? Ninguno estaba seguro, pero siguieron a Jesús y dejaron atrás el Jordán. Aunque Andrés y Juan deseaban hablar con el Maestro, se mantuvieron alejados. "Jesús sabía que los discípulos le seguían. Eran las primicias de su ministerio, y había gozo en el corazón del Maestro divino al ver a estas almas responder a su gracia. Sin embargo, volviéndose, les preguntó: '¿Qué buscáis?' Quería dejarlos libres para volver atrás, o para expresar su deseo".[28] "¿Qué buscáis?" son las primeras palabras de Jesús que el apóstol Juan registró en su Evangelio. Los dos hombres deseaban más que un simple intercambio de palabras al lado del camino. Deseando sentarse a los pies y escuchar sus palabras, le dirigieron una sencilla pregunta: "Rabí —que significa Maestro—, ¿dónde te hospedas?" (Juan 1:38).

En los tiempos de Cristo, la gente dividía la luz del día en doce horas. Mientras la hora décima (4:00 p.m.) se acercaba, Jesús les dijo: "Venid y ved" (Juan 1:39). Muchos de los discípulos de Juan el Bautista habían estado presentes a orillas del río ese día y habían oído llamar a Jesús "el Cordero de Dios"; sin embargo, sólo estos dos lo siguieron. "Para ellos, las palabras de Jesús estaban llenas de refrigerio, verdad y belleza. Una iluminación divina se derramaba sobre las enseñanzas de las Escrituras del Antiguo Testamento. Los multilaterales temas de la verdad se destacaban con una nueva luz".[29] No habían venido como los escribas y fariseos a criticar el mensaje o atrapar al orador, sino porque habían reconocido en Jesús una gloria sutil y una verdad que no podían negar.

Ninguno de ellos seguiría a Jesús en forma plena, hasta que él les hiciera el llamado a un discipulado permanente. Mientras tanto, durante el siguiente año y medio, visitaban a su "Rabí" y aprendían de él. Lo habían aceptado como el Mesías.

"Es la contrición, la fe y el amor lo que habilita al alma para recibir
sabiduría del cielo. La fe obrando por el amor, es la llave del
conocimiento y todo aquel que ama 'conoce a Dios'. 1 Juan 4:7".[30]
La aceptación edifica la fe, y la fe produce confianza.

Hemos Hallado al Mesías

"Hemos hallado al Mesías", esto es, el Cristo. Juan 1:41.

"*Mesías*" en griego es una transliteración del término hebreo "mashiaj", que significa "ungido". La Escritura llama Mashiaj al sumo sacerdote en Levítico 4:3, 5 y también a Ciro, rey de Medo-Persia, en Isaías 45:1. "En tiempos del AT el sumo sacerdote (Éxo. 30:30), el rey (2 Sam. 5:3; cf. 1 Sam. 24:6), y en algunos casos los profetas (1 Rey. 19:16) eran ungidos al ser consagrados al sagrado servicio. Esas personas se denominaban entonces *mashíaj*, "ungido" (Lev. 4:3; 1 Sam. 24:6; 1 Crón. 16:21-22). En las profecías mesiánicas, el término pasó a aplicarse específicamente al Mesías, quien como Profeta (Deut. 18:15), Sacerdote (Zac. 6:11-14), y Rey (Isa. 9:6-7), había sido constituido para que fuera nuestro Redentor (Isa. 61:1; Dan 9:25-26).[31]

El término "Mesías" raramente aparece en el Nuevo Testamento; en cambio, el término griego "Christos"—de "chrio" que significa "ungir"— se usa en centenares de pasajes. Juan 1:41 usó el término del Antiguo Testamento, "Mesías", para convencer a los judíos, que todavía esperaban que el Prometido apareciera en los días de Juan, para que se cumpliese la promesa. Antes de su resurrección, la Escritura por lo general se refiere a Jesús como *el* Cristo. Su título era el Ungido". Después de su resurrección, el Nuevo Testamento eliminó el artículo y el título también llegó a ser su nombre. En varias ocasiones usaba juntos los dos nombres de Jesús y Cristo. En tales casos la combinación indica aceptación del que usa ambos nombres, Jesús el humano ("Jehová es salvación") y el divino "Cristo" o "Ungido". Juan se refiere a nuestro Señor por primera vez en Juan 1:17 usando ambos nombres: Jesucristo. El Cristo del Nuevo Testamento es el Mesías del Antiguo Testamento.

Los que habían estado estudiando la profecía de Daniel de las 70 semanas, sabían que se acercaba el tiempo de la llegada del Ungido. "El 'Ungido' —Cristo había recibido la unción del Espíritu después de haber sido bautizado por Juan en el Jordán".[32] Pocos reconocieron entonces el significado, pero Pedro más tarde escribió: "Acerca de Jesús de Nazaret, a quien Dios ungió con el Espíritu Santo y con poder" (Hech. 10:38). Jesús dijo: "El Espíritu del Señor está sobre mí, por cuanto me ungió para dar buenas nuevas a los pobres" (Luc. 4:18). El sábado cuando Jesús dijo a sus oyentes de Nazaret que en él se cumplía la profecía de Isaías, sus vecinos quisieron despeñarlo en un precipicio por blasfemia.

Pocos aceptaron que el Ungido había llegado en sus días, y aun hoy, son relativamente pocos los habitantes del mundo que lo reconocen.

Ven y Ve

Natanael preguntó: "¿De Nazaret puede salir algo bueno?" Felipe le dijo: "Ven y ve". Juan 1:46.

$\mathcal{S}$imón Pedro había escuchado a Juan el Bautista. Andrés, su hermano, procuró llevarlo a Jesús. Pedro no se hizo llamar dos veces, sino que confió inmediatamente en Andrés. De una ojeada, Jesús conoció a Pedro. "Su naturaleza impulsiva, su corazón amante y lleno de simpatía, su ambición y confianza en sí mismo, la historia de su caída, su arrepentimiento, sus labores y su martirio: el Salvador lo leyó todo".[33] Después de haber pasado otro día con Andrés, Pedro y Juan, Jesús volvió a Galilea el tercer día. Llegando a la orilla del norte, Jesús buscó a un hombre llamado Felipe, residente de Betsaida Julias, ciudad en la que vivían Andrés y Pedro. Tal vez los hermanos le habían recomendado a Felipe. Por primera vez, Jesús pronunció el llamado: "Sígueme". Felipe obedeció inmediatamente y trajo a alguien más a Jesús.

Natanael había estado entre la multitud cuando Juan el Bautista señaló a Jesús como "el Cordero de Dios". A menudo él y Felipe oraban juntos en los lugares tranquilos. Felipe ahora encontró a su amigo orando bajo una higuera y le dijo que había encontrado al Mesías. Era Jesús de Nazaret, el hijo de José. Natanael vivía en Caná, un pequeño pueblo situado al noreste de Nazaret. Como estaba familiarizado con esa ciudad y su reputación, por eso dudó y preguntó a Felipe: "¿De Nazaret puede haber algo bueno?" (Juan 1:46). Felipe no discutió, sino simplemente dijo: "Ven y ve". Jesús recibió a Natanael diciendo: "¡Ahí viene un verdadero israelita, en quien no hay engaño!" Jesús sabía que Natanael estaba buscando al Mesías y que sinceramente aspiraba a vivir de acuerdo con la voluntad de Dios. Sorprendido, Natanael preguntó: "¿De dónde me conoces?" Jesús le respondió: "Antes que Felipe te llamara, cuando estabas debajo de la higuera, te vi". Su respuesta convenció a Natanael, quien dijo: "¡Rabí! ¡Tú eres el Hijo de Dios, el Rey de Israel!"

"Ninguno llegará a un conocimiento salvador de la verdad mientras confíe en la dirección de la autoridad humana. Como Natanael, necesitamos estudiar la Palabra de Dios por nosotros mismos, y pedir la iluminación del Espíritu Santo".[34] Dispongámonos a ver por nosotros mismos si el mensaje es de Dios. Vayamos preparados, habiendo estudiado las Escrituras, para que podamos discernir la verdad. Una vez que la hayamos encontrado, compartámosla con otros.

La influencia de Juan el Bautista dirigió a dos de sus propios discípulos a Cristo. Andrés buscó a su hermano y Felipe a su amigo. Nosotros debemos invitar a otros a "venir y ver".

Debajo de la Higuera

Natanael le preguntó: ":De dónde me conoces?" Respondió Jesús:
"Antes que Felipe te llamara, cuando estabas debajo de la higuera, te
vi". Juan 1:48.

*E*n Palestina son comunes las higueras. En terreno árido el árbol se parece a la vid, pero en tierra fértil, puede alcanzar una altura de seis a diez metros. Natanael había estado orando bajo un árbol de esos. Sentía la necesidad de comprender las promesas del Mesías venidero y deseaba descubrir por sí mismo la verdad. Anhelaba comprender mejor por qué Juan el Bautista se había referido a Jesús como "el Cordero de Dios". Sólo apartándose podría meditar y leer acerca de las promesas del Mesías venidero. "Nunca se debe estudiar la Biblia sin oración. Antes de abrir sus páginas debemos pedir la iluminación del Espíritu Santo, y ésta será concedida".[35]

El Espíritu Santo llevó a Natanael a querer descubrir por sí mismo quién era ese nuevo profeta; al hacerlo, llegó a ser un creyente. ":De dónde me conoces?" le preguntó. Jesús le contestó revelándole dónde estaba y qué hacía en el momento de recibir la invitación de Felipe: "Ven y ve". Debiéramos sentir ánimo al saber que Jesús nos observa y nos escucha cuando oramos. "Así Jesús nos verá también, en los lugares secretos de oración, si lo buscamos para obtener más luz con el fin de conocer la verdad. Los ángeles del mundo de luz acompañarán a los que con humildad de corazón busquen la conducción divina".[36]

La oración que Natanael ofreció mientras estaba bajo la higuera surgió de un corazón sincero, y fue escuchada y contestada por el Maestro... El Señor lee los corazones de todos y comprende sus motivos y propósitos. 'Se deleita en la oración del justo'. No demora en escuchar a los que le abren sus corazones sin exaltarse a sí mismos, sino sintiendo sinceramente su gran debilidad y falta de méritos".[37] No debemos sorprendernos al ver que Jesús escucha nuestras plegarias. "Orar es abrir el corazón a Dios como a un amigo".[38] Durante los años que caminó con su Maestro, Natanael tuvo el privilegio de ver ejemplos más grandiosos de la divinidad de Jesús.

Nosotros también podemos confiar en Jesús, nuestro querido Amigo,
porque "el Señor es fiel, que os confirmará y guardará del mal" (2
Tes. 3:3).

Un Hombre Sociable

Jesús y sus discípulos fueron invitados también a la boda. Juan 2:2.

Jesús había estado alojado cerca de Betábara [o mejor, Betania], una de las muchas aldeas de la zona del Jordán (Juan 1:28). Saliendo del Jordán y pasando por Betsaida, Jesús llegó a la pequeña aldea de Caná o "lugar de las cañas", que era el hogar de Natanael, el nuevo discípulo. El viaje de 104 km les llevó tres días. El Salvador había estado ausente de Nazaret durante dos meses. Se estaba llevando a cabo una boda en Caná y la madre de Jesús asistió a ella.

María había oído el relato del bautismo de su Hijo, y había reconocido que un vínculo divino unía las vidas de Juan y Jesús. Recordaba la promesa de Juan el Bautista y había observado su misión con interés. Su corazón se alegró cuando supo que Juan el Bautista había proclamado a Jesús como el Cordero de Dios. Su esposo José había muerto, y ahora no había nadie que hubiera presenciado el milagro del nacimiento de Jesús, con quien compartir sus sentimientos. Cuando Jesús se fue al desierto y ella no recibía noticias de su suerte, se sintió invadida por la angustia. Durante esas semanas había esperado ansiosamente su regreso, y con temor reflexionaba en las palabras de la profecía de Simeón.

Cuando la gente supo que Jesús estaba en la aldea, él y sus discípulos, Juan, Andrés, Pedro, Felipe y Natanael, recibieron invitaciones para la boda. Las festividades se llevaban a cabo en el hogar del novio y por lo regular duraban varios días. Las familias presentes eran parientes de María y José y posiblemente también de algunos de los discípulos. Jesús no realizó su primer milagro en presencia del Sanedrín o en el templo. Este se llevó a cabo en una sencilla reunión familiar, en una aldea pequeña, para traer gozo a la gente común. "Jesús condenaba la complacencia propia en todas sus formas; sin embargo, era de naturaleza sociable. Aceptaba la hospitalidad de todas las clases, visitaba los hogares de los ricos y de los pobres, de los sabios y de los ignorantes, y trataba de elevar sus pensamientos de los asuntos comunes de la vida, a cosas espirituales y eternas".[39] Cristo veía en toda alma un ser que debía ser llamado a su reino. Se relacionaba con ellas en las calles de la ciudad, comía en sus hogares, subía a sus botes, adoraba en sus sinagogas, enseñaba a orillas del lago y socializaba con ellas en las fiestas de bodas.

"No debemos apartarnos de los demás. A fin de alcanzar a todas las clases, debemos tratarlas donde se encuentren. Rara vez nos buscarán por su propia iniciativa... Sirvan como Cristo sirvió, para beneficio de los hombres, todos aquellos que profesan haberle hallado".[40]

Aún no Ha Llegado mi Hora

Jesús respondió: "Mujer, ¿qué tengo que ver con eso? Aún no ha
llegado mi hora". Juan 2:4.

María había oído los rumores que llegaron del Jordán: "Juan, uno
de los nuevos discípulos, había buscado a Cristo y lo había hallado en su
humillación, demacrado y dando muestras de intenso sufrimiento físico y
mental. No queriendo Jesús que Juan presenciara su humillación, con bondad
pero con firmeza lo alejó de su presencia. Deseaba estar solo; ningún ojo
humano debía presenciar su agonía, ningún corazón humano debía simpatizar
con su aflicción. El discípulo visitó a María en su hogar y le relató los incidentes
de su encuentro con Jesús, así como los sucesos de su bautismo".[41] Ahora ella
veía cómo Jesús había cambiado durante esos dos meses. Aunque su rostro
llevaba los rastros de su conflicto en el desierto, también mostraba evidencia
de dignidad y poder. "Le acompañaba un grupo de jóvenes, cuyos ojos le
seguían con reverencia, y quienes le llamaban Maestro".[42] Los convidados
habían oído hablar de Jesús, y en pequeños grupos conversaban y le dirigían
miradas de admiración. María se sintió animada en su creencia de que Jesús
era el Hijo de Dios.

En aquellos tiempos era costumbre que el padre o el pariente más cercano
eligiera una novia para el joven, pagara un precio al padre o hermanos de la
novia, y llevara a cabo una fiesta que durase varios días en la casa del novio.
María había ayudado en la preparación de las festividades matrimoniales.

Desgraciadamente, el vino se acabó antes de terminar la fiesta. María le
sugirió a Jesús que supliera esa necesidad, pero él le contestó: "¿Qué tengo yo
contigo, mujer? Aún no ha llegado mi hora". Aunque sus palabras puedan
haber sonado bruscas, el tono, la mirada y la forma que Jesús empleó para
contestar a su madre fue respetuosa y cortés. El mismo que había dado el
mandamiento: "Honra a tu padre y a tu madre", estaba en armonía con los
sentimientos de su madre. Sin embargo, así como en el templo en su niñez,
debía revelar la razón de la obra que había venido a realizar en este mundo.

"Las palabras: 'Aún no ha venido mi hora', indican que todo acto de la
vida terrenal de Cristo se realizaba en cumplimiento del plan trazado desde la
eternidad. Antes de venir a la tierra, el plan estuvo delante de él, perfecto en
todos sus detalles. Pero mientras andaba entre los hombres, era guiado, paso a
paso, por la voluntad del Padre".[43]

"Los derechos de Dios superan aun al parentesco humano".[44]

Sus Dones Son Frescos y Nuevos

*"Todo hombre sirve primero el buen vino, y cuando han bebido
bien, sirve el inferior. Pero tú has guardado el buen vino hasta
ahora". Juan 2:10*

Aunque María no comprendía claramente la misión de Jesús, confiaba implícitamente en su Hijo. "Y Jesús respondió a esta fe. El primer milagro fue realizado para honrar la confianza de María y fortalecer la fe de los discípulos".[45] Haciendo lo que podía para preparar el camino, ella ordenó a los que servían: "Haced todo lo que os dijere". Al lado de la puerta, había seis grandes tinajas de piedra que se usaban para el ritual de purificación. Los siervos lavaban las manos y los pies de los invitados antes y después de las comidas con agua de los recipientes. Juan describió las tinajas para que los que no eran judíos comprendieran la ceremonia judía. Se cree que a cada tinaja le cabían "por lo menos 44 litros".[46] Debe haber habido un gran número de invitados.

Jesús dijo a los siervos: "Llenad estas tinajas de agua". "Todo lo que el poder humano podía realizar debía ser hecho por manos humanas. Estaba por revelarse el poder divino, pero debía ser acompañado por un concienzudo esfuerzo humano. Dios nunca hace por los hombres lo que ellos pueden hacer por sí mismos, pues eso los convertiría en debiluchos espirituales... Debemos utilizar plenamente los recursos de que disponemos si esperamos que Dios añada su bendición".[47] Los siervos llenaron las tinajas de agua hasta los bordes. La transformación tuvo lugar después que el agua salió de las tinajas, porque los siervos que *trajeron el agua* sabían que era agua cuando la sacaron de la cisterna o del pozo.

Los invitados no sabían que el vino se había agotado y el maestresala de la fiesta temía que cuando probaran el nuevo vino pensaran que había quebrantado la tradición de servir el mejor vino al último. "Al recurrir al novio, procuró aclarar que la responsabilidad no era suya".[48] El vino sin fermentar que Jesús proveyó a los huéspedes era la mejor bebida que ellos hubieran probado, y como era sin fermentar ("fue el jugo puro de uva"[49]), los invitados pudieron darse cuenta que era superior. "El don de Cristo en el festín de bodas fue un símbolo. El agua representaba el bautismo en su muerte; el vino, el derramiento de su sangre por los pecados del mundo".[50] Cuando los huéspedes descubrieron que había ocurrido un milagro, buscaron a Jesús, pero descubrieron que "se había retirado tan quedamente que ni siquiera lo habían notado sus discípulos".[51] Las noticias de este milagro llegaron hasta Jerusalén.

*Sería bueno que siguiéramos este consejo de María: "Haced todo lo
que os dijere".*

EL MINISTERIO EN JUDEA
Cristo, nuestro Mesías

De la Primavera del 28 a.C. a la Primavera del 29 d.C.

Mateo 14:3-5

Lucas 3:19, 20

Juan 2:13-5:47

El Deseado de todas las gentes, pp. 128-197

La Pascua

Estaba cerca la Pascua de los judíos, y Jesús subió a Jerusalén.
Juan 2:13.

Jesús salió de Caná y descendió a Capernaún con su madre, sus hermanos y sus discípulos. Para llegar de Caná a Capernaún, es necesario descender por el noroeste de la orilla del mar de Galilea. La distancia no es más de unos 26 km, pero Caná está unos 500 m más elevada que Capernaún. Capernaún era el hogar de Simón Pedro y Andrés, y pronto llegaría a ser el punto central del ministerio de Jesús en Galilea. Sin embargo, por el momento Jesús no pasó mucho tiempo en este pueblo situado entre los territorios de Felipe y Herodes Antipas, porque se aproximaba la Pascua.

Jesús se unió a una de las grandes compañías que caminaban por el valle del Jordán y remontaban el empinado Wadi Qelt para luego cruzar el árido desierto de Judea. Pasó inadvertido entre la muchedumbre, porque no había anunciado todavía públicamente su misión. Como era costumbre entre los peregrinos conversar acerca de temas religiosos, el advenimiento del Mesías era a menudo el tópico de conversación. Jesús trataba de abrir los ojos de los peregrinos explicando el verdadero significado de las profecías, pero ellos creían saber lo que el Mesías haría.

Al franquear los viajeros las alturas al oriente de la ciudad, podían ver las torres de Jerusalén más allá del arroyo de Cedrón. Jerusalén está entre dos valles: el de Cedrón y el de Hinom. En medio de ellos, Jerusalén se extiende hacia el norte a lo largo de dos lomas separadas por un profundo valle, el cual desde entonces se ha llenado de escombros. El templo se erguía sobre la loma oriental, de menor altura, y se podía ver desde el Monte de las Olivas, al este del valle de Cedrón.

Desde los extensos territorios de Roma, los fieles venían a adorar a Jerusalén. Muchos no podían traer consigo los sacrificios que habían de ser ofrecidos. "Para comodidad de los tales, se compraban y vendían animales en el atrio exterior del templo".[52] Los peregrinos no podían comprar con el dinero que traían. Sólo podían usar moneda del templo para comprar los sacrificios prescritos por los rituales. "Se requería que cada judío pagase anualmente medio siclo como 'el rescate de su persona', y el dinero así recolectado se usaba para el sostén del templo. [Éxodo 30:12-16]... Y era necesario que toda moneda extranjera fuese cambiada por otra que se llamaba el siclo del templo, que era aceptado para el servicio del santuario. El cambio de dinero daba oportunidad al fraude y la extorsión, y se había transformado en un vergonzoso tráfico, que era fuente de renta para los sacerdores".[53]

El ruido ensordecedor del comercio apaga la suave voz de Dios.
¿Cómo es el espíritu de adoración en el atrio de su iglesia?

El Templo de Herodes

Halló en el templo a los que vendían bueyes, ovejas y palomas, y a los cambistas sentados. Juan 2:14.

Además de la conmoción de los mercaderes que a voz en cuello ofrecían a los fieles los animales para los sacrificios, se escuchaba el bullicio de la multitud. Los vendedores procuraban obtener precios máximos, con el fin de pagar comisiones secretas a los sacerdotes, a cambio de su apoyo y buenas ubicaciones. El ganado mugía, las ovejas balaban, las palomas arrullaban y la gente discutía y gritaba; se oía el tintineo de las monedas y el murmullo de los que trataban de orar. La mezcla de todos esos ruidos causaba un clamor estruendoso en la corte de los gentiles. El templo todavía estaba en construcción. Herodes el Grande había decidido ampliarlo, pero los judíos, temiendo que lo derribara y nunca lo reconstruyera, no dieron permiso. En un acuerdo, Herodes accedió a derribarlo y reconstruirlo por secciones. En esta forma él podría remodelar sin interrumpir los servicios. La construcción todavía seguía a pesar de que Herodes hacía tiempo que había muerto.

Ahora el templo tenía el doble de tamaño que durante el reinado de Salomón. El atrio exterior estaba abierto tanto para judíos como gentiles. A lo largo de la pared exterior había pórticos cubiertos, con columnas gigantescas arregladas en filas de tres, formando corredores. El del centro era más alto que los dos exteriores. Ocho puertas daban acceso al atrio exterior. La gente vendía y compraba en los pórticos cerrados. "Al entrar Jesús en el templo, su mirada abarcó toda la escena. Vio las transacciones injustas. Vio la angustia de los pobres, que pensaban que sin derramamiento de sangre no podían ser perdonados sus pecados. Vio el atrio exterior de su templo convertido en un lugar de tráfico profano. El sagrado recinto se había transformado en una vasta lonja. Cristo vio que algo debía hacerse".[54]

El templo mismo estaba en el centro del atrio, elevado por catorce gradas. En la terraza más alta estaba una pequeña pared de metro y medio con pilares encima. Había nueve puertas para entrar y señales que anunciaban: "Ningún extranjero [no judío] puede pasar más allá de la balaustrada y del muro que rodea al templo. Quien quiera sea sorprendido dentro, será responsable de su muerte, que le sobrevendrá sin dilación".[55] "Con mirada escrutadora, Cristo abarcó la escena que se extendía delante de él mientras estaba de pie sobre las gradas... Y al contemplar la escena, la indignación, la autoridad y el poder se expresaron en su semblante".[56]

No debemos olvidar que la casa de Dios no es lugar para conversaciones comunes ni asuntos seculares.

Purificación del Templo

Y a los que vendían palomas, dijo: "Quitad esto de aquí, y no hagáis
un mercado de la casa de mi Padre". Juan 2:16.

*D*e pronto la multitud notó al Hombre que estaba en las gradas del atrio interior. "La confusión se acalló. Cesó el ruido del tráfico y de los negocios. El silencio se hizo penoso. Un sentimiento de pavor dominó a la asamblea. Fue como si hubiese comparecido ante el tribunal de Dios para responder de sus hechos. Mirando a Cristo, todos vieron la divinidad que fulguraba a través del manto de la humanidad".[57] Su persona parecía elevarse sobre todos con imponente dignidad. Hablando con voz clara y penetrante, se oyó repercutir por las bóvedas y corredores del templo. "Quitad esto de aquí, y no hagáis un mercado de la casa de mi Padre".

Descendiendo lentamente de las gradas y alzando el látigo de cuerdas, derribó las mesas de los cambiadores y las monedas cayeron y sonaron en el pavimento de mármol. Los ojos de todos se clavaron en él sin atreverse a resistir. "Jesús no los hirió con el látigo de cuerdas, pero en su mano el sencillo látigo parecía ser una flamígera espada".[58] Lo único que los cambiadores y sacerdotes querían era escapar de la presencia de Aquel que les había revelado su codicia. El pánico se apoderó de la multitud. "Gritos de terror escaparon de centenares de labios pálidos. Aun los discípulos temblaron".[59] ¿Era este el Maestro? Los modales de Jesús eran muy diferentes de su conducta común. Recordaron la profecía de David: "El celo por tu casa me consume" (Sal. 69:9 NRV).

La purificación del templo fue el primer acto de importancia nacional que realizó Jesús. Mediante él anunció su misión como el Mesías. En un sentido más amplio, Jesús había venido a limpiar el corazón de la contaminación del pecado. De los deseos terrenales, de las concupiscencias egoístas, de los malos hábitos, que corrompen el alma. Sólo Jesús puede limpiar el templo del alma.

Él no viene a forzarnos con un látigo, sino a invitarnos a que lo recibamos en nuestro corazón. "Yo estoy a la puerta y llamo. Si alguno oye mi voz y abre la puerta, entraré a su casa, y cenaré con él, y él conmigo" (Apoc. 3:20).

Jesús miraba anhelante a los que huían, compadeciéndose de su temor y de su ignorancia de lo que constituía el verdadero culto. Pero los pobres quedaron atrás. El rostro de Jesús se llenó de amor y compasión por los enfermos y los que sufrían. La gente se agolpaba a su alrededor implorando su bendición. Todos recibían atención, el atrio se había transformado en un cielo en la tierra.

No es el comercio de la iglesia lo que el mundo necesita, sino su
comunión.

¿Qué Señal nos Das?

Los judíos le preguntaron: "¿Qué señal nos das de tu autoridad para hacer esto?" Juan 2:18.

Muchos de los que vieron huir a los sacerdotes aterrorizados por la autoridad divina de Jesús, quedaron convencidos de que él era el Mesías. Sin embargo, los ofendidos sacerdotes dudaron de su derecho a intervenir en lo que había sido permitido por las autoridades del templo. Jesús había desafiado directamente su autoridad. Peor aún, Cristo había actuado ante la misma gente que ellos procuraban intimidar y controlar. Sin poder librarse del pensamiento de que Jesús podía ser un profeta enviado por Dios para restaurar la santidad del templo, volvieron temerosos a exigirle una señal. Jesús les había dado evidencia convincente de su carácter como Mesías; sin embargo, eligieron ignorarlo. Al leer sus pensamientos, se dio cuenta que deseaban matarlo.

"Jesús respondió: "Destruid este templo, y en tres días lo levantaré" (Juan 2:19). Su declaración tenía dos aspectos. Cristo estaba hablando de la destrucción del servicio del templo y de la destrucción del templo de su cuerpo. La muerte de Cristo sería seguida por su gloriosa resurrección tres días después.

Sin comprenderlo, los sacerdotes replicaron: "En 46 años fue edificado este templo, ¿y tú lo levantarás en tres días?" (Juan 2:20). Ellos rehusaron buscarles un significado más profundo a sus palabras.

El templo al cual Jesús se refería era su cuerpo. "Cristo era el fundamento y la vida del templo. Sus servicios eran típicos del sacrificio del Hijo de Dios... Puesto que toda la economía ritual simbolizaba a Cristo, no tenía valor sin él. Cuando los judíos sellaron su decisión de rechazar a Cristo entregándole a la muerte, rechazaron todo lo que daba significado al templo y sus ceremonias. Su carácter sagrado desapareció".[60] Cuando los sacerdotes crucificaron a Cristo, destruyeron para siempre su propio templo y su sistema de ofrendas de sacrificio.

Jesús sabía que ni aun sus discípulos comprendían sus palabras. "Siendo pronunciadas [sus palabras] en ocasión de la Pascua, llegarían a los oídos de millares de personas y serían llevadas a todas partes del mundo. Después que hubiese resucitado de los muertos, su significado quedaría aclarado. Para muchos, serían evidencia concluyente de su divinidad".[61] Pero sus enemigos torcerían las mismas palabras y las volverían contra él durante su juicio ante Caifás.

¿Qué señal necesitamos para aceptar a Cristo como el fundamento de nuestra salvación y vida?

Nicodemo

Había entre los fariseos un hombre llamado Nicodemo, príncipe de
los judíos. Juan 3:1.

Nicodemo era un fariseo muy educado y rico. Era miembro del Sanedrín, compuesto por 71 miembros dirigidos por el sumo sacerdote. Este se reunía en el "Atrio de los Hombres", que era uno de los atrios interiores del templo, o en la esquina suroeste del atrio exterior. El Sanedrín representaba el cuerpo judicial más elevado del país y controlaba los casos de vida y muerte. Sin embargo, el procurador romano confirmaba cualquier sentencia de muerte. Sabemos que los romanos dejaron la responsabilidad de cobrar los impuestos en manos del Sanedrín, quien luego vendió los derechos a los compradores de impuestos o especuladores conocidos como publicanos.

Nicodemo (que en griego quiere decir "triunfador sobre la gente") era un hombre sincero que buscaba la verdad. Aunque era maestro religioso, no estaba familiarizado con el reino de Dios como lo enseñaba Jesús. Sin embargo, no compartía las ideas de la mayoría de los sacerdotes ni los gobernantes nacionales. Temía que matar a Jesús acarrearía calamidades adicionales a la nación. El asesinato de los antiguos profetas había enviado a los judíos a la esclavitud como resultado de su desobediencia a las advertencias divinas. Por eso Nicodemo temía que su generación estuviese cayendo en los errores de sus antepasados.

"Deseaba ardientemente entrevistarse con Jesús, pero no osaba buscarle abiertamente. Sería demasiado humillante para un príncipe de los judíos declararse simpatizante de un maestro tan poco conocido".[62] Si su visita llegase al conocimiento de los demás miembros, se burlarían y lo amonestarían. Resolvió, pues, verle en secreto. "Juntamente con muchos otros hijos de Israel, había sentido honda angustia por la profanación del templo. Había presenciado la escena cuando Jesús echó a los compradores y vendedores; contempló la admirable manifestación del poder divino; vio al Salvador recibir a los pobres y sanar a los enfermos; vio las miradas de gozo de éstos y oyó sus palabras de alabanza; y no podía dudar de que Jesús de Nazaret era el enviado de Dios".[63] Mientras la ciudad dormía, descubrió que Jesús pasaría la noche en el monte de los Olivos, al este de la ciudad.

Resultó difícil para el precavido Nicodemo llegar a la presencia de
Jesús, pero la verdad debe considerarse digna de que por obtenerla se
corran grandes riesgos y se sufra el ridículo.

Tendrás que Renacer

El que no nace de nuevo, no puede ver el reino de Dios. Juan 3:3

En presencia del Maestro, Nicodemo sintió una extraña timidez. "Rabí, sabemos que tú eres un maestro venido de Dios, porque nadie podría realizar estas señales que tú haces, si Dios no estuviera con él". Al decir eso reconocía que Dios estaba detrás de los milagros y palabras de Jesús. Aunque era "maestro de Israel", educador de alta estima, aceptaba a Jesús como su igual a pesar de que Jesús no tenía educación formal y el Sanedrín no reconocería ni aprobaría sus enseñanzas.

Jesús sabía la razón de esta visita nocturna y fue directamente al punto. "Te aseguro: El que no nace de nuevo, no puede ver el reino de Dios" (Juan 3:3). Nicodemo creía comprender el concepto del renacimiento. Por virtud de su nacimiento como israelita, se consideraba seguro de su salvación. En la familia de Abrahán, sólo los que no eran judíos necesitaban ser salvados por adopción o "renacimiento". Sin embargo, lo que Jesús estaba diciendo parecía indicar que Nicodemo mismo debía "nacer de nuevo". Que el reino era demasiado puro hasta para él.

Las palabras de Jesús sorprendieron a su visitante. El líder espiritual judío sabía que para un hombre es imposible volver a experimentar el nacimiento físico y que también era inconcebible que un judío necesitara el renacimiento. Se preguntaba *¿Cómo podía una persona volver a entrar al vientre de su madre?* Jesús no contestó a su argumento con otro, sino le contestó: "Te aseguro: El que no nace de agua y del Espíritu, no puede entrar en el reino de Dios" (Juan 3:5), colocando la verdad ante el dirigente religioso. "Nicodemo sabía que Cristo se refería aquí al agua del bautismo y a la renovación del corazón por el Espíritu de Dios. Estaba convencido de que se hallaba en presencia de Aquel cuya venida había predicho Juan el Bautista".[64] Nada que no fuera un cambio total en su vida mediante el Espíritu sería suficiente. El hecho de ser descendiente de Abrahán no le garantizaba el reino.

"La vida del cristiano no es una modificación o mejora de la antigua, sino una transformación de la naturaleza. Se produce una muerte al yo y al pecado, y una vida enteramente nueva. Este cambio puede ser efectuado únicamente por la obra eficaz del Espíritu Santo".[65]

"Nacer de agua y del Espíritu" es "nacer de lo alto".

El Viento Invisible

El viento sopla de donde quiere, y oyes su sonido. Pero no sabes de
dónde viene, ni a dónde va. Así es todo el que nace del Espíritu.
Juan 3:8.

*N*icodemo estaba todavía perplejo, y Jesús empleó una parábola para ilustrar el impacto del Espíritu Santo. El viento se oye entre las ramas de los árboles, por el susurro que hace en las hojas y las flores; sin embargo es invisible. Ningún ser humano en esta tierra sabe el origen o destino del viento, como tampoco puede decir el momento exacto cuando un corazón se ablanda y finalmente acepta a Cristo como su Salvador personal. Pero el cambio es tan visible en la vida del que se convierte como lo es el efecto del viento que inclina los tallos del pasto.

"Mediante un agente tan invisible como el viento, Cristo obra constantemente en el corazón. Poco a poco, tal vez inconscientemente para quien las recibe, se hacen impresiones que tienden a atraer el alma a Cristo. Dichas impresiones pueden ser recibidas meditando en él, leyendo las Escrituras, u oyendo la palabra del predicador viviente. Repentinamente, al presentar el Espíritu un llamamiento más directo, el alma se entrega gozosamente a Jesús. Muchos llaman a esto conversión repentina; pero es el resultado de una larga intercesión del Espíritu de Dios; es una obra paciente y larga".[66]

Nicodemo comenzó a suavizarse y a comprender un poco el requisito del "nuevo nacimiento". Se preguntaba *¿cómo era posible tal cosa?* Pacientemente, Jesús le explicó que su misión en la tierra no era establecer un reino temporal sino un reino espiritual. Los que sólo seguían los requisitos de la ley carecían de santidad en el corazón. Necesitaban el cambio espiritual que Cristo ofrecía. Lentamente la luz comenzó a iluminar a Nicodemo, y ahora anhelaba el nuevo nacimiento.

Lo que faltaba era que Jesús explicara a este dirigente religioso la forma cómo podía cambiar. Jesús se refirió a Moisés cuando levantó la serpiente en el desierto (Núm. 21:6-9). Cuando el pueblo de Israel estaba muriendo por las mordeduras de las serpientes, miraban al símbolo de Cristo y eran salvados. No era la serpiente de bronce la que los sanaba, sino su fe en el poder de Dios para salvarlos. Miraban y vivían.

"Hay hoy día miles que necesitan aprender la misma verdad que fue
enseñada a Nicodemo por la serpiente levantada. Confían en que su
obediencia a la ley de Dios los recomienda a su favor. Cuando se los
invita a mirar a Jesús y a creer que él los salva únicamente por su
gracia, exclaman: ¿Cómo puede esto hacerse?"[67]

Creer en su Nombre (Juan 1:12)

*Porque de tal manera amó Dios al mundo, que dio a su Hijo único,
para que todo el que crea en él, no perezca, sino tenga vida eterna.
Juan 3:16.*

El principio fundamental del gobierno de Dios es el amor. En sus escritos, Juan a menudo repite la evidencia del amor. En 1 Juan 3:1 escribió: "¡Mirad qué gran amor nos ha dado el Padre, que seamos llamados hijos de Dios!" El amor de Dios hacia nosotros lo llevó a sacrificar a su Hijo para nuestra salvación. Lo único que necesitamos es creer en Cristo y hacer su voluntad. La disposición a creer se manifiesta en momentos diferentes en las distintas personas. Nicodemo recibió sólo una vislumbre de la crucifixión. Ni aun a sus discípulos reveló Jesús lo que más tarde destruiría sus sueños y esperanzas. Cuando los soldados romanos alzaron al Salvador en la cruz, Nicodemo recordó la enseñanza que recibiera bajo las estrellas en las sombras del monte de los Olivos. Recordó el ejemplo de la serpiente levantada en el desierto y las palabras de Jesús: "Y cuando yo sea levantado de la tierra, a todos atraeré hacia mí" (Juan 12:32). La crucifixión, más que cualquier otro suceso, convenció a Nicodemo de la divinidad de Jesús, y creyó.

"En la entrevista con Nicodemo, Jesús reveló el plan de salvación y su misión en el mundo. En ninguno de sus discursos subsiguientes, explicó él tan plenamente, paso a paso, la obra que debe hacerse en el corazón de cuantos quieran heredar el reino de los cielos... Nicodemo ocultó la verdad en su corazón, y durante tres años hubo muy poco fruto aparente".[68] Durante esos años este dirigente del Sanedrín meditó en las enseñanzas de Jesús. En los concilios judíos, estorbó repetidas veces los planes que los sacerdotes hacían para destruirle.

"Después de la ascensión del Señor, cuando los discípulos fueron dispersados por la persecución, Nicodemo se adelantó osadamente. Dedicó sus riquezas a sostener la tierna iglesia que los judíos esperaban ver desaparecer a la muerte de Cristo. En tiempos de peligro, el que había sido tan cauteloso y lleno de dudas, se manifestó tan firme como una roca, estimulando la fe de los discípulos y proporcionándoles recursos con que llevar adelante la obra del Evangelio".[69] Quedó expuesto al ridículo, a la persecución y a la pobreza en el servicio de la iglesia, pero a pesar de todas las pruebas nunca le faltó la fe. "El gobernante judío vino para aprender del humilde Maestro de Galilea el camino de la vida".[70]

"La posesión de la vida eterna depende de que Cristo habite por fe en el corazón. El que cree tiene vida eterna y 'ha pasado de muerte a vida' (Juan 5:24)".[71]

A la Región de Judea

Después de esto, Jesús fue con sus discípulos a la región de Judea; se quedó allí con ellos, y bautizaba. Juan 3:22.

Los ministerios públicos de Juan y de Jesús comenzaron en Judea, para que los dirigentes judíos fueran los primeros en aceptar al Mesías. Desde abril del año 28 d.C. hasta abril del año 29 a.C. Jesús llevó su ministerio a las aldeas y pueblos que rodeaban a Judea. Las Escrituras no mencionan este período con excepción de los registros de los discípulos de Juan el Bautista encontrados en Juan 3:22-36. En este tiempo, Jesús escogió a sus primeros discípulos, limpió el templo y realizó sus primeros milagros públicos en Jerusalén y sus alrededores. Ganó muchos discípulos, pero la mayoría de los judíos no lo aceptaron como el Mesías.

Juan el Bautista continuó bautizando cerca del río Jordán en un lugar llamado "Enón, junto a Salim, porque había allí abundancia de agua" (Juan 3:23). La ubicación de este lugar todavía está en duda; sin embargo, es interesante notar que el apóstol Juan menciona la "abundancia de agua". Un criterio tal concuerda con la práctica del bautismo por inmersión. Si Juan el Bautista todavía hubiera estado bautizando en el río Jordán, la referencia a "abundancia de agua" sería redundante. Posiblemente la ubicación estaba más cerca de Nablus y Siquem, porque ambas aldeas se encuentran en Wadi Farah, un sitio de numerosos manantiales.

Ahora Jesús se dirigió a la región del Jordán. La gente se agolpaba para escucharlo. "Muchos venían para ser bautizados, y aunque Cristo mismo no bautizaba, sancionaba la administración del rito por sus discípulos. Así puso su sello sobre la misión de su precursor".[72] El bautismo de Juan simbolizaba arrepentimiento y purificación del pecado, lo cual era distinto de los ritos típicos de los judíos, donde un gentil se convertía mediante la purificación ceremonial. Los métodos de Juan no eran aceptados por los escribas y los sacerdotes. Se levantaron conflictos entre los discípulos de Juan y otros judíos acerca de si el bautismo limpiaba el alma de pecado.

"Durante un tiempo la influencia del Bautista sobre la nación había sido mayor que la de sus gobernantes, sacerdotes o príncipes... Ahora veía que el flujo de la popularidad se apartaba de él para dirigirse al Salvador. Día tras día, disminuían las muchedumbres que le rodeaban".[73] Pero los discípulos de Juan miraban con celos a los de Jesús. Como Juan fue el primero en bautizar con su propio estilo, sus seguidores decían que el bautismo de los discípulos de Jesús difería del de Juan. Dudaban el que los discípulos de Cristo tuvieran derecho a bautizar y acerca de las palabras que era propio emplear al hacerlo.

¿Podríamos evitar dificultades si el ministerio de otro miembro de iglesia llegara a ser más popular que el nuestro?

Discípulo Contra Discípulo

Fueron a Juan, y le dijeron: "Rabí, el que estaba contigo del otro lado del Jordán, de quien tú diste testimonio, está bautizando, y todos van a él". Juan 3:26.

𝓔l mensaje de Juan había conmocionado a la nación. "Campesinos y pescadores sin instrucción; soldados romanos de las guarniciones de Herodes; caudillos militares con sus espadas ceñidas, listos a combatir cualquier intento de rebelión; avaros cobradores de impuestos desde sus quioscos; y desde el Sanedrín los filacteriados sacerdotes, escuchaban maravillados; y todos, hasta los fariseos y los saduceos, los burladores fríos e inconmovibles, salían con la burla muerta a flor de labios, y con el corazón tocado, sintiendo su pecaminosidad. Herodes en su palacio escuchó el mensaje, y el orgulloso y endurecido gobernador tembló al escuchar el llamado al arrepentimiento".[74]

Si Juan hubiese declarado ser el Mesías, pudo haber levantado una revolución popular contra Roma, y habría conseguido un puesto elevado entre los judíos. Ahora sus discípulos venían a él con sus quejas. "Aunque la misión de Juan parecía estar a punto de terminar, le era todavía posible estorbar la obra de Cristo. Si hubiese simpatizado consigo mismo y expresado pesar o desilusión por ser superado, habría sembrado semillas de disensión que habrían estimulado la envidia y los celos, y habría impedido gravemente el progreso del Evangelio".[75] Satanás presentó a Juan la tentación de exaltarse sobre Jesús, para estorbar su ministerio.

Juan sabía que debía dar la bienvenida a Cristo sin resentimiento. Juan tenía por naturaleza los defectos y las debilidades comunes a la humanidad, pero conocía su relación con el Mesías y no toleró los celos entre sus discípulos. "La completa humildad y la sumisión abnegada de Juan son rasgos característicos del verdadero seguidor de Cristo".[76] Aprendamos del ejemplo del Bautista. "Los que son fieles a su vocación como mensajeros de Dios no buscarán honra para sí mismos. El amor del yo desaparecerá en el amor por Cristo".[77] "Cuando vemos hombres que son firmes en sus principios, intrépidos en el cumplimiento del deber, celosos en la causa de Dios y, sin embargo, humildes, mansos y tiernos, pacientes para con todos, perdonadores, que manifiestan el amor por las almas por las cuales Cristo murió, no es necesario que preguntemos: ¿Son ellos cristianos?"[78]

La humildad y la paciencia deben reemplazar a los celos y la envidia entre los miembros de iglesia para que la obra del Señor avance.

El Amigo del Novio

"El tiene que crecer, y yo menguar". Juan 3:30.

En la cultura del Medio Oriente se acostumbraba que un amigo del novio fuera su intermediario ante la familia de la novia. El presentaba la dote al padre o a los hermanos de la novia y arreglaba el enlace. Su recompensa mayor era ver el gozo que los novios experimentaban cuando se encontraban por primera vez cara a cara. Juan se representaba a sí mismo como amigo del novio. En lo mejor de su ministerio, Dios llamó al Bautista a que se retirara y dejara la obra en manos de otros. Juan había presentado el novio [Jesús] al pueblo. Ahora se alegraba al ver el éxito de la unión. "El que tiene la novia es el novio. El amigo del novio, que asiste y lo oye, se alegra mucho al oír su voz. Así, mi gozo se ha cumplido" (Juan 3:29).

Juan se sentía satisfecho y feliz al ver que hombres y mujeres se sentían atraídos a Jesús. Unas de las últimas palabras que Juan pronunció antes de su encarcelamiento fueron: "El tiene que crecer, y yo menguar" (Juan 3:30). Sus discípulos le informaron que muchos buscaban a Jesús, pero Juan sabía que pocos de los que rodeaban a Jesús estaban listos para aceptarlo como su Salvador del pecado. Juan recordó a sus discípulos que ya les había dicho que él era sólo el precursor del Mesías. "A Cristo, cual novio, le corresponde el primer lugar en los afectos de su pueblo".[79]

Jesús sabía la división que existía entre sus discípulos y los de Juan. Sabía que dentro de poco uno de los profetas más grandes del mundo sería acallado para siempre. "Deseando evitar toda ocasión de mala comprensión o disensión, cesó tranquilamente de trabajar y se retiró a Galilea. Nosotros también, aunque leales a la verdad, debemos tratar de evitar todo lo que pueda conducir a la discordia o incomprensión. Porque siempre que estas cosas se presentan, provocan la pérdida de almas. Siempre que se produzcan circunstancias que amenacen causar una división, debemos seguir el ejemplo de Jesús y el de Juan el Bautista".[80] Dios usa seres humanos como sus instrumentos para alcanzar a otros con el plan de salvación. Cuando un instrumento ha llegado hasta donde le permiten sus cualidades, el Señor llama a otro, para extender la obra más allá. Por lo tanto, debemos aceptar con humildad, como Juan lo hizo, que "él tiene que crecer, y yo menguar".

El egoísmo no tiene lugar en la obra de Dios.

Samaria

Salió de Judea, y se fue otra vez a Galilea. Tenía que pasar por
Samaria. Juan 4:3,4.

$\mathcal{E}$n el otoño del año 28 d.C., Jesús salió brevemente de Judea. Durante su última visita a Galilea había asistido a las bodas de Caná y se había congregado con su familia en Capernaún. Habían pasado muchas cosas en los últimos ocho meses, pero había logrado convertir a unos pocos. Juan el Bautista testificó claramente: "Nadie recibe su testimonio" (Juan 3:32). Pocos en Judea estaban listos para aceptar a Jesús como el Mesías. Los fariseos procuraban crear discordia entre los seguidores de Jesús y los de Juan. Jesús, deseoso de evitar conflictos innecesarios, desvió su ministerio.

En camino a Galilea, Jesús tomó la ruta directa por Samaria. La mayoría de los viajeros de Judea a Galilea evitaba esa ruta, pues los judíos consideraban a los samaritanos rivales impuros y nacionalistas. En el año 536 a.C., cuando los judíos volvieron de Babilonia para reconstruir el templo de Jerusalén, los samaritanos quisieron contribuir. Este privilegio les fue negado. Comprendiendo que sus antepasados habían caído cautivos a causa de su apostasía, los líderes judíos ahora procuraban "purificar" su religión. Zorobabel, Josué y otros querían evitar la corrupta influencia religiosa de los samaritanos que se habían mezclado con idólatras, cuya religión había contaminado gradualmente la suya.

Al ser rechazados sus ofrecimientos, los samaritanos hicieron todo lo que pudieron por estorbar la reconstrucción de Jerusalén. Sanbalat, el gobernador samaritano, trató de impedir la reparación de las murallas de Jerusalén (Neh. 2:10, 19, 20; 4:1, 2; 6:1-14). Por fin, los samaritanos edificaron su propio templo en el monte Gerizim. Aceptaron el Pentateuco, y celebraban su propia Pascua (que incluía el sacrificio de los corderos de la Pascua); sin embargo, no renunciaron completamente a la idolatría. Durante el tiempo de Antíoco IV Epífanes, los samaritanos dedicaron su templo a Zeus. Cuando los judíos recobraron el control de Palestina, destruyeron el templo samaritano en el monte de Gerizim. Sin embargo, el lugar siguió siendo sagrado para los samaritanos que continuaban adorando allí. "No querían reconocer el templo de Jerusalén como casa de Dios, ni admitían que la religión de los judíos fuese superior a la suya".[81] "Los samaritanos creían que el Mesías había de venir como Redentor, no sólo de los judíos, sino del mundo".[82]

Aunque tenían razón en su creencia, necesitaban abandonar otras
costumbres para seguir a Jesús. Así también nosotros.

El Pozo de Jacob

Y llegó a una ciudad de Samaria llamada Sicar, cerca de la heredad que Jacob había dado a su hijo José. Juan 4:5.

"Atravesando el Jordán, llegó Jacob 'sano a la ciudad de Siquem, que está en la tierra de Canaán' (Véase Génesis 33-37). Así quedó contestada la oración que el patriarca había elevado en Betel pidiendo a Dios que le ayudara a volver en paz a su propio país. Durante algún tiempo habitó en el valle de Siquem".[1] Allí fue donde Abrahán estableció su primer campamento y erigió su primer altar al Señor. Allí Jacob compró parte del campo a Hamor, padre de Siquem. "Fue allí donde cavó un pozo al cual se llegó 17 siglos más tarde el Salvador, el Descendiente de Jacob, y mientras junto a él descansaba del calor del mediodía, habló a su admirada oyente del agua que salta 'para vida eterna'".[2] Parecía innecesario abrir un pozo en esa zona donde abundaban los manantiales naturales, pero Jacob cavó su pozo de casi 30 metros de profundidad para evitar discusiones con sus vecinos, ya que él era extranjero entre ellos.

Más tarde los israelitas viajaron hacia el valle de Siquem para renovar su pacto de lealtad con Dios. A lo largo de la serranía del Carmelo, que se adentra en el Mediterráneo, hacia el este y sur se extiende la montañosa región de Samaria. Los montes gemelos, Ebal y Gerizim, sobresalen casi en medio de la zona. Al pie ambos casi se tocan, por medio de unas estribaciones bajas que forman un paso, en el cual se halla situada la ciudad de Siquem. La frontera sur de Samaria estaba aproximadamente a unos 16 kilómetros al norte de Jerusalén.

Jesús llegó al valle de Siquem a la hora sexta, es decir, en torno al mediodía. "Entre las colinas áridas se extendía el atrayente y primoroso valle, cuyos campos verdes salpicados de olivares y enjoyados de flores silvestres eran regados por arroyos provenientes de manantiales vivos".[3] Si hubiese sido más tarde, habría ido a Sicar o salvado la corta distancia hasta Siquem para encontrar alojamiento. Pocos venían al pozo a mediodía, porque la mayoría de la gente sacaba el agua por la mañana y al atardecer.

"Mientras Jesús estaba sentado sobre el brocal del pozo, se sentía débil por el hambre y la sed. El viaje hecho desde la mañana había sido largo, y se hallaba ahora bajo los rayos del sol de mediodía. Su sed era intensificada por la evocación del agua fresca que estaba tan cerca, aunque inaccesible para él; porque no tenía cuerda ni cántaro, y el pozo era hondo. Compartía la suerte de la humanidad, y aguardaba que alguien viniese para sacar agua".[4]

Aún hoy, Cristo espera que hagamos su voluntad.

Dame de Beber

Vino una mujer samaritana a sacar agua, y Jesús le dijo: "Dame de beber". Juan 4:7.

Jesús y sus discípulos habían viajado varios kilómetros bajo el ardiente sol. "Cansado de viajar, se sentó allí para descansar, mientras sus discípulos iban a comprar provisiones".[5] Los rabinos permitían negocios con los samaritanos en caso de necesidad, pero condenaban cualquier contacto social con ellos. "Los discípulos, al ir a comprar alimentos, obraban en armonía con la costumbre de su nación, pero no podían ir más allá. El pedir un favor a los samaritanos, o el tratar de beneficiarlos en alguna manera, no podía cruzar siquiera por la mente de los discípulos de Cristo".[6]

Se acercó entonces una mujer de Samaria, y sin prestar atención a su presencia, llenó su cántaro de agua. Cuando estaba por irse, Jesús le pidió que le diese de beber. "Ningún oriental negaría un favor tal. En el Oriente se llama al agua 'el don de Dios'. El ofrecer de beber al viajero sediento era considerado un deber tan sagrado que los árabes del desierto se tomaban molestias especiales para cumplirlo".[7] Su petición escandalizó a la mujer. "¿Cómo tú, siendo judío, me pides a mí de beber, que soy mujer samaritana?" Jesús estaba tratando de hallar la llave de su corazón. En vez de ofrecerle un favor, pidió un sorbo de agua. "El que había hecho el océano, el que rige las aguas del abismo, el que abrió los manantiales y los canales de la tierra, descansó de sus fatigas junto al pozo de Jacob y dependió de la bondad de una persona extraña para una cosa tan insignificante como un sorbo de agua".[8] Jesús contestó: "Si conocieras el don de Dios, y quién es el que te dice: 'Dame de beber', tú le pedirías a él, y él te daría agua viva".

La mujer no veía delante de sí más que un sediento viajero, cansado y cubierto de polvo; sin embargo, notó algo diferente en él. Cambiando el tono de su voz, se dirigió a él con respeto. El pozo era hondo y Jesús no tenía ni cuerda ni cántaro. ¿De dónde iba a sacar el "agua viva"? "Miraba hacia atrás a los padres, y hacia adelante a la llegada del Mesías, mientras la Esperanza de los padres, el Mesías mismo, estaba a su lado, y ella no lo conocía.

¡Cuántas almas sedientas están hoy al lado de la fuente del agua viva, y, sin embargo, buscan muy lejos los manantiales de la vida!"[9]

Agua Eterna

"El que bebe de esta agua, vuelve a tener sed. Pero el que beba del agua que yo le daré, no tendrá sed jamás". Juan 4:13-14.

Jeremías se refirió a Jesús como "la fuente de agua viva" (Jer. 17:13), e Isaías dijo: "Con gozo sacaréis aguas de las fuentes de la salvación" (Isa. 12:3). Como la gente se refería a los afluentes de agua como "agua viva", los pensamientos de la mujer se tornaron a las aguas literales de los manantiales de los alrededores, a los cuales sin duda Jesús tenía acceso. Su interés se despertó. Anhelaba esa "agua de vida" a la que él se refería, pero sólo desde un punto de vista práctico. Si conseguía de esa agua, nunca más tendría que sacarla todos los días del pozo.

En su trato con la mujer samaritana, Jesús nos dejó la fórmula para la ganancia de almas. Primero despertó en ella el *deseo* de obtener algo mejor: "el agua viva". "Lo que el mundo necesita, 'el Deseado de todas las gentes', es Cristo. La gracia divina, que él solo puede impartir, es como agua viva que purifica, refrigera y vigoriza al alma".[10] Lo siguiente que Jesús le dijo, la hizo *reconocer* su necesidad: "Ve, llama a tu marido, y ven acá". Jesús conocía su pasado pero ella no quería hablar de eso con un extraño, aunque fuera profeta, como lo sospechaba. Tratando de cambiar la conversación, respondió con la verdad a medias:'No tengo marido'... Pero el Salvador continuó: "Bien has dicho, no tengo marido; porque cinco maridos has tenido: y el que ahora tienes no es tu marido; esto has dicho con verdad".

"La interlocutora de Jesús tembló. Una mano misteriosa estaba hojeando las páginas de la historia de su vida, sacando a luz lo que ella había esperado mantener para siempre oculto. ¿Quién era éste que podía leer los secretos de su vida?"[11] Ante él estaba una mujer pecadora que necesitaba el "agua viva" que Jesús le ofrecía, para satisfacer la sed de su alma. "El agua a la cual Cristo se refirió era la revelación de su gracia en su Palabra; su Espíritu, su enseñanza, es una fuente que satisface a toda alma. Toda otra fuente a la cual recurramos resultará insatisfactoria. Pero la Palabra de verdad es como frescas corrientes, simbolizadas por las aguas del Líbano, que siempre satisfacen. En Cristo hay plenitud de gozo para siempre".[12]

"Piensa en nosotros individualmente, y conoce cada una de nuestras necesidades".[13]

En Espíritu y en Verdad

Dios es espíritu. Y los que lo adoran, deben adorarlo en espíritu y en verdad. Juan 4:24

La mujer samaritana desvió la conversación, de su vida personal hacia puntos de controversia religiosa que tenían que ver con el lugar de adoración. A la vista estaba el monte Gerizim, mientras que el templo de Jerusalén estaba cerrado a su pueblo. Ella quería saber la opinión de ese profeta en cuanto a la importancia del lugar de adoración. Jesús le respondió: "Mujer, créeme, que la hora viene, cuando ni en este monte, ni en Jerusalén adoraréis al Padre. Vosotros adoráis lo que no sabéis; nosotros adoramos lo que sabemos: porque la salud viene de los judíos... Pero "la hora viene, y ahora es, cuando los verdaderos adoradores adorarán al Padre en espíritu y en verdad; porque también tales adoradores busca que le adoren". Jesús declaró la misma verdad que había revelado a Nicodemo cuando dijo: "A menos que el hombre naciere de lo alto, no puede ver el reino de Dios". ¡No se trata de *dónde* adoramos sino *cómo* lo hacemos!

Los samaritanos eran tan ortodoxos como los judíos; sin embargo, adoraban a Dios sólo en figura sin realmente comprenderlo. Toda religión verdadera tiene su centro en la mente y el corazón, no en las tradiciones. "En vano me honran, cuando enseñan como doctrinas mandamientos de hombres" (Marcos 7:7). Dios no coloca restricciones en la verdadera adoración, sino se interesa en el espíritu del que la practica.

"La religión no ha de limitarse a las formas o ceremonias externas. La religión que proviene de Dios es la única que conduce a Dios. A fin de servirle debidamente, debemos nacer del Espíritu divino. Esto purificará el corazón y renovará la mente, dándonos una nueva capacidad para conocer y amar a Dios. Tal es el verdadero culto. Es el fruto de la obra del Espíritu Santo".[14]

Ahora, la mujer estaba convencida que Jesús era profeta. Sabía de la venida del Mesías. Su pueblo lo llamaba "Taheb", que significa "Aquel que vuelve" o "el Restaurador". Cuando declaró que creía en Taheb, Jesús le anunció: "Yo soy, que hablo contigo". "El claro aserto hecho por Jesús a esta mujer no podría haberse dirigido a los judíos que se consideraban justos".[15] Las buenas noticias que había ocultado a los judíos, las revelaba ahora a esta mujer que venía de una nación despreciada.

La verdadera religión consiste en obedecer todos los requisitos de Jesús y no en aferrarse a mandamientos humanos.

Hacer su Voluntad

Jesús les dijo: "Mi comida es hacer la voluntad del que me envió, y acabar su obra". Juan 4:34.

*E*mocionada y gozosa, la mujer samaritana se olvidó de lo que la había traído al pozo y volvió a la ciudad para proclamar la llegada del "Taheb". Mientras tanto los discípulos habían regresado con alimentos. Cuando llegaron al pozo, se sorprendieron al ver a su maestro hablando con una mujer. "Los judíos consideraban como algo sumamente indigno que un hombre investido con la dignidad de un rabino conversara en público con una mujer. Una obra literaria judía antigua, aconseja: 'Nadie converse con una mujer en la calle; no, ni siquiera con su propia esposa' ".[16] Por respeto a Jesús, los discípulos decidieron no mencionarle el incidente. "Le veían callado, absorto, como en arrobada meditación. Su rostro resplandecía, y temían interrumpir su comunión con el cielo".[17]

Preocupados por su bienestar, los discípulos le rogaron que comiera. Jesús reconoció su amante interés, y pacientemente les aseguró que hacer la voluntad de su Padre era más satisfactorio que mitigar el hambre. "Porque he descendido del cielo, no para hacer mi voluntad, sino la voluntad del que me envió" (Juan 6:38). "El ministrar a un alma que tenía hambre y sed de verdad le era más grato que el comer o beber. Era para él un consuelo, un refrigerio. La benevolencia era la vida de su alma".[18]

El proceso de cuatro pasos para la ganancia de almas que usaba Cristo, había sido completado. Primero despertó el deseo de "agua viva". Segundo, convenció a la mujer. Tercero, ella aceptó a Jesús como el Taheb y cuarto, la motivó a traer otras personas a él. Así sucede con los que encuentran al Salvador. Nuestro deseo más ferviente debiera ser compartir nuestro gozo con los vecinos y amigos.

"El discurso más inspirador para nosotros, que Jesús jamás haya predicado, fue el que pronunció ante un público de una sola persona. Al sentarse a descansar al lado del pozo, una mujer samaritana vino a sacar agua; Jesús vio la oportunidad de alcanzar su mente, y mediante ella la de los samaritanos, que se hallaban en las tinieblas y el error. Aunque Jesús estaba cansado, presentó las verdades de su reino espiritual, las cuales cautivaron a esa mujer pagana y la llenaron de admiración por Cristo. Y con alegría, se apresuró a publicar estas nuevas de salvación: '¡Venid, a ver a un hombre que me dijo todo cuanto hice! ¿No será el Cristo?' "[19]

Cada uno de nosotros debiera poder contestar personalmente la pregunta: "¿No será el Cristo?"

Tiempo de Cosecha

";No decís vosotros: Aún faltan cuatro meses hasta la siega? Yo os digo: Alzad vuestros ojos y mirad los campos. Ya están blancos para la siega". Juan 4:35.

Mientras los discípulos trataban de convencer a Jesús de que comiera, la mujer reunió a sus vecinos y los llevó al pozo. Su emoción era contagiosa y ellos estaban ansiosos de encontrarse con el Mesías. Mientras Jesús estaba todavía sentado a orillas del pozo, miró los campos de la mies que se extendían delante de él. En Palestina, los agricultores sembraban los granos en el otoño y los cosechaban en la primavera. Faltaban cuatro meses para la siega, pero allí había una mies ya lista para la cosecha y Jesús hizo una comparación entre la cosecha de los granos y la inminente cosecha de almas que brotaban de la ciudad.

A menudo, los colportores o ministros siembran primero la semilla espiritual, y luego se cambian de lugar sin ver los resultados. Los que los siguen cosechan las almas. Cristo señala "el servicio sagrado que deben a Dios los que reciben el Evangelio. Deben ser sus agentes vivos. Él requiere su servicio individual. Y sea que sembremos o seguemos, estamos trabajando para Dios. El uno esparce la simiente; y el otro junta la mies; pero tanto el sembrador como el segador reciben galardón. Se regocijan juntos en la recompensa de su trabajo".[20]

Los samaritanos rodearon estrechamente a Jesús, y lo acosaron a preguntas. Con infinita paciencia, él les explicó muchas de las dificultades que percibían en sus vidas religiosas. Lo invitaron a su ciudad, y le rogaron que quedase con ellos. Pasó, pues, dos días maravillosos en Samaria. "Aunque judío, Jesús trataba libremente con los samaritanos, y despreciando las costumbres y los prejuicios fariseos de su nación, aceptaba la hospitalidad de aquel pueblo despreciado. Dormía bajo sus techos, comía a su mesa, compartiendo los manjares preparados y servidos por sus manos, enseñaba en sus calles, y los trataba con la mayor bondad y cortesía. Y al par que se ganaba sus corazones por su humana simpatía, su gracia divina les llevaba la salvación que los judíos rechazaban' ".[21]

"No debemos estrechar la invitación del Evangelio y presentarla solamente a unos pocos elegidos, que, suponemos nosotros, nos honrarán aceptándola. El mensaje ha de proclamarse a todos".[22]

En Galilea

Cuando llegó a Galilea, los galileos lo recibieron, pues habían visto todo lo que había hecho en Jerusalén en el día de la fiesta, porque también ellos habían ido a la fiesta. Juan 4:45.

"Cuando Jesús se sentó para descansar junto al pozo de Jacob, venía de Judea, donde su ministerio había producido poco fruto. Había sido rechazado por los sacerdotes y rabinos, y aun los que profesaban ser discípulos suyos no habían percibido su carácter divino".[23] La estada de dos días en Samaria había probado en gran manera a los discípulos. Les resultaba difícil asociarse con los enemigos de su propia nación y no podían comprender la conducta del Maestro. Sólo la fidelidad a él los detuvo de expresar sus prejuicios hacia "esa gente" que Jesús parecía amar.

Ninguna buena obra deja de ser recompensada. Después de la crucifixión de Cristo, se desató en Jerusalén la persecución contra la iglesia. "Y cuando sus discípulos fueron expulsados de Jerusalén, algunos hallaron seguro asilo en Samaria. Los samaritanos dieron la bienvenida a estos mensajeros del Evangelio, y los judíos convertidos recogieron una preciosa mies entre aquellos que habían sido antes sus más acerbos enemigos".[24]

Cuando Jesús regresó a Galilea, le aguardaba una recepción diferente de la que había experimentado en Judá. Los valles fértiles y las regiones montañosas que se extendían a lo largo de los faldeos del monte Hermón al norte, hasta la llanura de Esdraelón al sur, no eran sólo el hogar de Jesús sino el de sus discípulos. Había testigos de la purificación del templo; y en Galilea, muchos creían que Jesús era el Mesías.

Evadiendo Nazaret, Jesús siguió en dirección norte hasta Caná, el lugar de su primer milagro. Las nuevas del regreso de Jesús cundieron por toda Galilea, e infundieron esperanza a los dolientes y angustiados. Pronto Jesús se vio rodeado por una multitud. "Pero el pueblo de Nazaret no creía en él. Por esta razón Jesús no visitó a Nazaret mientras iba a Caná. El Salvador declaró a sus discípulos que un profeta no recibía honra en su país. Los hombres estiman el carácter por lo que ellos mismos son capaces de apreciar. Los de miras estrechas y mundanales juzgaban a Cristo por su nacimiento humilde, su indumentaria sencilla y su trabajo diario. No podían apreciar la pureza de aquel espíritu que no tenía mancha de pecado".[25]

Resulta difícil para los del mundo encontrar algo en la religión que los atraiga.

Señales y Milagros

"Si no veis señales y milagros no creeréis". Juan 4:48.

Las nuevas del regreso de Cristo se esparcieron por toda Galilea. En Capernaún, a orillas del Mar de Galilea, la noticia llegó a un noble judío que era oficial del rey. (En Capernaún había una aduana y una guarnición romana, lo que sugiere que se trataba de una ciudad fronteriza entre los territorios de Herodes Antipas y su hermano Felipe). Los mejores médicos de ese lugar no habían podido sanar al hijo del oficial. Considerando su caso sin esperanza, todos habían dado al muchacho por desahuciado.

Pensando que Jesús podría ser la última esperanza para su hijo, el noble viajó 24 kilómetros a Caná para presentar su petición personalmente. Al llegar a Caná, encontró que una muchedumbre rodeaba al Maestro. Al abrirse paso entre la multitud, "su fe vaciló cuando vio tan sólo a un hombre vestido sencillamente, cubierto de polvo y cansado del viaje. Dudó de que esa persona pudiese hacer lo que había ido a pedirle; sin embargo, logró entrevistarse con Jesús, le explicó por qué venía y rogó al Salvador que le acompañase a su casa".[26] Antes que el oficial saliese de Capernaún, Jesús ya conocía su petición.

El noble había establecido condiciones para creer. Al igual que otros judíos, él estaba interesado en recibir ayuda especial de Jesús por razones meramente egoístas. Eso entristeció a Jesús. Los samaritanos no pidieron milagros; sin embargo, los judíos, que eran el pueblo escogido de Dios, continuaban pidiendo puebas de su divinidad. El noble tenía cierto grado de fe, suficiente para haberlo hecho subir el empinado camino que llevaba a Caná con el fin de buscar la ayuda del Salvador. Jesús no sólo deseaba sanar al niño, sino hacer que el noble comprendiera su propia necesidad.

"Entonces Jesús le dijo: 'Si no veis señales y milagros no creeréis'". Inmediatamente el noble vio su propio carácter. Su duda podría costar la vida de su hijo. Sabiendo que Jesús podía leer sus propios pensamientos, suplicó desesperado: "Señor, desciende antes que mi hijo muera". La transformación necesaria ocurrió instantáneamente. Ahora, Jesús no se demoró en conceder la petición. El secreto consiste en demostrar confianza y fe incondicionales. "El Salvador no puede apartarse del alma que se aferra a él invocando su gran necesidad".[27] Jesús simplemente dijo al padre: "Ve. Tu hijo vive". Al principio el noble quería que Jesús lo acompañase a Capernaún, pero ahora debía volver sin evidencia de que su petición había sido concedida. La indicación de Cristo probaría su nueva fe, pero el don requería confianza.

¿Confía usted en él?

Creed y recibiréis

"Ve. Tu hijo vive". Y el hombre creyó la Palabra de Jesús, y se fue.
Juan 4:50.

Jesús le dijo al noble que volviera a su casa, que su hijo había sido sanado. "Debía *actuar* por fe, creyendo que había recibido lo que había venido a pedir".[28] "Jesús siempre requería una fe completa e incondicional, *antes* de que pudiera actuar el poder divino. El "oficial" tenía el plan de *creer* si podía primero *ver*. Jesús le pidió que *creyera* antes de que viera. La fe que depende de la concesión de ciertos pedidos descansa sobre un débil fundamento, y se desmorona ante las circunstancias cuando Dios ve que lo mejor es no conceder lo que se desea".[29]

En el hogar de Capernaúm la familia vio al niño revivir. La fiebre lo dejó en el mismo calor del día y cayó en profundo sueño. "La distancia que mediaba de Caná a Capernaúm habría permitido al oficial volver a su casa esa misma noche, después de su entrevista con Jesús. Pero él no se apresuró en su viaje de regreso. No llegó a Capernaúm hasta la mañana siguiente. ¡Y qué regreso fue aquel!"[30]

Cuando se acercaba a su hogar, sus siervos le salieron al encuentro, para saludarlo con la feliz noticia: "Tu hijo vive". Es interesante notar que las mismas palabras que Jesús había pronunciado el día anterior, salieron ahora de labios de sus siervos. Se sorprendieron al ver que el noble no manifestaba sorpresa por la noticia que le traían, sino que les preguntaba la hora en que el niño había sanado. "Y ellos le contestaron: 'Ayer a las siete le dejó la fiebre' ". Ese había sido el momento cuando la fe del padre se había aferrado a la promesa del gran Médico. Si el sanamiento hubiese sucedido antes o después, podrían haber surgido dudas en cuanto a si la sanidad había venido de Jesús o de otras fuentes. La sanidad del hijo del noble resultó en la conversión de él y toda su familia. Se preparó así el camino para la obra futura en Capernaúm y el ministerio de Cristo en Galilea.

"El que bendijo al noble en Capernaúm siente hoy tantos deseos de bendecirnos a nosotros... Nuestra fe en Cristo no debe estribar en que veamos o sintamos que él nos oye. Debemos confiar en sus promesas. Cuando acudimos a él con fe, toda petición alcanza al corazón de Dios. Cuando hemos pedido su bendición, debemos creer que la recibimos y agradecerle de que la *hemos* recibido. Luego debemos atender nuestros deberes, seguros de que la bendición se realizará cuando más la necesitemos.

Cuando hayamos aprendido a hacer esto, sabremos que nuestras
oraciones son contestadas".[31]

Un Prisionero

*Pero cuando Juan reprendió al tetrarca Herodes por causa de
Herodías, esposa de Felipe su hermano, y por todas sus malas acciones,
Herodes agregó la maldad de encarcelar a Juan. Lucas 3:19, 20.*

*E*n camino a Roma, Herodes Antipas se enamoró de Herodías, su sobrina
y esposa de su medio hermano Herodes Felipe. Pronto Herodías dejó a su esposo
y Antipas a su esposa, la hija de Aretas, rey de los nabateos. El primer matrimonio
de Antipas había sido por conveniencia política, para unir las fronteras del sur y
el este de su reino contra el ataque de los nabateos que vivían al sur del Mar
Muerto. El padre de la esposa abandonada se ofendió tanto que más tarde declaró
la guerra, ocupando una buena parte del territorio transjordano de Antipas.

Juan el Bautista reprendió públicamente a Antipas por su adulterio con
Herodías. Cuando Juan fue arrestado, había estado predicando en el lado
pereano del Jordán, en el territorio de Antipas. La razón del encarcelamiento se
debió al odio que Herodías le tenía al profeta por haber expuesto su relación
adúltera ante la gente, lo cual le había causado angustia mental; porque el
pueblo judío desaprobaba la unión del rey con la esposa de su medio hermano.

Josefo sugiere que Herodes confinó a Juan en la fortaleza de Maquero, al
este del Mar Muerto. Otros ubican el calabozo en Tiberias. Cualquiera que
fuera el lugar, Juan había pasado la mayoría de su vida en el campo y la lóbrega
prisión e inactividad lo abrumaron. "El abatimiento y la duda fueron
apoderándose de él. Sus discípulos no le abandonaron. Se les permitía tener
acceso a la cárcel, y le traían noticias de las obras de Jesús y de cómo la gente
acudía a él. Pero preguntaban por qué, si ese nuevo maestro era el Mesías, no
hacía algo para conseguir la liberación de Juan. ¿Cómo podía permitir que su
fiel heraldo perdiese la libertad y tal vez la vida?"[32]

Con cuánta frecuencia los que se creen amigos resultan ser los enemigos
más peligrosos. Los discípulos de Juan no llevaban consuelo o ánimo a su
maestro. Por el contrario habían sembrado semillas de duda y desánimo. "Satanás
se regocijaba al oír las palabras de esos discípulos, y al ver cómo lastimaban el
alma del mensajero del Señor".[33] Si los propios discípulos del Bautista dudaban
de que Jesús fuera el Mesías, ¿cuán efectivo había sido el ministerio de Juan?
Esto lo angustiaba, "pero el Bautista no renunció a su fe en Cristo".[34] Ahora
Satanás estaba determinado a causar tristeza a Jesús destruyendo a Juan. "Jesús
no se interpuso para librar a su siervo. Sabía que Juan soportaría la prueba".[35]

*Nuestras palabras pueden consolar o afligir. Debemos cuidarnos de
no causar dudas con nuestras declaraciones.*

Betesda, la Casa de Gracia

Cuando Jesús lo vio acostado, y sabiendo que hacía mucho tiempo que estaba así, le preguntó: "¿Quieres ser sano?" Juan 5:6.

*A*l salir de Capernaún, Jesús se encaminó a Jerusalén para pasar allí la Pascua. En ningún lugar de la ciudad se veía tanta pobreza y sufrimiento como en el estanque de Betesda, cerca de la puerta de las Ovejas. Esta puerta (Neh. 3:1) estaba en la esquina noreste de la pared del templo, así que el estanque se hallaba en la sección norte de la ciudad. Estaba rodeado de amplios corredores en los cuatro lados, y en el medio había un quinto pórtico dividido en dos. La superstición popular creía que poderes sobrenaturales venían periódicamente para agitar las aguas del estanque. El enfermo que entrara primero al agua sanaría. Centenares de enfermos visitaban el lugar; muchos acampaban en esos pórticos observando las aguas para detectar el movimiento más leve. Si algo agitaba el agua, la multitud se precipitaba al estanque. Los más débiles y enfermos corrían grave peligro de ser pisoteados. Muchos no podían ni acercarse al estanque sin que alguien los ayudase. Otros lo lograban, para sólo morir ahogados. Se habían levantado albergues en torno al lugar, para proteger a los enfermos del calor del día y del frío de la noche. Día tras día pasaba hasta que las esperanzas de alivio finalmente se desvanecían.

Por lo regular los más egoístas, los más fuertes y los más decididos llegaban primero al agua. "Era muy improbable que los más necesitados se beneficiaran, por lo que Jesús eligió el caso peor... los dones de Dios son igualmente para todos los que están en condiciones de recibirlos".[36] Las calles estaban atestadas de gente por la Pascua, y ninguno notó al Hombre de Galilea que caminaba solo, aparentemente sumido en oración y meditación. De pronto se dio cuenta que estaba ante el estanque, y se detuvo a contemplar a la angustiada multitud. Esa ola de sufrimiento y miseria humana que se congregaba alrededor del estanque mostró claramente a Jesús el dominio de Satanás en esta tierra. "Vio a los pobres dolientes esperando lo que suponían ser su única oportunidad de sanar. Anhelaba ejercer su poder curativo y devolver la salud a todos los que sufrían. Pero era sábado. Multitudes iban al templo para adorar, y él sabía que un acto de curación como éste excitaría de tal manera el prejuicio de los judíos que abreviaría su obra".[37]

Jesús nos encuentra tendidos al lado de nuestro propio estanque de Betesda y desea sanar nuestro sufrimiento y culpa. Amigo que sufres ¿deseas ser sano?

¿Deseas Ser Sano?

Jesús le dijo: "¡Levántate! ¡Toma tu camilla, y anda!" Juan 5:8.

*J*esús notó a un hombre que había estado imposibilitado durante 38 años. Su enfermedad se debía en gran parte a la vida pecaminosa que había llevado en el pasado. No tenía a nadie que lo ayudara a entrar al agua cuando ésta se agitaba. De vez en cuando el paralítico levantaba la cabeza para mirar al estanque, pero chasqueado la volvía a bajar sin fuerzas. De pronto el rostro compasivo de Jesús se inclinó a preguntarle: "¿Deseas ser sano?" La esperanza renació en su corazón; se acordó de cuántas veces había tratado de llegar a la orilla del estanque y no lo había logrado. Con tranquila desesperación le contestó: "Señor, —respondió el enfermo—, no tengo quien me introduzca en el estanque cuando se agita el agua, porque entre tanto que voy, otro desciende antes que yo". Sin amigos y sin esperanza, no veía futuro más que la muerte. Su enfoque estaba todavía en el milagro sanador del estanque y no tenía idea de que Jesús pudiera ser capaz de ayudarlo.

Jesús le ordenó: "¡Levántate! ¡Toma tu camilla, y anda!" De inmediato la fe del hombre se aferra a esa palabra y de un salto se pone de pie. "Jesús no le había dado seguridad alguna de ayuda divina. El hombre podría haberse detenido a dudar, y haber perdido su única oportunidad de sanar. Pero creyó la palabra de Cristo, y al obrar de acuerdo con ella recibió fuerza".[38] Recogiendo su camilla, se enderezó por segunda vez en 38 años y buscó a su libertador para agradecerle, pero Jesús había desaparecido entre la multitud de la Pascua.

Cuando se apresuraba hacia el templo, varios fariseos detuvieron al hombre sanado. Gozoso les contó el milagro de su sanamiento y se sorprendió de ver la frialdad con que le escuchaban. Con hostilidad le interrumpieron, preguntándole por qué llevaba su cama en sábado. En su gozo, el hombre se había olvidado de que era sábado, y sin embargo no se sentía culpable por su transgresión, sino en forma atrevida dijo: "El que me sanó, él mismo me dijo: 'Toma tu camilla y anda' ". Los fariseos sabían muy bien que sólo una Persona tenía el poder de realizar ese milagro. Deseaban una prueba directa de que era Jesús, para poder acusarlo de quebrantar del sábado. Pero el hombre no pudo identificar a Cristo.

Más tarde, entre la multitud que estaba en el atrio del templo, Jesús se encontró con este hombre y le explicó la relación entre su sanamiento físico y el perdón de sus pecados. "Mira que has sido sanado. No peques más, para que no te venga algo peor".

Cada milagro que Jesús realizaba tenía un propósito definido. "Sus obras admirables fueron todas hechas para beneficio de otros".[39]

Legalismo Sabático

Por esta causa los judíos perseguían a Jesús, y procuraban matarlo,
porque hacía estas cosas en sábado. Juan 5:16.

Los judíos habían puesto tantas restricciones sobre la observancia del sábado que éste ya no resultaba un deleite. "Un judío no podía encender fuego, ni siquiera una vela, en sábado. Como consecuencia, el pueblo hacía cumplir por gentiles muchos servicios que sus reglas les prohibían hacer por su cuenta. No reflexionaban que si estos actos eran pecaminosos, los que empleaban a otros para realizarlos eran tan culpables como si los hiciesen ellos mismos. Pensaban que la salvación se limitaba a los judíos; y que la condición de todos los demás, siendo ya desesperada, no podía empeorar. Pero Dios no ha dado mandamientos que no puedan ser acatados por todos. Sus leyes no sancionan ninguna restricción irracional o egoísta".[40]

Como resultado de su milagro en Betesda, el divino Creador, que instituyó el sábado, fue llevado ante el Sanedrín para responder a las acusaciones de haberlo quebrantado. Sólo porque la pena capital estaba en manos de los dirigentes romanos, los judíos no condenaron en seguida a muerte a Jesús. Lentamente, después de un año, Jesús estaba ganando seguidores en Jerusalén y Judea. "Podían comprender sus palabras, y sus corazones eran consolados y alentados".[41] Aquí se estaba cumpliendo una de las más antiguas profecías acerca de Cristo: "... y a él se congregarán los pueblos" (Gén. 49:10). Los sacerdotes y gobernadores temían a Jesús y se esforzaban por recobrar su control de la gente. Un judío devoto no se atrevía a ignorar las decisiones del Sanedrín. Si la asamblea denunciaba las enseñanzas de Jesús, los rabinos pensaban que su influencia disminuiría.

Satanás se encargó de persuadir a los dirigentes de Israel para que se opusieran al ministerio de Jesús, que había venido a "magnificar su ley y engrandecerla" (Isa. 42:21). Jesús deseaba librar al sábado de estos requerimientos gravosos. Por esta razón, había escogido el sábado y no otro día de la semana para sanar al paralítico. Y por esa misma razón le dijo que tomara su camilla. Ahora tenía la oportunidad de definir lo que era correcto hacer en sábado.

"Un propósito sabio motivaba cada acto de la vida de Cristo en la
tierra. Todo lo que hacía era importante en sí mismo y por su
enseñanza".[42] Sería bueno que estudiásemos su vida con este
principio en mente.

Una Obra de Dios

Jesús respondió: "Mi Padre siempre está en su obra, y yo también".
Juan 5:17.

Los dirigentes judíos tuvieron amplia oportunidad de saber que Jesús era el Mesías. La visión de Zacarías, el anuncio de los pastores, la venida de los magos, la visita de Cristo al templo cuando tenía 12 años, el testimonio de Juan el Bautista; pero lo ignoraron todo. Además, tenían las profecías mesiánicas que apuntaban a Jesús; sin embargo, querían matarlo por haber sanado a un hombre y haberle dicho que llevara su camilla en sábado. La ley judía permitía el tratamiento de las enfermedades agudas, pero no de las crónicas. "¿Es permisible que una persona cure en sábado? ... Un peligro mortal sorepuja al sábado, pero si es dudoso que él [un enfermo] recupere la salud o no, uno no debiera pasar por alto el sábado".[43] El hecho de que Jesús escogiera a un hombre que había estado enfermo durante 38 años, provee una clara ilustración de cómo interpretar esta restricción legal.

Cuando Jesús compareció ante el Sanedrín, mencionó que Dios trabajaba todos los días y que lo que se demanda a Dios en sábado es aun más que en los otros días. "Dios no podía detener su mano por un momento, o el hombre desmayaría y moriría. Y el hombre también tiene una obra que cumplir en sábado: atender las necesidades de la vida, cuidar a los enfermos, proveer a los menesterosos. No será tenido por inocente quien descuide el alivio del sufrimiento ese día. El santo día de reposo de Dios fue hecho para el hombre, y las obras de misericordia están en perfecta armonía con su propósito. Dios no desea que sus criaturas sufran una hora de dolor que pueda ser aliviada en sábado o cualquier otro día."[44]

"La ley prohíbe el trabajo secular en el día de reposo del Señor; debe cesar el trabajo con el cual nos ganamos la vida; ninguna labor que tenga por fin el placer mundanal o el provecho es lícita en ese día; pero como Dios abandonó su trabajo de creación y descansó el sábado y lo bendijo, el hombre ha de dejar las ocupaciones de su vida diaria, y consagrar esas horas sagradas al descanso sano, al culto y a las obras santas. La obra que hacía Cristo al sanar a los enfermos estaba en perfecta armonía con la ley. Honraba el sábado".[45] Los rabinos no pudieron contestar la lógica de Jesús tomada de las Escrituras y la naturaleza. Jesús les demostró en forma clara que la posición de ellos se fundaba únicamente en la costumbre y la tradición.

¿Cómo honramos el sábado? Se nos aconseja que dediquemos esas
horas al descanso saludable, al culto y las obras santas.

Cuatro Testigos

"Escudriñad las Escrituras, ya que pensáis tener en ellas la vida eterna. Ellas son las que dan testimonio de mí. Sin embargo, no queréis venir a mí para tener vida eterna". Juan 5:39, 40.

*D*e pie en medio del Sanedrín, Jesús declaró su relación con su Padre celestial. Reprendió a sus acusadores por su ignorancia de las Escrituras. Poseían los sagrados escritos que hablaban de la venida del Hijo de Dios y aun así rechazaban ese conocimiento. Muchos daban más importancia a la memorización de los textos que a comprenderlos. La ley judía declaraba: "No está permitido testificar de sí mismo".[46] Jesús explicó que los rabinos ya tenían cuatro grandes testigos de su divinidad, pero que habían rehusado aceptarlos. Sus cuatro argumentos eran convincentes:

(1) "Vosotros enviasteis a preguntar a Juan, y él dio testimonio de la verdad. Pero, yo no busco el testimonio de un hombre; sino que digo esto, para que vosotros seáis salvos" (Juan 5:33, 34). Aunque Jesús no tenía que depender del testimonio de la humanidad, les recordó a los dirigentes que muchos de ellos habían visto y escuchado a Juan el Bautista.

(2) "Pero yo tengo un testimonio mayor que el de Juan. Las mismas obras que el Padre me encomendó realizar, esas mismas obras que yo hago, testifican que el Padre me envió" (Juan 5:36).

Cada milagro que Cristo realizaba era una señal de su divinidad. "La más alta evidencia de que él provenía de Dios estriba en que su vida revelaba el carácter de Dios".[47]

(3) "Y también el Padre que me envió ha dado testimonio de mí. Nunca habéis oído su voz, ni habéis visto su rostro" (Juan 5:37). De estas palabras dirigidas a sus corazones por el Padre, los rabinos no sabían nada.

(4) "Escudriñad las Escrituras, ya que pensáis tener en ellas la vida eterna. Ellas son las que dan testimonio de mí. Sin embargo, no queréis venir a mí para tener vida eterna. Yo no acepto gloria de los hombres" (Juan 5:39-41). "Habiendo rechazado a Cristo en su palabra, le rechazaron en persona".[48]

Ellos se dieron cuenta que Jesús venía de Dios, y el saberlo los atemorizaba y los envalentonaba. Su culpa los empujaba más a matarlo. Ahora Jesús salió de Jerusalén y Judea, y volvió a Galilea y a otra clase de gente.

No es suficiente conocer a Cristo. Debemos aceptarlo personalmente como nuestro Salvador.

MINISTERIO EN GALILEA
Cristo, nuestro Maestro

Primavera del 29 d.C. a la Primavera del 30 d.C.

Mateo 4:12-15:20

Marcos 1:14-7:23

Lucas 4:14-9:17

Juan 6:1-7:1

El Deseado de todas las gentes, pp. 198-359

En Galilea

Después que Juan fue encarcelado, Jesús vino a Galilea predicando el evangelio del reino de Dios. Marcos 1:14.

El primer año del ministerio de Jesús, lo dedicó a los habitantes de Jerusalén, la gente de Judea, y los dirigentes de Israel. Desde la purificación del templo durante la Pascua del año 28 D.C. hasta cuando se presentó ante el Sanedrín para dar cuentas por haber quebrantado el sábado durante la Pascua del año 29 D.C., Jesús procuró alcanzar a los dirigentes con su mensaje. "Dios trataba de dirigir su atención a la profecía de Isaías con respecto al Salvador sufriente, pero no quisieron oírlo. Si los maestros y caudillos de Israel se hubieran sometido a su gracia transformadora, Jesús los habría hecho embajadores suyos ante los hombres".[49] "Los celos y la desconfianza de los dirigentes judíos maduraron en abierto odio, y el corazón de la gente se apartó de Jesús".[50]

Los dirigentes religiosos se sentían muy atraídos por la tradición y el cargo. Para ellos, la tradición determinaba el valor que una persona tenía ante Dios, y esto prevalecía sobre la norma del carácter de Dios que revelaba su propio Hijo. "Vino a lo que era suyo, y los suyos no lo recibieron" (Juan 1:1). "Enviaron mensajeros por todo el país para amonestar a la gente contra Jesús como impostor. Mandaron espías para que lo vigilasen, e informasen de lo que decía y hacía. El precioso Salvador estaba ahora muy ciertamente bajo la sombra de la cruz".[51]

Al noreste de Jerusalén, en la provincia de Galilea se mezclaban los viajeros de todas las regiones. "Los rabinos de Jerusalén despreciaban a los habitantes de Galilea por rudos e ignorantes; y, sin embargo, éstos ofrecían a la obra del Salvador un campo más favorable que los primeros".[52] Jesús viajaba ahora a Galilea, y halló a la gente bien dispuesta y sincera. Aceptaban lo que él presentaba y estaban menos influenciados por los dirigentes religiosos. El propósito de la denuncia pública que el Sanedrín de Jerusalén había hecho era atemorizar a Jesús y obligarlo a abandonar su ministerio público. Pero ahora, lejos de Jerusalén y de los que planeaban matarlo, continuó predicando el Evangelio. Con excepción de los espías permanentes, el recibimiento que experimentó en Galilea fue tan grande, que a veces se veía obligado a ocultarse de la gente. "El entusiasmo era tan grande que le era necesario tomar precauciones, no fuese que las autoridades romanas se alarmasen por temor a una insurrección. Nunca antes había vivido el mundo momentos tales. El cielo había descendido a los hombres".[53]

Venid a Galilea a escuchar.

Jesús se Levantó a Leer

*Y Jesús fue a Nazaret, donde se había criado. Y conforme a su
costumbre, el día sábado fue a la sinagoga, y se levantó a leer.
Lucas 4:16.*

Las noticias de los milagros y enseñanzas de Jesús en la lejana Judea
habían llegado a Nazaret. Un sábado que entró a la sinagoga para adorar, "allí
estaban las caras familiares de aquellos a quienes conociera desde la infancia.
Allí estaban su madre, sus hermanos y hermanas, y todos los ojos se dirigieron
a él".[54] Los sacerdotes controlaban el templo en Jerusalén, pero la sinagoga
local estaba bajo la dirección del laicado. Un grupo de ancianos supervisaba la
religión y el conocimiento cultural de la comunidad. A la cabeza de ellos, un
dirigente elegía entre los concurrentes al que leía, oraba y exhortaba. El 'hazzan"
o diácono sacaba los sagrados rollos del arca, una cámara especial donde los
guardaban, y los volvía a colocar allí después de cada lectura.

Los servicios eran largos, y aunque no conocemos su contenido exacto,
pueden haber consistido de: (1) El *shema*, o confesión de fe; (2) el *parashah*,
una lectura de los profetas, (4) el *derashah* o "estudio" (un sermón dado desde
un asiento especial cerca del lugar llamado el "Asiento de Moisés" que trataba
temas del *haphtorah*), y (5) la *bendición* pronunciada por un sacerdote, si lo
había presente; en caso contrario, se hacía una oración final. Ese sábado, los
dirigentes invitaron a Jesús a tomar parte en el culto. El "hazzan" le entregó el
libro del profeta Isaías y Jesús se puso de pie. El que leía la Palabra debía
permanecer de pie para mostrar reverencia.

El pasaje que eligió se refería al Mesías. "El Espíritu de Dios, el Señor está
sobre mí, porque me ungió para predicar buenas nuevas a los pobres. Me envió
para vendar a los quebrantados de corazón, a publicar libertad a los cautivos,
para poner en libertad a los quebrantados: para predicar el año agradable del
Señor" (Isa. 61:1, 2). Jesús se detuvo, y arrollando el libro, lo entregó y se sentó.
Había omitido la parte favorita de los nacionalistas judíos, el pasaje de las
Escrituras que profetizaba "el día de venganza de nuestro Dios" (Isa. 61:2).
Muchos judíos patriotas pensaban que sólo ellos merecían salvación y que al
final los gentiles recibirían su retribución. "La idea judía de que la salvación
dependía de la nacionalidad y no de la entrega personal a Dios, cegó al pueblo
hasta tal punto que no pudo comprender la verdadera naturaleza de la misión
de Cristo y lo indujo a rechazarlo".[55]

Nuestra salvación es individual y no colectiva.

Pasando entre Ellos

*Y agregó: "Os aseguro que ningún profeta es acepto en su propia
tierra". Lucas 4:24.*

Al terminar su presentación del *haphtorah*, Jesús devolvió el rollo al diácono
y se sentó. Los ojos de todos estaban fijos en él. Los informes de sus predicaciones
no habían sido exagerados. Sus antiguos vecinos habían presenciado su estilo y
estaban maravillados de las palabras de gracia que pronunciaba. "El flujo de la
influencia divina quebrantó toda barrera; como Moisés, contemplaban al Invisible.
Mientras sus corazones estaban movidos por el Espíritu Santo, respondieron con
fervientes amenes y alabaron al Señor".[56] Jesús anunció: "Hoy se ha cumplido esta
Escritura en vuestros oídos". Sus mentes fueron iluminadas por el Espíritu Santo y
comprendieron claramente el significado de la profecía de Isaías. Vieron por primera
vez que eran prisioneros de la oscuridad, que se habían separado de Dios y
comprendieron que su actitud egoísta ponía en peligro su salvación.

La gente comprendía que Jesús era el Mesías, tal como se rumoreaba; sin
embargo, ¿cómo era posible que el Mesías hablara de su propia gente como él lo
hacía? Al leer sus pensamientos egoístas, Jesús les recordó que muchas viudas
había en Israel en los días de Elías, pero a ninguna de ellas fue enviado Elías, sino
a la viuda de Sarepta de Sidón. Y muchos leprosos había en Israel en tiempo del
profeta Eliseo; pero ninguno de ellos fue limpio, sino Naamán el siro. "Nuestra
situación delante de Dios depende, no de la cantidad de luz que hemos recibido,
sino del empleo que damos a la que tenemos. Así, aun los paganos que eligen lo
recto en la medida en que lo pueden distinguir, están en una condición más
favorable que aquellos que tienen gran luz y profesan servir a Dios, pero desprecian
la luz y por su vida diaria contradicen su profesión de fe".[57]

Los comentarios de Jesús despertaron el orgullo nacional y la gente se
olvidó de la bendición. Lanzando gritos y maldiciones lo sacaron de la ciudad y
lo llevaron hasta la orilla de un precipicio. "Algunos le tiraban piedras, cuando
repentinamente desapareció de entre ellos. Los mensajeros celestiales que habían
estado a su lado en la sinagoga estaban con él en medio de la muchedumbre
enfurecida. Le resguardaron de sus enemigos y le condujeron a un lugar seguro".[58]

*"De qué peligros, vistos o no vistos, hayamos sido salvados por la
intervención de los ángeles, no lo sabremos nunca hasta que a la luz
de la eternidad veamos las providencias de Dios. Entonces sabremos
que toda la familia del cielo estaba interesada en la familia de esta
tierra, y que los mensajeros del trono de Dios acompañaban nuestros
pasos día tras día".[59]*

Su Propia Ciudad

Dejó a Nazaret, y habitó en Capernaúm, ciudad marítima, en la región de Zabulón y Neftalí". Mateo 4:13

Jesús centró su ministerio galileo en la ciudad de Capernaúm, para que se cumpliese lo que Isaías había dicho: "No habrá más oscuridad para los que estuvieron en aflicción. En el pasado Dios humilló la tierra de Zabulón y de Neftalí. Pero en el futuro honrará a Galilea de los gentiles, por la vía del mar, junto al Jordán. El pueblo que andaba en tinieblas vio una gran luz; que brilló para los que moraban en sombra de muerte" (Isa. 9:1-2).

Capernaúm era una ciudad fronteriza entre los Estados de Herodes Antipas y Felipe. Tenía una aduana y una guarnición romana. El capitán de esa guarnición construyó para los judíos una sinagoga. El lugar generalmente aceptado como asiento de la ciudad, distaba cuatro kilómetros de la boca del Jordán, a la orilla noroeste del Mar de Galilea, junto a la llanura de Genesaret. "La profunda depresión del lago da a la llanura que rodea sus orillas el agradable clima del sur. Allí prosperaban en los días de Cristo la palmera y el olivo; había huertos y viñedos, campos verdes y abundancia de flores para matizarlos alegremente, todo regado por arroyos cristalinos que brotaban de las peñas".[60] Las orillas del lago y los collados que lo rodeaban a corta distancia, estaban llenos de aldeas y pueblos. El lago estaba cubierto de barcos pesqueros y la gente participaba de los negocios comunes de esos días.

Capernaúm se prestaba muy bien para ser el centro de la obra de Cristo. Situada sobre el camino de Damasco a Egipto, muchos pasaban por allí rumbo al Mediterráneo. Allí Jesús tuvo la oportunidad de encontrarse con "todas las naciones". "Durante los intervalos que transcurrían entre sus viajes de un lugar a otro, Jesús moraba en Capernaúm, y esta localidad llegó a ser conocida como 'su ciudad' ".[61] Allí vivía el hijo del noble a quien Cristo había sanado; y conocemos más detalles del ministerio de Jesús en Galilea que de ningún otro segmento de su vida. Durante sus tres diferentes viajes a Galilea, Jesús enseñaba, sanaba y bendecía a todos los que lo buscaban. Al principio las multitudes lo rodeaban, pero al final del año, lo abandonarían.

"El Sol de justicia no apareció sobre el mundo en su esplendor, para deslumbrar los sentidos con su gloria. Escrito está de Cristo: 'Como el alba está aparejada su salida' (Oseas 6:3). Tranquila y suavemente la luz del día amanece sobre la tierra, despejando las sombras de las tinieblas y despertando el mundo a la vida. Así salió el Sol de justicia 'trayendo salud eterna en sus alas' (Malaquías 4:2)".[62]

Cómo Enseñaba Jesús

Jesús descendió a Capernaum, ciudad de Galilea. Y les enseñaba en
los sábados. Y se admiraban de su doctrina, porque hablaba con
autoridad. Lucas 4:31, 32.

"Todos los que oían al Salvador 'se maravillaban de su doctrina, porque hablaba con autoridad, y no como los escribas' (Lucas 4:32; Mateo 7:29)".[63]

Los sacerdotes enseñaban en forma fría y monótona, como una lección aprendida de memoria. Mezclaban sus explicaciones de las Escrituras con requisitos formalistas, y a menudo les daban más de un significado, lo cual confundía a la gente. En cambio Jesús hablaba con fuerza y autoridad. Por primera vez muchos comprendieron las verdades de la Palabra de Dios.

"Cristo vino a predicar el Evangelio a los pobres. Alcanzaba a la gente en sus propios lugares. Presentaba la verdad en la forma más directa y sencilla. Hasta el más pobre, ignorante o analfabeto podía entender lo que él decía. Ninguno necesitaba ir al diccionario para aprender el significado de expresiones o palabras difíciles que salieran de labios del Maestro más grande que jamás el mundo haya conocido".[64] Él sabía "hablar palabra de aliento al cansado" (Isa. 50:4, NRV).

Jesús despertaba la imaginación de sus interlocutores. "Las aves del aire, los lirios del campo, la semilla, el pastor y las ovejas, eran objetos con los cuales Cristo ilustraba la verdad inmortal; y desde entonces, siempre que sus oyentes veían estas cosas de la naturaleza, recordaban sus palabras".[65] Su mensaje era de esperanza y compasión. "Estaba rodeado por una atmósfera de paz. La hermosura de su rostro, la amabilidad de su carácter, sobre todo el amor expresado en su mirada y su tono, atraían a él a todos aquellos que no estaban endurecidos por la incredulidad. De no haber sido por el espíritu suave y lleno de simpatía que se manifestaba en todas sus miradas y palabras, no habría atraído las grandes congregaciones que atraía".[66]

Vigilaba con profundo fervor los cambios que su mensaje producía en la gente. Se regocijaba al ver rostros que había visto antes, que volvían para aprender más. Sin embargo, veía en algunos rostros endurecidos que la verdad había tocado, algún pecado acariciado pero rehusaban abandonarlo. "Jesús se encontraba con la gente en su propio terreno, como quien está familiarizado con sus perplejidades... su hablar era como música para los que habían escuchado las voces monótonas de los rabinos. Pero aunque su enseñanza era sencilla, hablaba como persona investida de autoridad. Esta característica ponía su enseñanza en contraste con la de todos los demás".[67]

La Biblia nos manda ir y enseñar (Mateo 28:19, 20).

Enseñando a Orillas del Mar

Y sentándose, enseñaba a la gente desde la barca. Lucas 5:3.

Las noticias de que Jesús había vuelto a Capernaún se habían esparcido. Multitudes lo buscaban trayendo a sus enfermos para que los sanase. Las múltiples necesidades de la gente no le permitían descansar. Cuando amanecía sobre el mar de Galilea, Jesús se dirigió a la playa para pasar unos momentos tranquilos en comunión con su Padre. La noche era el único tiempo favorable para pescar con redes en las claras aguas del mar. Los discípulos habían estado pescando toda la noche sin lograr resultados. Jesús llegó a la orilla mientras ellos se acercaban.

La gente lo descubrió y comenzaron a reunirse a su alrededor. Cuando los discípulos volvieron a tierra, Jesús caminó entre las piedras para entrar en el barco de Pedro y le pidió que se apartase un poquito de la orilla. La muchedumbre reunida en la ribera ahora tenía la oportunidad de ver y escuchar al Salvador. "¡Qué escena para la contemplación de los ángeles: su glorioso General, sentado en un barco de pescadores, mecido de aquí para allá por las inquietas olas y proclamando las buenas nuevas de la salvación a una muchedumbre atenta que se apiñaba hasta la orilla del agua!"[68]

Las maravillas de la naturaleza rodeaban al Creador. "El lago, las montañas, los campos extensos, el sol que inundaba la tierra, todo le proporcionaba objetos con que ilustrar sus lecciones y grabarlas en las mentes".[69] Los que escuchaban las buenas nuevas de salvación estaban emocionados de saber que Dios los amaba. Cada vez que hablaba, alguien recibía la verdad como palabra de vida eterna. "Había ancianos apoyados en sus bastones, robustos campesinos de las colinas, pescadores que volvían de sus tareas en el lago, mercaderes y rabinos, ricos y sabios, jóvenes y viejos, que traían sus enfermos y dolientes y se agolpaban para oír las palabras del Maestro divino".[70]

Durante su ministerio en Galilea, Jesús enseñaba a la gente día tras día. "Por el mar, al pie de las colinas, en las calles de la ciudad, en la sinagoga, su voz se escuchaba explicando las Escrituras. Con frecuencia enseñaba en el atrio del templo, para que los gentiles pudieran escuchar sus palabras".[71] A menudo preguntaba: "¿Qué dice la Escritura?" "¿Cómo leéis?"

"Toda la belleza y hermosura del Salvador se encuentra revelada en su Palabra. Toda alma hallará consuelo y alivio en la Biblia, que está llena de promesas acerca de lo que Dios hará por los que busquen relacionarse con él".[72]

Echad Vuestras Redes

*Cuando terminó de hablar, dijo a Simón: "Boga mar adentro, y
echad vuestras redes para pescar". Lucas 5:4.*

*H*acía probablemente un año que los discípulos seguían a Jesús, pero
todavía trabajaban como pescadores en Galilea. "La abundancia de peces hacía
de la pesca un trabajo lucrativo en tiempos de Jesús".[73] Después de haber pasado
toda la noche lanzando sus redes vez tras vez sin éxito, los discípulos estaban
cansados y desanimados. Tal vez habían estado conversando acerca del
encarcelamiento reciente de Juan el Bautista. "Si tal había de ser el resultado de
la misión de Juan, no podían tener mucha esperanza respecto a su Maestro,
contra el cual estaban combinados todos los dirigentes religiosos".[74]

Investigaciones recientes han demostrado que en Galilea, los peces se
concentran durante la noche, debajo de las peñas de la orilla oriental o en las
profundidades donde surgen los manantiales de aguas minerales. Conforme
va amaneciendo, los peces nadan hacia aguas menos profundas, cerca del punto
donde desagua el río Jordán, donde la corriente ha arrastrado más alimento al
lago, o sea cerca de Capernaún y los Siete Manantiales. Como los peces se
concentran cerca de la orilla durante las horas del día, los pescadores consideran
una insensatez usar redes profundas después del amanecer. Sin embargo, Jesús
les dijo: "Echad vuestras redes [a la profundidad] para pescar". "El amor a su
Maestro indujo a los discípulos a obedecerle".[75]

Pedro, que era un pescador profesional, sabía que lanzar las redes en aguas
profundas durante el día era inútil. Desanimado por el encarcelamiento de Juan, el
fracaso en Judea, la maldad de los sacerdotes y rabinos y su falta de éxito durante la
pesca nocturna, dudó de Jesús. "Maestro, habiendo trabajado toda la noche, nada
hemos tomado, mas en tu palabra echaré la red". Lentamente intentaron sacar la
red, pero era tan grande la cantidad de peces que encerraba, que comenzó a romperse.
Ambos barcos estaban tan cargados que corrían peligro de hundirse. "Este milagro,
más que cualquier otro que hubiese presenciado, era para él una manifestación del
poder divino. En Jesús vio a Aquel que tenía sujeta toda la naturaleza bajo su
dominio".[76] Avergonzado por su propia incredulidad, Pedro cayó a los pies de
Jesús, exclamando: "Apártate de mí, Señor, porque soy hombre pecador".

*"La lección más profunda que el milagro impartió a los discípulos, es
una lección para nosotros también; a saber, que Aquel cuya palabra
juntaba los peces de la mar podía impresionar los corazones
humanos y atraerlos con las cuerdas de su amor, para que sus siervos
fuesen 'pescadores de hombres' ".[77]*

Pescadores de Hombres

El asombro se había apoderado de él y de sus compañeros, por los peces que habían capturado... Pero Jesús dijo a Simón: "¡No temas! Desde ahora pescarás hombres". Y cuando llevaron las barcas a tierra, dejaron todo y lo siguieron. Lucas 5:9-11.

Pedro era jefe de la compañía pesquera formada por dos pares de hermanos y sus ayudantes. Pedro, Andrés, Santiago y Juan centraban su negocio en la pequeña ciudad de Betsaida Julia, ubicada en la orilla noroeste de Galilea, lado opuesto de Capernaún. Estos mismos discípulos habían seguido a Cristo desde el otoño del año 27 d.C. Ahora, en la primavera del año 29 d.C., Cristo les pidió que abandonaran sus ocupaciones completamente y se unieran a él en su ministerio.

Esta era una oportunidad para ofrecer vida a los que encontraran. Como pescadores, en ese preciso momento, habiendo pescado esa enorme cantidad de peces, se encontraban en la cumbre del éxito. Se necesitaba mucha fe para abandonar todo lo que conocían y entrar a "una vida incierta como seguidores de un maestro itinerante, que hasta ese momento no parecía haber logrado mucho éxito".[78] Sin embargo, esos hombres no vacilaron. No necesitaban tiempo para decidir cómo harían para mantener a sus familias.

"La decisión de disolver su exitosa sociedad pesquera para participar de una sociedad mucho más elevada con Jesús como pescadores de hombres, fue hecha en forma instantánea".[79] Habían pasado dos otoños desde su encuentro con el Cordero de Dios. Aunque eran hombres humildes y sin letras, tenían el requisito necesario para el discipulado: eran susceptibles de ser enseñados, y devotos a Cristo y su misión. Jesús los estaba llamando por su capacidad innata, sus tiernos corazones, y sus manos dispuestas. Poseían dones innatos y se graduarían de la Escuela del Maestro, dejando de ser incultos e ignorantes. "Dios toma a los hombres como son, y los educa para su servicio, si quieren entregarse a él... La devoción continua establece una relación tan íntima entre Jesús y su discípulo, que el cristiano llega a ser semejante a Cristo en mente y carácter".[80]

"Para proveernos lo necesario, nuestro Padre celestial tiene mil maneras de las cuales nada sabemos. Los que aceptan el principio sencillo de hacer del servicio de Dios el asunto supremo, verán desvanecerse sus perplejidades y extenderse ante sus pies un camino despejado".[81]

Como a Pedro, Andrés, Santiago y Juan, Dios os llama a ingresar a la Escuela del Maestro. "Venid en pos de mí, y os haré pescadores de hombres" (Marcos 1:17).

Sanando de Nuevo en Sábado

Y todos se maravillaron, de tal manera que preguntaban unos
a otros: "¿Qué es esto? ¡Una nueva doctrina con autoridad!
Ordena aun a los espíritus impuros, y le obedecen".
Marcos 1:27.

La costumbre que Jesús tenía de practicar sus devociones privadas, no le impedía asociarse con los demás para el servicio de los sábados en la sinagoga. Durante la semana, con frecuencia la sinagoga servía de escuela o de tribunal local, pero el sábado se convertía en el centro de adoración para toda la comunidad. Jesús enseñaba en las sinagogas, hablando del reino que había venido a establecer. Mientras que los escribas se referían a ciertos rabinos que hacían esto y lo otro, Jesús hablaba con autoridad. A menudo declaraba: "Pero yo os digo" (Mat. 5:21, 22). Su autoridad venía directamente de Dios.

Mientras Jesús hablaba en la sinagoga, precisamente de su misión de libertar a los cautivos de Satanás, fue interrumpido por un grito de terror. Un hombre pasó al frente gritando: "¡Déjanos tranquilos! ¿Qué tenemos contigo, Jesús nazareno? ¿Has venido a destruirnos? Sé quién eres. ¡El Santo de Dios!" (Mar. 1:24). Comprendiendo que Jesús podía librarlo, este hombre poseído del demonio anheló estar libre, pero Satanás resistió al poder de Cristo. Era terrible el conflicto. El hombre era lanzado de aquí para allá en medio de la congregación. Esta confusión hizo que la gente se olvidara de las palabras de Cristo, tal como Satanás lo había planeado. "Cuando el hombre trató de pedir auxilio a Jesús, el mal espíritu puso en su boca las palabras, y el endemoniado clamó con la agonía del temor".[82] Jesús reprendió al demonio diciendo: "Enmudece, y sal de él". Inmediatamente el demonio salió, y el hombre quedó completamente libre. "Aquel que había vencido a Satanás en el desierto de la tentación, se volvía a encontrar frente a frente con su enemigo".[83] "La curación del hijo del noble había conmovido la ciudad de Capernaúm. Ahora sus habitantes fueron testigos de una manifestación aun mayor del poder de Dios".[84] Los demonios reconocieron que Jesús era el Hijo de Dios. "También los demonios creen, pero tiemblan" (Sant. 2:19).

Nuestra condición no es sin más esperanza que la del endemoniado.
Jesús tiene el poder de librarnos, no importa a qué clase de cadenas
de pecado estemos atados.

Un Ministerio de Sanamiento

*Cuando fue la tarde, en seguida que el sol se puso, le trajeron todos
los enfermos y endemoniados. Y toda la ciudad se juntó a la puerta.
Marcos 1:32, 33.*

Al salir de la sinagoga, Jesús fue a la casa de Pedro y descubrió que la
suegra del discípulo estaba enferma con fiebre. Lucas, que era médico, nos dice
que estaba "con mucha fiebre" (Luc. 4:38). "Debido a los pantanos que había no
lejos de Capernaún —cuyo clima era subtropical—, se supone que podría haberse
tratado de un caso de malaria o paludismo".[85] Entrando Jesús a la casa, tomó su
mano, la ayudó a incorporarse, y "en seguida la fiebre la dejó, y se puso a servirles"
(Mar. 1:31). Este milagro también sucedió en sábado. Por temor a los rabinos,
los habitantes de Capernaún no venían a Jesús antes del fin del sábado; sin embargo, las noticias del segundo milagro se esparcieron rápidamente.

Después de la puesta del sol, "de sus casas, talleres y mercados, los vecinos
de la población se dirigieron presurosos a la humilde morada que albergaba a
Jesús. Los enfermos eran traídos en camillas, otros venían apoyándose en bordones,
o sostenidos por brazos amigos llegaban tambaleantes a la presencia del Salvador.
Hora tras hora venían y se iban, pues nadie sabía si el día siguiente hallaría aún
entre ellos al divino Médico. Nunca hasta entonces había presenciado Capernaún
día semejante. Por todo el ambiente repercutían las voces de triunfo y de
liberación".[86] Mateo, Marcos y Lucas registraron esa ocasión memorable. Hasta
entonces, el ministerio de Jesús en Jerusalén, Judea e incluso en Nazaret no había
tenido mucho éxito. La abundante demostración de confianza popular en Cristo,
debe haber animado a los que estaban chasqueados. Pareciera que Marcos exagerase
al decir que "toda la ciudad" se reunía fuera de la puerta. El hecho es que ya era
muy avanzada la noche cuando Jesús dejó de trabajar, y fue cuando el último
enfermo recibió sanidad, que el silencio descendió una vez más sobre la casa de
Pedro.

"Jamás hubo evangelista como Cristo... Su fama de médico incompa-
rable cundía por toda Palestina. A fin de pedirle auxilio, los enfermos acudían
a los sitios por donde iba a pasar".[87] "En el curso de su ministerio, dedicó Jesús
más tiempo a la curación de los enfermos que a la predicación... Su voz era para
muchos el primer sonido que oyeran, su nombre la primera palabra que jamás
pronunciaran, su semblante el primero que jamás contemplaran. ¿Cómo no
habrían de amar a Jesús y darle gloria?"[88]

*Nosotros también deberíamos alabarle. ¡Sí, hay bálsamo en Galaad
(Jeremías 8:22), para sanar el alma enferma!*

Mucho Antes del Amanecer

Muy temprano de mañana, aún oscuro, Jesús se levantó y se fue a un
lugar solitario, y se puso a orar. Marcos 1:35.

Las multitudes buscaban al Médico divino hasta avanzadas horas de la noche. Finalmente, Jesús se acostó a descansar, para dormir unas pocas horas. "Como era el comienzo del verano, el sol salía alrededor de las 5, y la primera luz del alba podía ser visible más o menos a las 3:30 en la latitud de Capernaúm".[89] Mientras era todavía de noche, Jesús, salió del pueblo a un lugar desierto para comunicarse con su Padre. "Cuando Jesús tomó la naturaleza humana y llegó a ser como hombre, poseía todo el organismo humano. Sus necesidades eran las necesidades de un hombre. Sentía necesidades corporales que tenían que satisfacerse, desgaste del organismo que necesitaba aliviarse. La oración a su Padre lo capacitaba para el deber y la prueba".[90] "Muchas veces pasaba toda la noche en oración y meditación, y volvía al amanecer para reanudar su trabajo entre la gente".[91] "Aceptaba los planes de Dios para él, y día tras día el Padre se los revelaba. De tal manera debemos depender de Dios que nuestra vida sea el simple desarrollo de su voluntad".[92]

Desde muy temprana edad, cuando Jesús se preparaba para una gran prueba o para algún trabajo importante, se retiraba a la soledad para hablar con su Padre. Su tiempo con Dios era crucial para enfrentar los terribles acontecimientos que se avecinaban, porque las multitudes lo buscaban. "Una de las resaltantes y significativas características de Cristo era que oraba con frecuencia y con eficacia".[93] Nosotros también necesitamos la renovación y el refrigerio espiritual. "No reconocemos debidamente el valor del poder y la eficacia de la oración".[94]

Los discípulos despertaron con el sol. El pueblo había vuelto y buscaban a Jesús. Cuando lo encontraron, le rogaron que volviera. Los habitantes de Capernaúm fueron los primeros en aclamar a Jesús. Después de tantas amarguras, los discípulos se reanimaron porque en Capernaúm ahora lo recibían con gozoso entusiasmo. Tal vez entre los apasionadamente independientes galileos, hallarían una base política para proclamar al Mesías. Pero Jesús los sorprendió diciendo: "También a otras ciudades es necesario que anuncie el Evangelio del reino de Dios; porque para esto soy enviado". Jesús deseaba que la gente reconociera su necesidad de sanamiento espiritual. En la agitación que se había levantado por sus milagros de sanamiento físico, había peligro que se perdiese de vista el objeto de su misión, que era atraer sus mentes a las cosas espirituales.

Así como Jesús nunca perdió de vista los planes de Dios para su vida,
nosotros debemos enfocarnos en sus planes para nosotros.

El Tiempo se ha Cumplido

Y Jesús recorría toda Galilea, enseñando en las sinagogas, predicando el evangelio del reino, y sanando toda enfermedad y dolencia de la gente. Mateo 4:23.

El primer viaje por Galilea se llevó a cabo desde principios de la primavera hasta mediados del verano del año 29 d.C. No sabemos con exactitud si los discípulos de Jesús lo acompañaron a Galilea mientras proclamaba en los pueblos y aldeas que "el tiempo se ha cumplido, el reino de Dios está cerca. ¡Arrepentíos, y creed al evangelio!" (Mar. 1:15). El "tiempo se ha cumplido" al cual él se refería era el período que Gabriel reveló a Daniel: "Setenta semanas están cortadas para tu pueblo y tu santa ciudad, para acabar la prevaricación, poner fin al pecado, expiar la iniquidad, traer la justicia de los siglos, sellar la visión y la profecía y ungir al Santo de los santos" (Dan. 9:24). Esta profecía debía interpretarse en tiempo profético, pues fue dada en símbolos. En términos proféticos, un día es un año (Eze. 4:6; Núm. 14:34).

Setenta semanas proféticas son 490 días o años. También se conocía el período cuando comenzó la profecía. "Conoce y entiende que desde que salga la orden de restaurar y reedificar a Jerusalén hasta el Mesías príncipe, habrá 7 semanas, más 62 semanas" (Dan. 9:25). Sesenta y nueve semanas son 483 días o años. La orden de restaurar y construir Jerusalén venía de Artajerjes Longímano (Esd. 6:14; 7:1, 9). En el otoño del año 457 a.C., Artajerjes en su séptimo año de reinado dio a Esdras autoridad para reorganizar el Estado judío con gran autonomía dentro del Imperio Persa. Más tarde nombró a Nehemías, su copero judío, gobernador de Judea para reparar los muros de la ciudad de Jerusalén.

Desde el año 457 a.C., habían pasado 483 años hasta el otoño del año 27 d.C. Del 457 a.C hasta el año 1 d.C. (no existe un año cero), hay 456 años. Del 1 d.C. al 27 d.C. (456+27), se completan 483 años, lo que nos lleva al tiempo exacto cuando Jesús fue bautizado, recibió el ungimiento del Espíritu Santo, y comenzó su ministerio. ¡Realmente se había cumplido el tiempo! Jesús vino a confirmar el pacto con muchos durante una semana (7 años); sin embargo, en medio de la semana (3 años y medio) el Mesías fue quitado. En la primavera del año 31 D.C. fue ofrecido en el Calvario el supremo sacrificio de Cristo.

"Como las estrellas en la vasta órbita de su derrotero señalado, los propósitos de Dios no conocen premura ni demora... 'Mas venido el cumplimiento del tiempo, Dios envió a su Hijo'ʼ."[95]

El Dedo de Dios

Un leproso vino a él, y de rodillas le rogó: "Si quieres, puedes limpiarme". Marcos 1:40.

Los leprosos eran desterrados. Se los separaba de cualquier contacto humano, y estaban obligados a publicar su calamidad con el clamor "¡Inmundo! ¡Inmundo!" No había cura para esa enfermedad y los que la padecían eran aislados porque era muy contagiosa. Los cuerpos decadentes y repugnantes infundían temor hasta en el más valiente. La gente consideraba esa enfermedad como castigo de Dios por el pecado. Ninguno podía ayudar a un leproso, porque eso sería oponerse a la voluntad de Dios. Los leprosos se sentían abandonados tanto de la sociedad como de Dios mismo.

El ministerio de Jesús en Galilea no había pasado inadvertido por todos los leprosos que habitaban las orillas de la región. Muchos pensaban que era imposible que Jesús los alcanzara; sin embargo, uno pensó que debía intentar acercarse al Maestro, a pesar de los muchos obstáculos. Desde que Eliseo había orado por la sanidad de Naamán, ocho siglos antes, ningún leproso había sido sanado. ¿Podría Jesús intervenir contra la supuesta maldición de Dios? ¿Cómo podría acercarse para preguntarle?

"Jesús estaba enseñando a orillas del lago, y la gente se había congregado en derredor de él. De pie a lo lejos, el leproso alcanzó a oír algunas palabras de los labios del Salvador. Le vio poner sus manos sobre los enfermos... Se acercó más y más a la muchedumbre. Las restricciones que le eran impuestas, la seguridad de la gente, y el temor con que todos le miraban, todo fue olvidado. Pensaba tan sólo en la bendita esperanza de la curación".[96] Al verle, la multitud retrocedía con terror. Con esfuerzo, se echó a los pies de Jesús clamando por sanidad. Tenía mucha fe, y estaba decidido a rendir su voluntad al Maestro.

Jesús extendió su mano y tocó al leproso. Inmediatamente el hombre quedó sanado. "Su carne se volvió sana, los nervios recuperaron la sensibilidad, los músculos, la firmeza. La superficie tosca y escamosa, propia de la lepra, desapareció, y la reemplazó un suave color rosado como el que se nota en la piel de un niño sano".[97] El sanamiento del leproso ilustra la obra específica de Jesús al limpiarnos del pecado.

"Cuando pedimos bendiciones terrenales, tal vez la respuesta a nuestra oración sea dilatada, o Dios nos dé algo diferente de lo que pedimos, pero no sucede así cuando pedimos liberación del pecado. El quiere limpiarnos del pecado, hacernos hijos suyos y habilitarnos para vivir una vida santa".[98]

Muéstrate al Sacerdote

"Mira, no lo digas a nadie, sino ve, muéstrate al sacerdote".
Marcos 1:44.

*J*esús pidió al leproso que callase por varias razones:

(1) Los sacerdotes eran los oficiales públicos de salud de esos tiempos. Ellos diagnosticaban la lepra y ordenaban la segregación de las víctimas. Eran los únicos que podían examinar y entregar un certificado de sanidad. Si los sacerdotes descubrían cómo y quién había sanado a ese hombre, bien podían dar un fallo falso y negarle su certificado de salud, por el prejuicio que tenían contra Jesús. El silencio era necesario para obtener una decisión imparcial. Su certificación dio reconocimiento oficial del milagro.

(2) Jesús sabía que si el leproso anunciaba su sanamiento, otros leprosos lo buscarían, y sus sanamientos estorbarían su mensaje. Sus milagros debían ser secundarios al objetivo principal de salvar a la humanidad del pecado.

(3) Los que se oponían a su ministerio podrían usar este milagro con fines malévolos. "Los fariseos habían aseverado que la enseñanza de Cristo se oponía a la ley que Dios había dado por medio de Moisés; pero la orden que dio al leproso limpiado, de presentar una ofrenda según la ley, probaba que esa acusación era falsa. Era suficiente testimonio para todos los que estuviesen dispuestos a ser convencidos".[99]

El Salvador "anhelaba alcanzar a los sacerdotes y maestros que estaban trabados por el prejuicio y la tradición. No dejó sin probar medio alguno por el cual pudiesen ser alcanzados. Al enviar a los sacerdotes el leproso que había sanado, daba a los primeros un testimonio que estaba destinado a desarmar sus prejuicios".[100] Muchos lo rechazaron, otros escondieron la verdad. "Durante la vida del Salvador, su misión pareció recibir poca respuesta de amor de parte de los sacerdotes y maestros; pero después de su ascensión 'una gran multitud de los sacerdotes obedecía a la fe' Hechos 6:7".[101]

El milagro se llevó a cabo ante una gran multitud, y a pesar de la recomendación de Jesús, el hombre no hizo ningún esfuerzo para ocultar su curación. Creyendo que por modestia Jesús le había impuesto esa restricción, proclamó su poder. Como resultado, la gente se aglomeraba presionando al Maestro.

Si ejercitamos la fe, la determinación, y la singularidad de propósito
que el leproso mostró al buscar sanidad de Cristo, podemos descansar
seguros. "Esta es la confianza que tenemos en él, que si pedimos algo
conforme a su voluntad, él nos oye" (1 Juan 5:14).

Poder en la Tierra Para Perdonar el Pecado

"¿Qué es más fácil, decir al paralítico: 'Tus pecados te son perdonados', o decirle: 'Levántate. Toma tu camilla y anda?" Marcos 2:9.

Después de "varios días", Jesús regresó a Capernaún de su primer viaje a Galilea. Mateo nos dice que viajó en bote. Tan pronto como hubo llegado, mucha gente se congregó en la casa de Pedro. Tan densa era la muchedumbre que ninguno podía entrar por la puerta. "Según su costumbre, los discípulos estaban sentados alrededor de él, y 'los fariseos y doctores de la ley estaban sentados, los cuales habían venido de todas las aldeas de Galilea, y de Judea y Jerusalén' ".[102]

Cuatro amigos trajeron al paralítico a la casa, pero la muchedumbre que rodeaba la casa los bloqueaba. Aunque empujaban para abrirse paso, no podían avanzar. En su desesperación, el paralítico rogó a sus amigos que lo bajaran por el techo. Según Lucas, el techo tenía vigas y tejas. Sus amigos quitaron las tejas y bajaron al enfermo a los pies del Salvador.

Jesús vio los ojos suplicantes de este hombre cuya fe había derribado todos los obstáculos para presentarse ante Aquel que podía sanarlo y salvarlo. Jesús le dijo: "Tus pecados te son perdonados". Instantáneamente su dolor físico desapareció y todo su ser sintió paz. El sanamiento enfureció a los sacerdotes, porque recordaban cómo el hombre se había dirigido a ellos en busca de ayuda y le habían negado esperanza o simpatía. "Estos dignatarios no cambiaron palabras entre sí, sino que mirándose los rostros unos a otros leyeron el mismo pensamiento en cada uno, de que algo había que hacer para detener la marea de los sentimientos. Jesús había declarado que los pecados del paralítico eran perdonados. Los fariseos se aferraron a estas palabras como una blasfemia".[103] El castigo que los levitas aplicaban por la blasfemia, aunque Roma lo prohibía, era la muerte por apedreamiento.

Al leer Jesús los pensamientos de los sacerdotes, los reprendió y ordenó al hombre: "¡Levántate! ¡Toma tu camilla, y vete a tu casa!" Al instante el hombre sanado se puso de pie con energía y caminó hacia la puerta. Al salir, la multitud asombrada murmuraba: "¡Nunca hemos visto cosa semejante!" "Este hombre y su familia estaban listos para poner sus vidas por Jesús. Ninguna duda enturbiaba su fe, ninguna incredulidad manchaba su lealtad hacia aquel que había impartido luz a su oscurecido hogar".[104]

"El espíritu con el cual los hombres se acercan a Jesús determina si encuentran en él un escalón para el cielo o una piedra de tropiezo para la destrucción".[105]

Leví-Mateo

Al pasar, vio a Leví hijo de Alfeo, sentado a la mesa de los impuestos,
y le dijo: "Sígueme". Y Mateo se levantó y lo siguió. Marcos 2:14.

$\mathcal{E}$l gobierno romano ofrecía el privilegio de cobrar los impuestos a cualquier ciudadano que comprara el derecho. Como los "publicanos" no recibían sueldo de los romanos por este oficio, cada uno recaudaba suficiente dinero de impuestos a sus vecinos para ganarse la vida. Por supuesto, toda la gente despreciaba a los cobradores de impuestos. Ningún judío con algo de dignidad debía venderse a un poder extranjero, traicionando así a su propio pueblo y cobrando impuestos por los dones de Dios: la tierra y su abundancia. Mateo era uno de esos "publicanos". Localizado en Capernaún, posiblemente se repartía con Herodes Antipas el dinero que cobraba. Había escuchado las enseñanzas del Salvador, y sin duda el Espíritu Santo había estado obrando para mostrarle su pecaminosidad. Anhelaba hablar con Jesús acerca de sus necesidades, pero temía que el Maestro lo condenara como lo hacían los demás maestros religiosos.

Diariamente, Mateo cobraba impuestos a las caravanas de viajeros que pasaban por el camino de Damasco a Jerusalén. Un día, notó que el Maestro se acercaba más a la garita que tenía junto al mar. Deteniéndose, Jesús habló directamente a Leví-Mateo: "Sígueme". Al instante, Mateo se levantó y abandonó su buen negocio para seguirlo. Así había sucedido con los discípulos antes llamados. Cada uno tuvo que decidir si unirse al Maestro en la pobreza e incomodidad o permanecer en el ambiente próspero que le rodeaba. "Así también es probada cada alma para ver si el deseo de los bienes temporales prima sobre el de la comunión con Cristo".[106]

El llamamiento de Mateo enfureció a los fariseos. ¡Jesús había elegido a un publicano como discípulo! Esa era una ofensa no sólo contra las costumbres sociales y nacionales sino contra la tradición religiosa. Jesús se había marginado de la conducta que se esperaba de un buen maestro religioso. Los fariseos esperaban volver contra Jesús al pueblo, porque ahora podían asociarlo con los traidores. Pasaron por alto el gozo que llenó el corazón de Mateo, el cobrador de impuestos. "Le bastaba estar con Jesús, poder escuchar sus palabras y unirse con él en su obra".[107]

> *"Los buenos principios son siempre exigentes. Nadie puede tener*
> *éxito en el servicio de Dios a menos que todo su corazón esté en la*
> *obra, y tenga todas las cosas por pérdida frente a la excelencia del*
> *conocimiento de Cristo. Nadie que haga reserva alguna puede ser*
> *discípulo de Cristo, y mucho menos puede ser su colaborador".[108]*

Cosechando en Sábado

"También les dijo: 'El sábado fue hecho para el hombre, no el hombre para el sábado. Así el Hijo del Hombre es también Señor del sábado'". Marcos 2:27, 28.

Cierto sábado, Jesús y sus discípulos pasaron por unos trigales maduros. Volvían de la sinagoga donde Jesús había continuado su obra hasta "hora avanzada". Como tenían hambre, al ver las espigas de trigo, los discípulos empezaron a juntar espigas y a restregarlas en las manos para desgranarlas. "En cualquier otro día, este acto no habría provocado comentario, porque el que pasaba por un sembrado, un huerto, o una viña, tenía plena libertad para recoger lo que deseara comer. Pero el hacer esto en sábado era tenido por un acto de profanación".[1]

Los espías que los fariseos habían enviado, tomaron esto como doble delito, porque en su opinión no sólo al juntar el grano se lo segaba, sino que al restregarlo se lo trillaba. "Inmediatamente los espías se quejaron a Jesús diciendo: 'He aquí tus discípulos hacen lo que no es lícito hacer en sábado'. Jesús defendió a sus discípulos citando ejemplos del Antiguo Testamento, actos verificados en sábado por quienes estaban en el servicio de Dios".[2]

Los dirigentes judíos conocían muy bien estos pasajes. David había entrado a la casa de Dios a comer los panes que sólo los sacerdotes debían comer. Las autoridades religiosas sabían que los sacerdotes trabajaban más los sábados que en otros días, porque su obra se hacía en el servicio de Dios. ¿Cómo podía ser que la obra de los discípulos, que trabajaban con Cristo mismo, fuera considerada menos ligada al servicio de Dios? La ceguera de los fariseos había convertido la observancia del sábado en una cadena sin fin de reglamentos humanos que hacían parecer a Dios como tirano.

Dios hizo el sábado para la humanidad. Pertenece a Cristo, quien lo apartó en memoria de su creación y su poder santificador. "Les di también mis sábados, para que fuesen una señal entre mí y ellos, para que supiesen que Yo Soy el Señor que los santifico" (Eze. 20:12). "Jesús personalmente respetaba los requerimientos de la ley de Moisés y del Decálogo en todo sentido y enseñaba a sus seguidores a que hicieran lo mismo... Sin embargo, durante todo su ministerio terrenal, Cristo estuvo en conflicto con los dirigentes judíos con respecto a la validez de las leyes y las tradiciones hechas por los hombres".[3]

Nadie puede cambiar la santidad del día de Dios a cualquier otro día ni cargar el sábado de restricciones innecesarias. El séptimo día fue ordenado por Dios y es una bendición que dio a la raza humana para estudiar el carácter de Dios como se revela en la Palabra y en la naturaleza.

Mosquitos y Camellos

Y les preguntó a ellos: "¿Es permitido hacer bien en sábado, o hacer mal? ¿Salvar la vida, o quitarla?" Marcos 3:4.

"La fama del nuevo Maestro había superado los confines de Palestina y, a pesar de la actitud asumida por la jerarquía, se había difundido mucho la idea y compartido el sentimiento de que tal vez él fuera el Libertador que habían esperado. Grandes multitudes seguían los pasos de Jesús y el entusiasmo popular era grande".[4] Al entrar Jesús a la sinagoga un sábado, vio a un hombre que tenía una mano seca. Si Jesús lo sanaba, los fariseos lo acusarían de quebrantar el sábado, así que llamó al frente a este hombre y volviéndose a los fariseos, les preguntó: "¿Es permitido hacer bien o mal en sábado?" "¿Quién de vosotros, si tuviera una oveja y ésta cayera en una fosa en sábado, no le echa mano, y la saca? Pues, ¿cuánto más vale un hombre que una oveja? Así, es permisible hacer bien en sábado" (Mat. 12:11, 12). Ellos callaron. Los espías no pudieron responder a Jesús, porque si lo hacían, demostrarían que se preocupaban más de las finanzas que del bienestar de una persona.

La tradición rabínica prohibía 39 clases de trabajo en el sábado. "Las primeras once de ellas eran etapas previas en la producción y preparación del pan".[5] Doce más se relacionaban con la costura y siete con la preparación de ciervos para aprovechar el cuero o la carne. Las prohibiciones restantes tenían que ver con escritura, construcción, transporte de artículos, y encender y apagar fuegos. La jornada de un día no debía exceder un kilómetro. No era permitido mirarse en un espejo o a la luz de una vela. La lista parecía sin fin y se prestaba para la hipocresía. "Las mismas disposiciones permitían venderle a un gentil un huevo puesto en día sábado y que se contratara a un gentil para que encendiera una lámpara o un fuego".[5] Se burlaban del sábado con sus intentos de "colar un mosquito y tragarse un camello".[6] La forma lógica como Jesús presentaba la verdad era bienvenida y respetada.

Saliendo antes que el servicio terminara, los fariseos, que ahora estaban extremadamente furiosos, deseaban unirse a sus enemigos los herodianos. Tal vez Herodes arrestaría a Jesús como arrestó al Bautista y eso les resolvería el problema. Desde principios de la primavera habían decidido matar a Jesús. Al preguntarles si era correcto hacer bien en sábado, Jesús descubrió sus propias debilidades. ¿Era mejor tratar de asesinar al Hijo de Dios o traer felicidad y salud a los afligidos?

¿Contiene mosquitos o camellos nuestra vida cristiana?

Huyamos de los Sofismas

Pero Jesús, que conocía sus pensamientos, dijo al hombre de la mano seca: "Levántate, y ponte en medio". Él se levantó y se puso de pie".
Lucas 6:8.

El día que Jesús sanó al hombre de la mano seca, los espías que fueron enviados para vigilar a Jesús "lo acechaban" (Luc. 6:7). Los doctores de la ley deseaban hallar evidencias para poder llevarlo a una corte judía. Si lo lograban, podrían impedir que su ministerio les quitara adeptos. Jesús no escaparía de esos enemigos durante lo que restaba de su peregrinaje en este mundo.

Probablemente el hombre de la mano seca estaba sentado en la parte de atrás de la sinagoga. Jesús estaba cerca del frente, tal vez sentado o de pie cerca del Asiento de Moisés, porque acababa de presentar el sermón. Cuando invitó al hombre a ponerse en medio (vers. 8), sin duda Jesús lo hizo para que todos los presentes lo vieran, contrario a lo que los espías hacían al esconderse y murmurar detrás de los pilares.

Ahora Jesús había hecho una pregunta legítima a los expertos religiosos: "¿Es permitido...?" (vers. 9). La ley rabínica prohibía el alivio al dolor y el sufrimiento en sábado para los que sufrían de enfermedades crónicas. Otra amplificación de un reglamento judío diferente sostenía que si uno rehusaba hacer el bien cuando podía, era lo mismo que si causara más daño. La negligencia en la protección de la vida era como quitar la vida. ¿Cuál mandamiento era más importante, el sexto o el cuarto? A los expertos en la ley rabínica les gustaba hilar fino en sus razonamientos teológicos. Sin embargo, según Aquel que escribió la Ley de Dios, no existe ningún conflicto entre los dos mandamientos. El odio y el deseo de asesinar a Jesús hizo de los escribas y los fariseos verdaderos quebrantadores del sábado. Realizar actos de misericordia y sanidad en sábado estaba de acuerdo con el amor de Dios para sus criaturas.

Jesús hizo una pausa para que el significado de sus palabras penetrara en sus interlocutores. "Y mirando en derredor a todos, dijo al hombre: 'Extiende tu mano'" (vers. 10). El hombre demostró gran fe al levantar su brazo paralizado. Así como en todos sus milagros, Jesús requería que el enfermo cooperara con él para que fuera sanado.

"No esperes sentir que has sido sanado, sino di: 'Lo creo; estoy sano, no porque lo sienta, sino porque Dios lo ha prometido'".[7]

Y Fueron con Él

Después Jesús subió al monte, llamó a los que quiso, y fueron con él.
Marcos 3:13.

$\mathcal{J}$esús pasó otra noche en oración bajo los árboles de las colinas occidentales del mar de Galilea. "A veces los brillantes rayos de la luna resplandecían sobre su cuerpo postrado; luego nuevamente las nubes y las tinieblas le privaban de toda luz. El rocío y la helada de la noche caían sobre su cabeza y su barba mientras él estaba en actitud de súplica. Con frecuencia continuaba sus peticiones durante toda la noche. Él es nuestro ejemplo".[8] Al descender la montaña, Jesús llamó a doce de sus seguidores para que se encontraran con él al amanecer en la pendiente que daba al lago. Jesús los llamó "y fueron con él". Una vez más la gente respondió sin demora cuando él hizo la invitación.

¿Por qué llamó sólo a doce discípulos? No lo sabemos, pero se nos ha dicho que no fue porque estos individuos poseyeran algo especial que los calificara. "Todos los discípulos tenían graves defectos cuando Jesús los llamó a su servicio".[9] Cinco de ellos ya habían estado con Jesús desde el principio. La mayoría de los otros se había asociado a él por algún tiempo durante su ministerio. Aunque la mayoría de ellos eran pobres y analfabetos, estos galileos recibían una transformación diaria mediante la obra del Espíritu Santo. Las lecciones de su Maestro lentamente desarrollaban en ellos armonía y unidad de propósito dentro de su pequeño grupo. El amor de su Maestro era el vínculo que los unía a él y entre sí. Habían llegado como "discípulos" para aprender y ahora se los llamaba "apóstoles" para enseñar. "Congregó al pequeño grupo en derredor suyo, y arrodillándose en medio de ellos y poniendo sus manos sobre sus cabezas, ofreció una oración para dedicarlos a su obra sagrada. Así fueron ordenados al ministerio evangélico los discípulos del Señor".[10] Este fue otro ejemplo del vínculo entre la divinidad y la humanidad para salvar al mundo.

"Dios toma a los hombres tales como son, con los elementos humanos de su carácter, y los prepara para su servicio, si quieren ser disciplinados y aprender de él. No son elegidos porque sean perfectos, sino a pesar de sus imperfecciones, para que mediante el conocimiento y la práctica de la verdad, y por la gracia de Cristo, puedan ser transformados a su imagen".[11]

En estos últimos días de la historia, Aquel que pidió a los pescadores que abandonaran sus redes, está llamando a hombres y mujeres a su servicio.

Buscar, Hallar, Seguir

*Y estableció a doce, a quienes llamó apóstoles, para que estuviesen
con él, y para enviarlos a predicar. Marcos 3:14.*

Pedro, Andrés, Santiago y Juan lo buscaron, lo encontraron y lo
siguieron. Pedro, que generalmente hablaba en nombre del grupo, era un hombre
de extremos. "Lado a lado, existían en él diversos y contradictorios rasgos de carácter.
Parece haber sido siempre afanoso, ardiente, afectuoso, generoso, osado, intrépido
y valiente, pero con demasiada frecuencia impulsivo, contradictorio, inestable,
precipitado, inseguro, jactancioso, lleno de confianza propia, y hasta atolondrado".[12]

Andrés, el hermano de Pedro, fue el único de los pescadores que nunca
entró en el círculo de los que rodeaban a Jesús. Sabemos poco de Andrés. Siendo
hermano de un individuo tan extrovertido como lo era Pedro, era fácil que Andrés
pasara inadvertido. "Andrés parece haber sido un obrero diligente, aunque quizá
no tan bien dotado con cualidades de liderazgo como su hermano".[13]

Santiago (Jacobo) era hijo de Zebedeo y probablemente mayor que su
hermano Juan, porque todos los registros bíblicos lo mencionan primero. "El
relato del NT presenta primero a Jacobo como a un hombre algo egoísta,
ambicioso y pronto para pedir (Mar. 10:35-41), pero después lo muestra como
a un dirigente sereno y capaz".[14] Fue uno de los primeros mártires, mientras
que su hermano Juan fue el último en morir.

Juan, el hermano de Santiago, "por naturaleza era orgulloso, agresivo,
ambicioso de honores, impetuoso, sentía fácilmente los agravios y anhelaba
vengarse. Juan se rindió más completamente que cualquiera de los otros ante el
poder transformador de la perfecta vida de Jesús, y llegó a reflejar la semejanza
del Salvador más plenamente que cualquiera de los otros discípulos".[15] Llegó a
ser el "discípulo amado de Jesús".

Estos cuatro: Pedro, Andrés, Santiago y Juan, formaban el círculo íntimo,
dentro del cual los tres primeros se acercaron más a Jesús, pero Juan estuvo aún
más cerca de él que ellos. La gente notaba que habían estado con Cristo. "Cuando
vemos hombres y mujeres firmes en principio, sin temor al deber, celosos en la
causa de Dios, y a la vez humildes y tranquilos, corteses y tiernos, pacientes en
todo, listos para perdonar, que demuestran amor por las almas por las cuales
Cristo murió, no necesitamos preguntar: ¿Son cristianos? Ellos dan evidencia
inequívoca de haber estado con Jesús y de haber aprendido de él".[16]

*Los cristianos mismos tal vez no noten el cambio, pero los que los
rodean reconocerán que todo su orgullo y exaltación han sido
rebajados y Cristo ha sido exaltado.*

Las Zorras Tienen Cuevas

*Las zorras tienen cuevas y las aves del cielo nidos, pero el Hijo del
Hombre no tiene dónde reclinar su cabeza". Mateo 8:20.*

Judas Iscariote era distinto de los demás discípulos. Si era de "kerioth",
una pequeña aldea entre el Mar Muerto y Beerseba, Judas era el único discípulo
que no era galileo. Jesús no lo llamó a que se uniera a él en la ladera de la
montaña. El Iscariote forzó su entrada en el grupo, con la esperanza de conseguir
un alto cargo en el nuevo reino. Comprendiendo Jesús su verdadero motivo,
hizo su declaración de pobreza para desvanecer esas expectativas y mostrarle
que no habría gloria ni riqueza por el camino de la cruz.

Este hombre impresionó a los demás discípulos porque "parecía un
hombre respetable, de agudo discernimiento y habilidad administrativa, y lo
recomendaron a Jesús como hombre que le ayudaría mucho en su obra. Les
causó, pues, sorpresa que Jesús lo recibiese tan fríamente".[17] Todos los discípulos
pensaban que la llegada del Mesías establecería un reino terrenal. Se sentían
muy desilusionados porque Jesús no se esforzaba por conseguir el apoyo de los
dirigentes para ese movimiento político. Por fin, con la ayuda de una persona
como Judas, tal vez podrían impulsar el ministerio y acercarse a los líderes
indicados.

Cristo no lo rechazó ni le dio la bienvenida, sino le permitió unirse al
círculo interior. Jesús hasta le confió los fondos que entraban de los creyentes.
Judas exaltaba su puesto, haciendo creer a los demás que el liderazgo del tesorero
era importante para realizar obras futuras. Los discípulos admiraban a este
judío talentoso, ambicioso, de buen parecer, y de fácil palabra; y que además
parecía poseer todas las conexiones políticas necesarias. Sólo Jesús leyó su
corazón. "Conoció los abismos de iniquidad en los cuales éste se hundiría a
menos que fuese librado por la gracia de Dios. Al relacionar a este hombre
consigo, le puso donde podría estar día tras día en contacto con la manifestación
de su propio amor abnegado".[18]

Judas tuvo las mismas oportunidades que los demás discípulos; sin embargo, se aferró a sus propias ideas egoístas para promover al Mesías. "Los
principios que debieran gobernar el corazón renovado, eran el tema constante
de las enseñanzas de Cristo. Pero Judas no los recibió".[19]

*Debemos estar en guardia para no juzgar sólo por las apariencias.
"Porque el Señor no mira lo que el hombre mira. El hombre mira lo
que está ante sus ojos, pero el Señor mira el corazón" (1 Sam. 16:7).*

La Montaña Sin Nombre

Al ver a la multitud, Jesús subió a un monte, se sentó y se le
acercaron sus discípulos. Mateo 5:1.

*D*espués de la ordenación, Jesús bajó las laderas de la montaña hacia
la playa más cercana. A pesar de ser muy temprano, la gente ya había empezado
a congregarse a orillas del mar. "Además de las acostumbradas muchedumbres
de los pueblos galileos, había gente de Judea y aun de Jerusalén misma; de
Perea, de Decápolis, de Idumea, una región lejana situada al sur de Judea; y de
Tiro y Sidón, ciudades fenicias de la costa del Mediterráneo".[20]

Muchos de los presentes, incluyendo sus discípulos, abrigaban la esperanza
de que él fuera el Libertador prometido. Pero los discípulos se sentían perplejos
al ver que Jesús no contemporizaba con los que podrían provocar una revuelta
política. Sin embargo, de alguna forma ese día parecía ser especial. Pensaban
que Jesús por fin anunciaría su intención de establecer el reino universal que
con tanta ansiedad anhelaban. Siguieron al Maestro, lo rodearon estrechamente
y aguardaron que hiciera tan esperado anuncio.

"Como la estrecha playa no daba cabida, ni aun de pie, dentro del alcance
de su voz, a todos los que deseaban oírlo, Jesús los condujo a la montaña. Llegado
que hubo a un espacio despejado de obstáculos, que ofrecía un agradable lugar
de reunión para la vasta asamblea, se sentó en la hierba, y los discípulos y las
multitudes siguieron su ejemplo".[21] Siguiendo la antigua costumbre de los
maestros, Jesús se sentó a enseñar. La mayoría de sus interlocutores eran pescadores
y gente pobre. Los espías de Jerusalén estaban presentes, así como una multitud
de extranjeros curiosos. Sus discípulos se sentaron a sus pies, formando un círculo
estrecho a su alrededor. Todos esperaban un gran anuncio. Pero el sermón que
escucharon no era lo que esperaban. Sin embargo, este sermón, el más largo de
todos los que pronunciara el Mesías, fue evidentemente muy especial.

"La montaña donde Cristo predicó el Sermón del Monte se ha llamado
el 'Sinaí del Nuevo Testamento', pues tiene la misma relación con la iglesia
cristiana que tiene el monte Sinaí con la nación judía. En el Sinaí Dios proclamó
la ley divina. En un desconocido monte de Galilea Jesús reafirmó la divina ley,
explicó su verdadero sentido con detalles más amplios y aplicó sus preceptos a
los problemas de la vida diaria".[22]

"Las verdades que enseñó no son menos importantes para nosotros
que para la multitud que le seguía. No necesitamos menos que dicha
multitud conocer los principios fundamentales del reino de Dios".[23]

La Naturaleza del Reino

"Bienaventurados los pobres en espíritu, porque de ellos es el reino de los cielos. Bienaventurados los que lloran, porque ellos serán consolados". Mateo 5:3, 4.

Jesús trastornó completamente la idea humana de la felicidad. Los discípulos no podían creer lo que escuchaban. ¿Sería posible que el Hombre por el cual habían abandonado su negocio de pesca no planeara formar un reino terrenal? Con una sola frase, Cristo había deshecho la orgullosa esperanza de que Israel sería pronto honrado ante las naciones. "Tal enseñanza era opuesta a cuanto habían oído del sacerdote o el rabino".[24] Lo que Jesús procuraba era dar a la gente el concepto correcto de su reino y por lo tanto de su carácter. Felices son los que saben su pobreza espiritual y sienten su necesidad. "Así, al comienzo de su discurso inaugural como Rey del reino de la gracia divina, Cristo proclama que el principal propósito del reino es el de restaurar en el corazón de los hombres la felicidad perdida en el Edén".[25]

El primer requisito para la ciudadanía en el reino de Dios era sentir la necesidad de ayuda divina. El sacerdote orgulloso, el fariseo que se autojustifica, el saduceo educado y todos los que no sienten necesidad del don del cielo, están en el peor de los peligros espirituales. "El corazón orgulloso lucha para ganar la salvación; pero tanto nuestro derecho al cielo como nuestra idoneidad para él, se hallan en la justicia de Cristo".[26] El pobre de espíritu mira su pecaminosidad y, como el publicano, no puede evitar este clamor: "Dios, ten compasión de mí, que soy pecador" (Luc. 18:13).

El segundo requisito sigue de cerca al primero. Los que captan esa necesidad sentirán naturalmente tristeza por sus pecados. La convicción del pecado y la tristeza son obras paralelas del Espíritu Santo. Cuando reconocemos que todo pecado hiere a nuestro Salvador, nos entristecemos por esas tendencias pecaminosas que le causan angustia. Sin embargo, el pesar en sí no tiene poder para quitar la culpa del pecado. El consuelo del perdón, la reconciliación con Dios y el precioso don de su gracia, transforman nuestra tristeza en el gozo más profundo. "Las lágrimas del penitente son tan sólo las gotas de lluvia que preceden al brillo del sol de la santidad".[27] "El Señor obrará para cuantos depositen su confianza en él. Los fieles ganarán victorias preciosas, aprenderán lecciones de gran valor y tendrán experiencias de gran provecho".[28]

La tristeza por los pecados del mundo y el anhelo intenso por el reino celestial, indican que los cristianos se han vinculado al "Varón de dolores".

Evidencia de Nobleza

"Bienaventurados los mansos, porque ellos heredarán la tierra".
Mateo 5:5.

Uno de los aspectos hermosos de las "bienaventuranzas" es que trazan paso a paso el progreso de la experiencia cristiana. La mansedumbre es una actitud. "La mayor evidencia de nobleza que haya en el cristiano es el dominio propio".[29] Muchos que profesan ser cristianos son orgullosos. Los arrogantes y orgullosos heredarán esta tierra, pero los mansos heredarán el reino de gracia. "Porque el que se ensalza será humillado, y el que se humilla será ensalzado" (Mat. 23:12). Aquellos cuyo objetivo más elevado es aprender y hacer la voluntad de Dios, serán recibidos en el reino.

Dios considera tiernamente a los mansos y humildes. "Oh hombre, el Señor te ha declarado qué es lo bueno, y qué pide de ti. Sólo practicar la justicia, amar la bondad y *andar humildemente* con tu Dios" (Miq. 6:8). "Porque el Señor es excelso; y con todo, atiende al humilde, pero al altivo mira de lejos" (Sal. 138:6). Nuestro Salvador nos dio el ejemplo durante su vida en esta tierra. "Jesús se vació a sí mismo, y en todo lo que hizo jamás se manifestó el yo. Todo lo sometió a la voluntad de su Padre".[30] "La vida terrenal del Salvador, aunque transcurrió en medio de conflictos, era una vida de paz. Aun cuando lo acosaban constantemente enemigos airados, dijo: 'El que me envió, conmigo está; no me ha dejado solo el Padre, porque yo hago siempre lo que le agrada' (Juan 8:29)".[31]

Los que constantemente están a la defensiva para proteger el yo, nunca gozan de paz. Cualquier insulto o palabra de reproche que escuchan, a menudo los altera y los hace responder airados. Por el contrario, esas palabras cortantes y ofensivas debieran caer en oídos sordos. La venganza y el odio se originaron en Satanás y se perpetúan en los que piensan que deben proteger su amor propio al primer indicio de ofensa. "Por el deseo de exaltación propia entró el pecado en el mundo, y nuestros primeros padres perdieron el dominio sobre esta hermosa tierra, su reino. Por la abnegación, Cristo redime lo que se había perdido. Y nos dice que debemos vencer como él venció".[32] Cristo era "manso y humilde de corazón" (Mat. 11:29).

Los cristianos deberíamos abrazar esos atributos que Jesús estableció ese día en el monte: "Pero el fruto del Espíritu es: amor, gozo, paz, paciencia, benignidad, bondad, fidelidad, mansedumbre, dominio propio. Contra estas virtudes, no hay ley" (Gál. 5:22, 23).

"Pero tú, oh hombre de Dios, huye de estas cosas, y corre en busca de la justicia, la piedad, la fe, el amor, la paciencia y la mansedumbre"
(1 Tim. 6:11).

Amor y Misericordia

"Bienaventurados los que tienen hambre y sed de justicia, porque ellos serán saciados. Bienaventurados los misericordiosos, porque ellos alcanzarán misericordia". Mateo 5:6, 7.

*D*ios es amor. La justicia es santidad o semejanza a Dios. Más que todo, es amor. "Cuanto más sepamos de Dios, tanto más alto será nuestro ideal del carácter, y tanto más ansiaremos reflejar su imagen".[33] No es suficiente creer que Jesús no era un impostor y que la religión de la Biblia no es una historia ficticia. Tampoco es suficiente sostener que Jesús puede salvar. La teoría de la verdad no es suficiente para llevarnos al cielo. Nuestra salvación no está asegurada sólo porque nuestros nombres estén escritos en los libros de la iglesia. "La justicia es la práctica del bien, y es por sus hechos por lo que todos han de ser juzgados. Nuestros caracteres se revelan por lo que hacemos. Las obras muestran si la fe es genuina o no".[34] El Espíritu Santo ayuda constantemente al creyente que busca la "perfección de carácter", que es el lino fino del ropaje de los santos (Apoc. 19:8).

Lo que más se aproxima al hambre y sed de justicia, es la misericordia y la pureza de corazón. La persona que muestra compasión por el pobre, el desvalido, el oprimido, está mostrando misericordia a uno de los hermanos pequeñitos de Jesús. Miqueas nos muestra el camino: "Oh hombre, él te ha declarado lo que es bueno, y qué pide Jehová de ti: solamente hacer justicia, y amar misericordia, y humillarte ante tu Dios" (Miq. 6:8 Reina-Valera, 1960). La regla de oro es el principio de la misericordia hacia los demás. No es suficiente hablar palabras de misericordia; debemos también hacer obras de misericordia (Mat. 25:31-46).

"Las palabras de bondad, las miradas de simpatía, las expresiones de gratitud, serían para muchos que luchan solos como un vaso de agua fría para un alma sedienta. Una palabra de simpatía, un acto de bondad, alzaría la carga que doblega los hombros cansados. Cada palabra y obra de bondad abnegada es una expresión del amor que Cristo sintió por la humanidad perdida".[35] El compasivo Salvador tendrá misericordia de los que fueron misericordiosos en esta tierra. El carácter del cristiano debe desarrollarse en esta vida.

"Debiera escribirse en la conciencia como quien escribe sobre la roca con un cincel de hierro, que el que no practica la misericordia, la compasión y la justicia; descuida a los pobres, ignora las necesidades de la humanidad sufriente; no es bondadoso ni cortés, se conduce de tal modo que Dios no puede cooperar con él en el desarrollo de su carácter".[36]

Ellos Verán a Dios

"Bienaventurados los de limpio corazón, porque ellos verán a Dios".
Mateo 5:8.

Los ciudadanos del nuevo reino serán puros de corazón. Sin embargo, Jesús no tenía en mente la pureza ceremonial que obsesionaba a los fariseos y a los saduceos. Sus palabras abarcan más que la pureza sexual. Jesús estaba hablando de la limpieza interior del corazón y sus deseos. "En el que vaya aprendiendo de Jesús se manifestará creciente repugnancia por los hábitos descuidados, el lenguaje vulgar y los pensamientos impuros. Cuando Cristo viva en el corazón, habrá limpieza y cultura en el pensamiento y en los modales".[37]

Jeremías dijo: "Engañoso es el corazón más que todas las cosas, y perverso, ¿quién lo conocerá? (Jer. 17:9). Los puros de corazón no están libres del pecado, pero los cristianos que confían en Cristo y permiten que su gracia los motive a vivir una vida mejor, están yendo en la dirección correcta. Renunciando a los pecados pasados y prosiguiendo hacia la meta del elevado llamamiento de Dios en Cristo Jesús (Fil. 3:14), el cristiano se extiende a la perfección *en* él.

Mediante los ojos de la fe, podemos ver *ahora* a Dios. Al final, en el reino celestial, tendremos el privilegio de verlo cara a cara (1 Juan 3:2; Apoc. 22:4), pero "sólo los que logren desarrollar la visión celestial en este mundo presente tendrán el privilegio de ver a Dios en el mundo venidero".[38] "Ahora vemos en un espejo, oscuramente, pero entonces veremos cara a cara" (1 Cor. 13:12). El pecado nubla nuestro juicio y empaña nuestra visión, lo que nos impide ver a Dios. Si acariciamos el pecado, perderemos nuestra visión clara de Cristo. El yo toma el lugar de Cristo e impone sobre él los atributos que el pecador desea. La visión cristalina del carácter de Dios, que es: "compasivo y bondadoso, lento para la ira, y grande en amor y fidelidad" (Éxo. 34:6), se desvanece. Por otro lado, "los de puro corazón ven a Dios en un aspecto nuevo y atractivo, como su Redentor; mientras disciernen la pureza y hermosura de su carácter, anhelan reflejar su imagen".[39]

Los que escucharon su mensaje estaban asombrados. Los discípulos no podían llegar a las profundidades de las palabras de Cristo. Su propio egoísmo les impedía ver el amor del Padre. Hasta entre la gente, Jesús caminaba solo. Resultaba difícil para sus interlocutores comprender los principios que Jesús había compartido en el monte. "Sólo en el cielo se lo comprendía plenamente".[40]

Debiéramos orar para poseer una visión cristalina que nos permita
ver a Dios como nuestro Redentor.

Shalom

"Bienaventurados los pacificadores, porque ellos serán llamados hijos de Dios". Mateo 5:9.

Mientras Jesús pronunciaba estas verdades, los espectadores se miraban unos a otros. ¿Cómo era posible esto? Sus enseñanzas eran muy diferentes a las de los rabinos. Los fariseos tenían un alto concepto de la riqueza; sin embargo, Jesús decía que la riqueza, el poder y la posición no valían nada. Y para ser "hijos de Dios", tenían que ser pacificadores.

Los que se dejan conducir por el Espíritu de Cristo amarán a Dios y a sus semejantes. Dios es el "Príncipe de Paz" original (Isa. 9:6). Cuando nació, los ángeles proclamaron: "Gloria a Dios en las alturas, y en la tierra paz, entre los hombres de buena voluntad" (Luc. 2:14). Cristo vino a la tierra a reunir a la humanidad con Dios, a restaurar la paz con Dios a través de su Ley. "Mucha paz gozan los que aman tu Ley, y no hay para ellos tropiezo" (Sal. 119:165).

Al ser justificados por fe en los méritos de Jesús, podemos obtener paz con Dios (Rom. 5:1). Sentir que hemos sido reconciliados y que estamos en paz con Dios llena el corazón de gozo y felicidad. Una vez más nos encontramos remodelados a la imagen de Dios, con un carácter parecido al de él, y dignos de ser llamados "hijos de Dios". "Amados, ahora ya somos hijos de Dios. Y aunque no se ve aún lo que hemos de ser, sabemos que cuando *Cristo* aparezca, seremos semejantes a él, porque lo veremos como es él" (1 Juan 3:2).

"Shalom" también significa completa y plena paz. Los cristianos debieran vivir en paz unos con otros. "Seguid la paz con todos, y la santidad, sin la cual nadie verá al Señor" (Heb. 12:14). Es difícil mantener una actitud pacífica hacia nuestros semejantes. El corazón humano siempre está listo a devolver el mal con igual fiereza. Sin embargo, volver la otra mejilla y dar amor por odio, es la marca de un cristiano. El mundo puede interpretar eso como un acto de cobardía, pero el cristiano es "hijo de Dios". "Todos los que se dejan guiar por el espíritu de Dios, éstos son hijos de Dios" (Rom. 8:14). En el cielo hay perfecta paz. La armonía de las cortes celestiales se manifestará en la vida del verdadero seguidor del "Príncipe de Paz".

En el proceder diario del cristiano profeso, vemos el espíritu que de verdad activa el carácter. "Que nuestros labios pronuncien sólo palabras bondadosas hacia los miembros de nuestra familia o de la iglesia".[41]

Persecución

"Bienaventurados los que padecen persecución por causa de la justicia, porque de ellos es el reino de los cielos". Mateo 5:10.

*J*esús nunca dijo que la vida del justo estaría libre de pruebas y tribulaciones. Por su vida dedicada a Dios, el cristiano representa una censura constante para el pecador. Es un espejo que le revela claramente sus defectos. Satanás y sus seguidores, con gran furia, procuraban vencer y destruir a los "hijos de Dios". La persecución se ha manifestado en muchas formas a través de los tiempos, pero su principio escondido es el odio de los malos hacia todos los que obedecen al Dios del cielo.

"Gozaos y alegraos, porque vuestra recompensa es grande en el cielo, que así persiguieron a los profetas que fueron antes de vosotros" (Mat. 5:12). La persecución debiera traer gozo al cristiano, porque muestra que él o ella es seguidor de Cristo. No importa de qué clase de tentación o prueba se trate, el sufrimiento construye el carácter. Hay que oprimir la piedra contra el esmeril, cortarla y pulirla para volverla una joya. Las pruebas son el proceso refinador del Señor. Debemos regocijarnos y no sentir lástima por nosotros mismos. Él dijo: "Bástate mi gracia, porque mi poder se perfecciona en la debilidad" (2 Cor. 12:9).

Los que confían en el Señor se dan cuenta que él está de su lado y que nunca los abandonará. Su prueba puede ser fiera; sin embargo "sabemos que todas las cosas obran para el bien de los que aman a Dios, los que han sido llamados según su propósito" (Rom. 8:28). El sacrificio puede ser grande, pero la recompensa será mucho mayor. "Yo vengo pronto, y mi galardón conmigo, para dar a cada uno según su obra" (Apoc. 22:12). Santiago 1:2-4 nos dice que debemos regocijarnos porque las tribulaciones prueban nuestra fe. La fe produce paciencia, y la espera en el Señor desarrolla paciencia. Cristo advirtió a sus discípulos que otros los odiarían por su causa, "pero el que persevere hasta el fin, ése será salvo" (Mat. 10:22). Las dificultades pueden hacer que algunos pierdan la fe, porque piensan que el costo es demasiado grande. "Pero Dios es fiel, y no os dejará ser tentados más de lo que podáis resistir. Antes, junto con la tentación os dará también la salida, para que podáis soportar" (1 Cor. 10:13). Cada seguidor de Cristo debe cargar con su cruz y seguirlo.

Los que se consideran portadores de la "verdad", a menudo son los que primero persiguen a otros y dan a conocer que su fe no es genuina, porque el verdadero cristianismo revela amor.

La Sal

"Vosotros sois la sal de la tierra. Pero si la sal pierde su sabor, ¿con qué será salada? No sirve más para nada, sino para ser echada fuera y hollada por los hombres". Mateo. 5:13.

*J*esús usó el símbolo de la sal para que la gente comprendiera la influencia de la vida cristiana. Al mezclarse con los demás, el cristiano los alcanza con el Evangelio de Cristo. "No se salvan en grupos, sino individualmente. La influencia personal es un poder".[42] La salvación de otros es el objetivo principal y la responsabilidad del discípulo de Cristo. "El sabor de la sal representa la fuerza vital del cristiano, el amor de Jesús en el corazón, la justicia de Cristo que compenetra la vida".[43] Para que la sal sirva de preservativo, debe estar en contacto con los alimentos. Así también los cristianos no deben alejarse de la humanidad ni rehusar ser canales para la gracia de Dios. Debemos permanecer en contacto directo con nuestros semejantes y dar buen ejemplo en nuestro mundo. "Aunque los impíos no lo saben, deben aun las bendiciones de esta vida a la presencia, en el mundo, del pueblo de Dios, al cual desprecian y oprimen".[44]

Los sacerdotes agregaban sal a todos los sacrificios que presentaban en el templo judío para que fuesen aceptados, pues representaban la justicia de Cristo. "A fin de que nuestras vidas sean un 'sacrificio vivo, santo, agradable a Dios' (Rom. 12:1), deben ser preservadas y sazonadas con la perfecta justicia de Jesucristo".[45]

Pero, ¿qué pasa con los que perdieron el sabor de la sal? "Tendrán apariencia de piedad, pero negarán su eficacia" (2 Tim. 3:5). Son cristianos sólo de nombre. Sus vidas no reflejan más el amor de Cristo hacia otros. Sin su poder y amor, el cristiano no sirve para nada. ¡Pobres de los profesos cristianos que al representar falsamente los principios de Cristo, llegan a ser tropiezos en la causa del reino! Esa clase de cristianos son peores que los incrédulos. El cristiano que no tiene una relación viva con el Salvador, no tiene influencia para el bien en el mundo. "No podemos dar a nuestros prójimos lo que nosotros mismos no poseemos".[46]

"Al escuchar las palabras de Cristo, la gente podía ver la sal, blanca y reluciente, arrojada en los senderos porque había perdido el sabor y resultaba, por lo tanto, inútil. Simbolizaba muy bien la condición de los fariseos y el efecto de su religión en la sociedad".[47]

No olvidemos que somos canales que conducen la gracia de Dios hasta el mundo, el verdadero condimento de la vida.

La Luz del Mundo

"Vosotros sois la luz del mundo. Una ciudad situada sobre un monte
no se puede esconder". Mateo 5:14.

Apenas salía el sol cuando Jesús comenzó a predicar el Sermón del Monte. Pero ahora había ascendido tan alto que en el valle y en los desfiladeros de las montañas, las sombras se habían disipado. "El agua tranquila del lago reflejaba la dorada luz y servía de espejo a las rosadas nubes matutinas".[48] En la luz radiante de la mañana se destacaban claramente las aldeas y los pueblos en los cerros circundantes. Señalándolos, Jesús explicó que un cristiano debería reflejar la luz del amor de su Maestro. "Nunca ha brillado, ni brillará jamás, otra luz para el hombre caído, fuera de la que procede de Cristo".[49] Así como Jesús vino a mostrarnos al Padre, nosotros debemos revelar a Cristo ante los demás.

Los que habitaban casas de un solo cuarto, a menudo tenían una sola lámpara para iluminar su hogar. El depósito se llenaba de aceite. Una punta de la mecha flotaba en el aceite y la otra se prendía y descansaba contra el borde de la lámpara. Por lo regular la colocaban sobre una mesa o repisa, o la colgaban de la columna de madera o de piedra que sujetaba el techo. Cada interlocutor de Jesús podía visualizar la pequeña lámpara en su hogar.

La salvación es para todos. La verdadera profesión de fe del cristiano es luz para los que están en tinieblas. Tal vez no podamos palpar el aceite del Espíritu Santo, pero el efecto de su presencia se manifiesta en la luz que brilla a través del discípulo que "glorifica al Padre". "El verdadero carácter no se forma desde el exterior, para revestirse uno con él; irradia desde adentro... La vida consecuente, la santa conversación, la integridad inquebrantable, el espíritu activo y benévolo, el ejemplo piadoso, tales son los medios por los cuales la luz es comunicada al mundo".[50]

Dios había bendecido a la nación judía con gran luz, pero muchos habían escondido su luz bajo un cajón. En sus hogares la gente usaba con frecuencia recipientes de dos galones para guardar harina. En vez de cubrir el mensaje del Evangelio y esconderlo dentro de las paredes de la iglesia, la iglesia de Cristo debe reflejar al mundo la gloria del Padre. Los discípulos de Cristo debemos esparcir su luz para que alumbre al mundo.

"Para nosotros, en esta postrera generación, son esas palabras de
Cristo, que fueron pronunciadas primeramente por el profeta
evangélico y después repercutieron en el Sermón del Monte:
'Levántate, resplandece; porque ha venido tu luz, y la gloria de
Jehová ha nacido sobre ti'. Isaías 60:1".[51]

El Espíritu de la Ley

"No penséis que he venido para abolir la Ley o los Profetas. No he venido a invalidar, sino a cumplir". Mateo 5:17.

Las palabras de Jesús sonaban a herejía. Los piadosos fariseos susurraban a los que los rodeaban que estaba tomando livianamente la ley. Pero sus objeciones estrechas y sus interpretaciones erróneas de la verdad habían enterrado la ley de Dios bajo una capa de basura ceremonial. Jesús aludió directamente a su acusación. "No penséis que he venido para abolir la Ley o los profetas. No he venido a invalidar, sino a cumplir" (Mat. 5:17). ¡Qué ironía que ellos dudaran de los motivos del Autor mismo de la ley! "Fue el Creador de los hombres, el Dador de la ley, quien declaró que no albergaba el propósito de anular sus preceptos. Todo en la naturaleza, desde la diminuta partícula que baila en un rayo de sol hasta los astros en los cielos, está sometido a leyes".[52] Las preguntas favoritas que Jesús hacía a sus oidores eran: "¿No habéis leído?" y "¿Qué está escrito en la ley?" Tratando siempre de impartir la verdad a sus interlocutores, Jesús procuraba vindicar su ley y rechazar la acusación de que estaba quebrantando sus propios principios sagrados.

"Os aseguro que mientras existan el cielo y la tierra, ni una jota, ni una tilde de la Ley perecerá, sin que todo se cumpla" (vers. 18). La jota es la novena letra del alfabeto griego. Como es casi seguro que Jesús enseñaba en arameo cuando habló estas palabras, la jota es la *y* en arameo, que es la letra más pequeña del alfabeto; y la tilde, es el signo auxiliar más insignificante de ese idioma. Su preocupación por los caracteres más pequeños, nos muestra la inmutabilidad de la ley.

Si algo se hubiese podido cambiar de la ley divina, no habría sido necesario que Jesús viniera a la tierra a rescatar a la humanidad caída de los efectos de su propia transgresión. La vida de Jesús mostró que la ley podía guardarse; y en el proceso de salvación, él la cumple en nosotros. Su sacrificio no abrogó la ley, sino la estableció como una expresión de la voluntad de Dios. "Porque lo que era imposible a la Ley, por cuanto era débil por la carne; Dios, al enviar a su propio Hijo en semejanza de carne de pecado, y como sacrificio por el pecado, condenó al pecado en la carne"(Rom. 8:3).

"La ley fue dada [a hombres y mujeres] para convencerlos de pecado, y revelar su necesidad de un Salvador. Haría esto al ser aplicados sus principios al corazón por el Espíritu Santo. Todavía tiene que hacer esta obra".[53]

Pasaporte para el Cielo

*"Por lo tanto, el que viole uno de esos Mandamientos muy pequeños,
y así enseñe a los hombres, muy pequeño será en el reino de los cielos.
Pero el que los cumpla y los enseñe, ése será grande en el reino de los
cielos". Mateo 5:19.*

Muchos rabinos consideraban su justicia como pasaporte para el cielo.
Procuraban mostrar su santidad a los demás con sus ceremonias rituales, su
conocimiento teórico de la ley y su profesión de piedad. Jesús declaró que sus
esfuerzos eran insuficientes y completamente indignos. Los escribas habían
ordenado las leyes y reglamentos según la importancia que a ellos les parecía
que tenían, de modo que en caso de un conflicto los mandatos más importantes
se cumplieran de preferencia. "Desde la niñez Jesús había actuado sin tomar en
cuenta esas leyes rabínicas que no tenían su base en el AT".[54]

A los discípulos les molestaba que sus dirigentes religiosos los acusaran
de ser pecadores por no guardar los ritos que observaban los judíos "justos".
Jesús explicó que las formas externas de la religión son vacías si las motivaciones
interiores son malas. La observancia de una religión ritual no cambia el corazón.
Muchos dirigentes religiosos pensaban que se podía ganar méritos realizando
las obras debidas. Si en los libros acumulaban suficientes buenas obras para
balancear los pecados individuales, y la tendencia general del pecador era positiva,
entonces "Dios lo declarará justo".[55]

Sin embargo, la justificación del pecado bajo la excusa de que la
humanidad es débil y con tendencias pecaminosas, le quita seriedad a la ofensa.

"En el tiempo de Cristo, el mayor engaño de la mente humana consistía
en creer que un mero asentimiento a la verdad constituía la justicia. En toda
experiencia humana, un conocimiento teórico de la verdad ha demostrado ser
insuficiente para salvar el alma. No produce frutos de justicia".[56] "El peor engaño
del mundo cristiano en esta generación, es que al derramar su desprecio sobre
la ley de Dios, piensan que están exaltando a Cristo. ¡Qué posición! Fue Cristo
el que pronunció la ley desde el Sinaí. Fue Cristo el que dio a Moisés la ley
esculpida en las tablas de piedra. Era la ley de su Padre; y Cristo dice: 'Yo y el
Padre somos uno'. Los fariseos hacían lo contrario de los de ahora; sin embargo
también estaban muy equivocados. Rechazaban a Cristo, pero exaltaban la ley,
lo cual viene a ser lo mismo, porque se ignora lo principal:

*La fe en Cristo debe ir acompañada de la obediencia a la Ley de
Dios".*[57]

La Ley Examinada

"Oísteis que fue dicho a los antiguos: 'No matarás. El que mata será culpado del juicio'. Pero yo os digo, cualquiera que se enoje con su hermano, será culpado del juicio". Mateo 5:21, 22.

Jesús habla ahora de modo que asombra a sus oyentes. Emplea seis veces la frase: "Yo os digo". En contraste directo con los rabinos, que usaban la tradición para interpretar las observancias de las Escrituras, la autoridad de Jesús la notaban los que nunca habían tenido la oportunidad de leer la ley. Reconociendo esto, Jesús decía antes de sus observaciones: "Oísteis que fue dicho a los antiguos". Explicaba que los Diez Mandamientos encerraban principios más amplios que los que los rabinos practicaban. Muchos de los presentes odiaban a los romanos que ocupaban su país. Como se consideraban "pueblo escogido de Dios", se sentían libres de despreciar y odiar a los de otras nacionalidades y razas. Su espíritu de descontento y la falta de amor afectaba su actitud hacia su propia gente.

Son los motivos interiores de nuestra observancia de la ley y no nuestras acciones, lo que determina la verdadera religión. Este es el hilo dorado que corre a través del Sermón del Monte. Jesús les dijo que no deberían enojarse con su hermano. La mayoría de ellos en seguida relacionaron sus palabras con sus compatriotas judíos, pero más tarde, Jesús mostró claramente en la parábola del Buen Samaritano que todos los seres humanos son hermanos y hermanas (Luc. 10:29-37). "Veremos defectos y debilidades en los que nos rodean, pero Dios reclama cada alma como su propiedad, por derecho de creación, y dos veces suya por haberla comprado con la sangre preciosa de Cristo. Todos fueron creados a su imagen, y debemos tratar aun a los más degradados con respeto y ternura. Dios nos hará responsables hasta de una sola palabra despectiva hacia un alma por la cual Cristo dio su vida".[58]

El espíritu de odio se originó en Satanás. La culminación de ese odio provocó la muerte de Cristo en la cruz. "La amargura y animosidad deben ser desterradas del alma si queremos estar en armonía con el cielo".[59] Las semillas del pecado germinan primero en la mente. Antes de hacer el mal, la mente ya ha transgredido la ley de Dios con sólo contemplar la idea. Ya hemos lastimado nuestro carácter moral antes de llevar a cabo la maldad. Lo que la mente acaricia forma el carácter.

David conocía la lucha que se libra por el corazón y la mente al decir: "En mi corazón he guardado tus dichos, para no pecar contra ti" (Salmo 119:11).

La Segunda Milla

"Al que te obligue a llevar una carga por una milla, ve con él dos".
Mateo 5:41.

$\mathcal{J}$esús presentaba cosas que a sus oidores les resultaba difícil aceptar. Les dijo que debían volver la otra mejilla y no buscar venganza, recibir una herida antes que pelear por lo que ellos consideraban sus derechos. Que no deberían tomar el nombre de Dios como testigo y luego mentir. En vez de elegir el divorcio por las causas más triviales, debían tratar de resolver sus dificultades y salvar su matrimonio. Y debían guardarse de los pensamientos impuros, porque "tal como piensa en su corazón así es él [o ella]" (Prov. 23:7). Nuestras acciones exteriores muestran el carácter interior. Jesús reveló los motivos escondidos que sus oidores acariciaban conforme se aferraban a opiniones equivocadas de justicia propia.

Los judíos se consideraban mejores que sus amos los romanos. Veían con desdén las prácticas paganas de los extranjeros que ocupaban su tierra. "En Capernaún, los jefes romanos asistían a los paseos y desfiles con sus frívolas amantes, y a menudo el ruido de sus orgías interrumpía la quietud del lago cuando sus naves de placer se deslizaban sobre las tranquilas aguas".[60] En vez de reprender a los administradores romanos, como los judíos esperaban, Jesús denunciaba el mal que sus oidores acariciaban en sus propios corazones. "Por ser Capernaum una ciudad fronteriza, era la base de una guarnición romana, y aun mientras Jesús enseñaba, una compañía de soldados romanos que se hallaba a la vista recordó a sus oyentes cuán amarga era la humillación de Israel".[61] Jesús conocía sus deseos de venganza, y sus palabras eran una afrenta a su orgullo.

"Al que te obligue a llevar una carga por una milla, ve con él dos" (Mat. 5:41). Casi siempre los oficiales romanos viajaban con escoltas de soldados. A menudo los oficiales obligaban a los labriegos judíos a transportar su equipaje militar, usando la violencia para lograr sus caprichos, y la persona que resistía esas exigencias, con frecuencia perdía de todos modos su bestia de carga. La ley y la costumbre romana exigía ese servicio para la distancia de una milla (1,48 km). Por lo regular, esa distancia era cuesta arriba o a través de terrenos escabrosos. Para los orgullosos galileos esta humillación era casi intolerable. Jesús los sorprendió cuando aconsejó que un ciudadano del reino debería estar dispuesto a doblar el servicio requerido. "Jesús enseñó a sus discípulos que se sometieran a la decisión del tribunal, aunque éste exigiese más de lo autorizado por la ley de Moisés".[62]

En circunstancias adversas, resulta difícil dar más de lo que se requiere. El que lo hace con alegría lleva la marca de un verdadero cristiano.

"La prueba del amor a Dios es el amor a nuestros prójimos (1 Juan 4:20)".[63]

El Servicio Aceptable

"Guardaos de ejercer vuestros actos de justicia ante los hombres, para ser vistos por ellos. De esa manera no tendréis merced de vuestro Padre celestial". Mateo 6:1.

Jesús cambió ahora la dirección de su sermón. De su discusión anterior en cuanto a la verdadera justicia, pasó a los deberes más prácticos de un ciudadano del reino. Hizo un contraste entre los requisitos judíos de caridad, oración y ayuno, con el modelo de su reino.

Durante el tiempo de Cristo, los fariseos eran una secta pequeña formada por unas 6.000 personas; sin embargo tenían gran influencia sobre la religión nacional. Jesús no criticaba lo que ellos hacían, sino lo que los motivaba. Algunos fariseos hacían alarde de sus actos de caridad, para atraer la atención de los demás y ganar así renombre de santidad. Pero en la raíz de estas obras se escondía la vanagloria, y si los demás no los hubiesen adulado y admirado por sus ofrendas, jamás las habrían entregado.

Los impuestos que se imponían a la comunidad, servían para los pobres y reflejaban la capacidad de dar del donante. La comunidad esperaba que estos "impuestos" fueran "donaciones voluntarias". A menudo los dirigentes hacían apelaciones durante los servicios especiales de la sinagoga o durante reuniones públicas que se llevaban a cabo en la comunidad. "En estas ocasiones, la gente se sentía tentada a prometer grandes sumas de dinero para conseguir la alabanza de los que estaban allí reunidos. También se acostumbraba permitir que el que hubiera contribuido con una suma excepcionalmente grande se sentara en un sitio de honor junto a los rabinos. Con demasiada frecuencia, el deseo de ser alabado era el móvil de esos donativos".[64]

Jesús dijo a la multitud que la única recompensa que los hipócritas recibirían sería la adulación y admiración humana. A un donante de esa clase no le importaban los necesitados, sino sólo la admiración popular. Jesús se refirió a la creencia oriental, que "la mano derecha y la izquierda son amigas íntimas". Ni aun nuestro amigo íntimo necesita saber lo que hacemos por los necesitados. En el templo existían esas "cámaras de donaciones secretas", donde los donantes podían dar y los necesitados venían en secreto a recibir ayuda. Dios ve cada donación, pero observa con mayor interés el corazón y el motivo detrás de ella.

"La sinceridad del propósito y la bondad genuina del corazón, son los motivos apreciados por el cielo".[65]

La Oración Modelo

"Vosotros pues, orad así: Padre nuestro que estás en los cielos, santificado sea tu Nombre". Mateo 6:9.

La oración por sí sola no tiene ningún mérito. Todas las palabras floridas y las largas peticiones pronunciadas para los oídos de los presentes, son palabrería vana si no expresan sentimientos sinceros del corazón. "La oración que brota del corazón ferviente, que expresa con sencillez las necesidades del alma así como pediríamos un favor a un amigo terrenal esperando que lo hará, ésa es la oración de fe".[66]

Jesús dio dos veces instrucciones a sus dicípulos en cuanto a cómo orar. Les dijo que cuando fueran a la sinagoga, no se colocaran donde otros pudieran verlos y escucharlos, sino que buscaran un lugar secreto para comunicarse con su Padre celestial. "No seáis como ellos [los dirigentes religiosos], porque vuestro Padre sabe qué cosas necesitáis, antes que las pidáis. Vosotros pues, orad así: 'Padre Nuestro...' " (Mat. 6:8, 9). La oración del Padrenuestro es breve, expresiva, clara y completa; nos enseña mucho y hay cosas profundas en ella que todavía no podemos comprender. Jesús nos anima a que estudiemos la oración y evitemos la palabrería que no comprendemos. "Cristo nos ha dado la oración, y deberíamos estudiar en forma individual su significado, procurando no pervertir su sencillez infantil. En el Padrenuestro, se unen con la mansedumbre y la reverencia, la solidez, la fuerza y el fervor. Es una expresión del carácter divino de su Autor".[67]

La oración modelo de Cristo ofrecía un marcado contraste con las largas oraciones de los supuestamente piadosos. La repetición de expresiones prescritas que son parte de rituales y ceremonias es una burla para Dios. "El que ora debe comprender el verdadero significado de su oración, poniendo su corazón y su alma en su petición".[68] Los ángeles que sirven ante el trono de Dios se acercan con sus rostros velados, y muchos pecadores se apresuran ante su presencia con irreverencia y arrogancia. La confianza con que se nos invita a orar, refleja la fe que tenemos de que Dios contestará nuestras peticiones; no es que se nos recomiende adoptar una actitud atrevida u orgullosa al acercarnos al Padre. La oración como la de los rabinos y los fariseos no recibe respuesta, pero Dios siempre reconoce la que viene de un espíritu contrito. Dios anhela dar cosas buenas a los que ama. "Busca en nosotros alguna expresión de gratitud, así como la madre busca una sonrisa de reconocimiento de su niño amado. Quiere que sepamos con cuánto fervor y ternura se conmueve su corazón por nosotros".[69]

Dios es verdaderamente "nuestro Padre".

"La Paja y la Viga"

"No juzguéis, para que no seáis juzgados". Mateo 7:1.

Muchos de los fariseos estaban llenos de crítica. Llegaron a ser egocéntricos. Su arrogante impresión de sí mismos les impedía ver su verdadera condición ante la vista de Dios. Envueltos en piadosos mantos de justicia propia, no vacilaban en juzgar a los demás. Mandaban espías para atrapar a los que deseaban destruir. Jesús sabía que sus oyentes eran también así. Las infracciones que descubrían en sus semejantes, aun las pequeñas, se apresuraban a proclamarlas; pero ellos mismos las practicaban también en sus propias vidas.

No hay nadie que esté calificado para juzgar a otro, por cuanto las normas humanas no son como las de Dios. "No os consideréis como normas. No hagáis de vuestras opiniones y vuestro concepto del deber, de vuestras interpretaciones de las Escrituras, un criterio para los demás, ni los condenéis si no alcanzan a vuestro ideal. No censuréis a los demás; no hagáis suposiciones acerca de sus motivos ni los juzguéis".[70] Sólo Dios nos conoce. "Oh Señor, tú me has examinado y me conoces" (Sal. 139:1). Necesitamos examinar nuestra propia condición espiritual para determinar si Cristo realmente vive en nosotros (2 Cor. 13:5). Una evaluación tal realmente nos humillaría ante nuestro Creador y Padre.

Al reconocer nuestra propia posición, vacilaremos en juzgar los motivos ajenos. "Si nos examináramos a nosotros mismos, no seríamos castigados" (1 Cor. 11:31). Los que juzgan a los demás poseen el espíritu de Satanás, "el acusador de los hermanos". Podemos condenar la ofensa pero debemos estar listos a perdonar al ofensor. Jesús nos dio la ilustración de la mota o paja que vemos dentro del ojo de nuestro hermano. Los que critican o juzgan a sus semejantes, están listos para condenar cualquier cosa pequeña, pero ignoran la "viga" en su propia vida. Y los que critican, por lo regular son personas hipócritas, y son más culpables que aquellos a quienes acusan; porque no sólo cometen el mismo pecado, sino que le añaden engreimiento y murmuración. "Cristo es el único verdadero modelo de carácter, y usurpa su lugar quien se constituye en dechado para los demás".[71]

"La censura y el oprobio no rescataron jamás a nadie de una posición errónea; pero ahuyentaron de Cristo a muchos y los indujeron a cerrar sus corazones para no dejarse convencer. Un espíritu bondadoso y un trato benigno y persuasivo pueden salvar a los perdidos y cubrir una multitud de pecados".[72]

El Camino Angosto

"Entrad por la puerta estrecha, porque ancha es la puerta, y espacioso el camino que lleva a la perdición, y muchos entran por ella". Mateo 7:13.

Jesús había alcanzado la culminación de su sermón más largo. Después de identificar las características de un ciudadano de su reino, refutó el argumento que lo acusaba de haber venido a destruir la ley. De hecho, dio ejemplos de las Escrituras que explicaban con mayores detalles el hecho de que los motivos preceden a las acciones. Enfatizó que el culto aceptable comprende la caridad, la oración y el ayuno. Invitó a sus oidores a aceptar el camino de vida que él ofrecía, el sendero de la negación propia.

Muchos de los presentes vivían en ciudades amuralladas, mayormente situadas en colinas o montañas, para seguridad. Los oficiales del pueblo abrían las puertas durante el día para permitir que los agricultores y pastores salieran a sus campos; pero a la puesta del sol las cerraban. A menudo los caminos que llevaban a las puertas eran empinados y pedregosos "y el viajero que regresaba a casa al fin del día, con frecuencia necesitaba apresurarse ansiosamente en la subida de la cuesta para llegar a la puerta antes de la caída de la noche. El que se retrasaba quedaba afuera".[73] Los viajeros tenían que fijar en sus mentes el blanco de llegar a la puerta a tiempo para entrar.

Jesús usó este ejemplo familiar para ilustrar a sus oidores el progreso de la vida cristiana. La senda es angosta y la puerta difícil de alcanzar. El seguidor de Cristo debe esforzarse por llegar a la puerta y entrar. Pocos desean invertir la energía necesaria para caminar por un sendero angosto y escabroso, teniendo al lado el camino ancho y fácil; sin embargo, los cristianos deben vaciar sus mochilas del orgullo y el egoísmo, y decidirse por el camino "angosto".

El sendero de Satanás puede parecer fácil, pero conduce a la muerte y la destrucción. Por consiguiente, ninguno de los dos caminos es realmente fácil. "La vida cristiana es una lucha y una marcha; pero la victoria que hemos de ganar no se obtiene por el poder humano. El terreno del corazón es el campo de conflicto. La batalla que hemos de reñir, la mayor que hayan peleado los hombres, es la rendición del yo a la voluntad de Dios, el sometimiento del corazón a la soberanía del amor".[74]

"Esforzaos a entrar por la puerta angosta, porque os digo que muchos procurarán entrar, y no podrán" (Lucas 13:24).

Fundados en la Roca

*"Y descendió lluvia, vinieron torrentes, y soplaron vientos, y dieron
contra aquella casa. Y no cayó porque estaba fundada sobre la roca".
Mateo 7:25.*

Muchos de los oidores de Jesús habían pasado la vida cerca del mar de
Galilea. Conocían los profundos barrancos por los cuales en el invierno corrían
hacia el lago los torrentes de las montañas. La mayoría se secaba en el verano,
pero en inviernos lluviosos se convertían en furiosos torrentes que se salían de
sus cauces, e inundaban los valles circundantes. Con frecuencia las corrientes
arrasaban con las viviendas construidas en las faldas arenosas; sin embargo, las
casas de más arriba, que habían sido construidas en terreno sólido, sobrevivían
a los aguaceros porque "estaban fundadas sobre la roca; y el viento, la riada y la
tempestad las atacaban en vano".[75]

Para hacer énfasis, Jesús repitió dos veces la parábola de las dos casas. La
única diferencia entre los dos incidentes es el fundamento. El hombre necio sabía
que debería esforzarse más para poner una base firme; sin embargo, siguió sus
propios instintos. Confiando en sus propios esfuerzos, estaba seguro mientras el
sol brillaba; pero cuando bajaron las furiosas corrientes, causadas por las fuertes
lluvias invernales, su casa se cayó. Es difícil construir en zonas elevadas y rocosas;
se requiere mucho esfuerzo. Resulta mucho más fácil construir un edificio en un
lugar nivelado y arenoso. Lucas nos dice que el que edificó su casa sobre la roca
"cavó hondo" (Luc. 6:48). Se requiere esfuerzo y tiempo. "Si edificáis sobre teorías
e inventos humanos, vuestra casa caerá. Quedará arrasada por los vientos de la
tentación y las tempestades de la prueba. Pero estos principios que os he dado
permanecerán. Recibidme; edificad sobre mis palabras".[76]

Las palabras de Jesús deben ser las piedras fundamentales de nuestras
vidas y caracteres. "La Palabra de nuestro Dios permanece para siempre" (Isa.
40:8). Sus principios han permanecido y permanecerán a través de los siglos.
"El cielo y la tierra pasarán, pero mis Palabras nunca pasarán" (Mat. 24:35). La
inmutabilidad de la ley, que refleja la naturaleza de Dios, está revelada en las
palabras de Cristo. Él es la Roca de los siglos y el que desee construir su vida en
un lugar seguro, debe construir sobre esa Roca.

*"A medida que recibamos la Palabra con fe, ella nos dará poder para
obedecer. Si prestamos atención a la luz que tenemos, recibiremos
más luz. Edificaremos sobre la Palabra de Dios y nuestro carácter se
formará a semejanza del carácter de Cristo".[77]*

"Ama a nuestra Nación"

Ellos fueron a Jesús, y le rogaron con fervor, diciéndole: "Es digno de que le concedas esto, porque ama a nuestra nación y nos edificó una sinagoga". Lucas 7:4, 5.

Es posible que al atardecer del mismo día en que Jesús presentó el Sermón del Monte, haya entrado a Capernaún. Cuando se acercaba a la ciudad, se encontró con una delegación de ancianos judíos, que le hicieron una extraña petición. Cierto centurión (oficial a cargo de cien hombres), tenía un siervo afectado de parálisis, a punto de morir. Aunque nunca había visto al Salvador, los informes que había oído le habían inspirado confianza en el nuevo Maestro. Tenía mucha fe, porque creía que Jesús podía sanar a su siervo.

En la guarnición el oficial estaba a cargo de una "centuria" de soldados romanos (entre 50 y 100) al servicio de Herodes Antipas. El centurión era distinto por varias razones, especialmente por su deseo de ver al esclavo restablecido. Normalmente los amos trataban a los esclavos con indiferencia y a menudo los maltrataban; sin embargo, él amaba tiernamente a su siervo y deseaba verlo sano. El centurión también era amigo de la comunidad judía porque les había construido una sinagoga con su propio dinero. Aunque no era creyente, estaba convencido de que la religión judía era superior.

Como gentil se sintió indigno de presentarse ante Jesús, pidió por lo tanto a los ancianos judíos que se acercaran al Maestro. Según era la costumbre, la forma correcta de pedir a alguien que concediese un favor que podía ser negado, era usando un intermediario que pudiera obtenerlo más fácilmente. Aunque los ancianos judíos pensaban que este romano era "digno", él mismo se sentía "indigno" de comunicarse con Cristo. No quería que el Salvador se sintiera abochornado por entrar al hogar de un gentil. "Jesús se puso inmediatamente en camino hacia la casa del oficial; pero, asediado por la multitud, avanzaba lentamente".[78] El incidente muestra una de las pocas veces que Jesús y algunos ancianos judíos estuvieron de acuerdo en algo. Los judíos aprobaban las obras del centurión, mientras que Jesús aprobó su fe.

"Pero el centurión, nacido en el paganismo y educado en la idolatría de la Roma imperial, adiestrado como soldado, aparentemente separado de la vida espiritual por su educación y ambiente, y aun más por el fanatismo de los judíos y el desprecio de sus propios compatriotas para con el pueblo de Israel, percibió la verdad a la cual los hijos de Abrahán eran ciegos. No aguardó para ver si los judíos mismos recibirían a Aquel que declaraba ser su Mesías".[79]

La decisión de llegar a Cristo es personal. Ninguno viene a Jesús a punta de espada o pistola.

Ni Aun en Israel

Al oír esto, Jesús se admiró de él, y volviéndose a la gente que lo seguía, dijo: "Os digo que ni aun en Israel he hallado tanta fe".
Lucas 7:9.

Cuando el centurión oyó que Jesús se acercaba, inmediatamente envió este mensaje a Cristo: "Señor, no te incomodes, porque no soy digno de que entres bajo mi techo". Finalmente el hombre dio el mensaje en persona: "Por eso, ni aun me tuve por digno de ir a ti. Sólo di la Palabra, y mi siervo sanará. Porque aunque soy un subalterno, tengo soldados a mis órdenes. Digo a éste: 'Ve', y va; al otro: 'Ven', y viene; y a mi siervo: 'Haz esto', y lo hace" (Luc. 7:7, 8). El centurión sabía que Jesús representaba el poder y la autoridad del cielo, así como él simbolizaba la autoridad romana. Jesús se maravilló de la fe de ese oficial. Contrario al pedido que el noble judío de Capernaúm le había hecho un año antes, de que le diera una señal, este hombre ni siquiera esperaba una. El centurión nunca dudó de la capacidad que Jesús tenía para sanar a su siervo. Lo único que lo preocupaba era si Jesús estaría dispuesto, por tratarse de un gentil.

La clave del relato es la fe. Ante ella, Jesús se "maravilló" por varias razones. Creer que la mera palabra de Jesús tuviera la virtud de sanar, ya era notable; pero más lo era el hecho de que el centurión nunca hubiera visto o escuchado a Jesús. El centurión no tuvo temor de pedir ayuda. Los ancianos judíos se impresionaron por lo que el centurión había hecho por ellos. Pero su deseo no se basaba en alguna cosa buena que hubiera hecho, sino en su gran necesidad del Maestro. "Nos salvó, no por obras de justicia que nosotros hubiéramos hecho, sino por su misericordia" (Tito 3:5). Gozoso, Jesús tomó a ese gentil como ejemplo de los muchos que vendrían a buscarlo. Dando la espalda a la multitud, le habló directamente: "Ve, y como creíste te sea hecho" (Mat. 8:13). El siervo se recobró en ese mismo momento.

"La fe nos une con el cielo y nos da fuerza para contender con las potestades de las tinieblas".[80]

De Acuerdo a tu Fe

Al llegar a la casa, vinieron a él los ciegos. Y Jesús les preguntó:
"¿Creéis que puedo hacer esto?" Ellos respondieron: "Sí, Señor".
Mateo 9:28.

Posiblemente, el milagro de los dos ciegos sucedió en Capernaún. Los dos lo siguieron clamando: "¡Hijo de David, ten misericordia de nosotros!" Ellos sabían que Jesús era el Mesías y se dirigieron a él usando el término "Hijo de David". El Señor realizaba muchos de sus milagros en presencia de las multitudes y a estos dos ciegos los sanó en público. Como en la mayoría de los milagros que realizaba, Jesús requería que el beneficiado participara en el suceso. A menos que los que buscaban sanidad ejercitaran su fe, Jesús no podía usar su poder. "Sin fe es imposible agradar a Dios, porque el que se acerca a Dios, necesita creer que existe, y que recompensa a quien lo busca" (Heb. 11:6).

"Jesús les preguntó: '¿Creéis que puedo hacer esto?' Ellos respondieron: 'Sí, Señor' ". El Salvador extendió su mano y los tocó. El contacto fue personal y poderoso. Con frecuencia, Jesús tocaba a los que sanaba, lo cual era un acto personal que transmitía tanto el sanamiento como la simpatía del Sanador. Inmediatamente ambos hombres recobraron su vista. Jesús les encargó seriamente que no contaran a otros el milagro, así como también había pedido al leproso que anteriormente había sanado, para que su misión no fuera interrumpida por la idea de que era simplemente un obrador de milagros. Su verdadera misión era salvar a la humanidad. Los milagros ocupaban un segundo lugar.

Como sucedía con frecuencia, los dos hombres lo ignoraron. "Jesús no se daba por satisfecho con llamar la atención sobre sí mismo como mero taumaturgo, o sanador de dolencias físicas. Quería atraer a los hombres como su Salvador. Mientras que las muchedumbres anhelaban creer que Jesús había venido como rey para establecer un reino terrenal, él se esforzaba para tornar sus pensamientos de lo terrenal a lo espiritual. El mero éxito mundano hubiera impedido su obra".[81]

Muchos piensan que les falta la fe y por lo tanto no son
capaces de acercarse a Cristo. Pero "al que viene a mí, nunca
lo echo fuera" (Juan 6:37). "Al acudir a él, creed que os
acepta, pues así lo prometió. Nunca pereceréis si así lo hacéis,
nunca".[82]

El Príncipe de los Demonios

Pero los fariseos decían: "Por el príncipe de los demonios echa fuera los demonios". Mateo 9:34.

Los amigos de un hombre poseído del demonio lo acompañaron a Jesús, porque él era mudo. Realmente era afortunado de tener amigos que quisieran llevarlo a Jesús, quien le echó fuera el demonio, capacitándolo para hablar. "Y la gente quedó maravillada, y exclamaban: 'Nunca se ha visto cosa semejante en Israel' " (Mat. 9:33). La fama del Sanador se había esparcido, atrayendo más enfermos a Capernaún. La aglomeración de las multitudes hacía cada vez más difícil predicar el mensaje de salvación. Los sacerdotes observaban con desagrado la creciente popularidad de Jesús. Conforme su influencia crecía, la de ellos disminuía. En su afán desesperado por acallar a Jesús, no se detenían en nada.

Aseguraban que los milagros de Cristo no eran más que la obra de los espíritus malos. Decían que Jesús y Satanás trabajaban juntos y que la misión de Jesús era maléfica. La Escritura no registra ninguna respuesta que Jesús haya dado a esas acusaciones en esta ocasión. Tal vez sus enemigos no las proclamaron en su presencia. Los espías y los fariseos habían aprendido a no confrontar a Jesús ante la gente. Sin duda que ahora hablaban a su espalda para desacreditar su obra. Las acusaciones se esparcieron ampliamente, porque hasta en Nazaret, "sus hermanos oyeron hablar de esto, y también de la acusación presentada por los fariseos de que echaba los demonios por el poder de Satanás. Sentían agudamente el oprobio que les reportaba su relación con Jesús. Sabían qué tumulto habían creado sus palabras y sus obras, y no sólo estaban alarmados por sus osadas declaraciones, sino que se indignaban porque había denunciado a los escribas y fariseos".[83]

A Jesús le resultaba difícil soportar las pruebas de tales acusaciones y recriminaciones. En esas ocasiones, Cristo sólo hallaba fuerza en la comunión con su Padre. Él comprende lo que enfrentamos. "Los que aceptan a Cristo como su Salvador personal no son dejados huérfanos, para sobrellevar solos las pruebas de la vida. Él los recibe como miembros de la familia celestial, los invita a llamar a su Padre, Padre de ellos también. Son sus 'pequeñitos', caros al corazón de Dios, vinculados con él por una ternura muy grande, que supera la que nuestros padres o madres han sentido hacia nosotros en nuestra incapacidad como lo divino supera a lo humano".[84]

Debemos regocijarnos si por su causa sufrimos falsas acusaciones y recriminaciones, porque somos caros a su corazón.

Repaso de su Primer Viaje

Y Jesús recorría toda Galilea, enseñando en las sinagogas, predicando el evangelio del reino, y sanando toda enfermedad y dolencia de la gente. Mateo 4:23.

Después de su bautismo y su ministerio en Judea y Samaria, Jesús volvió un año más tarde, pero lo recibieron mal en Nazaret. Por lo tanto, centró su ministerio en Capernaún. Entre las Pascuas de los años 29 y 30 a.C., Jesús hizo tres circuitos distintos de Galilea. Los registros de estos viajes forman la mayor parte de los Evangelios.

Llamando a Pedro, Andrés, Santiago y Juan de sus redes, Jesús se dirigió a la sinagoga donde sanó al endemoniado. Más tarde, después de haber pasado el sábado, sanó a la suegra de Pedro. Los sanamientos continuaron hasta muy tarde en la noche. Deseando estar solo, se retiró a orar. Al volver al lugar donde estaba la gente, Jesús sanó al leproso con sólo tocarlo y luego llamó a Mateo el levita para que fuese su discípulo. Siguiéndolos de cerca, los espías acusaron a sus discípulos de estar cosechando y espigando en sábado. Jesús escogió el sábado para sanar al hombre de la mano seca.

Cristo ordenó a los doce y por primera vez se identificó como el Rey del reino de la gracia, (en el Sermón del Monte) cerca del mar de Galilea. Luego estableció la constitución del reino y dio ejemplos del carácter necesario para ser ciudadano del cielo. El sermón terminó con un llamado para aplicar sus palabras y edificar sobre la Roca de los siglos. Jesús regresó a Capernaún donde los ancianos presentaron el caso del centurión. El sanamiento del mudo que estaba poseído de un demonio culminó con la acusación de que Jesús estaba obrando en conexión con Satanás. En el viaje se registran seis milagros.

Lo más importante era que los discípulos de Jesús estaban siendo preparados para llegar a ser apóstoles. "Fue por medio del contacto y la asociación personales como Jesús preparó a sus discípulos. A veces les enseñaba, sentado entre ellos en la ladera de la montaña; a veces a la orilla del mar, o andando con ellos en el camino, les revelaba los misterios del reino de Dios. No sermoneaba, como hacen los hombres hoy. Dondequiera que hubiese corazones abiertos para recibir el mensaje divino, revelaba las verdades del camino de salvación. No ordenaba a sus discípulos que hiciesen esto o aquello, sino que decía: 'Seguid en pos de mí.' En sus viajes por el campo y las ciudades, los llevaba consigo, a fin de que pudiesen ver cómo enseñaba él a la gente. Vinculaba su interés con el suyo, y ellos participaban en la obra con él".[85]

Debemos vincular nuestra enseñanza con el contacto personal, como él lo hacía, y no sólo predicando sermones.

Levantaos

Cuando el Señor la vio, se compadeció de ella, y le dijo: "No llores".
Lucas 7:13.

En una altiplanicie que dominaba la ancha y hermosa llanura de Esdraelón, se hallaba la pequeña aldea de Naín. Cuando Jesús emprendió su segundo viaje a Galilea, lo acompañó un buen grupo de gente que siguió sus pasos desde Capernaúm. Posiblemente era el comienzo del otoño del año 29 d.C. Entonces, como ahora, el único acceso a Naín era por un camino angosto y pedregoso, al este del poblado. "A menos de un kilómetro de dicha aldea se encuentra un antiguo cementerio de tumbas cavadas en la roca".[86]

Mientras el grupo se acercaba a la puerta de la aldea, vieron venir hacia ellos un cortejo fúnebre que salía con grandes lamentos y llantos. El cuerpo no estaba embalsamado. Simplemente, lo habían lavado y ungido con especias aromáticas. Iba envuelto en un paño de lino. Según la costumbre, el féretro iba abierto para que todos pudiesen ver el cuerpo. "El muerto era el hijo unigénito de su madre viuda. La solitaria doliente iba siguiendo a la sepultura a su único apoyo y consuelo terrenal. 'Y como el Señor la vio, compadecióse de ella'. Mientras ella seguía ciegamente llorando, sin notar su presencia, él se acercó a ella, y amablemente le dijo: 'No llores'. Jesús estaba por cambiar su pesar en gozo, pero no podía evitar esta expresión de tierna simpatía".[87]

De los labios de la viuda no salió ninguna petición. "Pero Jesús, con su simpatía por la humanidad sufriente, contestó la oración silenciosa, así como lo hace aún muchas veces en nuestro favor".[88] Jesús tocó el féretro, los portadores se pararon y cesó la procesión. "Con voz clara y llena de autoridad pronunció estas palabras: 'Joven, a ti digo, levántate'. Esa voz penetra los oídos del muerto. El joven abre los ojos, Jesús le toma de la mano y lo levanta. Su mirada se posa sobre la que estaba llorando junto a él, y madre e hijo se unen en un largo, estrecho y gozoso abrazo. La multitud mira en silencio, como hechizada".[89]

> *Jesús nos dice hoy: "No llores". Él tiene las llaves de la muerte y de la tumba (Apocalipsis 1:18), y pronto abrirá los sepulcros para liberar para siempre a los que ama. "Luego nosotros, los que estemos vivos, los que hayamos quedado, seremos arrebatados junto con ellos en las nubes, a recibir al Señor en el aire. Y así estaremos siempre con el Señor. Por tanto, alentaos unos a otros con estas palabras"*
> *(1 Tesalonicenses 4:17, 18).*

Un Reino Dividido

"Todo reino dividido contra sí mismo, queda desolado. Toda ciudad o casa dividida contra sí misma no puede subsistir". Mateo 12:25.

A medida que aumentaba la popularidad de Jesús, crecían también el resentimiento y la oposición. La gente veía en él a un gran rabí o hasta un profeta, pero la mayoría no creían que fuera el Mesías. Juzgándolo según sus propias ideas, no lo reconocieron como el Hijo de David. Los fariseos estaban especialmente enfurecidos porque Jesús había sanado al hombre poseído de un demonio, porque no podían negar que el milagro había ocurrido. Y estaban aún más enfadados porque un buen número de personas se inclinaba a aceptarlo como el Mesías. En su rechazo, hasta rehusaban mencionar su nombre, refiriéndose a él como "este hombre". Lo acusaban de controlar a los demonios por estar asociado con ellos. Jesús hizo frente a su razonamiento. ¿Cómo podía Satanás echar fuera a Satanás? Si peleaba contra sí mismo, ¿cómo subsistiría su reino?

Jesús los presionó aún más al preguntarles: "Y si yo echo los demonios por Belzebú, ¿por quién los echan vuestros hijos?" Los fariseos presumían de poder echar fuera demonios. Si esto era verdad, ¿sacaban los demonios también en combinación con Satanás? Cuando fueron confrontados, afirmaron que ellos trabajaban mediante el Espíritu de Dios. De la misma forma, Jesús dijo que él usaba el poder de Dios para realizar sus milagros. "Los milagros de Cristo, en favor de los afligidos y dolientes, fueron realizados por el poder de Dios mediante el ministerio de los ángeles".[1] "Cada milagro que Cristo realizaba era una señal de su divinidad. Él estaba haciendo la obra que había sido predicha acerca del Mesías, pero para los fariseos estas obras de misericordia eran una ofensa positiva... Lo que indujo a los judíos a rechazar la obra del Salvador era la más alta evidencia de su carácter divino. El mayor significado de sus milagros se ve en el hecho de que eran para bendición de la humanidad. La más alta evidencia de que él provenía de Dios estriba en que su vida revelaba el carácter de Dios".[2]

Jesús declaró: "El que no está conmigo, está contra mí; y el que conmigo no junta, desparrama" (Mat. 12:30). Toda persona toma una posición, en pro o en contra de Cristo. No hay términos medios. Muchos se sienten cómodos asumiendo una posición neutral; sin embargo, eso es rechazar al Salvador. La vida transformada de un cristiano, proclama al mundo de qué parte se halla en el conflicto, "porque por el fruto se conoce el árbol" (Mat. 12:33).

Elijamos hoy a quién vamos a servir. No demoremos una hora más.

Un Salvador Personal

"Porque todo el que hace la voluntad de mi Padre que está en los cielos, ése es mi hermano, mi hermana, y mi madre". Mateo 12:50.

A oídos de los hermanos de Jesús habían llegado informes negativos. Habían escuchado que ni siquiera tomaba tiempo para comer y que lo rodeaban grandes multitudes de gente. Que el trabajo incesante lo estaba agotando, y que en vez de dormir, pasaba noches enteras en oración. Les resultaba difícil comprender las acusaciones que los fariseos le hacían de estar aliado con el diablo. No sólo estaban alarmados por sus osadas declaraciones, sino que se abochornaban porque había denunciado a los escribas y fariseos. Debido a su relación con Jesús, eran sensibles a la desaprobación y crítica de sus vecinos. Algo había que hacer para controlar la actitud de su hermano menor. Los hermanos de Jesús "indujeron a María a unirse con ellos, pensando que por amor a ella podrían persuadirle a ser más prudente".[3] Así, la familia viajó hacia Capernaún.

Cuando Jesús era niño en Nazaret, sus hermanos habían tratado de intimidarlo y controlarlo. Cuando venían las pruebas, él las aceptaba con serenidad. Su dignidad despertaba en ellos la ira. "Jesús amaba a sus hermanos y los trataba con bondad inagotable; pero ellos sentían celos de él y manifestaban la incredulidad y el desprecio más decididos. No podían comprender su conducta".[4] Una vez más pensaron que sabían lo que era mejor para su hermano menor, y procuraron controlarlo. Poco antes de esto, Jesús había sanado al hombre poseído, ciego y mudo. "Mientras Jesús estaba aún hablando a la gente, llegaron su madre y sus hermanos, y querían hablar con él".

Los discípulos deben haberle avisado, pero él ya sabía la misión de su familia. Volviéndose al mensajero, le contestó: "¿Quién es mi madre, y quiénes son mis hermanos? Y señalando a sus discípulos, dijo: '¡Aquí están mi madre y mis hermanos! Porque todo el que hace la voluntad de mi Padre que está en los cielos, ése es mi hermano, mi hermana, y mi madre' ". Jesús amaba a su familia, pero no les reconocía el derecho de estorbar su ministerio o tratar de controlarlo. Como lo había hecho en el templo de Jerusalén cuando era un niño, Jesús afirmó de nuevo que en los negocios de su Padre le convenía estar.

Todo el que acepta a Dios como su Padre es miembro de la familia de Dios (Efesios 3:14, 15). "Los vínculos que unen a los cristianos con su Padre celestial y el uno con el otro son más fuertes y más duraderos que los de la familia humana".[5]

El Propósito de las Parábolas

"Sus discípulos le preguntaron qué significaba esa parábola".
Lucas 8:9.

En un lugar de Galilea, entre Capernaún y Magdala, donde la planicie de Genesaret se encuentra con el lago, Jesús predicó un sermón a orillas del agua. Tomó nueve ejemplos compactos de la vida, y los transformó en maravillosas ilustraciones de las cosas espirituales. Jesús habló del sembrador y su semilla, el proceso de crecimiento, y de una de las semillas más pequeñas: la mostaza. Su sermón trató del trigo y la cizaña; del pez que se atrapa en una red, de cosas nuevas y viejas, del tesoro escondido que fue hallado, y de la perla de gran precio. La sabiduría de los siglos fue hábilmente unida a los objetos comunes para vincularlos con las verdades espirituales más poderosas. "En toda su enseñanza, Cristo puso la mente del hombre en contacto con la Mente infinita. No indujo a sus oyentes a estudiar las teorías de los hombres acerca de Dios, su Palabra o sus obras. Les enseñó a contemplarlo tal como se manifestaba en sus obras, en su Palabra y por sus providencias".[6]

Los que buscaban la verdad comprendían el significado profundo de las parábolas, mientras que otros no vieron en ellas más que relatos interesantes. Jesús dijo: "A vosotros es dado conocer los misterios del reino de Dios; pero a los otros por parábolas, para que al mirar, no vean; y al oír, no entiendan" (Luc. 8:10). Las verdades de las parábolas de Cristo a veces eran comprendidas pero no aceptadas. El Espíritu Santo iluminaba los corazones y las mentes de los oidores y los impresionaba con el significado divino de modo que revelase pecados por mucho tiempo acariciados. "Pero el hombre natural no percibe las cosas del Espíritu de Dios, porque le son necedad; y no las puede entender, porque se han de discernir espiritualmente" (1 Cor. 2:14). Muchos pecadores simplemente rehúsan ver o escuchar la verdad clara.

Los fariseos trataban continuamente de acallar a Jesús, por eso él confeccionaba sus relatos de modo que no pudieran usar sus palabras contra él. "Pero mientras eludía a los espías, hacía la verdad tan clara que el error era puesto de manifiesto, y los hombres de corazón sincero aprovechaban sus lecciones".[7] "Viene luz al alma por la Palabra de Dios, por sus siervos, o por la intervención directa de su Espíritu; pero cuando un rayo de luz es despreciado, se produce un embotamiento parcial de las percepciones espirituales, y se discierne menos claramente la segunda revelación de la luz".[8]

Nuestra única salvaguardia es caminar en la luz.

El Sembrador

"Un sembrador salió a sembrar". Mateo 13:3.

Como la multitud seguía aumentando, la gente apretujó a Jesús hasta que no había más lugar para atenderlos. Entonces el Salvador se subió a bordo de una embarcación de pesca, y pidiendo a sus discípulos que alejaran un poco el bote de la orilla, comenzó a enseñar. "Junto al lago se divisaba la hermosa llanura de Genesaret, más allá se levantaban las colinas, y sobre las laderas y la llanura, tanto los sembradores como los segadores se hallaban ocupados, unos echando la semilla y otros recogiendo los primeros granos. Mirando la escena, Cristo dijo: 'He aquí, el sembrador salió a sembrar' "...[9] Cuando terminó la parábola, los discípulos vinieron a preguntarle su significado. Jesús les explicó que, a la manera del sembrador, él había dejado el cielo para "venir a sembrar". La semilla sembrada es la Palabra de Dios. Las Escrituras son la única palabra de autoridad. "La educación que puede obtenerse por el escudriñamiento de las Escrituras, es un conocimiento experimental del plan de la salvación".[10]

Muchos no ponen atención a las verdades vitales que escuchan. La parábola los describe como la semilla sembrada junto al camino. Absortos por los cuidados y placeres del mundo, no tratan de comprender las cosas espirituales. Muchos critican el mensaje o al mensajero y la Palabra no tiene ningún efecto. Se hacen susceptibles a falsos maestros que predican verdades a medias y teorías que vienen a ser como cuervos que los devoran.

Otros tienen una convicción superficial, pero no pueden tolerar el reproche más leve, o simplemente rehúsan abandonar sus pecados acariciados. La semilla cae en el terreno pedregoso de sus corazones inconversos. Tales cristianos transitorios no tienen una relación personal con Jesús y no hacen ningún esfuerzo por ganarlo. La persecución o las dificultades les hacen abandonar su convicción fácilmente, porque nunca ha criado raíces. Son cristianos de nombre solamente. Otros profesan creer, pero las espinas del mundo ahogan cualquier decisión personal que hayan hecho de permanecer unidos a Cristo. Colocan el yo y su propia agenda antes de cualquier esfuerzo por adquirir un conocimiento mayor del Salvador. La semilla y el sembrador son siempre los mismos; únicamente el terreno varía.

"No es suficiente sólo oír o leer la Palabra; el que desea sacar provecho de las Escrituras, debe meditar acerca de la verdad que le ha sido presentada".[11] El Espíritu rompe el terreno del corazón y la semilla se arraiga y crece. El buen terreno produce un cambio en el carácter, y en él florecen las buenas obras.

"A causa de su simplicidad, la parábola del sembrador no ha sido valorada como debiera haber sido".[12]

La Semilla que Crece

"Así es el reino de Dios, como el grano que el hombre echa en la tierra. Y ya duerma o se levante, de noche y de día, la semilla brota y crece como él no sabe". Marcos 4:26, 27.

Cualquier discípulo que esparce las buenas nuevas del Evangelio es un sembrador. Si el oyente lo permite, la semilla germinará en su vida sin que el sembrador comprenda el proceso que se lleva a cabo. La obra del Espíritu Santo dentro del corazón es como el viento que agita la hierba y hace mover las hojas de los árboles. "Cada semilla crece, cada planta se desarrolla por el poder de Dios".[13] Jesús deseaba que sus discípulos comprendieran que por sí mismos no podían tener éxito en su testificación. Sólo el poder de Dios que obra a través del Espíritu Santo puede hacer que el oidor responda. Así como la semilla comienza a desarrollarse, la vida espiritual también comienza a germinar. Casi imperceptiblemente, la persona comienza a parecerse a su Creador. El plan de Dios para cada alma es que alcance la estatura completa y avance de etapa en etapa hasta desarrollarse plenamente en el Señor. "La santificación es la obra de toda la vida".[14]

El crecimiento cristiano depende del alimento espiritual recibido, el cual se obtiene mediante el estudio de su Palabra, la oración, la influencia del Espíritu, y una relación personal con Dios. Este desarrollo se obtiene sólo con el tiempo, y mediante la confianza. "El objeto de la vida cristiana es llevar fruto, la reproducción del carácter de Cristo en el creyente, para que ese mismo carácter pueda reproducirse en otros".[15] El cristiano testifica ante el mundo del poder salvador de Cristo. El cristiano maduro produce los frutos del Espíritu: amor, gozo, paz, paciencia, benignidad, bondad, fidelidad, mansedumbre, dominio propio. (Gál. 5:22, 23).

Todo cristiano tiene la oportunidad de sembrar para el Maestro. Puede ser que no veamos los resultados de nuestras acciones, pero no siempre nos corresponde a nosotros conocerlos. El proceso de crecimiento continúa en las vidas de los que tocamos, ya sea que permanezcamos donde ellos están o nos mudemos a otros lugares. El sembrador puede atender y regar la semilla, puede sacar las malezas que la rodean y fertilizarla; sin embargo, la germinación eventual de la semilla requiere la chispa de vida del Espíritu Santo. Su presencia aumenta la fe y profundiza el amor hacia el Salvador.

Debemos estar dispuestos a esparcir la semilla y dejar los resultados en las manos de Dios.

La Semilla de Mostaza

"El reino de los cielos es semejante al grano de mostaza... Y aunque es la más pequeña de las semillas, cuando ha crecido, es la mayor de las hortalizas, y se convierte en árbol". Mateo 13:31, 32.

Jesús continuó hablando a la multitud que se congregaba a su alrededor. Entre esa muchedumbre había muchos fariseos, que desdeñosamente notaron cuán pocos de los que rodeaban al Maestro de Galilea lo reconocían como el Mesías. ¿Cómo, pues, este modesto Maestro podía obtener el dominio universal que la visión mesiánica requería? Cristo no tenía poder básico, ni fama, riquezas, arrastre político u honor que lo favorecieran para obtener el reino. Lo consideraban una persona insignificante que jamás llegaría a lograr algo. Jesús leyó sus pensamientos y les contestó con otra parábola.

En los alrededores, las plantas de mostaza se mecían al viento. "Mientras Jesús presentaba esta parábola, podían verse en los campos plantas de mostaza lejos y cerca, elevándose por sobre la hierba y los cereales, meciendo suavemente sus ramas en el aire. Los pájaros revoloteaban de rama en rama, y cantaban en medio de su frondoso follaje. Sin embargo, la semilla que dio origen a estas plantas gigantes era una de las más pequeñas".[16] El reino de Cristo debía tener comienzos insignificantes. Los reinos del mundo se rigen por la fuerza de las armas, y a menudo se mantienen a través de la amenaza y la intimidación. Es el Príncipe de Paz quien funda y gobierna el reino de Cristo.

"Cuando Cristo pronunció esta parábola, había solamente unos pocos campesinos galileos que representaban el nuevo reino. Su pobreza, lo escaso de su número, era presentado repetidas veces como razón por la cual los hombres no debían unirse con estos sencillos pescadores que seguían a Jesús".[17] Desde esos humildes comienzos, el mensaje del reino de la gracia se esparció para rodear al mundo. Salvando nacionalidades y continentes, ha cruzado los mares para alcanzar a todos los que quieran escuchar sus promesas de esperanza. El Espíritu Santo planta en cada corazón una pequeña semilla, y cuando crece, ¿quién puede medir su altura o la profundidad de su influencia? "Cristo afirmó que el reino y sus súbditos podrían parecer algo insignificante en ese momento, pero que eso cambiaría".[18]

La pequeña semilla del mensaje del Evangelio realmente triunfó y llegó a ser un árbol poderoso que esparce su mensaje a "toda nación, tribu, lengua y pueblo" (Apocalipsis 14:6).

La Levadura

Otra parábola les dijo: "El reino de los cielos es semejante a la levadura". Mateo 13:33.

"**E**n esta gran multitud se hallaban representadas todas las clases de la sociedad. Allí estaban el pobre, el analfabeto, el andrajoso pordiosero, el ladrón que llevaba impreso en su rostro el sello de la culpa, el lisiado, el disoluto, el comerciante y el que no necesitaba trabajar; el encumbrado y el humilde, el rico y el pobre, estrechándose unos contra otros por encontrar un lugar donde estar y escuchar las palabras de Cristo".[19] ¿Qué posibilidad habría de que ese elemento fuera material para el reino? Los fariseos veían sólo una concurrencia de campesinos analfabetos, pero Cristo percibía un gran potencial entre sus oidores. Ninguna persona estaba sin esperanza o era tan malvada que no pudiera alcanzar la salvación.

Así como la semilla de mostaza, el efecto de la levadura es pequeño al principio. "Como la levadura se difunde en toda la masa donde se la coloca, así también las enseñanzas de Cristo penetrarían en la vida de aquellos que las recibieran y fueran transformados por ellas".[20] Silenciosamente, la verdad penetra en el alma. Despacio pero con firmeza, su poder transformador cambia a la persona. Los hábitos viejos mueren y nuevos pensamientos toman el lugar de los malos. La persona siente nueva motivación, y surge el deseo de ser como Cristo. La conciencia se despierta y las tendencias renovadas que glorifican a Dios reemplazan a las antiguas.

La conversión transforma el alma como la levadura cambia la masa. Muchos aseguran estar convertidos, pero todavía se aferran a los hábitos antiguos. Son rápidos en airarse, ofenderse, juzgar, protegerse, hablar con aspereza, recriminar, etc. Sin embargo, los que muestran esos rasgos no están convertidos. En la verdadera conversión se muestra el amor. "El amor se manifiesta en la bondad, la gentileza, la tolerancia y la longanimidad".[21]

El gran cambio que la humanidad busca, lo hallará en la Palabra de Dios. El estudio de la Biblia fortalece la conversión del alma mediante la fe. "Así, la fe viene por el oír, y el oír por medio de la Palabra de Cristo" (Rom. 10:17). La oración, la lectura cuidadosa de las Escrituras y la convicción del pecado despertada mediante la obra del Espíritu Santo, nos hacen sentir la necesidad de Jesús. Esta necesidad despierta la fe y el amor por Cristo que transforma la vida. Una vez que hemos sido transformados y "leudados", quedamos listos para hacer su voluntad.

La santificación es la obra de la vida. "Santifícalos en la verdad. Tu Palabra es verdad" (Juan 17:17).

El Trigo y la Cizaña

"El reino de los cielos es semejante al hombre que sembró buena semilla en su campo. Pero mientras sus hombres dormían, vino su enemigo, sembró cizaña entre el trigo, y se fue". Mateo 13:24, 25.

Esta parábola ofrece un sorprendente ejemplo de los que se hacen cristianos por conveniencia. Al llevar el nombre de Cristo y a la vez negar su carácter, desacreditan a la iglesia y ponen en peligro a los nuevos creyentes o los débiles en la fe. El campo es la iglesia de Cristo y la semilla es el Evangelio. No es poco común en el Medio Oriente que, por venganza, la gente esparza en los campos de sus enemigos semillas de maleza. Esta daña las siembras, empobrece la tierra y por lo tanto le acarrea pérdida financiera al propietario. Satanás siembra su semilla del mal entre los seguidores de Cristo. Si el diablo puede señalar a los profesos seguidores que desacreditan a la iglesia y pregonar sus maldades al mundo como ejemplo de lo que los "cristianos" son capaces de hacer, puede representar mal la verdad y sembrar descontento y desconfianza dentro de la iglesia misma.

"Cristo ha enseñado claramente que aquellos que persisten en pecados manifiestos deben ser separados de la iglesia; pero no nos ha encomendado la tarea de juzgar el carácter y los motivos".[22] En su afán de purificar la iglesia, la gente con frecuencia llega a ser culpable de destruir algo del trigo al tratar de arrancar la cizaña. Cristo nos dice que dejemos crecer la cizaña al lado del trigo hasta el final de la prueba. Es evidente que esta parábola nos muestra que ambas clases estarán en la iglesia hasta el fin. "Muchos que se creen cristianos serán hallados faltos al fin. En el cielo habrá muchos de quienes sus prójimos suponían que nunca entrarían allí. El hombre juzga por la apariencia, pero Dios juzga el corazón".[23] Debemos desconfiar de nuestras motivaciones y juzgar nuestra propia condición con humildad. El hecho de que nuestros nombres estén en los registros de la iglesia no es prueba de que seamos cristianos merecedores del cielo.

En la primavera, la cizaña es muy parecida al trigo; los dos son verdes, pero en el verano, cuando el trigo se dora, la cizaña revela su naturaleza inservible. El agricultor quema la cizaña y no le concede una segunda oportunidad para cambiar su condición y llegar a ser trigo.

"Cristo mismo decidirá quiénes son dignos de vivir con la familia del cielo. Él juzgará a cada hombre de acuerdo con sus palabras y sus obras. El hacer profesión de piedad no pesa nada en la balanza. Es el carácter lo que decide el destino".[24]

Redes de Arrastre

*"También el reino de los cielos es semejante a la red, que se echa en el
mar y saca toda clase de peces. Y cuando la red está llena, la sacan a
la orilla. Y sentados, juntan lo bueno en cestas, y tiran lo malo".*
Mateo 13:47, 48.

A orillas del Mar de Galilea los pescadores remendaban sus redes.
Estas eran unas mallas largas que tenían pesas; las lanzaban y arrastraban
desde los botes mientras éstos se movían lentamente en círculo. La orilla
pesada de la red se hundía mientras el bote avanzaba, cerrando así la brecha.
La tripulación sacaba los peces y luego los transportaban a la orilla para
separarlos. Los "pescadores de hombres" (Luc. 5:10) esparcen la red del
Evangelio en todo el mundo. Muchos vienen a la iglesia conforme los pliegues
de la red evangélica encierran a hombres y mujeres con diversas actitudes,
deseos, motivos, personalidades y caracteres. No todos los peces se pescan.
Muchos se alejan voluntariamente de la red. "Tanto la parábola de la cizaña
como la de la red enseñan claramente que no hay un tiempo en el cual todos
los malos se volverán a Dios. El trigo y la cizaña crecen juntos hasta la cosecha.
Los buenos y los malos peces son llevados juntamente a la orilla para efectuar
una separación final".[25]

El carácter determina el destino (Miq. 6:8). Ni los títulos ni la
posición tienen que ver con la aptitud para el cielo. "Para medir el carácter,
Dios toma en cuenta si la persona ha vivido en armonía con toda la luz
que ha recibido, si ha cooperado, según se lo han permitido su
conocimiento y su capacidad, con los instrumentos divinos para
perfeccionar un carácter a semejanza del perfecto ejemplo de Jesucristo".[26]
"El fin de todo el discurso, es éste: Venera a Dios y guarda sus
Mandamientos, porque éste es todo el deber del hombre. Porque Dios
traerá toda obra a juicio, incluyendo toda cosa oculta, buena o mala"
(Ecl. 12:13, 14).

Dios desea que todos nos arrepintamos y seamos salvos. "Vivo yo
que no me complazco en la muerte del impío, sino en que se vuelva el
impío de su camino, y que viva" (Eze. 33:11). Para obtener la salvación no
será suficiente un cambio superficial. Una persona vacía no se esforzará
por conocer a Dios.

*Debemos estudiar el carácter de Cristo y comunicarnos con él;
entonces llegaremos a confiar en él.*

El Tesoro Escondido

"Además, el reino de los cielos es semejante al tesoro escondido en un campo, que un hombre encuentra, y lo vuelve a esconder. Y lleno de gozo va, vende todo lo que tiene, y compra aquel campo".
Mateo 13:44.

Debido a las dificultades y disturbios políticos, era común en los tiempos del Nuevo Testamento que la gente enterrara en sus campos sus objetos de valor, para protegerse de pérdidas en caso de invasión. Los robos eran frecuentes; y cuando el poder cambiaba de manos, por lo regular los ricos tenían que pagar tributos al nuevo gobierno. El dueño del tesoro enterrado podía morir, ser encarcelado o exiliado, y si tenía un fin trágico y no le daba tiempo de informar a sus familiares el lugar donde había escondido su tesoro, éste podía pasar a manos del que comprara la propiedad. Cristo usó esta ilustración común para enseñarnos una poderosa lección.

Las leyes de Levítico indican que el que encuentra algo debe devolverlo al dueño (Lev. 6:3, 4). El que encontró este tesoro no pudo seguir las leyes de Moisés, porque el dueño había muerto mucho tiempo antes, y no se le podía devolver el tesoro. "Por esto el que lo encontró tenía derecho, como cualquier otra persona, de guardarse el tesoro; y legalmente era dueño del tesoro el propietario del campo".[27] Tal vez un obrero que caminaba detrás de los bueyes que araban la tierra, descubre un tesoro de oro, plata, joyas o monedas. Se apresura entonces a comprar el terreno, sabiendo que vale mucho más del precio que le piden. Jesús explicó que las Santas Escrituras representan ese tesoro. El Evangelio es el verdadero tesoro y nuestra salvación depende del conocimiento que podamos obtener de la Biblia. Dios desea que busquemos la revelación que nos ha dado.

Conforme el Espíritu nos ilumina, comprendemos y apreciamos más el valor de la Palabra de Dios. El tesoro del Evangelio es nuestro, pero debemos buscarlo con diligencia, y entregarlo todo para obtener el conocimiento de Dios. "Y ésta es la vida eterna, que te conozcan a ti, el único Dios verdadero, y a Jesucristo a quien tú has enviado" (Juan 17:3).

La oración libera el poder del Espíritu y nos ayuda a discernir las profundidades ocultas de las enseñanzas de Cristo. "Si clamas a la inteligencia, y a la prudencia das tu voz, si la buscas como a la plata, y la procuras como a tesoros escondidos, entonces entenderás el respeto al Señor, y hallarás el conocimiento de Dios" (Proverbios 2:3-5).

La Perla de Gran Precio

"También el reino de los cielos es semejante al mercader, que busca buenas perlas. Y al encontrar una perla de gran valor, va, vende todo lo que tiene, y la compra". Mateo 13:45, 46.

La parábola del tesoro escondido representa a los que encuentran la verdad sin haberla buscado. Sin embargo, una vez que la encuentran, se dan cuenta de su valor y venden todo para comprarla. El mercader de la parábola representa al que busca la verdad. El relato no presenta la perla como un regalo. El mercader debe comprarla con todo lo que posee. "Cristo mismo es la perla de gran precio".[28] "La salvación es un don gratuito, y sin embargo ha de ser comprado y vendido. En el mercado administrado por la misericordia divina, la perla preciosa se representa vendiéndose sin dinero y sin precio. En este mercado, todos pueden obtener las mercancías del cielo. La tesorería que guarda las joyas de la verdad está abierta para todos".[29]

La vida eterna requiere que conozcamos a Dios y a Jesucristo al cual envió (Juan 17:3); sin embargo, el precio de ese conocimiento es una entrega total. "La paz con Dios cuesta todo lo que el hombre tiene, pero vale infinitamente más. El precio es la entrega del yo, del orgullo y la ambición, o los malos hábitos. El hombre compra la salvación por el precio de cosas que en sí carecen de valor, o aun son nocivas. Por lo tanto, nada pierde en esta transacción".[30] No podemos ganar la salvación, pero debemos buscarla como si fuera lo único que importa en la vida, y lo es. Algunos se pasan la vida buscando la perla, pero nunca hacen la transacción. Los que son "casi cristianos" no abandonan el mundo, ni toman su cruz para seguir a Cristo. "Al comparar Cristo el reino del cielo con una perla, deseaba que toda alma apreciara la perla por sobre todas las cosas. La posesión de la perla, que significa la posesión de un Salvador personal, es el símbolo de la verdadera riqueza. Es un tesoro que sobrepasa todo tesoro terrenal".[31]

La parábola también nos enseña que mientras la humanidad busca a Cristo, él también está buscando a la humanidad. Cristo es el Mercader celestial que mira a la humanidad perdida como la perla digna de todo sacrificio para obtenerla. Dios no nos considera indignos, porque envió a su Hijo para redimirnos y pagar el castigo del pecado.

Dios colocó todas las riquezas del universo sobre la cruz para comprar la perla caída de gran precio. "Y serán míos —dice el Señor Todopoderoso—, en el día en que yo recupere mi especial tesoro" (Malaquías 3:17).

Lo Nuevo y lo Viejo

"Y él les dijo: 'Por eso todo escriba instruido acerca del reino de los cielos, es semejante a un padre de familia, que saca de su tesoro cosas nuevas y viejas' ". Mateo 13:52

Los discípulos de cada época deben comunicar al mundo las verdades que Dios ha compartido con cada creyente. "El gran tesoro de la verdad es la Palabra de Dios. La Palabra escrita, el libro de la naturaleza y el libro de la experiencia referente al trato de Dios con la vida humana: he aquí los tesoros de los cuales han de valerse los obreros de Dios".[32] Los tesoros del Evangelio son nuestros y en un sentido especial, cada uno de nosotros representa al "padre de familia". Tanto el Nuevo como el Antiguo Testamento, contienen la Palabra de Dios. "Cristo, tal como fue manifestado por los patriarcas, simbolizado en el servicio expiatorio, pintado en la ley y revelado por los profetas, constituye las riquezas del Antiguo Testamento. Cristo en su vida, en su muerte y en su resurrección, Cristo tal como lo manifiesta el Espíritu Santo, constituye los tesoros del Nuevo Testamento. Nuestro Salvador, el resplandor de la gloria del Padre, pertenece tanto al Viejo como al Nuevo Testamento".[33]

Muchos hoy aceptan sólo el Evangelio y rehúsan predicar las enseñanzas del Antiguo Testamento; de las cuales Jesús declaró: "Ellas son las que dan testimonio de mí" (Juan 5:39). Otros creen sólo en el Antiguo Testamento y rechazan el Nuevo. No creen en las enseñanzas de Jesús, y al hacerlo demuestran no creer lo que dijeron los patriarcas y profetas del Antiguo Testamento. "Porque si vosotros creyeseis a Moisés, me creeríais a mí; porque él escribió de mí" (vers. 46). Toda la Palabra de Dios está vinculada. "Ningún hombre puede presentar correctamente la ley de Dios sin el Evangelio, ni el Evangelio sin la ley. La ley es el Evangelio sintetizado, y el Evangelio es la ley desarrollada. La ley es la raíz, el Evangelio su fragante flor y fruto".[34] El Antiguo Testamento anunció la llegada de Cristo, mientras que el Nuevo Testamento reveló al Cristo que había llegado.

Cerca del fin de su sermón a orillas del mar de Galilea, Jesús rogó a sus discípulos que compartieran con otros los tesoros antiguos y nuevos que poseían. La cristiandad y la familia de Dios están edificadas "sobre el fundamento de los apóstoles y de los profetas, siendo la principal piedra del ángulo Jesucristo mismo. En él, todo el edificio, bien coordinado, va creciendo para ser un templo santo en el Señor" (Efe. 2:20, 21).

"Al concedernos su Palabra, Dios nos puso en posesión de toda verdad esencial para nuestra salvación".[35]

Una Norma Diferente

"Venid a mí todos los que estáis fatigados y cargados, y yo os haré descansar". Mateo 11:28.

Jesús se apiadaba de la gente. Los escribas recomendaban prácticas y ceremonias estrictas y rituales para agradar a Dios. Muchos seguían esos ritos, sólo para darse cuenta que sus dificultades se empeoraban. Jesús sabía que la carga del pecado derribaría hasta al más fuerte si no se lo ayudaba. Los reglamentos e imposiciones de los rabinos eran de tal naturaleza que la gente podía estudiarlos toda la vida sin comprenderlos. Jesús ofrecía una nueva forma, una nueva disciplina, pero algo que sonara familiar. Los rabinos se referían al Tora como un "yugo" o una forma de vida y la gente comprendía la ilustración. Según Jesús, el "yugo" es un instrumento de servicio. "Por esta ilustración, Cristo nos enseña que somos llamados a servir mientras dure la vida. Hemos de tomar sobre nosotros su yugo, a fin de ser colaboradores con él".[36]

El yugo que usaban los bueyes no era una carga adicional que colocaban en sus espaldas para que su trabajo fuese más difícil; más bien era para que unidos compartieran la carga y el trabajo se les facilitara. Jesús dice: "Porque mi yugo es fácil y ligera mi carga" (Mat. 11:30). Él describe claramente los pasos que debemos dar. Y no se trata de una serie interminable de tareas para ganar la salvación. "Aprended de mí, que soy manso y humilde de corazón, y hallaréis descanso" (Mat. 11:29). Si buscamos primeramente el reino de Dios, él añadirá lo demás. "Nuestro Padre celestial tiene, para proveernos de lo que necesitamos, mil maneras de las cuales no sabemos nada. Los que aceptan el principio de dar al servicio y la honra de Dios el lugar supremo, verán desvanecerse las perplejidades y percibirán una clara senda delante de sus pies".[37]

Muchos profesos seguidores de Jesús le temen a la idea de rendirse. Aunque parezca extraño, las preocupaciones y la ansiedad que llevan, a pesar de ser una carga, los hacen sentirse cómodos. Una entrega total requiere el abandono del yo. Sea cual fuere la prueba o dificultad, traigámosla a Jesús. Aprendamos de él y hallaremos descanso. "Tú guardas en completa paz al que persevera pensando en ti, porque en ti confía" (Isa. 26:3).

"La redención es aquel proceso por el cual el alma se prepara para el cielo. Esa preparación significa conocer a Cristo".[38] Confiemos en él y nos dará la paz perfecta que buscamos, y alivianará nuestra cargas y preocupaciones bajo su yugo de servicio.

Una Orilla Distante

Jesús se levantó, reprendió al viento, y dijo al mar: "¡Calla!
Enmudece!" Y el viento cesó y vino una gran calma". Marcos 4:39.

Jesús necesitaba escapar de las multitudes. "Día tras día, había atendido las muchedumbres, sin detenerse casi para comer y descansar. Las críticas maliciosas y las falsas representaciones con que los fariseos le perseguían constantemente, hacían sus labores más pesadas y agobiadoras. Y ahora el fin del día le hallaba tan sumamente cansado que resolvió retirarse a algún lugar solitario al otro lado del lago".[39] Jesús y los discípulos despidieron a la multitud y zarparon. La gente, deseosa de seguir escuchando al Salvador, buscó embarcaciones para seguir a Jesús en el lago. Vencido por el cansancio, se acostó en la popa, y al sentirse suavemente mecido por el movimiento de la embarcación, no tardó en quedarse dormido. El mar de Galilea tiene casi 21 km de largo y 11 de ancho. Rodeado de colinas, recauda sus profundas aguas en el valle del Jordán. Sobre estas colinas soplan vientos fuertes que azotan los barrancos, alcanzando grandes velocidades antes de llegar al lago. Luego, velozmente cruzan el lago, agitando la superficie de las aguas y formando de súbito unas crestas blancas. De pronto, en medio de la calma, se desató la tormenta. El sol se había puesto y la negrura de la noche se asentó sobre el tormentoso mar. Ninguna luz atravesaba las tinieblas.

"Las olas, agitadas por los furiosos vientos, se arrojaban bravías contra el barco de los discípulos y amenazaban hundirlo. Aquellos valientes pescadores habían pasado su vida sobre el lago, y habían guiado su embarcación a puerto seguro a través de muchas tempestades; pero ahora su fuerza y habilidad no valían nada".[40] El bote hacía agua, y aterrorizados al ver que se hundían, los discípulos no se dieron cuenta que Jesús estaba con ellos. Absortos en sus esfuerzos por salvarse, se habían olvidado de Aquel que tenía poder para salvarlos. De repente, el fulgor de otro rayo disipó las tinieblas, y vieron al Maestro que dormía plácidamente. Entonces clamaron con desesperación: "¡Señor, sálvanos, que perecemos!" (Mat. 8:25). Jesús se despertó. "Nunca dio un alma expresión a este clamor sin que fuese oído. Mientras los discípulos asían sus remos para hacer un postrer esfuerzo, Jesús se levantó. De pie en medio de los discípulos, mientras la tempestad rugía, las olas se rompían sobre ellos y el relámpago iluminaba su rostro, levantó la mano, tan a menudo empleada en hechos de misericordia, y dijo al mar airado: 'Calla, enmudece'.[41]

Cualquier alma que en su desesperación busca a Cristo y clama:
"¡Sálvame Señor, que perezco!", será salvada.

Haya Paz

Y él replicó: "¿Por qué teméis, hombres de poca fe?" Entonces, se
levantó, reprendió al viento y al mar; y vino una completa calma.
Mateo 8:26

La tormenta cesó tan rápido como había llegado. Las nubes se disiparon y las estrellas volvieron a resplandecer. Las olas, ya calmadas, lamían suavemente los costados de la embarcación. Los discípulos estaban admirados. Pedro, el maestro de pescadores, quedó estupefacto. Nunca había visto una demostración semejante de poder. Los barcos que habían salido para acompañar a los discípulos habían corrido el mismo peligro. Se habían mantenido cerca y juntos habían presenciado el milagro. Ellos y los discípulos susurraron: "¿Quién es éste, que hasta el viento y el mar le obedecen?" (Mar. 4:41).

Jesús descansaba en paz. Confiaba en el poder del Padre, que se encargaría de cualquier situación. Sin embargo, no sucedía así con los discípulos. Si hubieran confiado en Cristo, no habrían sentido temor durante la tempestad. ¡Cuán a menudo experimentamos nosotros lo mismo que los discípulos! Cuando las tempestades de la tentación nos rodean, las dificultades parecen insuperables. Entonces luchamos solos, olvidándonos de que hay Uno que está listo para ayudarnos en todo peligro. "Confiamos en nuestra propia fuerza hasta que perdemos nuestra esperanza y estamos a punto de perecer. Entonces nos acordamos de Jesús, y si clamamos a él para que nos salve, no clamaremos en vano. Aunque él, con tristeza, reprende nuestra incredulidad y confianza propia, nunca deja de darnos la ayuda que necesitamos".[42]

Muy a menudo nos echamos encima preocupaciones y cargas que Dios no quiere que llevemos. Nos hacen la vida difícil, especialmente cuando descuidamos la oración. Cristo fortalecía diariamente su fe mediante la oración. Por eso dormía plácidamente durante la tormenta. "El sendero hacia la sinceridad y la integridad, no es un camino libre de obstáculos; sin embargo, en toda dificultad debemos recurrir a la oración. No existe ningún ser vivo que tenga poder que no lo haya recibido de Dios, y la fuente de donde viene está abierta al más débil de los seres humanos... Toda oración sincera es escuchada en el cielo. Tal vez no haya sido expresada con elocuencia; pero si ponemos en ello el corazón, la oración ascenderá al santuario donde Jesús ministra, y él la presentará al Padre sin una sola palabra torpe o vacilante, sino hermosa y fragante con el incienso de su propia perfección".[43]

"¡Señor, sálvanos, que perecemos!" (Mateo 8:25)

El Otro Lado del Mar

Y llegaron al otro lado del mar, a la región de los gadarenos".
Marcos 5:1.

Al romper el alba, las embarcaciones llegaron a la orilla. El saber que una vez más estaban en terreno firme después de una noche tan tormentosa los hizo sentir paz en su corazón. Pero apenas habían tocado la orilla, cuando vieron una escena más terrible que la furia de la tempestad. Desde un escondite entre las tumbas de las cuevas, dos locos corrieron hacia ellos. Olvidándose una vez más que estaban en la presencia del Hijo de Dios, los discípulos huyeron aterrorizados. Aunque habían sido encadenados de pies y manos por los habitantes del lugar, esos hombres poseídos del demonio se las habían arreglado para desatarse repetidas veces. En su ira se habían cortado con piedras agudas. Sus cabellos eran largos y enmarañados, sus ojos destellaban furia, y lanzaban gritos como de fieras conforme se acercaban a los visitantes.

De pronto, los discípulos notaron que Jesús permanecía tranquilo a la orilla del mar donde lo habían dejado. Levantando la misma mano que había calmado la tempestad, Jesús les hizo señas de que se detuvieran. Los hombres no pudieron acercarse más. Estaban furiosos, pero impotentes delante de él. Con autoridad Jesús ordenó a los espíritus inmundos que saliesen de los hombres. Cayeron a sus pies para adorarle, pero los demonios no los dejaron suplicar. Más bien ellos protestaron a gran voz: "¿Qué tienes conmigo, Jesús, Hijo del Altísimo? Te imploro por Dios que no me atormentes" (Mar. 5:7). Jesús le preguntó el nombre al que hablaba y una voz respondió: "Me llamo Legión, porque somos muchos" (Mar. 5:9). Una legión romana completa consistía en unos 6.000 soldados de infantería y 700 jinetes. Comprendemos que no hay forma de saber el número exacto de los demonios, pero sí podemos asegurar que eran muchos.

El que habló en nombre de los demonios pidió misericordia, rogando a Jesús que no los mandase fuera del país sino que les permitiese entrar en una piara de cerdos que estaba cerca del acantilado. El pánico se apoderó de los cerdos mientras corrían desenfrenadamente hacia la orilla donde se arrojaron y se ahogaron. Los cuidadores de los cerdos, que habían presenciado la escena, corrieron a la ciudad a contar lo que habían visto. Mientras tanto, los dos hombres estaban ahora vestidos y en su sano juicio, sentados a los pies de Jesús. El que tuvo el poder de transformar en misioneros a esos hombres poseídos del demonio, también puede transformarnos a nosotros.

"El Evangelio se ha de presentar, no como una teoría inerte, sino como una fuerza viva capaz de transformar la conducta".[44]

Salvado para Servir

"Vete a tu casa, a los tuyos, y cuéntales las grandes cosas que el Señor
ha hecho contigo, y cómo tuvo compasión de ti". Marcos 5:19.

*D*espués que los cuidadores de los cerdos pregonaron la noticia,
toda la población corrió a conocer al Hombre que había hecho tal cosa. Para
su sorpresa, vieron sentados a los pies del Salvador a los dos hombres que
tanto habían temido. Sus rostros se tranquilizaron al escuchar con atención
las palabras del Maestro. Sin embargo, la pérdida de los cerdos les parecía
más importante que la liberación de los dos hombres. A pesar que los
discípulos habían relatado a los gadarenos las cosas maravillosas que habían
visto la noche anterior, la gente rogó a Jesús que se apartara. "Tanto temían
poner en peligro sus intereses terrenales, que trataron como a un intruso a
Aquel que había vencido al príncipe de las tinieblas delante de sus ojos, y
desviaron de sus puertas el Don del cielo. No tenemos como los gadarenos
oportunidad de apartarnos de la persona de Cristo; y sin embargo, son muchos
los que se niegan a obedecer su palabra, porque la obediencia entrañaría el
sacrificio de algún interés mundanal. Por temor a que su presencia les cause
pérdidas pecuniarias, muchos rechazan su gracia y ahuyentan de sí a su
Espíritu".[45]

Cuando Jesús estaba por subir al bote, los dos hombres le rogaron
que no los dejara. Tal vez temieron por un momento que los demonios
volvieran cuando él ya no estuviera presente. Pero Jesús les dijo
bondadosamente que no podían seguirlo a la orilla occidental. El hecho de
ser gentiles podría estorbar su obra entre los judíos. Como pocos escribas y
fariseos visitaban esa región poblada mayormente de gentiles, Jesús les
recomendó que se fuesen a sus casas y contaran cuán grandes cosas el Señor
había hecho por ellos, algo que raramente permitía a los que sanaba dentro
de las fronteras de la nación judía. Durante los meses siguientes proclamaron
por toda Decápolis cómo Jesús los había salvado. Al compartir su testimonio se acercaron más a Cristo que si se hubieran subido al bote para
acompañarlo.

"Sus oídos no habían percibido un solo sermón de sus labios... Pero
llevaban en su persona la evidencia de que Jesús era el Mesías.
Podían contar lo que sabían; lo que ellos mismos habían visto y oído
y sentido del poder de Cristo. Esto es lo que puede hacer uno cuyo
corazón ha sido conmovido por la gracia de Dios".[46]

Los Pecadores Necesitan Arrepentirse

"No he venido a llamar a justos, sino a pecadores". Marcos 2:17.

Al volver a la orilla occidental, Jesús se dirigió a la casa de Leví Mateo, donde se celebraría una fiesta en su honor. Jesús no había vacilado en aceptar la invitación. El llamado de Leví Mateo despertó gran rencor entre los seguidores de Cristo. La elección parecía una afrenta a las costumbres religiosas y sociales. Los fariseos la usaron rápidamente como arma para separarlo de sus seguidores. Sin embargo, los publicanos mostraron interés. Después de todo, tal vez había esperanza para ellos. Jesús "bien sabía que ésta ofendería al partido fariseo y le comprometería a los ojos del pueblo. Pero ninguna cuestión política podía influir en sus acciones. Para él no tenían peso las distinciones externas. Lo que atraía su corazón era un alma sedienta del agua de vida".[47]

Los invitados comían en mesas arregladas en un marco con tres lados cerrados y el cuarto abierto para que los siervos pudieran entrar y salir con el alimento. En los asientos que rodeaban las mesas, los invitados descansaban sobre su brazo izquierdo mirando hacia el centro. Jesús aprovechó la ocasión para presentar lecciones que suplían las necesidades de sus oidores. "Por su ejemplo, les enseñó que al asistir a alguna reunión pública, su conversación no tenía por qué ser como la que se solía consentir en tales casos".[48] Algunos de los presentes aceptaron allí mismo a Jesús; otros lo harían más tarde, después de su resurrección.

El banquete dejó a los fariseos lívidos. Acercándose a los discípulos, se quejaron, esperando alejarlos de Jesús. "Así ha obrado Satanás desde que manifestó desafecto en el cielo; y todos los que tratan de causar discordia y enajenamiento son impulsados por su espíritu".[49] Comer o beber con un gentil violaba la ley ritual, causando impureza ceremonial. Los judíos clasificaban a los publicanos con los gentiles, considerándolos despreciables. Los fariseos se consideraban mejores que aquellos a quienes despreciaban; y sin embargo, los publicanos tenían menos fanatismo y suficiencia propia. Eran más abiertos para recibir y apreciar el don de salvación que los fariseos pensaban que no necesitaban. Los que se consideran espiritualmente sanos, no necesitan un médico, pero los que se sienten enfermos de pecado conocen su deficiencia.

"La prueba de su misión como Salvador de los hombres dependía de lo que podía hacer en favor de los pecadores".[50]

Amigos del Novio

Jesús respondió: "¿Pueden ayunar los invitados a una boda cuando el novio está con ellos?" Marcos 2:19.

Los fariseos no estaban contentos de separar a Jesús de sus propios discípulos. Buscaron a los discípulos de Juan el Bautista y trataron de alejarlos a ellos también. Los discípulos de Juan estaban afligidos por el encarcelamiento de su maestro. Aunque Juan languidecía en el calabozo de Herodes Antipas, la simpatía pública estaba todavía con él. El hecho de que Jesús no se esforzaba por seguir el estilo de vida de su líder, confundía a los discípulos de Juan. Jesús y sus discípulos participaban en las fiestas con los publicanos y los pecadores, pero Juan vivía apartado, y ayunaba. Los fariseos señalaron la diferencia entre los dos hombres. Según ellos Jesús estaba haciendo de lado las tradiciones antiguas del pueblo. ¿Cómo podía ser el que Juan había proclamado? Si Dios lo había enviado, ¿por qué la conducta de Jesús y sus discípulos era distinta de la de Juan? Esa clase de preguntas hallaron terreno fértil en los discípulos de Juan el Bautista. Ellos observaban la ley y ayunaban con regularidad. El ayuno era señal de mérito, y los más ortodoxos de ellos lo practicaban dos veces por semana. Los discípulos de Juan, apoyados por los fariseos, preguntaron a Jesús: "¿Por qué los discípulos de Juan y de los fariseos ayunan, y tú y tus discípulos no lo hacen?"

Jesús sabía que los hombres estaban ayunando para obtener méritos. Esa justicia por obras no valía nada; sin embargo, Jesús no trató de corregir su concepto erróneo del ayuno; más bien trató de mostrarles su propia misión. Usando la misma figura que el Bautista había usado en su testimonio acerca de Jesús, se refirió a Juan como "el amigo del novio". Los discípulos de Juan no podían menos que vincular esas palabras con su maestro. Jesús quiso mostrarles que su forma de religión había reemplazado su verdadero espíritu.

Jesús no pediría a sus discípulos que ayunaran sino que se regocijaran mientras él estaba con ellos. Pronto los dejaría para afrontar la cruz y la tumba. Entonces sus corazones se quebrantarían y llorarían. Cuando resucitara, ellos una vez más se regocijarían. El ayuno de Cristo era distinto. Había elegido "soltar las cargas opresivas, dejar libres a los quebrantados, que rompas todo yugo" (Isa. 58:6).

"El verdadero espíritu de devoción no se manifiesta en ociosos lamentos, ni en la mera humillación corporal y los múltiples sacrificios, sino en la entrega del yo a un servicio voluntario a Dios y al hombre".[51]

Legalismo

"Ni nadie echa vino nuevo en odres viejos. De esa manera, el vino nuevo rompería los odres, se derramaría el vino, y los odres se perderían. Más bien, el vino nuevo se guarda en odres nuevos".
Marcos 2:22.

Jesús explicó a los discípulos de Juan las diferencias que había entre sus enseñanzas y las de los fariseos. Cualquier intento de mezclar las dos revelaría el contraste. La religión legalista de muchos de los escribas, sacerdotes y fariseos, había hecho que sus corazones se resecaran como odres viejos. Para despertar la admiración humana, ayunaban y hacían oraciones repetitivas. Exaltando su propia piedad y sus virtudes, pensaban que no necesitaban instrucción. Las enseñanzas de Jesús eran frescas y nuevas, lo cual les molestaba y los hacía considerarlas una amenaza para su justicia propia.

Como resultado, Jesús buscó por otro lado recipientes nuevos para llenarlos de su mensaje. "En los pescadores sin instrucción, en los publicanos de la plaza, en la mujer de Samaria, en el vulgo que le oía gustosamente, halló sus nuevos odres para el nuevo vino".[52] Recibió a pescadores analfabetos de humilde origen y los educó para su servicio. Las enseñanzas de Jesús no eran una nueva doctrina. Su mensaje era el que se predicara desde el comienzo del tiempo. Los fariseos simplemente lo habían perdido de vista. Las costumbres, las tradiciones y las prácticas del pasado, obstruían ahora el acceso a sus mentes y corazones.

"Esto ocasionó la ruina de los judíos y será la ruina de muchas almas en nuestros tiempos. Miles están cometiendo el mismo error que los fariseos a quienes Cristo reprendió en el festín de Mateo. Antes que renunciar a alguna idea que les es cara, o descartar algún ídolo de su opinión, muchos rechazan la verdad que desciende del Padre de las luces. Confían en sí mismos y dependen de su propia sabiduría, y no comprenden su pobreza espiritual. Insisten en ser salvos de alguna manera por la cual puedan realizar alguna obra importante. Cuando ven que no pueden entretejer el yo en esa obra, rechazan la salvación provista".[53] Nunca podremos comprar la salvación con nuestros propios esfuerzos. "Una religión legal no puede nunca conducir las almas a Cristo, porque es una religión sin amor y sin Cristo".[54]

"Oh Dios, el sacrificio que tú aceptas es el espíritu quebrantado. Tú no desprecias al corazón contrito y humillado". (Salmo 51:17).

"*¡Talita, Cumi!*"

La tomó de la mano, y le dijo: "¡Talita, cumi!", que significa:
"¡Niña, levántate!" Marcos 5:41.

Al volver de Gádara, Jesús encontró una multitud que lo esperaba. Después de sanar y enseñar durante un tiempo, se dirigió al hogar de Leví Mateo. Allí lo encontró Jairo y humildemente se postró a sus pies. Todas las sinagogas judías tenían un "príncipe" que se encargaba de dirigir los servicios públicos. Jairo tenía ese puesto respetable. Aunque la mayoría de los de su clase se oponían verbalmente a Jesús, Jairo reconoció que sólo Jesús podía ayudarlo. "Mi hija está muriendo. ¡Ven! Pon las manos sobre ella para que sane, y viva". Inmediatamente Jesús se levantó para acompañarlo.

Como la multitud se multiplicaba, resultaba cada vez más difícil avanzar. El padre estaba ansioso de que el Maestro se apresurara. "Pero Jesús, compadeciéndose de la gente, se detenía de vez en cuando para aliviar a algún doliente o consolar a algún corazón acongojado".[55] Luego un mensajero se abrió paso a través de la multitud y susurró a Jairo: "Tu hija ha muerto, ¿para qué molestas aún al Maestro?" Mas el oído de Jesús distinguió las palabras y dijo a Jairo: "No temas, cree solamente". ¡Cree solamente! Jairo era capaz de hacer cualquier cosa por su hijita, pero ¿esto? El Maestro le estaba pidiendo que ejercitara una fe mayor.

El clamor de las plañideras pagadas molestaba a Jesús. Tratando de acallarlas les dijo que la niña estaba durmiendo, pero se rieron de él. Habían visto la muerte antes y sabían que la niña estaba muerta. Qué poco entendían que para Jesús la muerte era sólo un sueño (1 Cor. 15:51-55; 1 Tes. 4:16, 17). Tomando a los padres de la niña, y a Pedro, Santiago y Juan, entraron en la recámara. Jesús se acercó a la cama, tomó la mano de la niña, y suavemente le dijo en arameo: "¡Niña, levántate!". "Instantáneamente, un temblor pasó por el cuerpo inconsciente. El pulso de la vida volvió a latir. Los labios se entreabrieron con una sonrisa. Los ojos se abrieron como si ella despertase del sueño, y la niña miró con asombro al grupo que la rodeaba. Se levantó, y sus padres la estrecharon en sus brazos llorando de alegría".[56]

La muerte es sólo un sueño del cual el Dador de toda la vida
despertará a todos los que descansan bajo su cuidado. Él tiene las
llaves de la tumba, y un día enjugará para siempre toda lágrima y
desvanecerá el dolor (Juan 3:16; Romanos 6:23; Apocalipsis 1:18).
"No temas, cree solamente" (Marcos 5:36).

"¿Quién Me ha Tocado?"

Y él le dijo: "Hija, tu fe te ha sanado. Ve en paz, y queda sana de tu enfermedad". Marcos 5:34.

Las estrechas calles de Capernaún no permitían avanzar con rapidez hacia la casa de Jairo. Entre la muchedumbre iba una mujer que padecía de una enfermedad que la había afligido durante doce años y hacía de su vida una carga. Había gastado todos sus recursos en médicos que no habían podido curarla. Pero sus esperanzas revivieron cuando oyó que Jesús había vuelto una vez más a Capernaún. "Con debilidad y sufrimiento, vino a la orilla del mar donde estaba enseñando Jesús y trató de atravesar la multitud, pero en vano. Luego le siguió desde la casa de Leví Mateo, pero tampoco pudo acercársele. Había empezado a desesperarse, cuando, mientras él se abría paso por entre la multitud, llegó cerca de donde ella se encontraba".[57] Débil por la pérdida constante de sangre y abochornada por sentirse ceremonialmente impura, la mujer no quería mencionar su problema. Mas bien pensó que si tan sólo pudiera tocar el borde de su vestido, quedaría sanada. En ese toque tembloroso de su vestido, la mujer concentró la fe de toda su vida, y al instante su dolor y debilidad fueron reemplazados por el vigor de la perfecta salud. La sanidad que salió del gran Médico fue realizada "por el poder de Dios mediante el ministerio de los ángeles".[58]

Jesús se detuvo. Tratando de pasar inadvertida entre la multitud, la mujer se sorprendió al escuchar por sobre el tumulto: "¿Quién ha tocado mi vestido?" Pedro, que siempre estaba listo para hablar, dijo: "Maestro, la compañía te aprieta y oprime, y dices: '¿Quién es el que me ha tocado?'" (Luc. 8:45). Sin embargo, Jesús distinguía la diferencia entre los apretones casuales de la gente y el determinado toque de fe. Mirando directamente hacia la mujer, Jesús insistió en saber quién lo había tocado. Sin poder ocultarse más, la mujer se adelantó, temerosa. ¿Se habría metido en alguna dificultad? ¿Le sería quitado el don de sanidad que había recibido? Echándose a sus pies, le confesó todo. Jesús le dijo amablemente: "Hija, tu fe te ha salvado: ve en paz". "No es suficiente creer acerca de Cristo; debemos creer en él. La única fe que nos beneficiará es la que le acepta a él como Salvador personal; que nos pone en posesión de sus méritos".[59]

Extiende tu mano con fe y recibe a Cristo como tu Salvador personal.

Repaso: Su Segundo Viaje

*Y Jesús recorría las ciudades y aldeas, enseñaba en las sinagogas,
predicaba el evangelio del reino, y sanaba toda enfermedad y
dolencia. Mateo 9:35.*

No es de extrañarse que Mateo 4:23 se parezca mucho a Mateo 9:35.
Cada pasaje describe el fin de un viaje por la comarca de Galilea. Comenzando
y terminando en Capernaún, el segundo viaje por Galilea abarcó la mayor
parte del otoño del año 29 d.C. Sólo vemos los sucesos sobresalientes de un
ministerio en que se destacaban cada vez más las parábolas y milagros. En el
segundo viaje visitó la pequeña aldea de Naín, donde una viuda estaba por
enterrar a su único hijo. Después del milagro que mostraba su dominio sobre
el poder de la muerte, hallamos a Jesús echando fuera demonios y enfrentando
las acusaciones de los fariseos, de estar en alianza con el diablo.

A continuación, lo encontramos junto a la orilla occidental del mar de
Galilea, esforzándose por arrojar luz adicional sobre el reino descrito en el
Sermón del Monte. Sus parábolas a orillas del lago ilustraron más completamente
los principios del Evangelio mediante el simbolismo de un sembrador, una
semilla de mostaza, la levadura, un hombre que siembra buena semilla, una
red, un tesoro escondido en un campo, un mercader y una perla, un padre de
familia con tesoros nuevos y viejos. Esa noche, Jesús y sus discípulos cruzaron
el lago y los azotó una furiosa tormenta que el Creador de toda la naturaleza
calmó con una palabra. A la mañana siguiente, en Gádara, nuevamente los
discípulos presenciaron el poder de su Maestro al echar fuera los espíritus de
los endemoniados. Más tarde, ese mismo día memorable, Jesús regresó a
Capernaún para asistir a la fiesta en el hogar de Leví Mateo. Allí tuvo otra
confrontación con los fariseos, que trataban de causar división entre los discípulos
de Jesús y los de Juan el Bautista. Atendió el pedido de Jairo y resucitó a su hija
que había muerto. En el camino, Jesús sanó a la mujer que mostró gran fe
tocando el borde de su vestido.

A lo largo del segundo viaje a Galilea, Jesús reveló varias veces su poder
sobre la muerte, los espíritus malos y los elementos de la naturaleza. Los doce
continuaron recibiendo instrucción sobre el evangelismo. Durante el tercer
viaje pusieron en práctica lo que habían aprendido, porque Cristo los envió
como sus representantes.

*"Todos los que reciben el mensaje del Evangelio en su corazón
anhelarán proclamarlo. El amor de Cristo ha de expresarse".*[60]

Evangelistas

Entonces dijo a sus discípulos: "La mies es mucha, pero los obreros
pocos. Rogad al Señor de la mies, que envíe obreros a su mies".
Mateo 9:37, 38.

El tercer viaje a Galilea comenzó con estas palabras. Mateo 10
continúa con las instrucciones que el Maestro dio a sus discípulos. Durante
el invierno del año 29-30 d.C., los envió de dos en dos a predicar el Evangelio
por todas las comarcas de los alrededores. La Escritura dice poco de sus éxitos
o fracasos. Durante ese tiempo, la Biblia registra sólo el rechazo de Jesús en
Nazaret. Mientras los doce realizaban su circuito misionero, Jesús y los demás
discípulos continuaron enseñando y alcanzando a las multitudes. Jesús sentía
la necesidad imperiosa de alcanzar a la gente. Hasta ahora sólo él y su grupo
de discípulos habían estado activos; sin embargo, al separarlos en grupos el
progreso sería más efectivo. Lo que más preocupaba al Buen Pastor eran las
ovejas esparcidas de la casa de Israel. Los pastores llamados a cuidar el rebaño
las habían descuidado. La gente estaba tan desmoralizada por sus líderes
religiosos, que ya no hacía ningún esfuerzo por mejorar su situación espiritual.

El tercer viaje comenzó una nueva y emocionante fase del ministerio
de Cristo. El siguiente paso para el avance del Evangelio sería ramificarse
para alcanzar a un público mayor, y para instruir mejor a los doce discípulos
en cuanto al evangelismo activo. Hasta el momento los discípulos sólo
habían colaborado con Jesús mientras él proclamaba las buenas nuevas.
"Ayudaban a ordenar a la gente, traían a los afligidos al Salvador y
procuraban la comodidad de todos. Estaban alerta para discernir a los
oyentes interesados, les explicaban las Escrituras y de diversas maneras
trabajaban para su beneficio espiritual. Enseñaban lo que habían aprendido
de Jesús y obtenían cada día una rica experiencia. Pero necesitaban también
aprender a trabajar solos".[61]

Por primera vez la Escritura menciona a los doce como un grupo con
una responsabilidad específica. "Cristo envió a sus discípulos de dos en dos, a
lugares que él más tarde visitaría".[62] "La obra de los discípulos necesitaba
moldearse y corregirse con la disciplina más tierna, y llevando a otros el
conocimiento de la Palabra que ellos mismos habían recibido".[63]

Nosotros también podemos obtener una rica experiencia en Cristo
enseñando a otros lo que hemos aprendido de él.

Paz a Esta Casa

"En la casa donde entréis, primero decid: 'Paz a esta casa'".
Lucas 10:5.

*D*ebido al prejuicio judío, Jesús enviaba a los discípulos a visitar primero a los judíos. "Si entonces hubiesen predicado el Evangelio a los gentiles o a los samaritanos, habrían perdido su influencia sobre los judíos".[64] Cada apóstol [literalmente, "uno enviado"] que se enviaba, complementaba a su compañero en algún rasgo de carácter. Los grupos estaban formados de Simón Pedro y su hermano Andrés, Santiago y su hermano Juan, Felipe y Bartolomé, Tomás y Mateo, Santiago el hijo de Alfeo y Tadeo, y por último, Simón el cananita y Judas Iscariote.

Las instrucciones de Jesús eran claras. Debían ir sólo a los lugares donde habían estado antes. En vez de entrar a las sinagogas o congregar personas en grupos grandes, debían limitarse al trabajo de casa en casa. No debían aceptar dinero, provisiones o ropa. Pero en todo lugar debían aceptar la hospitalidad de los que generosamente se la ofrecieran. Cuando una casa los recibiese debían proclamar el saludo "Paz sea a esta casa"; sin embargo, si en algún hogar rechazaban escuchar el mensaje que traían, debían sacudir el polvo de sus pies y continuar su camino.

Jesús dio más instrucciones a los que siguieron a estos primeros apóstoles. Dijo que debían ser corteses, inofensivos como palomas, pero prontos y despiertos para aprovechar las oportunidades de esparcir el Evangelio. Cada uno debía ser prudente como serpiente en el trato con los demás y estar siempre alerta a los peligros que constantemente les rodeaban. Los discípulos sufrirían persecución y tendrían que comparecer ante concilios y tribunales para explicar su fe. Cada uno debía prepararse para responder acerca de su fe (1 Ped. 3:15). El representante de Cristo no debe preocuparse por el futuro (Mat. 6:34), sino confiar que está en las manos de Dios.

La vida de los testigos de Cristo puede ser difícil, pero él prometió ayudarnos. "Un esfuerzo diario y ferviente para conocer a Dios, y a Jesucristo a quien él envió, iba a impartir poder y eficiencia al alma. El conocimiento obtenido por el escrutinio diligente de las Escrituras iba a cruzar como rayo en la memoria al debido momento. Pero si algunos hubiesen descuidado el familiarizarse con las palabras de Cristo y nunca hubiesen probado el poder de su gracia en la dificultad, no podrían esperar que el Espíritu Santo les hiciese recordar sus palabras. Habían de servir a Dios diariamente con afecto indiviso, y luego confiar en él".[65]

*Todavía hoy obtenemos preparación para servir mediante la oración
y el estudio.*

¿Eres Tú el que Había de Venir?

Cuando Juan, que estaba en la cárcel, oyó los hechos de Cristo, le envió dos de sus discípulos, a preguntarle: "¿Eres tú el que había de venir, o esperaremos a otro?" Mateo 11:2, 3.

Juan el Bautista, acostumbrado al aire libre del desierto, se hallaba ahora encarcelado en un pequeño calabozo de la fortaleza de Herodes Antipas. La lobreguez e inactividad de la cárcel le abrumaban y la duda fue apoderándose de él. Sin embargo, sus discípulos tenían acceso a su celda, y le traían noticias del ministerio de Cristo. Ellos también sembraban semillas de duda. "¡Oh, con cuánta frecuencia los que se creen amigos de un hombre bueno y desean mostrarle su fidelidad, resultan ser sus más peligrosos enemigos! ¡Con cuánta frecuencia, en vez de fortalecer su fe, sus palabras le deprimen y desalientan!"[66]

Juan todavía esperaba que Jesús reclamara el trono de David y reinara como rey en esta tierra, pero Jesús reclutaba para sí discípulos y no ejércitos. La futilidad de su propia misión como mensajero de Jesús desanimaba a los discípulos del Bautista. "Si Juan, el precursor fiel, no discernía la misión de Cristo, ¿qué podía esperarse de la multitud egoísta?"[67] Sin embargo, el Bautista no renunció a su fe en Cristo. El recuerdo de la voz del cielo y de la paloma que había descendido sobre él en el Jordán todavía lo afirmaban en la creencia de que Jesús era el Mesías. Envió a dos de ellos al Señor para que fortalecieran su fe. Los discípulos se acercaron a Jesús y le preguntaron: "¿Eres tú el que ha de venir, o esperaremos a otro?" (Luc. 7:20).

En vez de contestar directamente, Jesús les permitió observar su ministerio. Finalmente les dijo: "Id, y contad a Juan lo que habéis visto y oído, que los ciegos ven, los lisiados andan, los leprosos son limpiados, los sordos oyen, los muertos resucitan, a los pobres es anunciado el evangelio. Y ¡dichoso el que no se escandaliza en mí!" (Luc. 7:22, 23).

"Los discípulos llevaron el mensaje, y bastó. Juan recordó la profecía concerniente al Mesías: 'Me ungió Jehová; me ha enviado a predicar buenas nuevas a los abatidos, a vendar a los quebrantados de corazón, a publicar libertad a los cautivos, y a los presos abertura de la cárcel; a promulgar año de la buena voluntad de Jehová'(Isa. 61:1, 2). Las palabras de Cristo no sólo le declaraban el Mesías, sino que demostraban de qué manera había de establecerse su reino".[68]

Ninguna vida que conduce a otros a Cristo se ha vivido en vano.

Una Caña Sacudida por el Viento

Cuando ellos se fueron, Jesús empezó a decir de Juan a la gente:
"¿Qué salisteis a ver al desierto? ¿Una caña sacudida por el viento?"
Mateo 11:7.

*C*uando los mensajeros de Juan se fueron, Jesús presentó una eulogía del Bautista. Seis meses más tarde Juan el Bautista sellaría su mensaje con su vida. "El corazón del Salvador sentía profunda simpatía por el testigo fiel ahora sepultado en la mazmorra de Herodes. No quería que la gente dedujese que Dios había abandonado a Juan, o que su fe había faltado en el día de la prueba".[69] Muchos de los presentes habían ido a escuchar a Juan. La mayor parte de su ministerio tuvo lugar en el valle del Jordán, donde las cañas crecen en abundancia. La alusión a las cañas les hizo recordar el mensaje que habían escuchado en el río. Juan no era una caña tambaleante. "Era tan firme como una roca en su fidelidad a los buenos principios".[70]

Jesús preguntó: "Mas ¿qué salisteis a ver? ¿Un profeta? También os digo, y más que profeta". Juan era el precursor del Mesías. Presentó al mundo al Hijo de Dios y lo vinculó con los Testamentos. El Antiguo termina con la promesa de su venida (Mal. 3:1; 4:5, 6) y el Nuevo comienza con el cumplimiento de esa profecía (Mat. 3:1-3; Mar. 1:1-3).

Desde la primavera del año 27 hasta la primavera del año 29 d.C. "tan fielmente cumplió su misión, que al recordar la gente lo que había enseñado acerca de Jesús, podía decir: 'Todo lo que Juan dijo de éste, era verdad' ".[71] El Bautista había tenido la oportunidad de contemplar a Cristo; sin embargo, Jesús dijo: "El más pequeño en el reino de los cielos, es mayor que él" (Mat. 11:11).

"Aparte del gozo que Juan hallaba en su misión, su vida había sido llena de pesar. Su voz se había oído rara vez fuera del desierto. Tuvo el destino de un solitario. No se le permitió ver los resultados de sus propios trabajos. No tuvo el privilegio de estar con Cristo, ni de presenciar la manifestación del poder divino que acompañó a la luz mayor. No le tocó ver a los ciegos recobrar la vista, a los enfermos sanar y a los muertos resucitar. No contempló la luz que resplandecía a través de cada palabra de Cristo, derramando gloria sobre las promesas de la profecía. El menor de los discípulos que contempló las poderosas obras de Cristo y oyó sus palabras, era en este sentido más privilegiado que Juan el Bautista, y por lo tanto se dice que es mayor que él".[72]

Como Juan, podemos regocijarnos en las palabras de seguridad que
Jesús nos da cuando promete: "Yo estoy con vosotros todos los días,
hasta el fin del mundo" (Mateo 28:20).

¿No Es Éste el Carpintero?

Y no pudo hacer allí ningún milagro, más que sanar a unos pocos enfermos, poniendo las manos sobre ellos. Estaba asombrado de la incredulidad de ellos. Marcos 6:5, 6.

Mientras las multitudes de galileos rodeaban a Jesús, sus propios vecinos rehusaban creer. Se mantenían al tanto de las noticias de su conciudadano, pero dudaban que fuera el Mesías. "Desde que se le rechazara allí, la fama de su predicación y sus milagros había llenado el país. Nadie podía negar ahora que poseía un poder más que humano. Los habitantes de Nazaret sabían que iba haciendo bienes y sanando a todos los oprimidos del diablo".[73]

Era la primavera del año 30 d.C. y su ministerio en Galilea estaba llegando a su fin. Nuevamente Jesús recorrió el camino tan familiar hacia Nazaret. Llegó antes del día de reposo, y el sábado fue a la sinagoga y se paró a enseñar. Mientras escuchaban sus palabras, los nazarenos fueron movidos por el Espíritu, pero les resultaba difícil admitir que ese hombre, que se había criado entre ellos, fuera el Hijo de Dios. "¿De dónde este hombre saca estas cosas? ¿Qué sabiduría es ésta que le es dada, que hasta realiza milagros? ¿No es éste el carpintero, hijo de María, y hermano de Santiago, José, Judas y Simón? ¿No están también aquí sus hermanas con nosotros? Y se escandalizaban de él" (Mar. 6:2, 3). Como José había muerto, la gente se refería a Jesús como "el Hijo de María". ¿Qué habrá pensado ella de su Hijo? Sus hermanos y hermanas no creían entonces que era el Mesías (Juan 7:5). Los que crecieron con él y vieron su carácter y las obras de compasión, no se sentían atraídos a él, porque su vida ejemplar los colocaba a ellos bajo una luz desfavorable.

El orgullo de los dirigentes judíos no les permitía aceptar a Jesús, porque "amaban los lugares destacados en la sinagoga, y los saludos en las plazas; les halagaba el sonido de los títulos en labios de los hombres. A medida que la verdadera piedad declinaba entre ellos, se volvían más celosos de sus tradiciones y ceremonias".[74] La pureza de su carácter exponía su propia falsedad y pretensión. Mientras esa incredulidad existiera, Jesús no podía hacer nada. Abandonó para siempre a Nazaret y a los que estaban ciegos esperando un Mesías que contemporizara con sus propios conceptos.

"La verdad era impopular en el tiempo de Cristo. Es impopular en el nuestro".[75]

Venid Aparte y Descansad

Y él les dijo: "Venid aparte, a un lugar tranquilo, y descansad un poco". Marcos 6:31.

Durante varias semanas los apóstoles habían trabajado separados de su Maestro. Ahora que se acercaba la Pascua, se reunieron para relatar sus experiencias e informar todo lo que habían hecho en sus giras del invierno. "Habían cometido errores en su primera obra de evangelización, y mientras relataban francamente a Cristo lo sucedido, él vio que necesitaban mucha instrucción. Vio también que se habían cansado en el trabajo y necesitaban reposo".[76] Lejos de los caminos de Galilea, en el extremo septentrional del lago, había una región solitaria llamada El Batiha. No era tarea fácil tratar de llegar allí sin atraer la atención; sin embargo, hicieron lo mejor que pudieron por salir de Capernaún sin ser notados. A pesar de sus mejores planes, la gente los siguió a pie hasta que entraron en el bote.

Mientras los discípulos andaban en su gira, Jesús había visitado otras aldeas y pueblos. El descanso que ellos buscaban no era para buscar placeres, sino para aprender más. "Conversaron de la obra de Dios y de la posibilidad de alcanzar mayor eficiencia en ella".[77] Jesús corrigió sus errores y les dio más instrucciones y métodos para el evangelismo. Les aclaró el mensaje y les dio ánimo y esperanza de éxitos futuros. Los rabinos de ese tiempo pensaban que la suma de la religión era estar siempre en un bullicio de actividad, pero Jesús sabía que cuando la gente se envuelve en los afanes del trabajo, se olvida de orar. El discípulo que descuidaba la oración estaba en peligro de perder de vista su dependencia de Dios.

"Ninguna vida fue tan llena de trabajo y responsabilidad como la de Jesús, y, sin embargo, cuán a menudo se le encontraba en oración. Cuán constante era su comunión con Dios".[78] Jesús reconocía la necesidad de comunicarse con frecuencia con su Padre. Esos momentos de oración le traían consuelo y gozo.

Descubrimos la voluntad de Dios cuando lo escuchamos hablar a nuestros corazones. "Cuando todas las demás voces quedan acalladas, y en la quietud esperamos delante de él, el silencio del alma hace más distinta la voz de Dios. Nos invita: 'Estad quietos, y conoced que yo soy Dios'. Salmo 46:10. Solamente allí puede encontrarse verdadero descanso. Y ésta es la preparación eficaz para todo trabajo que se haya de realizar para Dios".[79]

Venganza Escondida

Porque el mismo Herodes había mandado prender a Juan, y lo había encarcelado a causa de Herodías, esposa de su hermano Felipe, con la que él se había casado. Marcos 6:17.

Herodes estaba convencido que Juan era profeta de Dios, pero el temor a Herodías era mayor que su deseo de devolverle la libertad a Juan, y vez tras vez postergaba su libertad. En repetidas ocasiones su esposa trató de persuadirlo para que lo ejecutara, pero Herodes rehusó hacerlo. El espíritu de venganza ardía dentro del corazón de Herodías. No podía perdonar la vergüenza y el bochorno que Juan le había ocasionado al denunciarla ante el pueblo. Cuidadosamente ocultó su enojo y esperó. "En el día del cumpleaños del rey, debía ofrecerse una fiesta a los oficiales del Estado y los nobles de la corte. Habría banquete y borrachera. Herodes no estaría en guardia, y ella podría influir en él a voluntad".[80] Herodías mandó a su hija Salomé a la sala del banquete, para que bailara para deleite del rey y sus invitados. Adornada con flores, brillantes joyas y brazaletes, exhibiendo sin modestia su deslumbrante belleza, bailó para divertir al rey, tal como su madre lo había deseado. El cuerpo casi desnudo de esta joven cautivó a los invitados embotados por el vino. Como no era costumbre que las mujeres participaran en fiestas de esa clase, los presentes halagaron a Herodes por haber escogido tal diversión.

En un momento de temeridad, Herodes prometió a la hija de Herodías cualquier cosa que pidiese, aunque fuese la mitad de su reino. Salomé se apresuró a consultar a su madre, para saber lo que debía pedir. Horrorizada por el deseo sangriento de su madre, Salomé se negó al principio a presentarlo; pero la resolución de su madre prevaleció. Al volver al banquete, Salomé pronunció la sentencia de muerte para Juan. "Quiero que ahora mismo me des en un plato la cabeza de Juan el Bautista".

"Herodes quedó asombrado y confundido. Cesó la ruidosa alegría y sus invitados estaban horrorizados por esta petición inhumana".[81] Todos los presentes sabían que Juan era un siervo inocente de Dios. Si alguno de ellos hubiese pronunciado una palabra contra el cumplimiento de su promesa, Herodes hubiese salvado gustosamente al profeta. Pero estaban tan borrachos que "ninguna voz se alzó para salvar la vida del mensajero del cielo".[82]

"¡Cuán a menudo ha sido sacrificada la vida de los inocentes por la intemperancia de los que debieran haber sido guardianes de la justicia!"[83]

Después del Crimen

Al saberlo, los discípulos de Juan retiraron su cuerpo, y lo sepultaron.
Marcos 6:29.

Herodías estaba segura de que, mientras Juan estuviera vivo, la simpatía de Herodes por el profeta le mantendría su conciencia en conmoción. Pensó que al dar muerte a Juan aliviaría el ánimo de su esposo. Pero cuán equivocada estaba. Después del horrendo crimen las cosas no fueron tan fáciles como Herodías esperaba. Cuando la cabeza ensangrentada del profeta le fue llevada, ella la recibió con feroz satisfacción. "Ese acto inhumano, hizo que su nombre fuera notorio y aborrecido... Su vida corrupta y su venganza satánica, resaltan en las páginas de la historia sagrada, tildando su nombre de infame".[84] Lleno de remordimiento, Herodes no podía hallar alivio para su conciencia culpable. "Mientras atendía los asuntos del Estado, recibiendo honores de los hombres, mostraba un rostro sonriente y un porte digno, pero ocultaba un corazón ansioso, siempre temeroso de que una maldición pesara sobre él".[85]

En un momento de estupor causado por el vino, Herodes cometió un crimen que lo perseguiría el resto de su vida. "Lo que pensó cuando su razón y su juicio estaban pervertidos, fue mantener su honor y dignidad, lo cual hizo su nombre despreciable".[86] Herodes Antipas, gobernador de Galilea y Perea, el hombre que Jesús llamó "ese zorro" (Luc. 13:32), fue arruinado por su astucia, su ambición y su amor por la ostentación y el lujo. Cuando Herodes oyó hablar de las obras de Cristo, se convenció de que el Bautista había salido de la tumba para atormentarlo aún más.

Los discípulos se preguntaban entre ellos por qué Jesús no había rescatado a Juan. ¿No era acaso primo del Maestro? "Juan no era sino partícipe de los sufrimientos de Cristo. Todos los que sigan a Cristo llevarán la corona del sacrificio".[87] "Jesús no se interpuso para librar a su siervo. Sabía que Juan soportaría la prueba... pero por causa de los millares que en años ulteriores debían pasar de la cárcel a la muerte, Juan había de beber la copa del martirio".[88]

"Dios no conduce nunca a sus hijos de otra manera que la que ellos elegirían si pudiesen ver el fin desde el principio, y discernir la gloria del propósito que están cumpliendo como colaboradores suyos. Ni Enoc, que fue trasladado al cielo, ni Elías, que ascendió en un carro de fuego, fueron mayores o más honrados que Juan el Bautista, que pereció solo en la mazmorra... Y de todos los dones que el cielo puede conceder a los hombres, la comunión con Cristo en sus sufrimientos es el más grave cometido y el más alto honor".[89]

Una Multitud de 5.000

Entonces Jesús subió a un monte, y se sentó allí con sus discípulos.
Estaba cerca la fiesta judía de la Pascua. Juan 6:3,4.

La muerte de Juan arrojó una sombra sobre Jesús. El Salvador deseaba estar con sus discípulos en un lugar apartado. Deseosos de evitar las multitudes, navegaron desde Capernaún hacia el este. Pero no salieron inadvertidos. La gente los seguía, esperando que Jesús llegara a tierra y les hablara. Grupos de peregrinos que se dirigían a celebrar la Pascua engrosaban la multitud. Jesús llegó primero y pasó un corto tiempo animando a sus discípulos. Luego al ver la multitud, Jesús "'tuvo compasión de ellos, porque eran como ovejas que no tenían pastor'. Abandonando su retiro, halló un lugar conveniente donde pudiese atender a la gente".[1]

La multitud había viajado a pie casi siete kilómetros al este de Betsaida Julia, mientras que los discípulos habían navegado cerca de cinco km. Había 5.000 hombres, y muchos habían traído sus esposas y sus niños. Ansiosa de escuchar acerca de la salvación, la gente se olvidó de comer. Jesús también estaba muy cansado y con hambre. "Pero él no podía apartarse de la muchedumbre que le oprimía de todas partes".[2] Los discípulos urgieron al Maestro que enviara a la gente a las aldeas y pueblos de los alrededores para comprar alimentos.

Felipe, que vivía en Betsaida, conocía a los mercaderes locales. Volviéndose a él, Jesús le preguntó "¿Dónde compraremos pan para que coman éstos?" Pero el Salvador estaba probando a su discípulo. Al echar una mirada a la multitud, Felipe contestó que doscientos denarios de pan no alcanzarían para que cada uno comiese un poco. La "moneda de plata", o denario, era el sueldo que ganaba un hombre al día. Seis meses de sueldo apenas alcanzarían para que cada uno tuviese una pequeña porción. Jesús desafió la fe de Felipe, y el discípulo vaciló. Volviéndose a los demás, Jesús les preguntó cuánto alimento podían encontrar entre la multitud, y Andrés volvió y le informó: "Aquí hay un muchacho que tiene cinco panes de cebada y dos pescados, ¿pero qué es esto para tantos?"

Felipe hizo cálculos matemáticos y quiso pesar las probabilidades de tener éxito. Sin embargo, Andrés se lanzó por fe, obedeció la palabra de Jesús y buscó alimento entre la multitud. ¡Dos discípulos, dos reacciones diferentes! "Los medios de los cuales disponemos no parecerán tal vez suficientes para la obra; pero si queremos avanzar con fe, creyendo en el poder de Dios que basta para todo, se nos presentarán abundantes recursos. Si la obra es de Dios, él mismo proveerá los medios para realizarla".[3]

¿Es usted un Felipe o un Andrés?

Juntad los Pedazos

Cuando se saciaron, dijo a sus discípulos: "Juntad los pedazos que
sobraron, para que no se pierda nada". Juan 6:12.

Los panes habían sido hechos de harina de cebada; el pescado posiblemente estaba seco y lo usaban como condimento para acompañar el pan. "Era un menú humilde el que había sido provisto; los peces y los panes de cebada eran la comida diaria de los pescadores que vivían alrededor del mar de Galilea".[4] Jesús no trató de alimentar a la gente con lujosos manjares. Él aconseja que sus seguidores se conformen con las necesidades básicas. "Y nunca disfrutó nadie de lujosos festines preparados para satisfacer un gusto pervertido como esta gente disfrutó del descanso y de la comida sencilla que Jesús le proveyó tan lejos de las habitaciones de los hombres".[5]

Jesús mandó a los discípulos que organizaran a la gente. Los grupos formaban semicírculos con un lado abierto para que los discípulos entraran a servir. Como era el comienzo de la primavera, la lluvia había suavizado la tierra y la llanura cubierta de hierba servía como mesa. Todos podían ver al Salvador. Jesús tomó el pan en sus manos y siguiendo su costumbre, dio gracias al Padre por el regalo del alimento. Conforme iba partiendo los alimentos, éstos se multiplicaban en sus manos y pasaba los pedazos a los discípulos. Cada vez que uno de los discípulos regresaba con el canasto vacío, Jesús lo esperaba con más. "El milagro de los panes enseña una lección en cuanto a depender de Dios".[6] Cada vez que volvemos a él en busca de alimento espiritual, allí está esperándonos con una provisión abundante.

Después que la multitud hubo sido alimentada, Jesús ordenó a sus discípulos que no desperdiciaran nada. "Recoged los pedazos que han quedado, porque no se pierda nada". Después de haber llenado los doce cestos, los discípulos y Jesús comieron el alimento enviado del cielo. La multitud llevó consigo algo del "pan milagroso" y compartieron con sus amigos el "pan de vida" que habían escuchado ese día. "Cristo recibía del Padre; él impartía a los discípulos; ellos impartían a la multitud; y las personas unas a otras. Así, todos los que están unidos a Cristo, recibirán de él el pan de vida, el alimento celestial, y lo impartirán a otros".[7]

Cristo continúa obrando hoy mediante los agentes humanos. Somos
privilegiados al ser colaboradores con el Maestro en llevar las
bendiciones celestiales a otros.

No se Atrevieron a Desobedecer

Entonces Jesús mandó a sus discípulos a entrar en la barca, e ir delante de él a la otra orilla del lago, mientras él despedía a la multitud. Mateo 14:22

*E*l milagro que acababan de presenciar había impresionado a toda la gente. ¿No había Dios alimentado a Israel con el maná en el Sinaí? Y ¿no había predicho Moisés que en el futuro otro profeta haría lo mismo? "Él sería quien haría de Judea un paraíso terrenal, una tierra que fluyese leche y miel. Podía satisfacer todo deseo. Podía quebrantar el poder de los odiados romanos. Podía librar a Judá y Jerusalén. Podía curar a los soldados heridos en la batalla. Podía proporcionar alimento a ejércitos enteros. Podía conquistar las naciones y dar a Israel el dominio que deseaba desde hacía mucho tiempo".[8]

Como Jesús no buscaba que lo coronaran rey de Israel, ellos lo harían. Los discípulos pensaban que lo único que impediría que Jesús aceptase ese honor sería su modestia. Tenía todo el derecho de reclamar el trono de David. "Judas fue el primero en aprovecharse del entusiasmo despertado por el milagro de los panes. Él fue quien propuso el proyecto de tomar a Cristo por la fuerza y hacerle rey. Sus esperanzas eran grandes y su desencanto fue amargo".[9] Si se hubiese llevado a cabo ese plan precipitado, los romanos se habrían disgustado, la violencia y la insurrección se habrían desatado y el ministerio de Jesús habría concluido en forma prematura. Quedaba un año para esparcir las nuevas de salvación. "Jesús debió actuar con decisión y en forma inmediata a fin de apaciguar el sentimiento popular y dominar a sus propios discípulos".[10] Inmediatamente Jesús ordenó a los doce que volvieran al bote, lo cual hicieron de mala gana.

Jesús ordenó entonces a la multitud que se dispersara. "Y su actitud era tan decidida que nadie se atrevió a desobedecerle. Las palabras de alabanza y exaltación murieron en los labios de los concurrentes. En el mismo acto de adelantarse para tomarle, sus pasos se detuvieron y se desvanecieron las miradas alegres y anhelantes de sus rostros... pero el porte regio de Jesús y sus pocas y tranquilas palabras de orden apagaron el tumulto y frustraron sus designios. Reconocieron en él un poder superior a toda autoridad terrenal, y sin una pregunta se sometieron".[11] Cuando por fin estuvo solo, Jesús subió al monte a buscar a su Padre en oración. Le dolía que el concepto que ellos tenían de su reino se limitare al engrandecimiento y los honores mundanales.

Jesús oraba para que todos absorbieran su concepto de otro reino donde podemos guardar nuestros tesoros. ¡Comprendamos su visión!

La Cuarta Vela de la Noche

A la cuarta vela de la noche (de madrugada), *Jesús fue a ellos caminando sobre el mar. Mateo 14:25.*

Cuando Jesús ordenó a sus discípulos que volviesen inmediatamente a Capernaún, rehusaron hacerlo. ¿No se daba cuenta Jesús que había llegado el momento de levantarse contra Roma? Pero el Señor les habló con autoridad que nunca había asumido para con ellos. "Sabían que cualquier oposición ulterior de su parte sería inútil, y en silencio se volvieron hacia el mar".[12] Quizás los discípulos no querían alejarse de su Maestro, pero sus pensamientos ya se habían alejado de él y su mensaje. Habían olvidado el milagro de los panes y los peces, y lo habían reemplazado con el chasco y la desconfianza.

Tenían la esperanza de que Jesús pronto se uniría a ellos. Pero al descender la noche, dejaron de mala gana la orilla y pusieron proa hacia Capernaún. De pronto se desató una violenta tempestad. Los vientos huracanados amenazaban hundir el barco. Se pusieron a achicar el agua y amainaron las velas; luego remaron para mantener la proa contra el viento. El fin del corto viaje de Betsaida a Capernaún estaba ahora fuera de su alcance, porque el fuerte viento los arrastraba hacia el sur, al mar abierto. "Hasta la cuarta vela de la noche lucharon con los remos. Entonces los hombres cansados se dieron por perdidos. En la tempestad y las tinieblas, el mar les había enseñado cuán desamparados estaban, y anhelaban la presencia de su Maestro".[13]

Jesús velaba por sus discípulos. "En el momento en que ellos se creyeron perdidos, un rayo de luz reveló una figura misteriosa que se acercaba a ellos sobre el agua. Pero no sabían que era Jesús. Tuvieron por enemigo al que venía en su ayuda. El terror se apoderó de ellos. Las manos que habían asido los remos con músculos de hierro, los soltaron. El barco se mecía al impulso de las olas, todos los ojos estaban fijos en esta visión de un hombre que andaba sobre las espumosas olas de un mar agitado".[14] Los discípulos pensaban que podía ser un fantasma que presagiaba su destrucción. "Jesús siguió avanzando, como si quisiese pasar más allá de donde estaban ellos, pero lo reconocieron, y clamaron a él pidiéndole ayuda. Su amado Maestro se volvió entonces, y su voz aquietó su temor: 'Alentaos; yo soy, no temáis' ".[15]

Jesús vela por nosotros hoy cuando nos azotan las tormentas de las pruebas, y nos amonesta de igual forma: "No temas".

¡Señor, Sálvame!

Pero cuando Pedro vio el viento fuerte, tuvo miedo, y empezó a hundirse. Entonces gritó: "¡Señor, sálvame!" Mateo 14:30.

Cuando los discípulos izaron las velas, "estaban más impacientes y descontentos con Cristo que nunca antes desde que le reconocieran como su Señor".[16] En medio de la violenta tempestad, las olas se alzaban y los discípulos temieron hundirse en cualquier momento. Entonces sintieron la necesidad de un Salvador. "Por fin reconocieron que sus esfuerzos eran en vano y que solos no podían hacer nada. Sintiendo remordimiento, recordaron lo impacientes que habían sido con Jesús y le pidieron perdón a Dios. Ahora había llegado el tiempo para que Jesús viniera a ayudarles. Pisando las aguas, caminaba de ola en ola como si lo hiciera sobre tierra seca".[17]

Una vez que los discípulos estuvieron seguros que la figura era Jesús, Pedro exclamó: "Señor, si tú eres, manda que yo vaya a ti sobre las aguas". Jesús le contestó: "Ven". Lleno de confianza, Pedro saltó del bote. Caminó hacia Jesús sobre las olas agitadas por el viento. Mientras sus ojos estaban fijos en su Maestro, se sentía seguro. Pero una simple mirada al oscuro abismo que se abría bajo sus pies, y hacia sus compañeros que quedaron en el bote, hizo que se hundiera entre dos enormes olas. Trató de buscar a Jesús entre las airadas aguas, pero lo había perdido de vista porque las gigantescas ondas lo habían ocultado. Su fe lo abandonó y Pedro comenzó a hundirse hacia su tumba acuática. Aterrorizado buscó a Jesús y finalmente, fijando sus ojos en él, le rogó: "¡Señor, sálvame!" "Inmediatamente Jesús asió la mano extendida, diciéndole: 'Oh hombre de poca fe, ¿Por qué dudaste?' ".[18] En el acto, Jesús salvó a Pedro y le reprochó su falta de fe. "Pescador durante toda su vida, Pedro, sin duda, sabía nadar (Juan 21:7). Pero en ocasión de una tormenta como ésa, cuando hasta la barca peligraba, sería inútil intentar nadar".[19]

"Cuando la dificultad nos sobreviene, con cuánta frecuencia somos como Pedro. Miramos las olas en vez de mantener nuestros ojos fijos en el Salvador... Los que dejan de sentir que dependen constantemente de Dios, serán vencidos por la tentación... únicamente comprendiendo nuestra propia debilidad y mirando fijamente a Jesús, podemos estar seguros".[20]

Genesaret

Al llegar a la otra orilla, desembarcaron en Genesaret. Mateo 14:34.

$\mathcal{T}$an pronto como Jesús tomó su lugar en el bote, cesó la tormenta y la nave llegó a las fértiles planicies de Genesaret, al oeste de Capernaún. "La noche de horror fue sucedida por la luz del alba. Los discípulos, y otros que estaban a bordo, se postraron a los pies de Jesús con corazones agradecidos, diciendo: 'Verdaderamente eres Hijo de Dios'".[21] Mientras tanto, la gente acudió desde Betsaida hasta el sitio del milagro de los panes y los peces, esperando encontrar a Jesús, pero no tardaron en enterarse que había desembarcado al oeste de Capernaún. "Apenas se supo que había desembarcado, la gente, 'recorriendo toda la tierra de alrededor, comenzaron a traer de todas partes enfermos en lechos, a donde oían que estaba' " (Mar. 6:55).[22]

Mientras Jesús caminaba hacia la sinagoga de Capernaún, sanaba a los que le traían. Los que habían venido de Betsaida lo encontraron.

Los discípulos relataron su experiencia al cruzar el mar, recordando en detalle cómo se habían calmado las olas y cesado el viento. La gente comenzó a interrogar a Jesús, esperando más detalles. "Rabí, ¿cuándo llegaste acá?" (Juan 6:25). Sabiendo que lo buscaban por escuchar noticias sensacionales, les señaló el verdadero motivo por el cual lo buscaban. Con tristeza les dijo: "Os aseguro que me buscáis, no porque habéis visto las señales, sino porque comisteis el pan y os saciasteis" (Juan 6:26). "Al dejar en claro los motivos materiales de ellos, no sólo se refería a la satisfacción de sus apetitos físicos, sino también a sus ambiciosas expectativas de que él haría valer sus derechos como vencedor militar y gobernante político".[23] Lo que Jesús deseaba era que buscaran las cosas duraderas. "Trabajad, no por la comida que perece, sino por la comida que para vida eterna permanece, que el Hijo del Hombre os dará. Sobre él, el Padre Dios colocó su sello *de aprobación*" (Juan 6:27).

Toda su vida la gente había estado tratando de ganar el cielo mediante las buenas obras. Sabiendo que deseaban tareas adicionales para ganar méritos para el cielo, Jesús corrigió su creencia equivocada en cuanto al precio de la salvación. "Esta es la obra de Dios, que creáis en Aquel a quien él envió" (Juan 6:29).

"El precio del cielo es Jesús. El camino al cielo es por la fe en 'el Cordero de Dios, que quita el pecado del mundo' ".[24] ¡La salvación es sólo por fe!

El Pan de Vida

"Yo Soy el pan vivo que descendió del cielo". Juan 6:51

La multitud no podía comprender cómo Jesús podía decir que era el Mesías, y rehusar ser el rey de Israel. Al instante los rabinos vieron una oportunidad. "¿Qué señal haces tú, para que veamos, y te creamos?" le preguntó uno de ellos. "¿Qué obra haces? Nuestros padres comieron el maná en el desierto, como está escrito: 'Pan del cielo les dio a comer' " (Juan 6:30, 31). En forma equivocada, los judíos daban crédito a Moisés por el maná que les fue enviado. Jesús, el verdadero Dador del maná, estaba ahora ante ellos y no reconocieron ese hecho. "Jesús les dijo: 'Os aseguro: No fue Moisés quien os dio el pan del cielo, sino que es mi Padre quien os da el verdadero pan del cielo. Porque el pan de Dios es aquel que desciende del cielo y da vida al mundo" (Juan 6:32, 33).

Pensando que Jesús se refería al alimento temporal, la gente le pidió que les diera el pan de Dios para siempre. "A semejanza de la samaritana que había pedido agua que para siempre apagara su sed a fin de que no necesitara sacar agua otra vez, también los judíos ahora pedían una provisión continua de pan. Tal como lo entendían, Moisés había proporcionado a Israel pan celestial durante 40 años. Si Jesús era realmente el Mesías, con toda seguridad podría realizar un milagro todavía mayor y darles pan para siempre".[25] "Entonces Jesús declaró: 'Yo Soy el pan de vida. El que viene a mí nunca tendrá hambre, el que cree en mí no tendrá sed jamás' " (Juan 6:35). Jesús anunció tres veces que él era el pan de vida (vers. 41, 48, 51) y que los que lo recibieran obtendrían la vida eterna.

Los judíos conocen las profundas implicaciones espirituales de las referencias acerca del pan. Jeremías había dicho: "Cuando recibía tus palabras, yo las devoraba, y tu Palabra fue el gozo y la alegría de mi corazón" (Jer. 15:16). Toda palabra que pronunció el Salvador era vida para los que escuchaban el mensaje de salvación y creían. Día tras día Jesús realizaba milagros y señales ante las multitudes incrédulas. Sus mentes estaban tan prejuiciadas contra él que ninguna evidencia convencía sus corazones perversos.

Así como ingerimos alimento temporal para que nuestro cuerpo físico se alimente y fortalezca, debemos también tomar el pan de vida en nuestras vidas espirituales para poder crecer en gracia y en conocimiento de nuestro Señor y Salvador, Jesucristo.

Lenguaje Duro

Desde entonces, muchos de sus discípulos lo dejaron, y ya no andaban con él. Juan 6:66.

La tradición registra que Jesús dio su "Sermón del Pan de Vida" en la sinagoga de Capernaún. Los discípulos a que se dirigió eran más de los doce que por lo regular lo acompañaban. Como rehusó que la multitud lo coronara Rey, esos "otros" discípulos estaban cada vez más disgustados con Jesús y su ministerio. Venían con la esperanza de recibir ese alimento que les quitaría el hambre para siempre. En vez de anhelar el alimento espiritual, esperaban algo similar al milagro de los panes y los peces. La multitud no apreciaba ni comprendía el don. Jesús llamó a todos para que lo recibieran, y participaran de su carácter. Debían olvidarse de la idea de un reino terrenal y llegar a ser más como Jesús. Sus seguidores debían ser abnegados y humildes. Muchos de sus discípulos dijeron: "Este lenguaje es duro, ¿quién lo puede aceptar?" (Juan 6:60).

"La prueba era demasiado grande. El entusiasmo de aquellos que habían procurado tomarle por fuerza y hacerle rey se enfrió. Este discurso pronunciado en la sinagoga —declararon—, les había abierto los ojos. Ahora estaban desengañados. Para ellos, las palabras de él eran una confesión directa de que no era el Mesías, y de que no habían de obtener recompensas terrenales por estar en relación con él. Habían dado la bienvenida a su poder de obrar milagros; estaban ávidos de verse libres de la enfermedad y el sufrimiento; pero no podían simpatizar con su vida de sacrificio propio. No les interesaba el misterioso reino espiritual del cual les hablaba. Los que no eran sinceros, los egoístas, que le habían buscado, no le deseaban más. Si no quería consagrar su poder e influencia a obtener su libertad de los romanos, no querían tener nada que ver con él".[26] "Rechazaron a su Salvador porque deseaban un conquistador que les diese poder temporal. Deseaban el alimento que perece, y no el que dura para vida eterna".[27] "El alma de muchos es probada hoy como lo fue la de los discípulos en la sinagoga de Capernaún. Cuando la verdad penetra en el corazón, ven que su vida no está de acuerdo con la voluntad de Dios. Ven la necesidad de un cambio completo en sí; pero no están dispuestos a realizar esta obra de negarse a sí mismos. Por lo tanto, se aíran cuando sus pecados son descubiertos. Se van ofendidos, así como los discípulos abandonaron a Jesús..."[28]

¿Codiciamos nosotros el título sin la cruz? ¿Estamos dispuestos a cambiar nuestra conducta para imitar el ejemplo de abnegación que Cristo nos dejó, o encontramos duro el lenguaje?

Tú Eres el Cristo

Dijo entonces Jesús a los doce: "¿Queréis iros vosotros también?"
Juan 6:67.

Los que profesaban creer en Jesús ahora lo habían abandonado. La mayoría de la multitud rechazó su misión. Buscando a sus enemigos, esos discípulos desafectos se unieron a los sacerdotes y fariseos para tergiversar las palabras de Cristo y malinterpretar sus milagros y enseñanzas. La corriente del sentimiento popular se volvió contra su ministerio, y Jesús se halló más que nunca a la sombra de la cruz. Jesús había llegado a una encrucijada en Galilea, así como el año anterior en Judea. Queriendo satisfacer sus necesidades temporales, la gente había perdido la gloria eterna. Acercándose a sus discípulos, Jesús les preguntó: "¿Queréis iros vosotros también?" Pedro, que siempre era el primero en hablar, se apresuró a contestar: "Señor, ¿a quién iríamos? Tú tienes las Palabras de vida eterna. Y nosotros creemos y conocemos que tú eres el Santo de Dios" (Juan 6:68, 69).

Los discípulos deseaban permanecer con su Maestro. En este punto de su ministerio, Jesús probó a sus discípulos para estimular personalmente su fe. Él sabía que su muerte les causaría dolor y tristeza. Destrozaría sus expectativas de un reino temporal y probaría severamente su fe. La multitud había escuchado las lecciones y presenciado los milagros de Cristo, y sin embargo, cuando no les dio los premios temporales que deseaban, lo abandonaron sin creer más en él. Los doce aceptaron por fe las mismas palabras y obras. "Cuando los hombres se sometan enteramente a Dios, comiendo el pan de vida y bebiendo el agua de salvación, crecerán en Cristo. Su carácter estará formado de lo que la mente coma y beba. A través de la Palabra de vida que reciben y obedecen, llegan a ser partícipes de la naturaleza divina; por lo tanto, todo su servicio llega a ser divino, y Cristo, no el hombre, es exaltado".[29]

Jesús vio a los que se alejaron, pero no trató de detenerlos. "Al sentir que su compasión no era apreciada, su amor no era correspondido, su misericordia era despreciada, su salvación rechazada, se llenó su corazón de una tristeza inefable. Eran sucesos como éstos los que le hacían varón de dolores, experimentado en quebranto".[30] Rechazado en Judea y ahora en Galilea, perseguido por los escribas y fariseos, asechado por los espías que buscaban evidencia para matarlo, la vida de Jesús estaba en peligro. "Despreciado y desechado entre los hombres" (Isa. 53:3).

"¿Queréis iros vosotros también?" (Juan 6:67).

Tradiciones de los Ancianos

"¿Por qué tus discípulos no andan conforme a la tradición de los ancianos, sino que comen con manos impuras?" Marcos 7:5.

El ministerio galileo había entrado ahora a una fase menos visible, mientras Jesús atendía discretamente a sus seguidores en Capernaún. La popularidad de Jesús después de su tercer viaje a Galilea había alarmado a los dirigentes judíos. Sus enemigos esperaban ver a Jesús en la Pascua; pero conociendo sus trampas, él decidió no asistir. Como no fue a ellos, mandaron una delegación a buscarlo. "Los dirigentes de Jerusalén consideraban con desprecio a la gente ignorante y sencilla de Galilea, a la que generalmente hacían referencia como *'amme ha' ares,* literalmente, "gente de la tierra".[31]

La purificación ceremonial consistía "en derramar un poco de agua sobre los dedos y la palma primero de una mano y luego de la otra, teniendo la mano levantada de tal manera que el agua corriera desde la palma hasta la muñeca, pero no más allá... y después frotando alternadamente una mano con la palma de la otra. La mínima cantidad de agua prescrita era la que pudiera caber en una cáscara y media de huevo".[32] Los piadosos pensaban que el descuido de ese rito era un pecado terrible. En muchos casos, se daba más importancia a esos preceptos que a la ley de Dios. En la época de Cristo, si se presentaba un conflicto entre los mandamientos del Sinaí y los preceptos rabínicos, los líderes se inclinaban más por los últimos. "Cristo y sus discípulos no observaban estos lavamientos ceremoniales y los espías hicieron de esta negligencia la base de su acusación".[33]

Jesús no hizo ningún intento por defender a sus discípulos. En cambio, procedió a desenmascarar el espíritu que impulsaba a estos defensores de los ritos humanos. Les dio un ejemplo de la duplicidad de los preceptos rabínicos, refiriéndose al sistema de "Corbán". Con sólo decir la palabra "corbán", u "ofrenda" acerca de algo o alguien, la persona o cosa llegaba a ser dedicada a Dios. Uno estaba libre de usar el objeto hasta el tiempo en que deseara donarlo al templo. Sus padres podían vivir en pobreza mientras que él se beneficiaba del objeto, pero él no tenía que ayudarlos. De esa forma un hombre podía defraudar a sus padres, rehusando mantenerlos en el nombre de la religión, y todo con el apoyo completo de los sacerdotes. Es evidente que eso violaba la intención del quinto mandamiento: "Honra a tu padre y a tu madre" (Éxo. 20:12). Los sacerdotes lo habían invalidado por cumplir la tradición. Las palabras de Cristo condenaban todo el sistema.

¿Le estamos adorando en vano hoy? ¿Guardamos las tradiciones humanas o la ley de Dios?

Grandes Preceptos/Reglamentos Mezquinos

Les dijo también: "Bien desecháis el Mandamiento de Dios, para guardar vuestra tradición". Marcos 7:9.

Jesús dijo: "Oídme todos, y entended. Nada exterior al hombre puede entrar en él y contaminarlo. Más bien lo que sale del hombre es lo que lo contamina. El que tenga oídos para oír, oiga" (Mar. 7:14-16). Jesús decidió contestar en esa forma. La pregunta aludía a la forma como podríamos comer el alimento (por ejemplo, con las manos sucias), y a si la falta del acto ceremonial podría causar contaminación moral. Su respuesta no tenía nada que ver con la *clase* de alimento que una persona pudiera o no consumir. Jesús no estaba procurando eliminar la distinción entre las carnes limpias y las inmundas.

Cuando Jesús entró a una casa, sus discípulos le hicieron preguntas. Ellos no comprendían el significado de "las cosas que entran y las que salen del hombre". "Él les dijo: '¿Tampoco vosotros entendéis? ¿No entendéis que todo lo de fuera que entra en el hombre, no lo puede contaminar? Porque no entra en su corazón... Lo que sale del hombre *eso* lo contamina. Porque de dentro, del corazón de los hombres, salen los malos pensamientos, adulterios, fornicaciones, homicidios, hurtos, avaricias, maldades, engaño, vicios, envidias, chismes, soberbia, insensatez; todas estas maldades de adentro salen, y contaminan al hombre' " (Mar. 7:18-23). Cuán a menudo acariciamos esos pecados dentro del corazón, y son tan destructivos como si los practicáramos. "Manifiestas son las obras de la carne, que son: adulterio, fornicación, inmundicia, lascivia, idolatría, hechicerías, enemistades, pleitos, celos, explosiones de ira, contiendas, divisiones, sectarismos, envidias, homicidios, borracheras, orgías y cosas semejantes. Os advierto, como ya os previne, que los que practican tales cosas no heredarán el reino de Dios" (Gál. 5:19-21). Jesús deseaba que sus discípulos reemplazaran las tendencias contaminadoras del alma, con el fruto del Espíritu que es: "amor, gozo, paz, paciencia, benignidad, bondad, fidelidad, mansedumbre, dominio propio. Contra estas *virtudes,* no hay ley" (Gál. 5:22, 23).

Cuando se observan los preceptos con preferencia a los de Dios, sus discípulos deben estar alerta. El odio y la ira de los espías contaminaban más sus almas que el quebrantar la costumbre del lavamiento de las manos que tenían en tan alta estima. "Porque Dios traerá toda obra a juicio, incluyendo toda cosa oculta, buena o mala" (Eclesiastés 12:14).

EL MINISTERIO EN EL RETIRO

Cristo, nuestro Pastor

De la Primavera al Otoño del 30 d.C.

Mateo 15:21-17:27

Marcos 7:24-9:29

Lucas 9:18-9:43; 15:3-7

El Deseado de todas las gentes, pp. 360-410

Ausente de Jerusalén

De allí Jesús se retiró a la región de Tiro y Sidón. Mateo 15:21.

*E*l tercer viaje de Cristo a Galilea había causado gran consternación entre los dirigentes judíos. Al ver que la gente se aglomeraba alrededor del nuevo Maestro, los consumían los celos. El viaje misionero de los discípulos esparció el Evangelio en lugares donde hizo surgir conflictos con los rabinos locales, que enviaron amargas quejas a Jerusalén. Después de haber acallado a la última delegación, las amenazas y el enojo de los dirigentes judíos hizo evidente que la vida de Jesús peligraba. Durante sus dos años y medio de ministerio, Jesús había sido casi uniformemente "despreciado y desechado entre los hombres" (Isa. 53:3). Ahora dirigió su obra a lugares fuera de Galilea y Judea. Aunque la confrontación con los delegados enviados de Jerusalén aceleró su salida de Galilea, al mismo tiempo Jesús aprovechó la oportunidad de extender la visión del discípulo hacia otros que no eran judíos. Era evidente que los "elegidos" habían rechazado la oferta de salvación. Sin embargo, los discípulos se aferraban a la creencia de que sólo Israel recibiría la bendición de Dios.

"Después de su encuentro con los fariseos, Jesús se retiró de Capernaúm, y cruzando Galilea, se fue a la región montañosa de los confines de Fenicia. Mirando hacia el occidente, podía ver dispersas por la llanura que se extendía abajo las antiguas ciudades de Tiro y Sidón, con sus templos paganos, sus magníficos palacios y emporios de comercio, y los puertos llenos de embarcaciones cargadas. Más allá, se encontraba la expansión azul del Mediterráneo, por el cual los mensajeros del Evangelio iban a llevar las buenas nuevas hasta los centros del gran imperio mundial. Pero el tiempo no había llegado todavía. La obra que le esperaba ahora consistía en preparar a sus discípulos para su misión".[34] Jesús buscaba retraimiento para tener oportunidad de enseñar a sus discípulos sin interrupción de los rabinos y sus espías. "De allí *Jesús* se fue a la región de Tiro y Sidón. Entró en una casa, y quiso que nadie lo supiera, pero no pudo esconderse" (Mar. 7:24).

Sus discípulos todavía no comprendían bien su misión. El Salvador seguía ahora su propia advertencia: "Si alguno no os recibe, ni oye vuestras palabras, salid de esa casa o de esa ciudad, y sacudid el polvo de vuestros pies" (Mat. 10:14). Las multitudes de Galilea nunca volverían a ser tan grandes. La urgencia política de colocarlo en el trono se desvanecería. La gente tendría ahora la oportunidad de escuchar el Evangelio sin el ruido del tumulto popular.

El Evangelio es para todos y no para unos pocos escogidos.

Migajas de Pan

Entonces ella vino, se postró ante él, y le dijo: "¡Señor, ayúdame!"
Mateo 15:25.

*L*os cananeos eran descendientes de las antiguas naciones que Dios había ordenado a los israelitas destruir cuando entraran a la tierra prometida (Deut. 20:17). Si alguno había sobrevivido era únicamente por la obediencia imperfecta de Israel. Eran hábiles mercaderes que moraban en la costa, entre las colinas de Galilea y el Mediterráneo. Las noticias del ministerio de Cristo habían llegado hasta ellos. Una mujer cananea había escuchado de los milagros. "Inspirada por su amor maternal, resolvió presentarle el caso de su hija".[35] ¿Escucharía Jesús su petición? Conociendo Cristo la situación de esta mujer, se colocó en su camino. Clamando al Maestro, le dijo: "Señor, Hijo de David, ten misericordia de mí; mi hija es malamente atormentada del demonio". Jesús la ignoró. A los discípulos les pareció una conducta apropiada. La mayoría de los judíos trataban a los gentiles de esa manera fría. Jesús había ayudado antes a otras personas que no eran judías y en cada ocasión uno podría decir que las circunstancias lo habían comprometido a hacerlo; los samaritanos, el centurión de Capernaún, los endemoniados de Gádara. Los discípulos no veían inconsecuencia en la conducta de Jesús ni en los prejuicios que los judíos tenían contra los gentiles. Molestos, pidieron a Jesús que despidiera a la mujer.

"Jesús respondió: 'Soy enviado sólo a las ovejas perdidas de la casa de Israel... No está bien tomar el pan de los hijos, y echarlo a los perrillos'". Los discípulos no captaron su propia censura. "Esta respuesta habría desanimado completamente a una suplicante menos ferviente. Pero la mujer vio que había llegado su oportunidad. Bajo la aparente negativa de Jesús, vio una compasión que él no podía ocultar".[36] Postrándose a sus pies le suplicó: "Sí, Señor. Pero aun los perrillos comen las migajas que caen de la mesa de sus amos". Ningún prejuicio nacional le impediría seguir insistiendo. "El Salvador está satisfecho. Ha probado su fe en él... Cristo le concede ahora lo que le pedía, y concluye la lección para los discípulos".[37] En ese mismo momento su hija quedó sanada.

"El espíritu que levantó el muro de separación entre judíos y gentiles sigue obrando. El orgullo y el prejuicio han levantado fuertes murallas de separación entre diferentes clases de hombres... No hay barreras que el hombre o Satanás puedan erigir y que la fe no pueda traspasar... Las bendiciones de la salvación son para cada alma".[38]

Efata, "Ábrete"

*Allí le trajeron a un sordo y tartamudo, y le rogaron que pusiera su
mano encima. Marcos 7:32.*

Siguiendo por el norte hacia la ciudad de Sidón, Jesús pasó momentos valiosos con sus discípulos. En esa región vivían muchos que habían viajado a Galilea para escuchar su mensaje (Mar. 3:7, 8). Allí no tenía la presión de los fariseos, por eso el tiempo que pasó con los discípulos fue sin interrupciones o dificultades. Volviendo al sur, hacia el mar de Galilea, Jesús y sus discípulos pasaron los límites de su ministerio en Galilea, llegando así a la región de las diez ciudades (Decápolis). Nueve de las diez ciudades están al este del Río Jordán y al sur del mar de Galilea. La única ciudad que no estaba en la región transjordana era Sitópolis (Bet-seán en los tiempos del Antiguo Testamento). La gente de la región estaba lista para escuchar a Jesús. Inmediatamente después de la destrucción de los puercos le rogaron que se fuera. Pero ahora habían escuchado a los mensajeros que él había dejado atrás, y anhelaban verlo de nuevo (Mar. 5:20).

Multitudes rodeaban a Jesús y unos amigos le trajeron a un sordo y tartamudo para que lo sanara. *"Jesús lo llevó aparte de la gente, y puso sus dedos en las orejas del hombre. Con saliva tocó su lengua, y mirando al cielo, suspiró, y le dijo 'Efata', que significa: 'Ábrete'. Al instante se abrieron sus oídos, y se desató la ligadura de su lengua, y empezó a hablar claramente. Les mandó que no lo dijesen a nadie. Pero cuanto más les mandaba, tanto más lo divulgaban"* (Mar. 7:33-35). Este milagro era distinto de los demás. Ese hombre no había buscado al Maestro, sino sus amigos lo habían traído. La fe de ellos los hizo buscar al Mesías. El hombre no podía hablar bien; era tartamudo (vers. 35). Tal vez su incapacidad de hablar claro se debía a su sordera, que le impedía escuchar su propia voz. Jesús lo apartó de la muchedumbre, puso sus dedos en sus oídos y tocó su lengua. Al hacerlo le demostró que estaba interesado en su aflicción. Esta fue la única ocasión cuando Jesús miró al cielo durante un milagro. "Seguramente, en esta oportunidad el propósito de este acto fue que el sordomudo dirigiera sus pensamientos a Dios y al cielo, a fin de que le fuera claro que la curación sólo provendría del poder divino".[39]

*Cuán típico de nuestro Salvador, el actuar conforme a las
necesidades individuales de quienes lo buscaban. Traigamos hoy
nuestra necesidad especial al gran Médico divino.*

Un Milagro Para los Gentiles

*Y tomando los siete panes y los pescados, dio gracias, los partió y los
fue dando a los discípulos, y éstos a la gente. Mateo 15:36.*

Los gentiles se apretujaban alrededor del gran Sanador, y él subió con
ellos una montaña que estaba sobre la playa. Era el verano del año 30 d.C., tal
vez finales de junio o principios de julio. "Durante tres días este gentío continuó
rodeando al Salvador, durmiendo de noche al aire libre y de día agolpándose
ávidamente para oír las palabras de Cristo y ver sus obras".[40] Según la manera
antigua de calcular, tres días constituían un día completo, incluyendo cualquier
parte de los que precedían o seguían. Aparentemente la gente había traído
provisiones para los primeros dos días, pero ya no tenían alimentos para el
tercero. Jesús llamó a sus discípulos para suplir la falta de alimentos. Otra vez
los discípulos manifestaron su incredulidad. "Entonces sus discípulos le dicen:
'¿Dónde conseguiremos suficiente pan en este despoblado para tanta gente?' "
Jesús ya había alimentado a cinco mil con cinco panes y dos pescados pequeños,
la merienda de un niño. En esta ocasión los discípulos encontraron siete panes
y unos pocos pececitos; por supuesto, era insuficiente para alimentar una
multitud de 4.000 hombres.

Los discípulos habían presenciado el milagro de la alimentación de los
5.000, pero había beneficiado a los judíos y no a los gentiles. En repetidas
ocasiones, Jesús había mostrado a sus discípulos que la fe de los gentiles a
menudo era mayor que los de la "casa de Israel"; sin embargo, estaba tan
arraigado el prejuicio, que los ancianos de la sinagoga, los escribas y los fariseos
enseñaban, que costó trabajo a los discípulos vencer su orgullo nacionalista.
Estaban convencidos que Dios había confiado el "pan" de salvación (Juan 6:32,
33) sólo a los judíos. Por eso no les cabía en la cabeza que un milagro realizado
tres meses antes, para 5.000 judíos, pudiera realizarse ahora para los gentiles.
Sin embargo, Jesús, que se preocupaba por el bienestar de la gente y no quería
enviarlos hambrientos, decidió suplir su necesidad física. Mandó que se sentaran
en el suelo, tomó los panes y los peces, dio gracias a su Padre celestial, lo partió
en pedazos y lo pasó a sus discípulos para que los distribuyeran.

*La secuencia es importante. Todas las cosas vienen del Padre. Jesús
multiplica todo lo que le rendimos y se encarga de suplir plenamente
nuestras necesidades. Cristo llama a sus discípulos, hoy como
entonces, a participar activamente en la evangelización de otros. El
pan de vida pasa de sus manos a las nuestras, y de ellas a los demás.*

¿Kófinoi o Spurídes?

*Y comieron todos, y se saciaron. Y juntaron siete cestas llenas de
pedazos sobrantes. Mateo 15:37.*

Muchos piensan que la alimentación de los 4.000 y la de los 5.000
fue el mismo suceso. Cristo realizó ambos milagros lejos de las ciudades, para
beneficio de grandes multitudes reunidas junto al mar de Galilea. En ambos
casos se menciona específicamente la simpatía de Jesús por la gente, y cómo
empleó a sus discípulos. En ambas ocasiones el alimento consistía en pan y
peces. La bendición del pan, y el proceso de partirlo y distribuirlo, son idénticos.
En ambos incidentes se menciona que sobró alimento.

¿Podemos confiar en la Biblia y creer que fueron milagros separados? Los
relatos varían en algunos detalles. En una ocasión Jesús llegó en bote; en la otra,
él y sus discípulos llegaron caminando a la región. Jesús alimentó a los 5.000
judíos cerca de Betsaida Julia (orilla noreste) durante la Pascua, y más tarde en el
año, a los 4.000 gentiles cerca de Gadara, a la orilla sureste. Los 5.000 comieron
después de un día, los 4.000 después de tres días de enseñanza. Antes del primer
milagro, Jesús buscaba estar a solas con sus discípulos. Durante el segundo recorrió
la región sanando. Los 5.000 no trajeron provisiones, pero los 4.000 habían
traído suficientes provisiones para dos días. Preocupados por el bienestar de los
judíos, los discípulos presentaron el problema a Jesús. Jesús señaló la misma
dificultad entre los gentiles, diciendo a los discípulos que también hicieran algo
por ellos. Jesús instruyó a los 5.000 que se sentaran sobre el pasto. Durante la
Pascua, la hierba debe haber estado verde. Los 4.000 recibieron instrucciones de
sentarse en el suelo. En el verano la hierba debe haber estado seca.

Los cestos que se usaron para juntar las sobras de los 5.000 eran doce
kófinoi (cestos pequeños) que llevaban los judíos en viajes cortos. Los cestos
usados para los 4.000 fueron siete *spurídes* (canastas grandes) (Mat. 16:9, 10).
Los judíos llevaban canastas grandes cuando viajaban por las regiones de los
gentiles, para no tener que comprar alimentos de ellos. En el primer relato,
Jesús envió a los discípulos a Capernaún, y en el camino se levantó una tormenta.
En el segundo, él los acompañó a Magdala.

*"Para los discípulos, lo maravilloso e inesperado no era que Jesús
pudiese proveer de pan a la multitud, sino que estuviera dispuesto a
hacerlo en favor de los gentiles".*[41] *Según nuestras normas, muchos
"pecadores" serán salvados en su reino, mientras que muchos "santos"
que tuvieron mayor luz, se perderán porque la descuidaron.*

Reanudan el Ataque

Entonces algunos fariseos y saduceos vinieron a tentarlo, y le pidieron
que les mostrase alguna señal del cielo. Mateo 16:1.

Jesús y sus discípulos zarparon de la Decápolis y cruzaron el mar de Galilea. Desembarcaron cerca de Magdala, en el extremo sur de la llanura de Genesaret. Allí había predicado el sermón del monte y el de junto al mar. Allí había ordenado a los doce. "Ahora al desembarcar otra vez en Galilea, donde su poder se había manifestado de la manera más sorprendente, donde había efectuado la mayor parte de sus obras de misericordia y había difundido su enseñanza, fue recibido con incredulidad despectiva".[42] El valle de Genesaret una vez más atestiguaría la confrontación de Jesús y los enemigos que esperaban su retorno a Galilea.

Como mencionamos antes, los fariseos parecen haber sido los sucesores de los "Hasidim" o "los piadosos", que habían peleado contra los sirios por la independencia judía. Ahora resistían pasivamente la autoridad de los invasores romanos. Por otro lado, los saduceos eran liberales. "Como se encontraban 'en el mundo', también estaban listos y dispuestos a ser 'del' mundo".[43] Este partido práctico colaboraba con los romanos y los herodianos para favorecer a la nación mientras estaban bajo su gobierno. Tenían cargos públicos y formaban la aristocracia de la nación. Los fariseos eran de la clase media, piadosos, estrictamente ortodoxos, y se consideraban a sí mismos líderes religiosos del pueblo común, mientras que los saduceos eran de la clase alta, prácticos, políticos que ocupaban puestos en el gobierno. Las dos sectas eran enemigas. Juan el Bautista los había llamado "generación de víboras" (Mat. 3:7).

Jesús y los fariseos ya habían entrado en controversia, cuando éstos trataron de provocar contiendas entre los discípulos de Juan y los de Jesús (Mat. 9:11, 14). Habían acusado a Jesús de echar fuera demonios con el poder de Satanás (Mat. 9:34; 12:24), y se habían opuesto amargamente a las enseñanzas de Cristo acerca de la invalidez de la tradición (Mat. 15:1, 2, 12). Jesús denunció sus exhibiciones de piedad, porque su legalismo escondía innumerables pecados. Por esta razón, Jesús los llamó hipócritas (Mat. 23). Los fariseos seguían los pasos del ministerio de Jesús, listos para acusarlo y desafiarlo. Y los saduceos se unían a ellos.

"¡Cuán a menudo nuestro servicio por Cristo y nuestra comunión entre unos y otros quedan manchados por el secreto deseo de ensalzar al yo! ... Es el amor al yo, el deseo de un camino más fácil que el señalado por Dios, lo que induce a substituir los preceptos divinos por las teorías y tradiciones humanas".[44]

Señales de los Tiempos

"Entendéis el aspecto del cielo, y no entendéis las señales de los tiempos". Mateo 16:3.

𝓔n el momento que Jesús asentó pie en Galilea, sus enemigos lo enfrentaron. Los saduceos y los fariseos estaban unidos en una confederación poco común. Juntos vinieron a pedirle una señal del cielo para probar la divinidad de Cristo. Bastaba con una señal fuera del control humano: truenos o relámpagos, fuego del cielo, la detención del sol, caída de maná del cielo. En su ignorancia habían rechazado las señales que había dado a su nación. "El canto de los ángeles a los pastores, la estrella que guió a los magos, la paloma y la voz del cielo en ocasión de su bautismo, eran testimonios en su favor".[45] Jesús suspiró, entristecido. Los dirigentes religiosos habían cerrado sus ojos a la luz que habían visto brillar sobre ellos desde el momento en que comenzara el ministerio de Jesús. "Mi pueblo fue destruido porque le faltó sabiduría. Por cuanto desechaste la sabiduría, yo te echaré del sacerdocio. Porque olvidaste la Ley de tu Dios, también yo me olvidaré de tus hijos" (Ose. 4:6). Ellos habían sustituido la tradición humana por la ley de Dios.

Muchos dirigentes judíos consideraban el sufrimiento humano como resultado directo del pecado individual, y llamaban a las víctimas, "malditos de Dios". "Lo que indujo a los judíos a rechazar la obra del Salvador era la más alta evidencia de su carácter divino. El mayor significado de sus milagros se ve en el hecho de que eran para bendición de la humanidad. La más alta evidencia de que él provenía de Dios estriba en que su vida revelaba el carácter de Dios".[46] Los elegidos de Israel no querían escucharle y condenaban las enseñanzas de Cristo.

Jesús rehusó el debate, pero les llamó la atención al clima. El viento oriental que soplaba del desierto arábico, traía calor y clima seco. Si soplaba del oeste, es decir del Mediterráneo, habría lluvia. Sus enemigos podían predecir el tiempo en forma exacta porque veían estas señales. Sin embargo no ponían atención a las señales de los tiempos.

Hoy muchas personas buscan una señal, algún milagro que pruebe el poder de Dios. "El cambio verificado en los corazones humanos, la transformación del carácter humano, es un milagro que revela a un Salvador que vive eternamente y obra para rescatar a las almas. Una vida consecuente en Cristo es un gran milagro".[47]

La Levadura de los Fariseos

Y Jesús les dijo: "Tened cuidado, guardaos de la levadura de los
fariseos y de los saduceos"... Entonces entendieron que no les había
dicho que se guardasen de la levadura del pan, sino de la doctrina de
los fariseos y de los saduceos. Mateo 16:6, 12.

Jesús se alejó de los que continuaban rechazándolo. Volvió al barco
con sus discípulos y cruzaron de nuevo el lago desembarcando cerca de Betsaida,
y del sitio donde había alimentado a los 5.000, el cual era territorio de gentiles.
Por el apuro de salir de Magdala, los discípulos no pudieron traer suficiente
comida. Y no estaban dispuestos a comprar alimentos de los gentiles. Entonces
Jesús les dijo: "Tened cuidado, guardaos de la levadura de los fariseos y saduceos".
Sin haber entendido el comentario, los discípulos creyeron que Jesús estaba
preocupado porque no habían traído suficiente pan para su viaje en el territorio
de los gentiles. "Con frecuencia su falta de fe y de percepción espiritual les
había hecho comprender así erróneamente sus palabras. En esa ocasión, Jesús
los reprendió por pensar que el que había alimentado a miles de personas con
algunos peces y panes de cebada, pudiese referirse en esta solemne amonestación
simplemente al alimento temporal. Había peligro de que el astuto raciocinio
de los fariseos y saduceos sumiese a sus discípulos en la incredulidad y les
hiciese considerar livianamente las obras de Cristo".[48]

Desde el tiempo del Éxodo, los judíos habían sacado la levadura de sus
hogares durante la celebración de la Pascua. Consideraban la levadura como un
tipo o símbolo del pecado. Cualquier buen judío debiera haber comprendido al
instante lo que el Maestro quería decir. Jesús se refería a la doctrina. Así como la
levadura transformaba la masa del pan, de igual forma las enseñanzas falsas de un
fariseo o saduceo afectarían a cualquiera de sus seguidores. La máscara de falsa
piedad todavía engañaba a los discípulos de Cristo y los hacía creer que eran
personas santas y espiritualmente sabias. Sin embargo, su renuencia en aceptar la
verdad clara debería haber abierto los ojos de los discípulos para ver la hipocresía
de los dirigentes religiosos nacionales. Los discípulos eran vulnerables, porque
todavía buscaban grandes cosas. Anhelaban sobresalir entre la gente. Lo que
motivaba a los fariseos y saduceos era la glorificación propia. Hoy todavía se
practica la misma hipocresía de hace 2.000 años.

"Es el amor al yo, el deseo de un camino más fácil que el señalado por
Dios, lo que induce a substituir los preceptos divinos por las teorías y
tradiciones humanas... Únicamente el poder de Dios puede desterrar el
egoísmo y la hipocresía. Este cambio es la señal de su obra".[49]

La Masacre de Pilato

En ese mismo tiempo algunos le contaron de los galileos, cuya sangre Pilato había mezclado con sus sacrificios. Lucas 13:1.

Herodes el Grande "murió en el 34.º año de su reinado, a la edad de 69 años, (en el 4/3 a.C.; muy probablemente en la primavera del 4 a.C.)".[50] En su testamento su último deseo fue que sus hijos heredaran el reino. Augusto cumplió los deseos de Herodes. A Herodes Arquelao le tocaron las regiones de Judea, Samaria e Idumea, y fue tirano y cruel. "La elección que hizo Arquelao de los sumos sacerdotes, su vida privada y su crueldad fastidiaron a los judíos, que se asociaron a los samaritanos para enviar diputados a Roma, los que finalmente persuadieron a Augusto para que lo depusiera... y su territorio quedó bajo la administración de un procurador romano que sirvió como representante directo del emperador".[51] Caponio, el primer gobernador romano, asumió su cargo en el año 6 d.C. Tiberio continuó el régimen de Augusto, nombrando a Poncio Pilato como el quinto gobernador de Palestina en los años 26-35 d.C.

Las torpes acciones de Pilato airaron a los judíos y casi de inmediato se pusieron en contra suya. Una vez hizo que sus soldados marcharan a Jerusalén llevando estandartes con imágenes del emperador. Los judíos consideraban esta práctica un sacrilegio. En otra ocasión, colocó en el antiguo palacio de Herodes escudos dorados con el nombre del emperador grabado sobre ellos. Pilato fue forzado a quitar los objetos ofensivos después que la nobleza de Judea elevó una petición a Tiberio. Pilato también utilizó dinero de la tesorería del templo para pagar un acueducto que se estaba construyendo con el fin de traer agua a Jerusalén. Cuando los judíos se opusieron a su malversación del dinero sagrado, reaccionó en forma despiadada y cruel.

"Algunas de las medidas de Poncio Pilato, el gobernador de Judea, habían ofendido al pueblo. Había habido un tumulto popular en Jerusalén, y Pilato había tratado de reprimirlo por la violencia. En cierta ocasión sus soldados habían hasta invadido los recintos del templo, y quitado la vida a algunos peregrinos galileos en el mismo acto de degollar sus sacrificios".[52] Es posible que la ejecución de los galileos inocentes, súbditos de Herodes Antipas, haya sido la razón principal del odio que dicho gobernante le tenía a Poncio Pilato. La intriga entre los dos gobernadores aparece en la disputa jurídica que tuvieron sobre Jesús durante su juicio. El escenario de la crucifixión de Cristo se estaba preparando aun antes de su arresto.

"Alabado sea el Nombre de Dios por los siglos de los siglos; porque de él son el poder y la sabiduría. Él cambia los tiempos y las épocas, quita reyes y pone reyes, da sabiduría a los sabios e inteligencia a los entendidos". (Daniel 2:20, 21).

"Hombres como Árboles que Andan"

Entonces, tomó la mano del ciego, y lo sacó fuera de la aldea. Puso saliva en sus ojos, colocó las manos encima, y le preguntó si veía algo. Él, mirando dijo: "Veo hombres que parecen árboles que andan". Puso otra vez las manos sobre sus ojos, y le dijo que mirase. Y fue restablecido, y vio de lejos y claramente a todos.
Marcos 8:23-25.

Jesús y sus discípulos habían llegado cerca de Betsaida. Tal vez la necesidad de comprar alimentos los hizo al pueblo mismo. Allí los amigos de un ciego lo trajeron a Jesús. El incidente es casi idéntico al del otro ciego que recientemente había sanado en Decápolis. Jesús llevó al hombre a las afueras de la ciudad donde pudiera enfocar su atención en lo que Cristo estaba por hacer por él. También la gente de la ciudad podría haber malinterpretado el sanamiento y atribuirlo a la magia. Por eso Cristo alejó a este ciego de las influencias que podían distraerlo.

Este es el único sanamiento donde se registra que Jesús haya pedido a alguien que describiera su condición antes del milagro. Quizás Jesús lo hizo para fortalecer la fe del hombre. Los antiguos médicos y curanderos pensaban que la saliva tenía propiedades curativas. Jesús escupió los ojos del hombre y los tocó, sanándolo parcialmente. Este es el único sanamiento que ocurrió en dos etapas.

Jesús colocó sus manos directamente sobre los ojos. Cuando las quitó, el hombre pudo ver claramente. Entonces Jesús le mandó que no contara a nadie el incidente y que volviera a su hogar y no a Betsaida. El conocimiento del milagro les quitaría la privacidad que Jesús y sus discípulos necesitaban. Una vez más Jesús había cumplido una profecía mesiánica.

"En él estaba la vida, y esa vida era la luz de los hombres. La luz resplandece en las tinieblas, y las tinieblas no la vencieron" (Juan 1:4, 5). Sin Jesús sólo vemos en forma nebulosa. Oremos por que abra nuestros ojos, para ver su amor hacia nosotros.

En Cesarea de Filipo

Cuando Jesús llegó a la región de Cesarea de Filipo, preguntó a sus discípulos: "¿Quién dicen los hombres que es el Hijo del Hombre"?
Mateo 16:13.

"La obra de Cristo en la tierra se acercaba rápidamente a su fin. Delante de él, en vívido relieve, se hallaban las escenas hacia las cuales sus pies le llevaban. Aun antes de asumir la humanidad, vio toda la senda que debía recorrer a fin de salvar lo que se había perdido... La senda del pesebre hasta el Calvario estuvo toda delante de sus ojos".[53] Pero las escenas que le esperaban estaban todavía ocultas para sus discípulos. No obstante, pronto serían testigos de su traición y muerte en la cruz. Jesús ahora caminó con sus discípulos unos 40 kilómetros hacia el norte de Galilea, a una pequeña aldea cerca de la ciudad de Cesarea de Filipo. Ubicada en la ladera sur del monte Hermón, se hallaba cerca de uno de los principales manantiales del río Jordán. Aquí, Felipe el tetrarca había construido la ciudad más grande de la provincia de Iturea y la llamó "Cesarea" en honor a Tiberio César. Como Palestina tenía dos ciudades llamadas Cesarea, la gente comúnmente se refería a ésta como Cesarea de Filipo, para diferenciarla de la Cesarea de la costa mediterránea. Allí estaban los discípulos apartados de la influencia de los dirigentes judíos. A partir de allí hasta la Fiesta de los Tabernáculos, en el otoño, Jesús se dedicaría más plenamente a sus discípulos.

Apartándose de ellos, Jesús buscó solaz en la oración. "Iba a hablarles de los sufrimientos que le aguardaban. Pero primero se apartó solo y rogó a Dios que sus corazones fuesen preparados para recibir sus palabras".[54] Resultaría difícil para los discípulos aceptar la muerte de su amado Maestro. Todavía soñaban con puestos importantes en el restaurado trono del rey David. "La influencia de su primera educación, la enseñanza de los rabinos, el poder de la tradición, seguían interceptando su visión de la verdad. De vez en cuando resplandecían sobre ellos los preciosos rayos de luz de Jesús; mas con frecuencia eran como hombres que andaban a tientas en medio de las sombras".[55]

Muchos exponen hoy las enseñanzas de los ministros populares como la verdad, pero se esfuerzan poco en probar o refutar sus posiciones. La tradición se aferra firmemente de los que están enceguecidos por una doctrina egoísta. Necesitan rayos de luz que señalen la verdad. "Tu justicia es justicia eterna, y tu Ley es la verdad" (Salmo 119:142).

Cuatro Opiniones

El preguntó: "Y vosotros, ¿quién decís que soy?" Mateo 16:15.

Antes de hablar con los discípulos, Jesús probó su fe. "¿Quién dicen los hombres que es el Hijo del Hombre?" —les preguntó. A menos que aceptaran a Jesús como el Mesías, su sacrificio les resultaría inútil. "El que quiere hallar la salvación en la cruz del Calvario, debe primeramente reconocer que Aquel que pendió en la cruz no fue otro sino el Hijo de Dios, el Salvador del mundo, el Mesías".[56] Creer lo contrario niega el poder expiatorio de su sacrificio. La mayoría de los judíos pensaban que Jesús era un buen hombre, tal vez un rabí con dones poderosos, pero no el tan esperado Mesías. Pocos estuvieron dispuestos a aceptar su reino de gracia espiritual. Los discípulos contestaron a Cristo con cuatro de las opiniones más amplias: "Ellos respondieron: 'Unos, Juan el Bautista; otros, Elías; y otros Jeremías, o alguno de los profetas' ".

(1) Juan el Bautista era un profeta de grandes dimensiones. Había tocado la conciencia de la nación. Herodes Antipas estaba convencido, junto con otros, que Jesús era la reencarnación de Juan (Mar. 6:14). ¡Era un tributo al corto ministerio de Juan! Jesús realmente enseñaba con el poder de Juan. (2) Elías fue el profeta de oraciones y milagros. Sus oraciones hicieron llover fuego del cielo, levantaron a los muertos, causaron sequía y trajeron la lluvia. Muchos pensaban que Elías volvería a la tierra para anunciar al Mesías (Mal. 4:5, 6). Ciertamente los milagros de Jesús eran tan asombrosos como los que Elías realizó. (3) Jeremías era el profeta compasivo; derramaba lágrimas por los hijos de Israel en la cautividad babilónica. Sí, Jesús mostraba la compasión de Jeremías hacia los que estaban cautivos del pecado. (4) Muchos israelitas pensaban que Jesús era el profeta que precedía al Mesías. "Un profeta de en medio de los tuyos, de tus hermanos, como yo, te levantará el Señor tu Dios. A él oirás" (Deut. 18:15). "La idea de que Jesús era meramente un hombre bueno, un gran hombre, quizá el mejor que alguna vez vivió, pero nada más que eso, es tan absurda como increíble. El mismo dijo que era el Hijo de Dios y esperaba que sus seguidores aceptaran también esta posición. O fue lo que afirmó ser, o fue autor u objeto del mayor engaño, del mayor fraude de toda la historia".[57]

Cuatro opiniones excelentes, ¡pero totalmente equivocadas! Jesús poseía la enseñanza de Juan, los milagros de Elías, la compasión de Jeremías, la grandeza de Moisés, pero además, era el Hijo de Dios.

La pregunta es importante aún hoy: "Y vosotros, ¿quién decís que soy?"

Las Llaves del Reino

Entonces, Jesús le dijo... "Tú eres Pedro, y sobre esta Roca edificaré mi iglesia, y las puertas de la muerte no prevalecerán contra ella". Mateo 16:17, 18.

Pedro, que siempre se adelantaba a hablar, contestó la pregunta de Jesús relacionada con su identidad. "Tú eres el Cristo, el Hijo del Dios viviente". "La verdad que Pedro había confesado es el fundamento de la fe del creyente".[58] "Entonces, Jesús le dijo: '¡Dichoso eres, Simón hijo de Jonás; porque no te lo reveló carne ni sangre, sino mi Padre que está en los cielos!'". Mat. 16:18 ha sido rodeado de innecesaria controversia. Muchos creen que Pedro es "esta roca" sobre la cual Jesús esperaba comenzar su iglesia. Otros afirman que la fe de Pedro en Cristo fue la roca sobre la cual la iglesia cristiana sería fundada, mientras que aun otros sugieren que Cristo mismo es la "Roca". Afortunadamente la Escritura no nos deja duda en cuanto al significado de Cristo.

El nombre Pedro significa "piedra rodante" del griego "pétros". Sin embargo, el discípulo —el canto rodado— no era la Roca sobre la cual Cristo establecería su iglesia. Existe sólo Uno contra el cual las puertas del infierno no prevalecen. Pedro se refirió a Jesús como "Piedra viva, reprobada por los hombres, pero elegida y preciosa para Dios... Piedra del ángulo, elegida, preciosa... La piedra que los edificadores desecharon, vino a ser la Piedra angular" (1 Ped. 2:4-8). Mateo registró el propio testimonio de Cristo (Mat. 21:42). Aquí él usa el mismo término para referirse a sí mismo. "Si Cristo hubiera establecido a Pedro como principal entre los discípulos, éstos no habrían disputado repetidas veces el primer puesto (Luc. 22:24)".[59] Sólo Jesús es la Roca (*pétra*) de nuestra salvación. "Porque nadie puede poner otro fundamento fuera del que está puesto, que es Jesucristo" (1 Cor. 3:11). "En ningún otro hay salvación, porque no hay otro Nombre bajo el cielo, dado a los hombres, en que podamos ser salvos" (Hech. 4:12). Con frecuencia, la Biblia se refiere a Dios como "la Roca". "El es la Roca, su obra es perfecta, todos sus caminos son rectos" (Deut. 32:4). "Oh Señor, roca mía, en quien me refugio; Dios mío, fortaleza mía, en quien me refugio" (Sal. 18:2). Él es "como sombra de gran peñasco en tierra calurosa" (Isa. 32:2). Jesús habló del que edifica sobre su Palabra como quien "edificó su casa sobre la roca" (Mat. 7:24).

"Cristo fundó su iglesia sobre la Roca viva. Esa Roca es él mismo —su propio cuerpo quebrantado y herido por nosotros. Contra la iglesia edificada sobre ese fundamento, no prevalecerán las puertas del infierno".[60]

Habla el Yo

Desde aquel tiempo comenzó Jesús a declarar a sus discípulos que le era necesario ir a Jerusalén, padecer mucho de los ancianos, de los principales sacerdotes y los escribas; ser muerto, y resucitar al tercer día. Mateo 16:21.

Hasta entonces Jesús había evitado dar a conocer a sus discípulos su muerte. Sólo a Nicodemo había mencionado el simbolismo de la cruz (Juan 3:14, 15). Pero los discípulos no habían estado presentes durante ese encuentro nocturno. Después de su profesión de fe en Cristo como el Mesías, el camino estaba ahora despejado para que Jesús les diera a conocer lo que le esperaba. "Los discípulos escuchaban mudos de tristeza y asombro".[61]

Con palabras claras Jesús anunció su muerte y su resurrección que se acercaban. La incredulidad opacó sus mentes y sólo escucharon lo que deseaban oír. Su cultura había escondido el mensaje de las profecías. "El pueblo, en sus tinieblas y opresión, y los gobernantes sedientos de poder anhelaban la venida de Aquel que vencería a sus enemigos y devolvería el reino a Israel. Habían estudiado las profecías, pero sin percepción espiritual. Así habían pasado por alto aquellos pasajes que señalaban la humillación de Cristo en su primer advenimiento y aplicaban mal los que hablaban de la gloria de su segunda venida. El orgullo oscurecía su visión. Interpretaban las profecías de acuerdo con sus deseos egoístas".[62]

Pedro lo llevó aparte y trató de reprenderlo diciéndole: "¡Señor, lejos de ti! ¡De ningún modo te suceda eso!" Pero su Maestro lo detuvo antes que continuara hablando. Y pronunciando una de las más severas represiones que registra la Escritura le dijo: "Quítate de delante de mí, Satanás. Me eres tropiezo, porque no piensas como piensa Dios sino como piensan los hombres". Pedro, que había expresado tanta fe en Cristo al declarar que era el Hijo del Dios viviente, ahora trataba de evitar que cumpliera la misión por la cual había venido a esta tierra. Satanás lo había persuadido. Jesús reconoció las tácticas del tentador en el desierto. Pronunciando las mismas palabras: "Quítate de delante de mí, Satanás" (Luc. 4:8), de nuevo Jesús resistió la tentación de buscar una salida fácil para evitar su muerte.

"Las palabras de Cristo fueron pronunciadas, no a Pedro, sino a aquel que estaba tratando de separarle de su Redentor".[63]

A Pedro le faltaba mucho que aprender. Los discípulos de Cristo no deben interponerse en el camino de su Señor o su misión.

Nosotros también debemos aceptar la misión de Cristo como propia, sin tratar de adaptarla a nuestros blancos y aspiraciones.

Toma tu Cruz

Entonces Jesús dijo a sus discípulos: "Si alguno quiere venir en pos de mí, niéguese a sí mismo, tome su cruz, y sígame". Mateo 16:24.

"La crucifixión era un método característico de ejecución romana. Sin embargo, nunca se aplicaba a ciudadanos romanos, pues esta forma de castigo se reservaba para las personas más despreciadas... La lenta muerte en la cruz era verdaderamente horrenda, porque las víctimas seguían viviendo muchas horas, y a veces hasta varios días".[64] El apedreamiento que los judíos usaban como pena de muerte, en cierto modo era más leve que la crucifixión. Aquí Jesús usó un lenguaje gráfico para describir la sumisión voluntaria a la más acerba humillación que sería también la suerte de sus seguidores. Los discípulos se entristecieron. Jesús se encaminaba hacia la cruz y ellos no pensaban más que en la forma de persuadirlo a desistir de su elección. "El Salvador no podría haber descrito una entrega más completa".[65]

Aunque Dios no nos llama a todos a entregar nuestras vidas, espera que voluntariamente lo abandonemos todo por él. Un discípulo debe estar listo a llevar cualquier cruz por causa del Evangelio. No sólo debemos soportar la cruz con paciencia, sino debemos caminar en las huellas de Jesús. "Para eso fuisteis llamados, porque también Cristo padeció por vosotros, dejándoos ejemplo, para que sigáis sus pisadas" (1 Ped. 2:21). Todo discípulo de Cristo tiene que hacer una elección clara. Elegimos, ya sea aceptar el plan egoísta de "salvar" nuestra propia vida, o aceptar el plan de Cristo de "renunciar" a ésta. Lucas 9:23 sugiere una entrega diaria a la voluntad de Dios. Es extraño —y a la vez maravilloso— que en el proceso de perder nuestra vida, ganamos la vida eterna. "¿Qué aprovecha el hombre, si gana el mundo entero y pierde su vida? ¿Qué puede dar el hombre a cambio de su vida?" (Mat. 16:26). Los seguidores de Cristo deben enfocar la salvación de la humanidad perdida. Por esta razón, Jesús vino a nuestro mundo y dio su vida. "El que dice que está en él, debe andar como él anduvo" (1 Juan 2:6). No hay corona sin cruz.

"El cristiano ha de comprender siempre que se ha consagrado a Dios y que en su carácter ha de revelar a Cristo al mundo. La abnegación, la simpatía y el amor manifestados en la vida de Cristo han de volver a aparecer en la vida del que trabaja para Dios".[66]

Tres Testigos Selectos

Seis días después, Jesús tomó a Pedro, a Santiago y a Juan su hermano, y los llevó aparte a un monte alto. Y allá se transfiguró ante ellos. Mateo 17:1, 2.

Jesús y sus discípulos habían viajado hacia el sur durante seis días. La noche se acercaba cuando Jesús llamó a su lado a Pedro, Santiago y Juan y los condujo por una senda escabrosa hacia una montaña solitaria. "La luz del sol poniente se detenía en la cumbre y doraba con su gloria desvaneciente el sendero que recorrían. Pero pronto la luz desapareció tanto de las colinas como de los valles y el sol se hundió bajo el horizonte occidental, y los viajeros solitarios quedaron envueltos en la oscuridad de la noche. La lobreguez de cuanto los rodeaba parecía estar en armonía con sus vidas pesarosas, en derredor de las cuales se congregaban y espesaban las nubes".[67] Los discípulos siguieron a Jesús en silencio hasta que les dijo que no podían ir más lejos. Apartándose un poco de ellos, comenzó a orar. ¿Cómo podía hacerlos entender su misión? ¿Cómo podía prepararlos para su muerte? A estos tres discípulos les tocaría enfrentar pruebas más duras. Ellos presenciarían su agonía en el Getsemaní y necesitarían fortaleza.

"El rocío cae abundantemente sobre su cuerpo postrado, pero él no le presta atención. Las espesas sombras de la noche le rodean, pero él no considera su lobreguez. Y así las horas pasan lentamente".[68] Jesús deseaba que sus discípulos recibieran una manifestación de la gloria que tuvo antes de venir a la tierra, porque los consolaría durante la agonía suprema que le esperaba. Anhelaba convencerlos mediante una gran prueba que él era el Mesías. También pidió fuerzas para soportar la prueba hasta el fin, y rescatar a la humanidad caída. Pedro, Santiago y Juan poseían conocimiento espiritual mayor que el de los otros nueve discípulos. Aun así, Jesús sabía que ellos necesitarían fortaleza. Los tres discípulos continuaron orando con su Maestro durante un corto tiempo, pero el cansancio y el sueño los venció. Su Maestro les pediría de nuevo que oraran con él en el Getsemaní. Pero una vez más los vencería el sueño. En esta montaña no obtuvieron toda la bendición que Dios deseaba darles. No comprendieron el sufrimiento de Cristo y la gloria que seguiría. El simple hecho de orar y permanecer despiertos les hubiese explicado muchas cosas que les hubieran servido de gran bendición en sus tiempos de angustia.

Perdieron bendiciones porque no compartieron el sacrificio propio del Maestro. La elección era de ellos y nuestra. Sea que estemos durmiendo o en oración, sus tesoros están allí.

Colaboradores con Cristo

Y de pronto, aparecieron Moisés y Elías, que conversaban con él.
Mateo 17:3.

Dios respondió la oración de Jesús. "Mientras está postrado humildemente sobre el suelo pedregoso, los cielos se abren de repente, las áureas puertas de la ciudad de Dios quedan abiertas de par en par, y una irradiación santa desciende sobre el monte, rodeando la figura del Salvador. Su divinidad interna refulge a través de la humanidad, y va al encuentro de la gloria que viene de lo alto. Levantándose de su posición postrada, Cristo se destaca con majestad divina. Ha desaparecido la agonía de su alma. Su rostro brilla ahora 'como el sol' y sus vestiduras son 'blancas como la luz'".[69]

Los discípulos se despertaron rodeados de un resplandor deslumbrante. A medida que sus ojos se ajustan a la brillantez, descubren que su Maestro no está solo. A su lado hay dos seres que conversan íntimamente con él, y los discípulos creen que son Moisés y Elías. "En vez de elegir ángeles para que conversasen con su Hijo, Dios escogió a quienes habían experimentado ellos mismos las pruebas de la tierra".[70] Por su conducción de los hijos de Israel en el desierto, Moisés sabía lo que significaba lidiar con un pueblo rebelde. Pidió a Dios que librara a sus hijos descarriados (Éxo. 32:32). Elías había conocido el odio de su nación durante los tres años y medio de hambruna. Había estado solo de parte de Dios sobre el monte Carmelo contra los sacerdotes de Baal.

"Moisés representaba a los que resucitarán de entre los muertos al producirse el segundo advenimiento de Jesús. Y Elías, que fue trasladado sin conocer la muerte, representaba a los que, cuando vuelva Cristo, serán transformados en inmortales y trasladados al cielo sin ver la muerte".[71] Habían venido para consolar a Jesús con la seguridad de que el cielo aprobaba su misión. "La esperanza del mundo, la salvación de todo ser humano, fue el tema de su entrevista".[72] El cielo había enviado mensajeros humanos para consolar a Cristo. Los dos habían rogado por la salvación de la humanidad. Habían enfrentado las pruebas y tentaciones de Satanás. Ahora reconocían a Jesús como el Mesías.

Una nube de luz descendió y los discípulos escucharon la voz de Dios que proclamó a su Hijo. Aunque no escucharon todo lo que se proclamó, más tarde testificaron que fueron "testigos oculares de su majestad" (2 Ped. 1:16, 17). Los discípulos cayeron postrados, y ocultaron sus rostros mientras la montaña entera temblaba ante la presencia de Dios. Finalmente, Jesús los tocó diciendo: "Levantaos, y no temáis".

Estaban a solas con Aquel que ahora sabían, sin lugar a dudas, que era el Hijo de Dios. Levantaos y no temáis. Él es el Hijo de Dios. Tengamos fe.

"*¿Qué Discutís con Ellos?*"

Cuando llegaron a donde estaban los discípulos, Jesús vio una multitud que los rodeaba, y unos escribas que discutían con ellos.
Marcos 9:14.

Al descender a la llanura, Jesús, Pedro, Santiago y Juan se encontraron con los demás discípulos y un gran grupo de personas. Sin embargo, algo no andaba bien. Los discípulos parecían turbados. Jesús sabía que alguien les había traído a un muchacho para que lo librasen de un espíritu. En el nombre de Cristo, habían ordenado al espíritu malo que dejase a su víctima, pero éste se había burlado de ellos, y los escribas se habían aprovechado de su fracaso para humillar a los nueve. Fijando Jesús "su mirada en los escribas preguntó: '¿Qué discutís con ellos?' ".[73] El silencio embargó a toda la multitud, mientras el padre del muchacho se abría paso. Cayendo a los pies de Jesús, le explicó: "Maestro, traje mi hijo a ti, que tiene un espíritu mudo. Y dondequiera que se apodera de él, lo despedaza, y el niño echa espuma, cruje los dientes y queda rígido. Pedí a tus discípulos que lo echasen fuera, y no pudieron". Inmediatamente Jesús dijo: "Traedlo".

"Fue traído el muchacho y, al posarse los ojos del Salvador sobre él, el espíritu malo lo arrojó al suelo en convulsiones de agonía. Se revolcaba y echaba espuma por la boca, hendiendo el aire con clamores pavorosos".[74] "Jesús preguntó a su padre: '¿Cuánto tiempo hace que le acontece esto?' El dijo: 'Desde niño. Y muchas veces lo echa en el fuego y en el agua, para matarlo. Si puedes hacer algo, ayúdanos. Compadécete de nosotros' ". Jesús detectó un destello de incredulidad: "Si puedes..." A Cristo no le faltaba el poder para sanar, pero la curación dependía de la fe del padre. Jesús le dijo: "Si puedes creer, al que cree todo es posible".

Al instante, el hombre se dio cuenta que la suerte de su hijo estaba en sus manos. Con lágrimas en los ojos le suplicó: "¡Creo! Ayuda mi poca fe!" Jesús ordenó al espíritu que saliera y después de una convulsión, el muchacho quedó libre. Luego quedó inmóvil y la multitud temió que estuviese muerto. Pero Jesús lo tomó de la mano y lo presentó en perfecta sanidad a su padre. Los espectadores quedaron atónitos, los escribas derrotados y los discípulos maravillados.

Muchos sienten que les falta fe para acercarse a Jesús. "Entonces aceptemos la promesa: 'Al que a mí viene, no le echo fuera'. Juan 6:37. Arrojémonos a sus pies clamando: 'Creo, ayuda mi incredulidad'. Nunca pereceremos mientras hagamos esto, nunca".[75]

Fe Como un Grano de Mostaza

Jesús les dijo: "Os aseguro que si tuvierais fe como un grano de mostaza... nada os será imposible". Mateo 17:20.

Después de haberse dispersado la multitud, los discípulos vinieron a Jesús y le preguntaron: "¿Por qué nosotros no lo pudimos echar fuera?" ¿Por qué habían perdido el poder de echar fuera demonios que se les había concedido durante su viaje misionero? Los escribas los habían llevado a creer que el demonio tenía un poder superior. "La verdadera dificultad no dependía del poder del demonio, sino de la impotencia espiritual de los discípulos".[76] Los discípulos no habían aprovechado bien el tiempo durante la ausencia de Jesús. Se habían concentrado en sus desalientos y agravios personales, y sentían celos porque no habían sido incluidos en el grupo que acompañó a Jesús a la montaña. Habían confiado en sus propias fuerzas para ejercer el milagro. Pero ninguno puede triunfar sobre las fuerzas del mal, a menos que Dios esté de su lado.

Tampoco podemos recibir la capacidad de realizar milagros como ése en un momento. Se necesita la oración diaria, la meditación y la fe para prevalecer contra las fuerzas de las tinieblas. Aun la fe como una semillita de mostaza, que es la más pequeña de todas las semillas, puede hacer grandes cosas por el Señor. "Todo es posible con Dios". Ninguna dificultad es muy grande para el discípulo que cree. "La súplica ferviente y perseverante dirigida a Dios con una fe que induce a confiar completamente en él y a consagrarse sin reservas a su obra, es la única que puede prevalecer para traer a los hombres la ayuda del Espíritu Santo en la batalla contra los principados y potestades, los gobernadores de las tinieblas de este mundo y las huestes espirituales de iniquidad en las regiones celestiales".[77]

Simplemente confiar en la Palabra de Dios y en Jesús es suficiente para lograr milagros en esta vida. Por pequeña que sea la fe, ésta crece al recibir alimento de la Palabra. El estudio diario y la oración son los agentes vivificadores que producen madurez y crecimiento. Cuando las dificultades surgen, como es natural en la vida de todo cristiano, nuestra confianza debe perseverar. "El medio de que Dios se vale para proteger a su pueblo está indicado en las palabras del salmista: 'El ángel de Jehová acampa en derredor los que le temen, y los defiende' (Salmo 34:7)".[78]

"El hecho de que Cristo venció debería inspirar valor a sus discípulos para sostener denodadamente la lucha contra el pecado y Satanás".[79]

"Ve al Mar"

"¿Vuestro Maestro no paga el impuesto?" Mateo 17:24 (NBE).

Discretamente, Jesús se fue a vivir a Capernaún. Al oír la noticia, el recolector de impuestos para el templo le hizo una visita. Cuando Pedro abrió la puerta, el hombre le preguntó: "¿Vuestro Maestro no paga el impuesto?" Pedro reconoció que la pregunta era una trampa de los fariseos. Todo varón judío mayor de 20 años contribuía anualmente con dos dracmas para el sostén del templo. En el mes de Adar se promulgaba una noticia pública, y en cada comunidad se instalaban mesas para recibir el impuesto.

Adar había pasado hacía mucho. Habían pasado varios meses desde que se recolectara el impuesto. Ni los levitas, ni los sacerdotes ni los profetas estaban obligados a pagarlo; en eso consistía la trampa. "El negarse a pagar el impuesto implicaría deslealtad al templo, pero el pagarlo indicaría que Jesús no se consideraba profeta exento de pagar el medio siclo anual".[1]

Cuando Pedro volvió a donde estaba Jesús, el Señor le hizo una pregunta: "¿Qué te parece, Simón? Los reyes de la tierra, ¿de quién cobran los tributos o impuestos? ¿De los hijos o de los extraños?" Pedro replicó: "De los extraños". Jesús, le dijo: "Entonces los hijos están exentos. Sin embargo, para no ofenderlos, ve al mar, y echa el anzuelo. El primer pez que salga, tómalo y al abrir su boca, hallarás una moneda. Tómala, y dásela por mí y por ti". Jesús no era tan sólo un profeta; era el Hijo de Dios. Ciertamente que el Hijo no necesitaba pagarle tributo a su Padre. Al apresurarse Pedro a proteger el honor de su Maestro ante los sacerdotes y los escribas, había pisoteado el principio mayor, según el cual Cristo no tenía por qué pagar ningún tributo.

Este es el único pasaje en que el Nuevo Testamento menciona la pesca con cuerda y anzuelo. Tal como lo predijera el Salvador, ¡el primer pez que Pedro sacó llevaba en la boca una moneda de plata que valía cuatro dracmas! Con ella había para pagar el impuesto de dos personas. Esta fue una pesca milagrosa. Jesús no le dijo a Pedro que echara la red y que luego revisara entre todos los peces a ver si alguno tenía una moneda en la boca. En cambio, el discípulo tenía que echar una sola línea, y tomar, no el segundo o tercer pescado, sino el primero que cogiera.

"El milagro tenía el propósito de enseñarle a Pedro una lección y de acallar a los recaudadores de impuestos, quienes habían procurado colocar a Cristo en la categoría del común del pueblo, y de esa manera impugnaban su derecho de enseñar a la gente".[2]

Jesús tiene el poder de darle forma milagrosamente a nuestras vidas,
si tan sólo se lo permitimos.

¿Quién es el Mayor en el Cielo?

"Os aseguro, que si no os cambiáis y os volvéis como niños, jamás
entraréis en el reino de los cielos". Mateo 18:3.

Pedro se había ido a pescar cuando Jesús llamó a sus discípulos y
les preguntó: "¿Qué discutíais en el camino?" (Mar. 9:33). La pregunta los
abochornó mucho, porque habían estado discutiendo quién de ellos sería
el mayor en el reino venidero. A pesar de que Jesús les había dicho que
pronto tendría que morir, el anuncio de su intención de subir a Jerusalén
despertó en ellos la esperanza de que quizás fuera, no para morir, sino para
establecer su reino. La disputa en torno a la supremacía duró toda la jornada
a través de Galilea, y finalmente llegó a su punto culminante al entrar a
Capernaún.

"Al volver Pedro del mar, los discípulos le hablaron de la pregunta del
Salvador, y al fin uno se atrevió a preguntar a Jesús: "¿Quién es el mayor en el
reino de los cielos?"[3] Los discípulos manifestaron el mismo anhelo de supremacía
que había llevado a Lucifer a afirmar: "Seré semejante al Altísimo" (Isa. 14:14).
El espíritu del enemigo es diametralmente opuesto al de Cristo, puesto que
Jesús "se despojó de sí mismo, tomó la condición de siervo, y se hizo semejante
a los hombres. Y al tomar la condición de hombre, se humilló a sí mismo, y se
hizo obediente hasta la muerte, y muerte de cruz" (Fil. 2:7, 8). Los discípulos
no valoraban la humildad. Pero ocupar la posición más humilde en la obra del
Señor es verse coronado de gloria y honor.

Jesús quiso enseñarles una lección: "Si alguno quiere ser el primero,
debe ser el último de todos, y el servidor de todos" (Mar. 9:35). Tomó a un
niño, y añadió: "El que recibe a uno de estos niños en mi Nombre, me
recibe a mí; y el que me recibe a mí, no me recibe a mí, sino al que me
envió" (Mar. 9:37). Demasiado a menudo, la conducta de los cristianos se
caracteriza por el ridículo, la censura, las acusaciones y la aspereza. Jesús
temía que la conducta orgullosa de sus discípulos fuera a contaminar a los
nuevos conversos. "La sencillez, el olvido de sí mismo y el amor confiado
del niñito son los atributos que el Cielo aprecia. Son las características de
la verdadera grandeza".[4]

El orgullo mundanal y la posición no tienen ningún valor en los libros
del cielo.

Si hemos de ser heraldos eficaces de la segunda venida de Cristo,
todos debemos participar de su humilde naturaleza.

¿Cuánto Debo Perdonar?

"Entonces Pedro se acercó y le preguntó: 'Señor, cuántas veces tendré
que perdonar a mi hermano, si peca contra mí? ¿Hasta siete?' "
Mateo 18:21.

La pregunta de Pedro sin duda reflejaba los pensamientos que embargaban la mente de los demás discípulos: "¿No hay límite para cuántas veces debo perdonar a mis ofensores?" A Pedro y los demás discípulos les debe haber resultado difícil perdonar. Siempre estaban listos a proteger su orgullo, a vengarse o a obtener ventajas. Pedro quería saber cuánto debería estirar su paciencia antes de sentirse justificado en extraer una retribución. El límite rabínico del perdón se alcanzaba a las tres veces. Pedro calculó el doble, y para no quedarse corto, le añadió una más. Sin duda que siete veces serían suficientes para satisfacer a un Maestro que interpretaba la ley en su sentido más amplio. Pero para su sorpresa, el discípulo tuvo que aprender que al numerar el perdón, destruimos nuestra posibilidad de comprender el punto más fundamental.

Llevar la cuenta del perdón lo transforma en un acto mecánico. ¡El perdón no es un acto, sino una actitud! El verdadero perdón no opera como si más adelante se terminara la provisión. A Pedro ya se le había olvidado el Sermón del Monte. "Si perdonáis a los hombres sus ofensas, vuestro Padre celestial os perdonará también a vosotros", había aseverado el Señor. "Pero si no perdonáis a los hombres, tampoco vuestro Padre perdonará vuestras ofensas" (Mat. 6:14, 15). Los inmisericordes no pueden esperar que la gracia perdonadora de Dios cubra sus defectos. ¿Cuándo es correcto cesar de perdonar? ¿Cuándo puede un cristiano decir con propiedad: "Nunca te perdonaré por lo que has hecho"? Si un individuo confiesa ante nosotros su pecado, ¿cuándo se justifica que le exijamos aun más humildad?

La respuesta de Jesús: "Hasta setenta veces siete", es simbólica. Es una tontería ponerse a discutir si el griego quería decir 490 veces, o sólo 77. "Si el espíritu del perdón mueve el corazón, una persona estará tan dispuesta a perdonar al alma arrepentida por octava vez como lo estuvo la primera vez, o la vez número 491 como lo estuvo la octava vez. El verdadero perdón no es limitado por números. Además, no es el acto el que vale, sino el espíritu que lo motiva".[5]

No debemos administrar el perdón por medida. Ningún verdadero
cristiano exhibirá un espíritu indispuesto al perdón. "Nada puede
justificar un espíritu no perdonador".[6] El mayor ejemplo de perdón
que pueda encontrarse es el que ocurrió cuando Cristo dijo: "Padre,
perdónalos, porque no saben lo que hacen" (Lucas 23:34).

Misericordia para con el Prójimo

"Por eso, el reino de los cielos es semejante a un rey, que quiso ajustar cuentas con sus siervos". Mateo 18:23.

La pregunta de Pedro acerca del perdón motivó una parábola. Cierto rey tenía muchos oficiales que le administraban sus asuntos. Uno se había metido en problemas financieros muy serios con el dinero del rey. Su deuda llegaba a casi diez mil talentos. El talento era una unidad de medida que equivalía a 965 onzas [en este caso, de plata]. El hombre debía una cantidad inmensa de dinero. A menudo los deudores eran echados en la cárcel hasta que sus familiares pudieran satisfacer la deuda. El acreedor tenía también el derecho de vender como esclavos al deudor y su familia para recobrar la cantidad debida. Al oficial de la parábola le era imposible pagar su deuda, de modo que el rey lo hizo echar a la cárcel.

El siervo le rogó, de rodillas: "Ten paciencia conmigo, y te lo pagaré todo. El señor, movido a compasión, lo soltó, y le perdonó la deuda" (Mat. 18:26, 27). Momentos después, el mismo oficial se encontró con un individuo que le debía cien denarios. El denario era una pequeña moneda de plata. El alto oficial lo agarró por el cuello y le dijo: "¡Págame lo que debes!" El deudor le rogó: " 'Ten paciencia conmigo, y te lo pagaré todo'. Pero él no quiso, sino que lo echó en la cárcel hasta que pagara la deuda" (Mat. 18:28-30).

Hubo quienes observaron el trato injusto, y le avisaron al rey, quien se puso furioso. "Siervo malvado, toda aquella deuda te perdoné, porque me rogaste. ¿No debías tú también compadecerte de tu consiervo, como yo me compadecí de ti?" (Mat. 18:32, 33). Y echó al siervo en la cárcel hasta que pagara todo lo que le debía. El rey podía tolerar la injusticia que se cometía contra él, pero no la que recaía sobre sus súbditos. El monarca de la parábola es Cristo. El perdón ofrecido es el que Dios nos ofrece por nuestros pecados. No nos es posible pagar el precio que cuesta el rescate de nuestras almas (aunque hay algunas religiones que insisten en que uno puede pagar su cuenta con Dios). "Esta es la base sobre la cual debemos tener compasión para con nuestros prójimos pecadores. 'Si Dios así nos ha amado, debemos también amarnos unos a otros' (Juan 4:11)".[7]

"Esta es la gran lección de la parábola: el abismal contraste entre la crueldad y la falta de misericordia del hombre para con sus prójimos, y la longanimidad y la misericordia de Dios para con nosotros... En vista de la infinita misericordia de Dios para con nosotros, deberíamos también manifestar misericordia para con otros".[8]

No Estorbemos al Señor

"Jesús dijo: No se lo prohibáis, porque el que no está contra nosotros, está por nosotros". Lucas 9:50.

Jesús acababa de expresar una verdad que inquietó a Juan. Hacía poco, él y su hermano Santiago habían reprendido a uno que echaba fuera demonios en el nombre del Maestro de ellos. Ahora, Juan no estaba tan seguro de haber hecho lo correcto. Los viajes de Jesús por Judea y Galilea no habían producido muchos nuevos discípulos. Muchos de los que oían su voz no se habían declarado a favor ni en contra del Señor. Los discípulos decidieron que, si aquel individuo no demostraba externamente su lealtad a Cristo, tampoco debiera usar el nombre de Cristo para sanar. Los hermanos habían juzgado al hombre según sus propias normas estrechas, y lo habían hallado falto. "No era uno de los reconocidos como discípulos habituales de Jesús".[9]

Santiago y Juan guardaban celosamente lo que consideraban como su prerrogativa exclusiva de echar fuera demonios. Por no comprender que su deber era la promoción del reino de los cielos, se tomaron en cambio la responsabilidad de dictar lo que otros debían hacer por Cristo. "El hecho de que alguno no obre en todas las cosas conforme a nuestras ideas y opiniones personales no nos justifica para prohibirle que trabaje para Dios".[10]

El carácter y el ministerio del obrero de Cristo son siempre la verdadera prueba del discipulado. "Nuestro Señor queda avergonzado por aquellos que aseveran servirle, pero representan falsamente su carácter; y multitudes son engañadas, y conducidas por sendas falsas".[11]

El cristiano debe mantener el equilibrio. Debemos preservar la verdad, y al mismo tiempo abstenernos de juzgar los esfuerzos que otros hacen por esparcir el Evangelio. Tampoco debiéramos restringir a quienes poseen menos educación, experiencia, elocuencia o discernimiento que nosotros. Los mansos y humildes ejercen el mayor testimonio para Cristo. El mundo necesita escuchar de labios de quienes Dios ha bendecido, un relato de su amor derramado en su vida como redimidos. El sermón que se puede ver es más poderoso que el que se escucha predicar desde un púlpito.

Cuánta armonía podría existir en la iglesia, si los miembros recordaran las palabras de Cristo: "No se lo prohibáis, porque el que no está contra nosotros, está por nosotros" (Lucas 9:49, 50). Muchos hacen que otros tropiecen al criticarles los esfuerzos que hacen en favor de Jesús.

EL MINISTERIO EN SAMARIA Y PEREA
Cristo, nuestro Ungido

Del Otoño del 30 a la Primavera del 31

Mateo 18:12-14; 19:1-20:34; 26:1-16

Marcos 10:1-52; 14:1-11

Lucas 7:36-50; 9:51-19:27; 22:1-6

Juán 7:1-12:11

El Deseado de todas las gentes, pp. 411-522

La Fiesta de las Cabañas

*Después de esto, Jesús anduvo por Galilea. No quería andar por
Judea, porque los judíos procuraban matarlo. Estaba cerca la fiesta
judía de las cabañas. Juan 7:1, 2.*

Se acercaba el otoño del año 30. Jesús había evitado ir a Jerusalén desde
que lo llevaran ante el Sanedrín y el sanamiento del paralítico junto al estanque
de Betesda, en la primavera del año 29. Ahora, sus hermanos se preguntaban si
asistiría a la fiesta de las cabañas, con la que se cerraba el ciclo de las fiestas de
asistencia obligatoria. Durante los siete días, las celebraciones no sólo
conmemoraban la cosecha y las abundantes bendiciones de Dios, sino que también
traían a la memoria la protección que Dios le había dispensado al pueblo durante
el éxodo de Egipto y la peregrinación en el desierto. "A fin de conmemorar su
vida en tiendas, los israelitas moraban durante la fiesta en cabañas o tabernáculos
de ramas verdes. Los erigían en las calles, en los atrios del templo, o en los techos
de las casas. Las colinas y los valles que rodeaban a Jerusalén estaban también
salpicados de estas moradas de hojas, y bullían de gente".[12]

La gente levantaba las cabañas en respuesta al mandato del Señor:
"Habitaréis en cabañas los siete días" (Lev. 23:42, 43).

La multitud asistía al sacrificio matutino en el templo, llevando ramas de
sauce en sus manos. Una vez que se hallaba dentro del atrio, "marchaba
gozosamente una vez por día alrededor del altar de los sacrificios, y 7 veces en el
7º día".[13] Al alba del día, los sacerdotes emitían una larga y aguda nota con sus
trompetas de plata, y las trompetas que contestaban, así como los alegres gritos
del pueblo, desde sus cabañas, que repercutían por las colinas y los valles, daban
la bienvenida al día de fiesta. Después, el sacerdote sacaba de las aguas del Cedrón
un cántaro de agua. Lo llevaba al altar, en el atrio de los sacerdotes. Allí había dos
palanganas de plata. "El cántaro de agua era derramado en una, y un cántaro de
vino en la otra; y el contenido de ambas, fluyendo por un caño que comunicaba
con el Cedrón, era conducido al Mar Muerto. La presentación del agua consagrada
representaba la fuente que a la orden de Dios había brotado de la roca para
aplacar la sed de los hijos de Israel".[14] Los levitas entonaban salmos, y el templo se
convertía en el centro de las alabanzas. El festival era un espectáculo espléndido,
que motivaba a los fieles a cantar: "¡Alabad al Señor! ¡Dad gracias al Señor, porque
es bueno, porque su amor es para siempre!" (Sal. 106:1).

*¿No debiéramos tributar agradecimiento y alabanzas a nuestro
Señor por su constante bondad y misericordia?*

Mi Tiempo Aún no ha Llegado

*Estaba cerca la fiesta judía de las cabañas, y sus hermanos le dijeron:
"Sal de aquí, y vete a Judea, para que también tus discípulos de allá
vean las obras que haces". Juan 7:2, 3.*

Jesús era un verdadero inconforme. Se mezclaba con los publicanos,
hacía a un lado la tradición y demostraba poco respeto por las observancias de
los rabinos. Pedía explicaciones de las autoridades religiosas acerca de sus
prácticas; y ellas, por su parte, se burlaban de él y lo criticaban. "A fin de evitar
un conflicto inútil con los dirigentes de Jerusalén, había limitado sus labores a
Galilea. Su aparente indiferencia hacia las grandes asambleas religiosas, y la
enemistad manifestada hacia él por los sacerdotes y rabinos, eran una causa de
perplejidad para los que le rodeaban, y aun para sus discípulos y su familia".[15]

Las enseñanzas de Jesús impresionaban a muchos, pero las tradiciones
eran difíciles de abandonar. ¿Por qué Jesús no demostraba más respeto por los
sacerdotes? ¿Por qué no aprovechaba mejor su popularidad entre el pueblo?
Los hermanos de Jesús consideraban que él debiera participar en la Fiesta de las
Cabañas. "Si poseía realmente tal poder, ¿por qué no iba audazmente a Jerusalén
y aseveraba sus derechos? No te ocultes en provincias aisladas, decían, a realizar
tus obras poderosas para beneficio de campesinos y pescadores ignorantes.
Preséntate en la capital, conquista el apoyo de sacerdotes y gobernantes, y une
la nación, para establecer el nuevo reino".[16]

Los hermanos de Jesús sintieron la punzada del rechazo cuando los
discípulos que Jesús había hecho en Galilea lo abandonaron. No creían que
fuera el Mesías, pero tenían la esperanza de que estableciera un reino temporal.
Jesús sabía que era la ambición lo que los movía a desear que él asistiera a la
fiesta de Jerusalén. Como resultado, les dijo: "Vosotros subid a esta fiesta; yo
no subo aún a esta fiesta, porque mi tiempo aún no es cumplido". Así como
habían tratado de controlar el ministerio de Jesús en Capernaún, cuando
convencieron a María de que lo persuadiera a ser más cuidadoso en sus denuncias
de los escribas y fariseos, esta vez sintieron nuevamente que ellos sabían qué era
más conveniente para su hermano menor. La respuesta de Jesús en aquella
ocasión, al igual que ahora, demostraba que estaba consciente del itinerario
divino: "Mi tiempo aún no ha venido".

*A menudo tratamos, equivocadamente, de obligar a otros a que
hagan lo que nosotros creemos que deberían hacer, cuando es muy
posible que ellos mismos tengan un concepto más claro que el nuestro
de la obra que Dios los llama a realizar en sus vidas.*

Fascinados

A mediados de la fiesta, Jesús subió al templo, y empezó a enseñar.
Juan 7:14.

La fama de Jesús se había esparcido por todo el Imperio Romano. Algunos iban a la Fiesta de las Cabañas con la esperanza de verlo. Por todas partes la gente hablaba de Jesús de Nazaret. Pocos se atrevían a expresar públicamente la opinión de que acaso fuera el Mesías, y sin embargo, muchos mencionaban entre ellos la posibilidad de que así fuera. Muchos lo consideraban "un buen hombre", mientras que otros lo creían un impostor.

Jesús llegó a Jerusalén a mediados de la fiesta. Había elegido calladamente una ruta poco frecuentada, por cuanto no quería que nada lo estorbara en su misión. En medio de la fiesta, cuando la expectación acerca de él estaba en su apogeo, entró en el atrio del templo. "Porque estaba ausente de la fiesta, se había dicho que no se atrevía a colocarse bajo el poder de los sacerdotes y príncipes. Todos se sorprendieron al notar su presencia. Toda voz se acalló. Todos se admiraban de la dignidad y el valor de su porte en medio de enemigos poderosos sedientos de su vida".[17] Jesús les habló con tal poder, que la multitud quedó fascinada. Cautivados por la profunda comprensión y amplitud del conocimiento de las Escrituras que demostraba tener el Maestro, sólo pudieron exclamar: "¿Cómo sabe de letras, sin haber estudiado?" "Existían autodidactas en las Escrituras, pero se consideraba que una educación tal era muy inferior a la que se recibía en las escuelas rabínicas reconocidas".[18] Es cierto que Jesús nunca había estudiado en las escuelas de los rabinos, pero Dios era su Maestro.

Día tras día enseñaba Jesús a la gente que iba al templo. Al burlarse del nacimiento de Jesús, los rabinos procuraban impedir que se lo considerara como el Mesías, pero el Salvador no quiso ser arrastrado a ningún debate acerca de su linaje. "A mí me conocéis, y sabéis de dónde soy. Sin embargo, no he venido de mí mismo. El que me envió, a quien vosotros no conocéis, es veraz. Yo lo conozco, porque de él procedo, y él me envió" (Juan 7:28, 29). Los dirigentes judíos no reconocían a Cristo como el Hijo de Dios, porque el falso concepto que tenían de Dios lo pintaba como un capataz cruel, y no como un Padre amante y misericordioso. Por no haber reconocido a Jesús como Dios, los judíos ignoraron la revelación que Dios les hacía de su propio carácter.

Nuestro concepto de Dios el Padre, ¿nos permite reconocer a Jesús
como el Hijo de Dios?

La Policía del Templo

Los fariseos oyeron que la gente rumoreaba estas cosas de él. Entonces los principales sacerdotes y los fariseos enviaron servidores que lo prendiesen. Juan 7:32.

MÁs que cualquier otro segmento de la sociedad palestina, los fariseos se esforzaban por acallar la voz de Jesús. Se consideraban los guardianes de las "tradiciones de los padres", que gobernaban hasta los detalles más mínimos de la vida de un individuo; por eso reaccionaron en forma especialmente negativa ante las enseñanzas de Jesús relativas al espíritu de la ley y su condenación del legalismo. Ahora ellos tomaron la iniciativa en hacer que se reuniera el Sanedrín para condenar a Jesús. Era el principal cuerpo religioso judío. Su jurisdicción se limitaba a Judea, pero los efectos de sus decretos se extendían por todo el mundo judío. El Sanedrín limitaba su actuación a las ordenanzas religiosas. Al limitar al campo religioso la aplicación de su autoridad, el Sanedrín mantenía cierto control sobre la nación, a pesar de que Roma controlaba la autoridad civil en Palestina. El Sanedrín no tenía influencia sobre Roma, excepto al tratarse de violaciones específicas que profanaban el templo. En este aspecto, el Sanedrín podía ejecutar hasta a un ciudadano romano. Tenían su propia fuerza de policía, y suprimían celosamente a los falsos profetas y las sectas que pudieran engañar a la gente.

El Sanedrín despachó a la policía del templo con el encargo de arrestar a Jesús y llevarlo ante ellos. La Fiesta de las Cabañas estaba por terminar. El pueblo había visto realizarse la ceremonia del agua cada uno de los siete días, y sentían que no había hecho nada para saciar su gran sed de salvación. Entonces, repentinamente, Jesús alzó su voz, diciendo: "¡Si alguno tiene sed, venga a mí y beba! Como dice la Escritura, el que cree en mí, ríos de agua viva brotarán de su corazón" (Juan 7:37, 38).

Los que fueron enviados para arrestar a Jesús no demoraron en volver, con las manos vacías. "¿Por qué no lo trajisteis?" preguntaron los principales sacerdotes. "Con rostro solemne, contestaron: 'Nunca ha hablado hombre así como este hombre'. Aunque de corazón empedernido, fueron enternecidos por sus palabras. Mientras estaba hablando en el atrio del templo, se habían quedado cerca, a fin de oír algo que pudiese volverse contra él. Pero mientras escuchaban, se olvidaron del propósito con que habían venido. Estaban como arrobados".[19]

" 'Si alguno tiene sed, venga a mí...' El clamor que Cristo dirige al alma sedienta sigue repercutiendo, y llega a nosotros con más fuerza que a aquellos que lo oyeron en el templo en aquel último día de la fiesta. El manantial está abierto para todos".[20]

¿La Fuerza Determina el Derecho?

*"¿También vosotros habéis sido engañados? ¿Ha creído en él alguno
de los gobernantes, o de los fariseos? Pero esta gente que no conoce la
Ley, son malditos". Juan 7:47-49.*

$\mathcal{E}$l fracaso de los policías del templo en arrestar a Jesús llenó de ira a los fariseos. "¿También vosotros habéis sido engañados? ¿Ha creído en él alguno de los gobernantes, o de los fariseos? Pero esta gente que no conoce la Ley, son malditos". Consideraban que la gente era demasiado ignorante como para saber qué era la verdad, y sentían que sólo ellos podían juzgar con exactitud lo que convenía que el pueblo oyera. "Los sacerdotes y gobernantes estaban atentos para entramparle. Se proponían impedir por la violencia que obrase. Pero esto no era todo. Querían humillar a este rabino galileo delante de la gente".[21]

Procuraron desacreditarlo acusándolo de paranoia. "¡Demonio tienes! ¿Quién te quiere matar?" le decían. Jesús señaló que ellos estaban dispuestos a quebrantar el sexto mandamiento. Al verse expuestos, se les ocurrió entonces aseverar que las obras de Cristo provenían del diablo. No era ésta una pretensión nueva. Jesús silenció a todos sus acusadores, a pesar de lo cual rehusaron reconocerlo como el Mesías. "A mí me conocéis, y sabéis de dónde soy. Sin embargo, no he venido de mí mismo. El que me envió, a quien vosotros no conocéis, es veraz. Yo lo conozco, porque de él procedo, y él me envió" (Juan 7:28, 29). Era una clara alusión a su condición de Hijo de Dios.

Los gobernantes, ahora furiosos, trataron de arrestarlo, pero un Poder invisible se los impidió. Gran cantidad de los que escucharon a Jesús en el templo, habían permitido que los rabinos influyeran en su actitud hacia él. "Muchos son engañados hoy de la misma manera que los judíos. Hay maestros religiosos que leen la Biblia a la luz de su propio entendimiento y tradiciones; y las gentes no escudriñan las Escrituras por su cuenta, ni juzgan por sí mismas la verdad, sino que renuncian a su propio criterio y confían sus almas a sus dirigentes".[22]

*"Cuando les falta el apoyo de las Escrituras, los hombres procuran
suplir la deficiencia empleando la fuerza y el poder de la autoridad.
Los que resisten esa autoridad, frecuentemente sellan su testimonio
con su sangre. El futuro será testigo de un intento similar hecho por
las autoridades civiles para suprimir la verdad (Apoc. 13)".[23]*

Un Amigo en la Corte

Entonces, Nicodemo, el que había ido a él de noche, y que era uno
de ellos, les dijo: "¿Juzga nuestra Ley a un hombre, sin oírlo primero,
y sin entender lo que ha hecho?" Juan 7:50, 51.

*H*abiendo fracasado en dos intentos, los sacerdotes y gobernantes permitieron que su deseo de arrestar a Cristo y detener el avance de su mensaje se convirtiera en una obsesión consumidora. El Maestro había socavado su autoridad como líderes religiosos establecidos, y sus enseñanzas eran distintas a las de ellos. "La acción y la voz, la expresión y la articulación son cosas que deben ser vistas y oídas para ser apreciadas. No necesitamos dudar de que la modalidad de nuestro Señor era peculiarmente solemne, impresionante e imponente. Quizá era algo muy diferente de la entonación que los judíos daban a la lectura de la ley, y muy diferente de lo que los magistrados y el pueblo estaban acostumbrados a oír todos los días".[24] Las palabras de Cristo cautivaban a la multitud, y aun los que fueron enviados a arrestarlo se sintieron tan encantados con su mensaje, que se olvidaron de su encargo.

Mientras el Sanedrín discurría métodos de silenciar a Cristo, Nicodemo, uno de los miembros, intervino en defensa de Jesús: "¿Juzga nuestra Ley a un hombre, sin oírlo primero, y sin entender lo que ha hecho?" (Juan 7:51). "La lección que Cristo le diera a Nicodemo no había sido en vano... Desde su entrevista con el Salvador, había buscado fervorosamente en las Escrituras del Antiguo Testamento, y había visto la verdad en el verdadero marco del Evangelio".[25] Moisés había dicho: "No os dejéis intimidar por nadie, porque el juicio es de Dios" (Deut. 1:17). Al acusado debe oírsele, y dársele una oportunidad de confrontar a sus acusadores. Nicodemo, en una sencilla pero elocuente defensa, simplemente les recordó que debían ejercer justicia y equidad.

"El silencio cayó sobre la asamblea. Las palabras de Nicodemo penetraron en las conciencias. No podían condenar a un hombre sin haberlo oído. No sólo por esta razón permanecieron silenciosos los altaneros gobernantes, mirando fijamente a aquel que se atrevía a hablar en favor de la justicia. Quedaron asombrados y enfadados de que uno de entre ellos mismos hubiese sido tan impresionado por el carácter de Jesús, que pronunciara una palabra en su defensa. Reponiéndose de su asombro, se dirigieron a Nicodemo con mordaz sarcasmo: '¿Eres tú también galileo? Escudriña y ve que de Galilea nunca se levantó profeta'".[26] Pero Nicodemo sabía que eso no era verdad. El concilio se deshizo. Cristo no compareció, y la condenación no se materializó.

Cuando los cristianos escuchan una sola versión de un suceso y la
creen, eso no es justicia, sino condenación.

La Primera Piedra

"El que de vosotros esté sin pecado, tírele la primera piedra".
Juan 8:7.

Temprano, a la mañana siguiente, Jesús volvió al templo. Se sentó y comenzó a enseñar. De pronto hubo una interrupción. Un grupo de escribas y fariseos se acercó, arrastrando a una mujer aterrorizada. La empujaron rudamente hacia el Maestro, anunciando: "Maestro, esta mujer ha sido tomada en el mismo acto del adulterio. En la Ley, Moisés nos mandó apedrear a estas mujeres. ¿Qué dices tú?" (Juan 8:4, 5). "La ley de Moisés dictaminaba pena de muerte para el adulterio cuando estaba implicada una mujer casada, pero no especificaba la forma de la ejecución. Según la Mishna, en esos casos se mataba por estrangulación. La ley dictaminaba pena de muerte mediante apedreamiento cuando estaba implicada una mujer comprometida (Deut. 22:23, 24)... Por lo tanto, parece probable que en este caso se trataba de una mujer comprometida".[27]

Muchos, sabiendo la naturaleza perdonadora de Jesús, pensaron que se compadecería de la mujer. Si recomendaba misericordia, podrían acusarlo de haber despreciado la ley. Pero si se mostraba de acuerdo con una sentencia de muerte, estaría usurpando la prerrogativa exclusivamente romana de dictar sentencia de muerte. Como es el caso en la mayoría de las conspiraciones, ésta parecía cerrarle a Jesús todas las opciones. "Jesús miró la escena: la temblorosa víctima avergonzada, los dignatarios de rostro duro, sin rastros de compasión humana. Su espíritu de pureza inmaculada sentía repugnancia por este espectáculo. Sin dar señal de haber oído la pregunta, se agachó y, fijos los ojos en el suelo, se puso a escribir en el polvo".[28] Los mismos hombres presentes habían sido los responsables de atraer a la mujer al pecado. Con el fin de atrapar a Jesús, la habían manipulado de modo que cayera en adulterio. Escogieron no hacer caso de la provisión de la ley según la cual tanto la mujer como el hombre tomados en adulterio debían sufrir el mismo castigo. ¿Dónde estaba el otro culpable?

Los instantes se convirtieron en minutos. Impacientes ante la demora, los delatores se acercaron para insistir ante Jesús. "Pero cuando sus ojos, siguiendo los de Jesús, cayeron sobre el pavimento a sus pies, callaron. Allí, trazados delante de ellos, estaban los secretos culpables de su propia vida. Enderezándose y fijando sus ojos en los ancianos maquinadores, Jesús dijo: 'El que de vosotros esté sin pecado, arroje contra ella la piedra el primero'. Y volviéndose a inclinar, siguió escribiendo".[29] Ante el Tribunal del cielo, los hombres eran más culpables que la mujer, y lo sabían.

Los que acusan a otros deben creer que ellos mismos están sin pecado. ¡Si tan sólo supieran! Los cristianos construyen; los acusadores destruyen.

Yo Tampoco Te Condeno

Entonces Jesús le dijo: "Ni yo te condeno. Vete, y desde ahora no peques más". Juan 8:11.

$\mathcal{A}$l alejarse de la presencia de Jesús el último de los acusadores, los ojos del Salvador se volvieron a la víctima temblorosa. "Sus palabras: 'El que de vosotros esté sin pecado, arroje contra ella la piedra el primero', habían sido para ella como una sentencia de muerte. No se atrevía a alzar los ojos al rostro del Salvador, sino que esperaba silenciosamente su condena".[30] Jesús no había hecho a un lado la ley de Moisés, ni presumido de usurpar la autoridad de Roma. Había confundido a sus enemigos, pero allí había quedado la víctima del complot. Era cierto que había cometido adulterio y quebrantado la ley. Jesús no excusó el pecado, pues lo odiaba (Mat. 5:27-32) tanto como odiaba el pecado de juzgar con la arrogancia que surge de la justicia propia (Mat. 7:1-5).

¿Qué sería de la mujer? Seguía allí, hecha un ovillo a los pies de Jesús, mirando temerosa a su alrededor. Los que hacía tan poco rato la habían arrancado del lecho de la transgresión para arrojarla en medio de la multitud en el atrio del templo, habían desaparecido. De pronto, llegaron hasta ella las palabras más bellas que hubiera escuchado alguna vez. Jesús le dijo: "Ni yo te condeno. Vete, y desde ahora no peques más" (Juan 8:11). "Su corazón se enterneció, y se arrojó a los pies de Jesús, expresando con sollozos su amor agradecido y confesando sus pecados con amargas lágrimas. Esto fue para ella el principio de una nueva vida, una vida de pureza y paz, consagrada a Dios... Esa mujer penitente llegó a ser uno de sus discípulos más fervientes. Con devoción y amor abnegados, retribuyó su misericordia perdonadora".[31]

Jesús vino al mundo para salvar antes que acusar y castigar. "Porque Dios no envió a su Hijo al mundo para condenar al mundo, sino para que el mundo sea salvo por él" (Juan 3:17). Cristo conoce las circunstancias que rodean a cada pecador. Mientras mayor sea nuestra culpa, más necesitamos su divino amor, simpatía y perdón.

"Los que se adelantan para acusar a otros y son celosos en llevarlos a la justicia, son con frecuencia en su propia vida más culpables que ellos. Los hombres aborrecen al pecador, mientras aman el pecado. Cristo aborrece el pecado, pero ama al pecador; tal ha de ser el espíritu de todos los que le sigan. El amor cristiano es lento en censurar, presto para discernir el arrepentimiento, listo para perdonar, para estimular, para afirmar al errante en la senda de la santidad, para corroborar sus pies en ella".[32]

La Luz del Mundo

"Yo Soy la luz del mundo. El que me sigue, no andará en tinieblas,
sino que tendrá la luz de la vida". Juan 8:12.

$\mathcal{A}$l despuntar el último día de la fiesta de las Cabañas, Jesús se hallaba en el Atrio de las Mujeres. Grandes lámparas especiales habían sido encendidas cada noche del festival, para conmemorar el pilar de luz que había guiado a Israel en su salida de Egipto, así como la esperanza de un Mesías que iluminaría la nación con su gloria.

"Era de mañana; el sol acababa de levantarse sobre el monte de las Olivas, y sus rayos caían con deslumbrante brillo sobre los palacios de mármol, e iluminaban el oro de las paredes del templo, cuando Jesús, señalándolo, dijo: 'Yo soy la luz del mundo' ".[33]

¡La gente comprendió que, al decir esas palabras, Jesús acababa de identificarse como el Mesías, el Prometido de Israel! "En la manifestación de Dios a su pueblo, la luz había sido siempre un símbolo de su presencia. A la orden de la palabra creadora, en el principio, la luz resplandeció de las tinieblas. La luz fue envuelta en la columna de nube de día y en la columna de fuego de noche, para guiar a las numerosas huestes de Israel. La luz brilló con tremenda majestad, alrededor del Señor, sobre el monte Sinaí. La luz descansaba sobre el propiciatorio en el tabernáculo. La luz llenó el templo de Salomón al ser dedicado. La luz brilló sobre las colinas de Belén cuando los ángeles trajeron a los pastores que velaban el mensaje de la redención. Dios es luz; y en las palabras: 'Yo soy la luz del mundo', Cristo declaró su unidad con Dios, y su relación con toda la familia humana".[34]

Los fariseos y gobernantes inmediatamente usaron la declaración de Jesús para hacerlo aparecer como un arrogante predicador ambulante. "Tú das testimonio de ti mismo. Tu testimonio no es válido", le dijeron. Según la Mishna, un individuo necesitaba que otros dieran testimonio acerca de su santificación. Uno mismo no podía proclamarse santo. Juan, el discípulo de Cristo, declaró posteriormente: "En él estaba la vida, y esa vida era la luz de los hombres" (Juan 1:4, 5). Pedro también dio testimonio al escribir: "Además, tenemos la palabra profética aún más segura, a la que hacéis bien en estar atentos, como a una antorcha que alumbra en lugar oscuro, hasta que el día esclarezca, y el Lucero de la mañana salga en vuestros corazones" (2 Pedro 1:19).

La Luz todavía resplandece en las tinieblas, y algunos no la
comprenden, escogiendo, en cambio, ocultar sus hechos entre las
sombras. Algunas cosas nunca cambian.

Antes que Abrahán Fuese, Yo Soy

Jesús les dijo: "De cierto, de cierto os digo: Antes que Abraham fuese, Yo Soy". Juan 8:58. Reina-Valera, 1960.

Jesús acababa de declarar que era la luz del mundo, el Mesías. No quiso debatir su declaración, pero tocó un nervio sensible al decir: "Si vosotros permanecéis en mi Palabra, sois realmente mis discípulos. Y conoceréis la verdad, y la verdad os libertará" (Juan 8:31, 32). Lo que les pareció una referencia a su servidumbre bajo los romanos, molestó a los dirigentes judíos. "Somos descendientes de Abrahán, y jamás hemos sido esclavos", respondieron, indignados. "¿Cómo dices: 'Seréis libres'?" No lograban comprender que eran esclavos del pecado. "La simple descendencia de Abrahán no tenía ningún valor. Sin una relación espiritual con él, la cual se hubiera manifestado poseyendo el mismo espíritu y haciendo las mismas obras, ellos no eran sus hijos... La descendencia de Abrahán no se probaba por el nombre y el linaje, sino por la semejanza del carácter".[35]

Los escribas y fariseos conspiraban para asesinar a Aquel cuyo ministerio sólo había servido para bendecir a sus semejantes. Los sacerdotes preferían volverle la espalda a Jesús y cerrar sus ojos ante la verdad, que humillarse y admitir que en sus corazones anidaba la malevolencia.

A continuación, Jesús se refirió a Abrahán. " 'Abrahán, vuestro padre, se gozó en que vería mi día. Y lo vio, y se gozó'. Entonces le dijeron: 'Aún no tienes cincuenta años, ¿y has visto a Abrahán? Jesús les dijo: Os aseguro: Antes que Abrahán existiera, Yo Soy' " (Juan 8:56-58). "Cayó el silencio sobre la vasta concurrencia. El nombre de Dios, dado a Moisés para expresar la presencia eterna había sido reclamado como suyo por este Rabino galileo. Se había proclamado como el que tenía existencia propia".[36]

Les ofendió a los sacerdotes y gobernantes que Jesús hubiera reclamado para sí la divinidad. Por cuanto, en opinión de ellos, Jesús se había apropiado el nombre de Dios, quisieron apedrearlo por blasfemia. Sin duda que las piedras abundaban, ya que el templo todavía estaba en construcción. "Ahora muchos del pueblo, adhiriéndose a los sacerdotes y rabinos, tomaron piedras para arrojárselas. 'Mas Jesús se encubrió, y salió del templo; y atravesando por medio de ellos, se fue".[37]

Los malvados todavía odian escuchar la verdad, y están dispuestos a hacer lo posible por suprimirla

Ciego de Nacimiento

Y sus discípulos le preguntaron: "Rabí, ¿quién pecó, éste o sus padres,
para que naciera ciego?" Juan 9:2.

Es probable que el encuentro de Jesús con el ciego haya sucedido el sábado siguiente a la fiesta de las Cabañas (Juan 9:14). El hombre era ciego de nacimiento. Algunos judíos se imaginaban que Dios era una deidad dura y lista a juzgar y tomar venganza infligiendo sufrimientos físicos. La pregunta de los discípulos reflejaba una idea común en esos días. Sin embargo, esa dolencia presentaba una dificultad, ya que el hombre había nacido ciego, y no podía haber pecado en el vientre de su madre. La pregunta era favorita de los escribas, a quienes les encantaba sentarse en el templo para debatir durante horas ese tipo de trivialidades.

El libro de Job señala claramente que es Satanás quien trae sufrimientos a los inocentes. En su misericordia, Dios por lo general detiene la mano de Satanás, e interviene para salvar a sus hijos. Si bien todo sufrimiento a fin de cuentas viene como consecuencia del quebrantamiento de la ley de Dios, no vienen del Creador las enfermedades y muerte que siguen naturalmente al pecado. "Satanás, el autor del pecado y de todos sus resultados, había inducido a los hombres a considerar la enfermedad y la muerte como procedentes de Dios, como un castigo arbitrariamente infligido por causa del pecado. Por lo tanto, aquel a quien le sobrevenía una gran aflicción o calamidad debía soportar la carga adicional de ser considerado un gran pecador".[38] Basados en este razonamiento, más tarde muchos judíos consideraron que los sufrimientos y muerte de Cristo eran prueba de que no era el Mesías, cumpliendo así el texto que dice: "Y nosotros lo tuvimos por azotado, por herido de Dios y abatido" (Isa. 53:4).

Jesús respondió: "Ni éste pecó, ni sus padres, sino que sucedió para que las obras de Dios se manifiesten en él". Luego, Jesús escupió en tierra, hizo lodo con la saliva, y con el lodo untó los ojos del ciego, y le dijo que se fuera a lavar en el estanque de Siloé. Fielmente, el hombre obedeció y fue sanado. Como en el caso del paralítico de Betesda, Jesús escogió el sábado para curar a un enfermo crónico. Había amasado el polvo con la saliva, y había ungido los ojos del ciego; ambos actos estaban prohibidos por las reglas de los rabinos. "Los fariseos no podían menos que quedar atónitos por esta curación. Sin embargo, se llenaron más que nunca de odio; porque el milagro había sido hecho en sábado".[39]

Aun en nuestros días hay quienes creen que Dios causa dolor y muerte.
Quizás necesitamos que nuestros ojos sean abiertos por la unción del
Espíritu Santo y las revelaciones de Job, de modo que veamos la verdad.

Los Ojos de Su Entendimiento

"Nunca se ha oído que alguno abriera los ojos de un ciego de nacimiento. Si este hombre no fuera de Dios, no podría hacer nada".
Juan 9:32, 33.

El que había sido ciego fue llevado ante el concilio de los fariseos, y allí dio su testimonio: "Me puso lodo sobre los ojos, me lavé, y ahora veo". Los fariseos le preguntaron entonces: "¿Tú qué dices del que te abrió los ojos? El respondió: '¡Que es un profeta!'" Antes que aceptar el milagro, los fariseos prefirieron dudar que el hombre hubiera sido ciego de nacimiento. Llamaron a los padres del ciego sanado, y les preguntaron: "¿Es éste vuestro hijo, el que vosotros decís que nació ciego? ¿Cómo ve ahora?"

"A los fariseos les quedaba una esperanza, la de intimidar a los padres del hombre... Los padres temieron comprometerse, porque se había declarado que cualquiera que reconociese a Jesús como el Cristo, fuese echado 'de la sinagoga'; es decir, excluído de la sinagoga por treinta días... La sentencia era considerada como una gran calamidad; y si no mediaba arrepentimiento, era seguida por una pena mucho mayor".[40] Los padres se acobardaron ante los castigos religiosos, y no se pusieron del lado de la verdad. La excomunión se impuso a la convicción. Dijeron: "Sabemos que éste es nuestro hijo, y que nació ciego. Pero cómo ve ahora, no sabemos. Quién le abrió los ojos, tampoco sabemos. El tiene edad, preguntadle a él. El hablará por sí".

Pero el ex ciego no se acobardó. Los fariseos proclamaron: "Da gloria a Dios. Nosotros sabemos que ese hombre es pecador". El hombre replicó: "Si es pecador, no lo sé. Pero una cosa sé, que yo era ciego, y ahora veo". A pesar de que los fariseos lo acosaron, él se mantuvo firme. "Durante un breve momento guardaron silencio. Luego esos ceñudos sacerdotes y rabinos recogieron sus mantos, como si hubiesen temido contaminarse por el trato con él, sacudieron el polvo de sus pies, y lanzaron denuncias contra él. 'En pecados eres nacido todo, ¿y tú nos enseñas?' Y le excomulgaron".[41] Jesús supo lo que habían hecho, y buscó al hombre. Al revelársele Jesús como el Hijo de Dios, "el hombre se arrojó a los pies del Salvador para adorarle. No solamente había recibido la vista natural, sino que habían sido abiertos los ojos de su entendimiento".[42]

No hay peor ciego que el que no quiere ver. Seremos juzgados por la luz que hayamos recibido, o que podríamos haber recibido si nos hubiéramos esforzado por obtenerla.

Reconocen Su Voz

"Y cuando ha sacado fuera todas las que le pertenecen, va delante de ellas. Y las ovejas lo siguen, porque reconocen su voz". Juan 10:4

En Palestina, cuando las ovejas no están en el campo, se las mantiene dentro de un patio cerrado. Un guardián vigila el lugar por la noche, y al amanecer los pastores llegan para llevarse sus ovejas. Ellas conocen quién es su pastor. Él las llama, y las suyas lo siguen. "Por el profeta, Jesús declara: 'Con amor eterno te he amado; por tanto te soporté con misericordia'. El no obliga a nadie a seguirle. 'Con cuerdas humanas los atraje —dice— con cuerdas de amor' " (Sal. 77:20; Jer. 31:3; Ose. 11:4)".[43]

"Como el pastor va delante de sus ovejas y es el primero que hace frente a los peligros del camino, así hace Jesús con su pueblo. 'Y como ha sacado fuera todas las propias, va delante de ellas'. El camino al cielo está consagrado por las huellas del Salvador. La senda puede ser empinada y escabrosa, pero Jesús ha recorrido ese camino; sus pies han pisado las crueles espinas, para hacernos más fácil el camino. El mismo ha soportado todas las cargas que nosotros estamos llamados a soportar".[44]

Cristo dice claramente: "Yo Soy la puerta. El que entre por medio de mí, será salvo. Entrará, saldrá, y hallará pastos" (Juan 10:9). Sólo a través de Cristo puede la humanidad obtener acceso al cielo. Nunca han faltado los que intentan perder a las ovejas de Dios, ofreciéndoles otros medios de salvación. Los fariseos no se vieron a sí mismos retratados en la parábola del pastor. Mantenían que uno obtiene el cielo solamente a través de la escrupulosa observancia de la Tora y la tradición religiosa. Los pastores oficiales de Israel acababan de expulsar del redil a uno que había confesado creer en el Mesías.

Numerosas religiones enseñan hoy alternativas de Cristo. Excomulgan y expulsan del rebaño a los que no están de acuerdo con sus enseñanzas. Cristo no hacía eso. "¡Qué lección para los pastores que tratan de arrear a la iglesia como ganado, y fracasan! El verdadero pastor guía en amor, en palabras, en hechos".[45] "Muchos han sido arrojados fuera de la iglesia, cuyos nombres estaban registrados en el Libro de la Vida".[46]

En los últimos días, algunos les confiarán a los dirigentes religiosos la tarea de determinar su destino eterno. No habrán aprendido a reconocer la voz del verdadero Pastor. Cristo nos advierte: "Guardaos de los falsos profetas, que vienen disfrazados de ovejas, y por dentro son lobos rapaces" (Mat. 7:15).

¡Ay de los falsos pastores, y de quienes escuchan una voz engañosa y la siguen ciegamente!

La Puerta de las Ovejas

"Yo Soy el buen pastor. El buen pastor da su vida por las ovejas".
Juan 10:11.

La Mishna menciona cuatro clases de pastores; cada una representa un interés distinto en el rebaño. El que ha recibido un préstamo debe pagar personalmente por cualquier pérdida que sufra el rebaño. El que recibe pago debe pagar por cada pérdida, pero el dueño se lo deduce de su pago final. El depositario que no recibe pago debe explicar bajo juramento cómo sucedió la pérdida, y sólo entonces queda libre de responsabilidad, a menos que la pérdida se haya debido a su negligencia. El asalariado, si aparecen ladrones o alguna fiera, abandona las ovejas y huye, porque no tiene parte en el rebaño. ¡Cuatro guardianes, cada uno con menos interés personal en las ovejas que los otros!

"De todas las criaturas, la oveja es una de las más tímidas e indefensas, y en el Oriente el cuidado del pastor por su rebaño es incansable e incesante. Antiguamente, como ahora, había poca seguridad fuera de las ciudades amuralladas. Los merodeadores de las tribus errantes, o las bestias feroces que tenían sus guaridas entre las rocas, acechaban para saquear los rebaños".[47] Los buenos pastores protegían con su propia vida a las ovejas. Jesús conoce nuestras debilidades, nuestros nombres, nuestras necesidades, gozos y tristezas. " 'Vosotras, ovejas mías, ovejas de mi pasto, hombres sois, y yo vuestro Dios' —dice Dios, el Señor" (Eze. 34:31).

"En la parábola del pastor, Jesús le dio su propia interpretación a su obra y misión, representándose a sí mismo como el buen pastor, que alimenta y cuida de las ovejas. Dijo: 'El que no entra en el redil de las ovejas por la puerta, sino que sube por otra parte, es ladrón y asaltante'. Cristo declaró que todos los que habían venido antes que él con la pretensión de ser el Mesías, eran engañadores... Los engañadores no vinieron en la forma como estaba predicho que vendría el Redentor del mundo; pero Cristo vino y cumplió toda especificación. Los tipos y símbolos lo habían representado, y en él el tipo se encontró con el antitipo. En la vida, misión y muerte de Jesús se cumplió toda especificación".[48] Jesús entregó voluntariamente su vida por el rebaño. ¿Cómo podríamos decir que no le importamos? "Te puse nombre, eres mío" (Isa. 43:1). "En la palma de mis manos te llevo esculpida" (Isa. 49:16).

"Nunca abandona a un alma por la cual murió. A menos que sus seguidores escojan abandonarle, él los sostendrá siempre".[49]
Aprendamos a reconocer su voz, de modo que no nos engañen los falsos pastores.

Más Allá del Jordán

Cuando Jesús terminó de decir esas palabras, se alejó de Galilea, y vino a la región de Judea, del otro lado del Jordán. Mateo 19:1.

Había pasado un año y medio desde el sanamiento del paralítico de Betesda, y nada había cambiado en la Ciudad de David. Nuevamente los sacerdotes acusaron a Jesús de quebrantar el sábado, y trataron de arrestarlo. Su misión se acercaba a su fin. Le quedaban sólo seis meses. El Salvador comenzó un lento circuito que eventualmente lo llevaría al Calvario. Decidió pasar poco tiempo en Judea o en Jerusalén, puesto que su presencia sólo apresuraría su sacrificio. Por primera vez Jesús entró en Perea, distrito bajo la jurisdicción de Herodes Antipas, que se hallaba al otro lado del Jordán. "En esa región vivían muchos judíos y había una población bastante densa".[50] Durante el tiempo cuando Jesús había hecho su tercera gira por Galilea y enviado a los doce, muchos le habían seguido. Ahora escogió a 70 de entre ellos, y los envió de dos en dos a cada ciudad y lugar que pensaba visitar (Luc. 10:1).

Esas avanzadas misioneras debían ir primero a las ciudades de Samaria, ya que en dicha región había muchos creyentes. Jesús todavía sentía responsabilidad por Samaria, aun cuando un suceso reciente había enojado a sus discípulos. Cierta aldea había rechazado a Jesús porque los samaritanos que allí moraban creyeron discernir en el Salvador la intención de dirigirse a Jerusalén para adorar. Y ellos creían que uno podía adorar en forma igualmente válida en su propio monte sagrado, Gerizim. Su actitud molestó mucho a Santiago y su hermano, Juan. "Al volver a Cristo, le comunicaron las palabras de los habitantes del pueblo, diciéndole que habían rehusado darle siquiera albergue para la noche. Pensaban que se le había hecho un enorme agravio, y al ver en lontananza el monte Carmelo, donde Elías había matado a los falsos profetas, dijeron: '¿Quieres que mandemos que descienda fuego del cielo, y los consuma, como hizo Elías?' "[51] Jesús quería que los discípulos comprendieran que él todavía amaba a los samaritanos. Había venido para salvar, no para destruir; y ahora envió a los 70 para que fueran a los mismos que habían rechazado al Salvador. "La visita del Salvador mismo a Samaria, y más tarde la alabanza al buen samaritano y el gozo agradecido del leproso samaritano, quien de entre diez fue el único que volvió para dar gracias a Cristo, fueron hechos de mucho significado para los discípulos. La lección penetró profundamente en el corazón de ellos".[52]

"Amad a vuestros enemigos" (Mateo 5:44).

Las Zorras y las Aves

Yendo ellos por el camino, uno le dijo: "Señor, te seguiré dondequiera que vayas". Lucas 9:57.

A menudo había quienes se acercaban a Jesús con la intención de hacerse discípulos. Judas se ofreció en el verano del año 29. "Con gran fervor y aparente sinceridad, declaró: 'Maestro, te seguiré a donde quiera que fueres'. Jesús no le rechazó ni le dio la bienvenida, sino que pronunció tan sólo estas palabras tristes: 'Las zorras tienen cavernas, y las aves del cielo nidos; mas el Hijo del hombre no tiene donde recueste su cabeza' (Mat. 8:19, 20). Judas creía que Jesús era el Mesías; y uniéndose a los apóstoles esperaba conseguir un alto puesto en el nuevo reino, así que Jesús se proponía desvanecer esta esperanza declarando su pobreza".[53] La suerte de un discípulo no era una vida de lujo.

El segundo voluntario que se registra, apareció semanas más tarde; y el tercero, hacia fines del otoño del año 30. Un escriba se acercó mientras Jesús se preparaba para entrar en un bote que lo llevaría al otro lado del mar de Galilea, y le dijo: "Señor, deja que primero vaya y entierre a mi padre". El pedido no era tan inocente como parece a primera vista. Lo más probable era que el padre gozaba todavía de buena salud. Jesús no le hubiera exigido a un hijo que dejara de cumplir su sagrado deber filial. Es más probable que el hombre quería procrastinar, hasta ver si llegaba una ocasión mejor para dejarlo todo y seguir a Cristo. El Maestro sabía esto, y por eso le dijo: "Deja que los muertos entierren a sus muertos. Y tú ve, y anuncia el reino de Dios". No esperes; ve ahora mismo y predica. Deja que los que están muertos espiritualmente y no sienten el llamado de Dios entierren a los que están físicamente muertos.

"Entonces otro dijo: 'Señor, te seguiré, pero déjame que me despida primero de los que están en mi casa' ". A Jesús le quedaban sólo seis meses de vida. Para arreglar sus asuntos familiares, el hombre podría muy bien demorarse más que eso. Si quería ser un discípulo de Cristo, no debía demorarse. "Los requerimientos de Dios son más importantes que los de los hombres, aunque se trate de los parientes cercanos".[54] Como respuesta, Jesús parafraseó un proverbio bien conocido: "Ninguno que pone su mano al arado y mira hacia atrás, es apto para el reino de Dios". El proverbio original, de Hesíodo, un poeta griego del siglo 8 a.C., decía: "El que quiere arar surcos rectos no debe mirar hacia los lados".[55]

El verdadero discipulado requiere nuestra devoción indivisa y completa a la causa de Dios.

La Misión de los Setenta

"A la verdad, la mies es mucha, y los obreros pocos". Lucas 10:2.

"Las indicaciones hechas a los setenta fueron similares a las que habían sido dadas a los doce; pero la orden impartida a los doce de no entrar en ninguna ciudad de gentiles o samaritanos, no fue dada a los setenta".[56] Jesús había tenido éxito en su primer ministerio en Samaria (Juan 4:5-42). "Y muchos samaritanos de esa ciudad [Sicar] creyeron en él" (Juan 4:39). Junto al pozo de Jacob, Cristo les había señalado a sus discípulos la rica cosecha que esperaba ser recogida. Desde luego, se refería a la cosecha de almas entre los samaritanos. Ahora, repitió su dramática descripción del evangelismo. "A la verdad, la mies es mucha, y los obreros pocos. Rogad al Señor de la mies que envíe obreros a su mies" (Luc. 10:2).

Los fariseos conspiraban para destruir a Cristo y su mensaje, por lo cual Jesús les advirtió a los setenta que tuvieran cuidado. "¡Id! Os envío como corderos en medio de lobos" (Lucas 10:3). Los misioneros no debían llevar consigo provisiones, sino que debían comer de lo que se les ofreciera, y ser agradecidos por la hospitalidad. Por el momento, debían quedarse solamente en los hogares judíos o samaritanos, pero no en hogares gentiles. De ese modo, estarían en hogares que proveían alimentos de acuerdo con las leyes de Moisés. A los setenta no se les dio permiso para comer alimentos inmundos, como algunos creen que implica el texto que dice: "...comed lo que os presenten" (Luc. 10:8).

"El corazón generoso y amante de Jesús estaba lleno con el anhelo de proclamar las palabras de vida a todas las nacionalidades, y en buena medida logró su deseo. El Salvador se ubicaba en las grandes avenidas de tránsito, por donde las multitudes pasaban yendo y viniendo, y predicaba ante grandes grupos de distinta composición humana. Pero veía muchos campos que se abrían a la labor misionera. Había abundantes oportunidades de trabajo para los doce, y no sólo para ellos, sino para gran número de obreros".[57] Los setenta volvieron gozosos, habiendo tenido mucho éxito en el cumplimiento de su misión.

Todavía hay abundantes oportunidades para que el verdadero discípulo trabaje por Cristo y se goce compartiendo el Evangelio.

La Justicia de la Ley

Entonces un doctor de la Ley se levantó, y para probar a Jesús, le preguntó: "Maestro, ¿qué debo hacer para heredar la vida eterna?" Lucas 10:25.

Los dirigentes religiosos reclutaron en Jericó a un experto en religión (un abogado), para que le hiciera a Jesús una pregunta calculada para atraparlo. Los rabinos pasaban largas horas debatiendo sobre la vida eterna, y la multitud esperó ansiosamente la respuesta de Jesús a la pregunta: "¿Qué debo hacer para heredar la vida eterna?" Jesús replicó con una pregunta propia: "¿Qué está escrito en la ley? ¿Cómo lees?" Cristo vinculó la salvación con el hecho de guardar los mandamientos. Muchos sacerdotes y rabinos consideraban que Jesús no respetaba la ley, porque a menudo actuaba en forma diferente de las costumbres de origen humano. Aquí, mostró su firme apoyo por el Decálogo. La pregunta del abogado revelaba que éste estaba de acuerdo con el pensamiento popular judío acerca de la salvación. Era el esfuerzo humano lo que la obtenía. Así pues, hacer lo que los escribas y rabinos valoraban debía ser sin duda un buen punto de partida para ganarse el cielo a fuerza de trabajo.

El Sermón del Monte revelaba el espíritu y no la letra de la ley. El abogado puede haber sido un concienzudo estudioso de la letra de la ley, pero no comprendía el espíritu de la misma. Su respuesta fue: "Amarás al Señor tu Dios con todo tu corazón, con toda tu alma, con todas tus fuerzas y todo tu entendimiento; y a tu prójimo como a ti mismo". Todo judío devoto recitaba dos veces por día este pasaje de las Escrituras. Jesús confirmó la respuesta del hombre: "Has respondido bien. Haz esto, y vivirás". "El destino del hombre será determinado por su obediencia a toda la ley. El amor supremo a Dios y el amor imparcial al hombre son los principios que deben practicarse en la vida".[58] El que ama a Dios cumple los primeros cuatro mandamientos. Y si amamos a nuestro prójimo, obedeceremos los últimos seis.

El abogado pensaba que había guardado bastante bien los mandamientos, y sin embargo, sospechaba que la salvación dependía de algo más que la observancia de "la letra de la ley". Sabía que no había practicado el verdadero amor al prójimo. "Para evadir en parte su convicción íntima, procedió a justificarse haciendo parecer que amar al prójimo presentaba grandes dificultades".[59]

"Cristo sabía que nadie podía obedecer la ley por su propia fuerza".[60] Únicamente aceptando la virtud y la gracia de Cristo podemos observar la ley. Guardamos el Decálogo como un acto de amorosa obediencia, y no para ganar crédito para entrar al cielo.

¿Quién es mi Prójimo?

Pero él, queriendo justificarse a sí mismo, dijo a Jesús: "¿Y quién es mi prójimo?". Lucas 10:29.

Ahora, el abogado hizo otra pregunta teológica que provocaba candentes debates: "¿Y quién es mi prójimo?" "Según pensaba ese intérprete, los paganos y los samaritanos estaban excluidos de la categoría de 'prójimo'; la única duda que tenía era saber a cuál de sus compatriotas israelitas podía considerar como prójimo".[61]

Jesús les contó a sus oyentes de Jericó el siguiente relato: "Un hombre descendía de Jerusalén a Jericó, y cayó en manos de ladrones, que lo despojaron, lo hirieron, y se fueron, dejándolo medio muerto. Por casualidad, un sacerdote descendía por aquel camino, y al verlo, pasó por el otro lado. De igual modo, un levita llegó cerca de aquel lugar, y al verlo, pasó por el otro lado". "Esta no era una escena imaginaria, sino un suceso reciente, conocido exactamente como fue presentado. El sacerdote y el levita que habían pasado de un lado estaban en la multitud que escuchaba las palabras de Cristo".[62] El sendero que llevaba desde Jerusalén hasta Jericó tomaba por el Wadi Qelt y atravesaba por colinas áridas y deshabitadas. Por coincidencia, el sacerdote y el levita volvían de Jerusalén, habiendo terminado sus turnos de servicio en el templo. Como representantes de Dios, debían "poder compadecerse de los ignorantes y extraviados" (Heb. 5:2). En cambio, pasaron de largo, ya que tocar a la víctima significaba contaminación ritual. Tal cosa habría sido un problema para quien obedecía la letra y no el espíritu de la ley. Jesús continuó su relato: "Pero un samaritano que iba de camino, se acercó a él, y al verlo, se compadeció de él. Se acercó, vendó sus heridas, y les echó aceite y vino. Y poniéndolo sobre su cabalgadura, lo llevó al mesón, y lo cuidó". El samaritano era extranjero en Israel. Sabía que los judíos lo despreciaban; a pesar de ello, proveyó la ayuda que necesitaba el viajero herido. Sosteniendo al hombre hasta que llegaron a una posada, lo atendió toda la noche, y en la mañana proveyó dinero para que se le siguieran prodigando los cuidados necesarios.

Una vez que se terminó el relato, Jesús preguntó, fijando sus ojos en el intérprete de la ley: "¿Cuál de éstos consideró que el herido era su prójimo?" "El doctor de la ley no quiso tomar, ni aun ahora, el nombre del samaritano en sus labios, y contestó: 'El que usó con él de misericordia'. Jesús dijo: 'Ve, y haz tú lo mismo' ".[63]

El Buen Samaritano

"Pero un samaritano que iba de camino, se acercó a él, y al verlo, se compadeció de él". Lucas 10:33.

¿Quién es mi prójimo? En apariencia sencilla, la pregunta tenía profundas implicaciones. Tanto el levita como el sacerdote se habían "aproximado" al herido, pero no por eso actuaron como buenos "prójimos" [próximos, vecinos]. Por su parte, el samaritano no tomó en cuenta su propio peligro personal. Su atención se dirigió al ser humano herido que necesitaba ayuda. "Ser buen prójimo no depende tanto de proximidad como de voluntad para compartir las cargas ajenas. Ser buen prójimo es la expresión práctica del principio del amor para el que lo necesita".[64] "El amor no hace mal al prójimo; así el amor es el cumplimiento de la ley" (Rom. 13:10). Cristo dijo: "Oísteis que fue dicho: 'Amarás a tu prójimo y aborrecerás a tu enemigo'. Pero yo os digo: Amad a vuestros enemigos, bendecid a los que os maldicen, haced bien a los que os aborrecen, y orad por los que os maltratan y persiguen. Para que seáis hijos de vuestro Padre celestial" (Mat. 5:43-45).

La ley de Dios nos señala el supremo amor de nuestro Padre. Dios entregó a su único Hijo para salvar a la humanidad y exaltar de este modo su ley. El solo deseo de hacer el bien no tiene valor. Dios sólo acepta los actos que benefician al prójimo. "La religión pura y sin mancha ante Dios el Padre es ésta: Visitar a los huérfanos y a las viudas en sus tribulaciones, y guardarse sin mancha de este mundo" (Sant. 1:27).

"Así la pregunta: '¿Quién es mi prójimo?' está para siempre contestada. Cristo demostró que nuestro prójimo no es meramente quien pertenece a la misma iglesia o fe que nosotros. No tiene que ver con distinción de raza, color o clase. Nuestro prójimo es toda persona que necesita nuestra ayuda. Nuestro prójimo es toda alma que está herida y magullada por el adversario. Nuestro prójimo es todo aquel que pertenece a Dios".[65] Debemos ser "hacedores" de la Palabra. "El que dice que está en él, debe andar como él anduvo" (1 Juan 2:6). El espíritu con que tratamos a los demás revela nuestra verdadera actitud hacia Dios.

"Muchos de los que profesan su nombre han perdido de vista el hecho de que los cristianos deben representar a Cristo. A menos que practiquemos el sacrificio personal para bien de otros, en el círculo familiar, en el vecindario, en la iglesia, y en dondequiera que podamos, cualquiera sea nuestra profesión, no somos cristianos".[66] "La Ley del Señor es perfecta, que restaura el alma" (Salmo 19:7).

Marta, Marta

Jesús siguió su camino, y llegó a una aldea, donde una mujer
llamada Marta, lo recibió en su casa. Lucas 10:38.

Al entrar a Betania, después de haber subido por el empinado y polvoriento sendero proveniente de Jericó, Jesús y sus discípulos se sentían cansados. Betania estaba emplazada en la falda oriental del monte de las Olivas, unos dos kilómetros y medio al este de Jerusalén. En esta ocasión, el grupo visitaba por primera vez el hogar de Lázaro y sus dos hermanas, María y Marta. Aparentemente, Marta era la mayor, y le dio la bienvenida al Salvador en su hogar.

La vida de Jesús no había sido fácil. El rechazo de su mensaje en Jerusalén, Judea, Galilea, y últimamente en Samaria, había sido difícil. Había sido apropiado su comentario, "el Hijo del Hombre no tiene dónde reclinar la cabeza" (Luc. 9:58). "Nuestro Salvador apreciaba un hogar tranquilo y oyentes que manifestasen interés. Sentía anhelos de ternura, cortesía y afecto humanos".[67] En esta ocasión, Marta se ocupó en atender a sus visitantes. María eligió sentarse a los pies de Jesús y escuchar. "Pero Marta, atareada con muchos quehaceres, se acercó a Jesús, y le dijo: 'Señor, ¿no te preocupa que mi hermana me deja servir sola? Dile que me ayude' ". Marta necesitaba la paz interior, olvidarse de lo inmediato y concentrarse en lo futuro. No se requerían preparativos especiales para contentar al Maestro. María se preocupaba de las cosas espirituales; Marta, de las materiales.

Los deberes de Marta la distraían. Sintiendo la presión generada por la presencia de tantos visitantes, se dio cuenta de que María no atendería un pedido directo de ayuda, y por lo tanto se dirigió a Cristo. Profundamente preocupado por ella, Jesús replicó: "Marta, Marta [¡una doble Marta!], estás preocupada y turbada por muchas cosas. Pero una sola cosa es necesaria. Y María eligió la buena parte, que no le será quitada". "La 'una cosa' que Marta necesitaba era un espíritu de calma y devoción, una ansiedad más profunda por el conocimiento referente a la vida futura e inmortal".[68] "Buscad primero el reino de Dios y su justicia, y todas estas cosas os serán añadidas" (Mat. 6:33).

Dios tiene lugar en su servicio para personas como Marta, que
tienen un sólido sentido del deber; pero necesitan primeramente
ordenar sus prioridades y sentarse ante todo a los pies del
Maestro.

La Fiesta de la Dedicación

Era invierno, y en Jerusalén estaban celebrando la fiesta de la dedicación del templo. Jesús andaba en el templo, por el pórtico de Salomón. Juan 10:22, 23.

Judas Macabeo instituyó la fiesta de la Dedicación para celebrar la purificación del templo y su restauración después de la contaminación causada por Antíoco Epífanes (168-165 a.C). Hoy la mayoría de los judíos todavía la observan bajo el nombre de Hanuka, o "el festival de las luces". Había llegado el invierno. "Según el Talmud... el invierno se extendía más o menos desde mediados de Kislev hasta mediados de Sebat (aproximadamente desde mediados de diciembre hasta mediados de febrero). La palabra griega para invierno (*cheimon*) puede referirse ya sea a la estación, o simplemente a un tiempo lluvioso y tormentoso. Juan puede haber introducido esta observación sólo para mostrar que Jesús estaba en el pórtico de Salomón (vers. 23) porque el tiempo era inclemente en esa estación".[69] El pórtico de Salomón estaba ubicado al oriente del templo.

Es interesante notar que Cristo había vuelto al lugar en que la multitud recientemente había tratado de apedrearlo. La multitud le preguntó: "¿Hasta cuándo nos vas a tener en suspenso? Si tú eres el Cristo, dínoslo abiertamente". Durante su ministerio, Jesús rara vez se refirió a sí mismo usando el término "el Cristo". Ahora, su asentimiento podría confundir a los judíos que buscaban un Cristo político. Pero su negativa habría equivalido a negar su misión. En cambio, los reprendió: "Os lo he dicho, y no creéis. Las obras que yo hago en nombre de mi Padre, testifican de mí. Pero vosotros no creéis, porque no sois de mis ovejas. Mis ovejas oyen mi voz, yo las conozco y ellas me siguen. Yo les doy vida eterna, y jamás perecerán, ni nadie las arrebatará de mi mano. Mi Padre que me las dio, es mayor que todos. Nadie las puede arrebatar de la mano de mi Padre. Yo y el Padre somos uno".

Jesús no enseña aquí que sus ovejas, "una vez salvas" eran "siempre salvas". Satanás puede atraernos, pero dejamos el redil por nuestra propia voluntad. Los judíos se dieron cuenta de que Jesús acababa de aseverar que era igual a Jehová. Su declaración: "Yo y el Padre somos uno", los llenó de ira. Una vez más, y tal como habían hecho tan sólo dos meses antes, tomaron piedras para apedrearlo, "pero él escapó de sus manos".

Aun hoy, las ovejas pueden apartarse del pastor. Por nuestras elecciones personales, podemos separarnos de nuestro Señor, tal como lo hicieron los fariseos.

Enséñanos a Orar

Un día estaba Jesús orando en un lugar, y cuando terminó, uno de sus discípulos le dijo: "Señor, enséñanos a orar, como Juan enseñó a sus discípulos". Lucas 11:1.

Los discípulos habían visto muchas veces a Jesús apartarse solo, y pasar toda la noche en oración. "Un día, tras una corta ausencia del lado de su Señor, lo encontraron absorto en una súplica. Al parecer inconsciente de su presencia, él siguió orando en voz alta. Los corazones de los discípulos quedaron profundamente conmovidos. Cuando terminó de orar, exclamaron: 'Señor, enséñanos a orar' ".[70] Las oraciones de Jesús eran, por cierto, muy diferentes de las que los discípulos oían pronunciar a los rabinos y sacerdotes en el templo. Las oraciones de ellos eran repetitivas, y no expresaban profundas emociones. En contraste, las plegarias de Jesús eran sinceras y personales. El Salvador, entonces, repitió el Padrenuestro. Quizás debiéramos llamarlo "la oración del discípulo", puesto que Jesús ciertamente no tenía necesidad de orar por el perdón de ningún pecado.

El Padrenuestro nos enseña a reconocer a Dios como nuestro Padre. El hecho de que mora en el cielo debiera hacernos ver qué posición ocupamos con respecto a él. Debemos reverenciar el nombre de Dios, puesto que es "santificado". "El nombre de Dios representa su carácter (Éxo. 34:5-7). La importancia que los judíos atribuían al nombre divino se reflejaba en la reverencia con la cual lo pronunciaban, o con mayor frecuencia, dejaban sin decir".[71]

Jesús les enseñó a los discípulos a desear la venida del reino de gloria. El pecado cesará de existir cuando Dios haya cumplido plenamente su voluntad en la tierra. En la primera parte de la oración, Cristo expresa nuestro anhelo de ver que la voluntad de Dios reine suprema. La segunda parte se refiere a nuestras necesidades espirituales y temporales, y a nuestra relación con el prójimo. Nuestro pan cotidiano incluye ambas áreas. Podemos pedir perdón por nuestros pecados, pero únicamente si estamos dispuestos a perdonar a los demás. Además, debemos pedir protección contra la tentación, porque sin duda ésta vendrá (Juan 17:15), y que Dios nos guíe según sus propios designios y no los nuestros. La doxología o conclusión que aparece en Mateo refleja la alabanza a Dios que tributó David, en 1 Crónicas 29:11-13.

Cuando oramos diciendo: "Danos hoy nuestro pan cotidiano", debemos comprender que no se trata simplemente del alimento físico proveniente del trigo. Nuestro pan cotidiano es también Jesús, el Pan de Vida. Debemos pedirle que nos sustente cada día.

Un Huésped a Medianoche

"Pedid, y os darán. Buscad, y hallaréis. Llamad, y os abrirán".
Lucas 11:9.

Por medio de una parábola, Jesús amplió sus instrucciones acerca de la oración. En el Cercano Oriente, la gente viajaba en las horas más frescas de la tarde, para evitar el fuerte calor del día. A medianoche llegó un visitante inesperado a casa de su amigo, y éste no tenía nada que ofrecerle para comer. Corrió entonces a casa de su vecino. Quizás no tengamos en un momento dado el alimento espiritual que alguien necesite, pero nunca debemos rechazar a nadie que ande en busca del pan de vida. Dios suplirá lo que necesitamos poner al alcance de otros. El vecino ya se había acostado, y tenía la puerta trancada. "En muchas partes del Cercano Oriente todos los miembros de la familia duermen, aún hoy, en una habitación, en colchones sobre el piso, o en camas bajas parecidas a plataformas. Si un miembro de la familia se levantaba, todos se despertaban fácilmente".[72]

No se trata de que el vecino perezoso no pudiera darle pan al vecino que pedía ayuda; simplemente no quería molestarse. Pero el vecino no se dio fácilmente por vencido. "En la parábola, el postulante fue rechazado repetidas veces, pero no desistió de su propósito. Así nuestras oraciones no siempre parecen recibir una inmediata respuesta; pero Cristo nos enseña que no debemos dejar de orar. La oración no tiene por objeto obrar algún cambio en Dios, sino ponernos en armonía con Dios".[73] La necesidad de ser perseverante se destaca en la parábola del visitante nocturno. La demora prueba nuestra perseverancia y sinceridad.

Es igualmente importante la oración por el beneficio de otros. El vecino importuno no buscaba pan para los suyos, sino para su amigo visitante. Ante nuestras necesidades personales, no debemos acudir a Dios con deseos egoístas, tratando de hacer que cambie de parecer. Más bien, la oración debe producir un cambio en nosotros, y no en el plan que Dios tenga para nosotros. "Las lecciones de Cristo con respecto a la oración deben ser cuidadosamente consideradas. Hay una ciencia divina en la oración, y la ilustración de Cristo presenta un principio que todos necesitamos comprender. Demuestra lo que es el verdadero espíritu de oración, enseña la necesidad de la perseverancia al presentar a Dios nuestras peticiones, y nos asegura que él está dispuesto a escucharnos y a contestar la oración. Nuestras oraciones no han de consistir en peticiones egoístas, meramente para nuestro propio beneficio. Hemos de pedir para poder dar...

"Nuestra misión en el mundo no es servirnos o agradarnos a nosotros mismos. Hemos de glorificar a Dios cooperando con él para salvar a los pecadores".[74]

La Hipocresía y la Sinceridad

En eso se juntaron miles de personas, tanto que se atropellaban unos a otros. Y Jesús empezó a decir primero a sus discípulos: "Guardaos de la levadura de los fariseos, que es la hipocresía". Lucas 12:1.

Constantemente, Jesús amonestaba a la gente a evitar seguir el ejemplo de los fariseos, cuya religión se había convertido en una carga intolerable para el pueblo. "¡Ay de vosotros, escribas y fariseos, hipócritas! Porque cerráis el reino de los cielos ante los hombres. Ni vosotros entráis, ni dejáis entrar a los que están entrando" (Mat. 23:13). Esos dirigentes creían que el reino era exclusivamente para ellos, y que la gente común nunca podría obtener entrada.

Ahora, al hallarse Jesús ante la multitud que forcejeaba por acercarse a él para oírlo, se dirigió al comienzo solamente a sus discípulos. Nuevamente los amonestó a que se cuidaran de la levadura de los fariseos. Era un tema familiar, que muchas veces había compartido con ellos. En el pasado, Jesús había usado el término "levadura" en representación de la doctrina de los fariseos; pero ahora lo usó para simbolizar su estilo de vida en general. Por precepto y por ejemplo, los fariseos habían apartado de Dios al pueblo. Jesús sabía que los saduceos y los fariseos intentarían anular su ministerio. Una vez que él ya no estuviera, procurarían persuadir a sus seguidores de que Jesús no era el Hijo de Dios. Eso ponía en peligro a sus discípulos. Ellos mismos pensaban que Jesús quizás debiera mostrar alguna señal divina para silenciar a sus críticos. Si tal hipocresía continuaba fermentando en las mentes y corazones de los discípulos, terminarían abandonando del todo su creencia en Cristo.

Los fariseos aplicaban mal las Escrituras, y albergaban tendencias a la glorificación propia. Sus teorías humanas tenían como propósito hacerles más fácil su suerte en la vida, en detrimento de la ley de Dios. Aplicaban mal o rechazaban preceptos que eran divinos, mientras que exaltaban las tradiciones humanas. De ese modo, los autores humanos de las tradiciones recibían fama y gloria. Desgraciadamente, los discípulos no eran inmunes a tal forma de pensar. "Las mismas influencias obran hoy por medio de aquellos que tratan de explicar la ley de Dios de modo que la hagan conformar con sus prácticas. Esta clase no ataca abiertamente la ley, sino que presenta teorías especulativas que minan sus principios. La explican en forma que destruye su fuerza".[75]

Debemos cuidarnos de todo aquello que, ya sea por precepto o por ejemplo, nos separe de la Palabra de Dios, que es la verdad.

El Rico Insensato

Un hombre de la multitud le dijo: "Maestro, di a mi hermano que parta conmigo la herencia". Lucas 12:13.

Al salir Jesús de casa del fariseo que lo invitara a comer, un joven se le acercó, abriéndose paso por entre la multitud, y le dijo: "Maestro, di a mi hermano que parta conmigo la herencia". Según la ley del Antiguo Testamento, el hijo mayor recibía una porción doble de la herencia paterna. Este hombre se sentía despojado de su "legítima" porción de la heredad. "Este hombre suponía que si Jesús pudiera hablarle a su hermano con la misma autoridad, no se atrevería a desobedecer lo que Jesús le ordenara. Pensaba que el Evangelio del reino no era más que un medio para favorecer sus propios intereses egoístas".[76]

Jesús reconoció la disposición egoísta del joven, y le habló con cierta severidad: "Hombre, ¿quién me puso por juez o partidor sobre vosotros? Y les dijo: ¡Cuidado! Guardaos de toda avaricia, porque la vida del hombre no consiste en la abundancia de los bienes que posee". Ambos hermanos exhibían esa avaricia. "El materialismo se encuentra en la raíz de muchos de los mayores problemas del mundo actual, y es la base de la mayor parte de las filosofías políticas y económicas, y por lo tanto es la causa de una gran parte de los conflictos entre clases y naciones que afligen a la humanidad".[77]

A propósito, Jesús contó una poderosa parábola. "La heredad de un hombre rico había producido una gran cosecha. Y él pensó dentro de sí: '¿Qué haré?, porque no tengo dónde juntar mis frutos'. Y dijo: 'Esto haré. Derribaré mis graneros, los edificaré mayores, y allí guardaré todos mis frutos y mis bienes. Y me diré: Muchos bienes tienes almacenados para muchos años. ¡Reposa, come, bebe y alégrate!' Pero Dios le dijo: '¡Insensato! Esta noche vienen a pedir tu vida. Y lo que has guardado, ¿de quién será?" (Luc. 12:16-20). "En vano se afana. Amontona riquezas, sin saber para quién" (Sal. 39:6). El hombre no se dio cuenta de que Dios lo había hecho un mayordomo, para que usara sus bienes en beneficio de su prójimo.

Cristo nos aconseja: "No acumuléis tesoros en la tierra, donde la polilla y el óxido corroen, y los ladrones socavan y roban. Sino acumulad tesoros en el cielo" (Mateo 6:19, 20). ¿Dónde está tu tesoro?

Anuncio Público

*"Vosotros también, estad preparados, porque el Hijo del Hombre
vendrá a la hora que no pensáis". Lucas 12:40.*

𝓔n la calle, junto al hogar de un fariseo, Jesús anunció públicamente por primera vez que volvería a este mundo. Deseando preparar a sus discípulos para su muerte, resurrección y ascensión, les relató una historia. "Esté ceñida vuestra cintura, y vuestras lámparas encendidas. Y vosotros sed semejantes a hombres que aguardan que su señor vuelva de la boda; para que cuando llegue y llame, le abran en seguida. ¡Dichosos los siervos a quienes el Señor encuentre velando cuando él vuelva!" (Luc. 12:35-37). El siervo no cumple con su deber por miedo a que el amo regrese y lo juzgue, sino para completar su misión.

"Los que aguardan al Señor purifican sus almas obedeciendo la verdad. Con la vigilancia combinan el trabajo ferviente. Por cuanto saben que el Señor está a las puertas, su celo se vivifica para cooperar con los seres divinos y trabajar para la salvación de las almas... Declaran la verdad que tiene aplicación especial a su tiempo. Como Enoc, Noé, Abrahán y Moisés declararon cada uno la verdad para su tiempo, así también los siervos de Cristo dan ahora la amonestación especial para su generación".[1]

Dios nos pedirá cuentas del servicio para el cual nos preparó. Nos juzgará según el uso correcto que demos a nuestros talentos. Qué triste sería reconocer al final que nuestros talentos que no usamos, pudieron haberse usado con diligencia en la obra del Señor.

Por cuanto ningún ser humano sabe la hora de la aparición del Hijo del Hombre, Cristo nos anima a estar siempre alerta. "Y aunque venga a la medianoche o a la madrugada, dichosos si los halla así" (Luc. 12:38). La segunda velada comienza desde las 9:00 p.m. hasta la medianoche, la tercera desde la medianoche hasta las 3:00 a.m. Las horas de la madrugada hallarán a los que llevan las cargas de su Señor haciendo fielmente su trabajo. "En el gran día del juicio, aquellos que no han trabajado por Cristo, los que se han dejado llevar al garete sin cargar responsabilidades, pensando en sí mismos y agradándose a sí mismos, serán colocados por el Juez de toda la tierra con aquellos que obraron el mal. Reciben la misma condenación".[2]

*"Entonces Pedro le dijo: 'Señor, ¿dices esta parábola a nosotros, o
también a todos?'" (Lucas 12:41). ¿Qué nos parece?*

Déjalo También Este Año

*Y dijo al viñador: "Hace tres años que vengo a buscar fruto de esta
higuera, y no lo hallo. Córtala, ¿para qué ocupará inútilmente la
tierra?". Lucas 13:7.*

Los que rodeaban a Jesús le informaron acerca de los peregrinos galileos
que Poncio Pilato había mandado matar en el templo. Ellos esperaban oír de
Jesús palabras de condenación contra aquellos hombres, que, sin duda, merecían
el castigo. Pensaban que realmente los que murieron eran menos favorecidos de
Dios que los que habían escapado de su venganza. Los discípulos no quisieron
juzgar el caso en forma apresurada. Como ellos eran de Galilea, simpatizaban
con las víctimas; sin embargo, esperaban que Jesús confirmara que la calamidad
que había caído sobre esos hombres se debía a que eran más pecadores que los
demás. La respuesta de Jesús los sorprendió: "¿Pensáis que esos galileos, porque
padecieron tal cosa, eran más pecadores que todos los galileos? Os digo que no.
Antes, si no os arrepentís, todos pereceréis igualmente" (Luc. 13:2, 3). Viendo
hacia el futuro con mirada profética, Jesús predijo la destrucción de la nación judía
por los ejércitos romanos. Muchos judíos más perecerían por la espada romana en
los atrios del templo. "En agosto [año 70 d.C.], de acuerdo con el informe de
Josefo, el templo fue conquistado y contra la orden de Tito, fue quemado totalmente.
La colina sudoeste de Jerusalén, llamada la ciudad alta, cayó ante los romanos en
septiembre. Josefo afirma que más de un millón de judíos perdieron la vida durante
el sitio de Jerusalén, y que 97.000 fueron tomados prisioneros".[3]

Dios prolongó su misericordia para con su nación. "La generación a la
cual el Salvador había venido, estaba representada por la higuera plantada en la
viña del Señor, que se hallaba dentro del círculo de su cuidado y bendición
especiales".[4] Mediante Cristo, durante tres años Dios había estado buscando
fruto de la nación judía sin hallarlo. El hortelano le rogó al dueño que le
permitiera prodigarle cuidados adicionales a la higuera. Jesús dejó la parábola
inconclusa, porque su fin dependía de la respuesta de la nación. "Se les había
concedido toda ventaja que el cielo podía otorgarles, pero no aprovecharon sus
acrecentadas bendiciones. El acto de Cristo, al maldecir la higuera estéril,
demostró el resultado. Los judíos habían determinado su propia destrucción".[5]

*¿Por qué será que cuando pensamos en el juicio queremos que los
demás sean juzgados severamente, mientras que para nosotros
esperamos mucha compasión? ¿Estamos produciendo el fruto del
arrepentimiento o sólo engañándonos con la idea de que ya
estamos salvos?*

El Cuidado del Viñador

Entonces el viñador respondió: "Señor, déjala aún este año, hasta que yo cave alrededor, y la abone. Y si diera fruto, bien. Si no, la cortarás después". Lucas 13:8, 9.

"*D*urante más de mil años, esa nación había abusado de la misericordia de Dios y atraído sus juicios. Había rechazado sus amonestaciones y muerto a sus profetas. Los judíos contemporáneos de Cristo se hicieron responsables de estos pecados al seguir la misma conducta".[6] El Padre y el Hijo amaban a Israel. Por eso la nación disfrutó de oportunidades adicionales. Así también nosotros hemos sido plantados en la viña bajo el cuidado del Viñador. Dios también nos ha dado grandes oportunidades y privilegios.

"Has tomado el nombre de Cristo; en lo exterior eres un miembro de la iglesia, que es su cuerpo, y sin embargo eres consciente de que no tienes ninguna conexión vital con el gran corazón de amor. La corriente de su vida no fluye a través de ti. Las dulces gracias de su carácter, 'los frutos del Espíritu', no se ven en tu vida".[7] Muchos de nosotros merecemos semejante acusación, pero nuestro misericordioso Dios ha decidido no cortarnos. Nos dejará aún este año, aunque hayamos tenido ya muchos años de oportunidad para producir frutos. Muchos de nosotros no sólo no hemos llevado fruto, sino que hemos ocupado lugar inútilmente, impidiendo así que otros esparzan el Evangelio. Nuestras críticas y actitudes negativas han estorbado su interés e impedido su crecimiento espiritual. El fuego más candente que algunos cristianos muestran sirve apenas para entibiar algunas pulgadas de la banca de la iglesia.

La parábola dice de la higuera: "Córtala, ¿para qué ocupará inútilmente la tierra?" (Luc. 13:7). "La higuera no sólo no daba fruto sino que ocupaba un terreno que de otro modo podía ser productivo. La nación judía había llegado al punto en que no sólo era inútil en el cumplimiento del papel que Dios le había designado, sino que también se había convertido en un obstáculo en la predicación a otros del plan de salvación".[8] Cristo no duda del derecho que tiene su Padre a cortar el árbol y reemplazarlo por uno más productivo; sin embargo, anhela darle aún más atención. Desea que responda a su intercesión.

Israel rehusó el esfuerzo adicional que Dios realizó al enviar a su Hijo para salvarlos. También envió su Hijo a nosotros.
¿Produciremos frutos?

La Mujer Encorvada

Y estaba allí una mujer que desde hacía dieciocho años tenía una enfermedad por causa de un espíritu. Andaba encorvada sin poder enderezarse. Lucas 13:11.

Lucas 13 registra la última de las seis ocasiones en que Jesús sanó y enseñó en la sinagoga en sábado. Los milagros anteriores incluían: El sanamiento del inválido en el estanque de Betesda (Juan 5:1-15), el del endemoniado en la sinagoga (Mar. 1:21-28), el de la suegra de Pedro (Mar. 1:29-31), el del hombre con la mano seca (Mar. 3:1-6), y el del ciego de nacimiento (Juan 9:1-41). Este sábado en particular, mientras se hallaba en la sinagoga de Perea, Jesús vio a una mujer con una curvatura crónica en la espalda, la llamó y le dijo: " 'Mujer, quedas libre de tu enfermedad'. Puso sus manos sobre ella, y al instante se enderezó, y alabó a Dios" (Luc. 13:12, 13). Después de 18 años de mirar el polvo y los pies de la gente, el primer rostro que esta mujer vio ahora fue el de Jesús. Ya podemos imaginar su gratitud. No es de extrañarse que haya alabado a Dios. Sin embargo, no todos los presentes estaban felices.

"Pero el principal de la sinagoga, se enojó de que Jesús la hubiese sanado en sábado, y dijo a la gente: 'Seis días hay para trabajar. En ellos venid para ser sanados, y no en sábado' " (Luc. 13:14). La ley judaica no permitía que se diera tratamiento en sábado a los que padecían enfermedades crónicas. En repetidas ocasiones, Jesús desafió este reglamento. El hombre sanado junto al estanque de Betesda había sido inválido durante 38 años, y era obvio que esta mujer no entraba en la categoría de "enfermedades agudas".

Entonces Jesús dijo al principal de la sinagoga: "¡Hipócrita! Cada uno de vosotros, ¿no desata en sábado su buey o su asno, y lo lleva a beber? Y a esta hija de Abrahán, que hacía dieciocho años que Satanás la tenía atada, ¿no fue bueno desatarla de esta ligadura en sábado?" (Luc. 13:15, 16). "No sólo era un ser humano, y por lo tanto de valor infinitamente mayor que un animal, sino que también pertenecía a la raza escogida".[9] La compasión de Jesús reprendió al oficial por haber dejado sufrir a la mujer durante 18 años, sin hacer nada por ella. Muchos todavía creen la falsa doctrina según la cual el sufrimiento es castigo de Dios; así evitan sentirse responsables de sus semejantes. Pero cualquier persona necesitada es nuestro semejante.

El cristianismo abarca más que sólo llevar la Biblia a la iglesia. Es llevar también la carga de nuestros semejantes.

Otra Trampa de los Fariseos

Aquel mismo día llegaron unos fariseos, y dijeron a Jesús. "Vete de aquí, porque Herodes te quiere matar". Lucas 13:31.

Había pasado casi un año desde que Herodes Antipas había mandado matar a Juan el Bautista, y todavía el malvado rey no conseguía paz en su corazón. "Habían llegado a Herodes noticias de la predicación de los apóstoles por Galilea, y ello había llamado su atención a Jesús y su obra. 'Este es Juan el Bautista —decía—: él ha resucitado de los muertos', y expresó el deseo de ver a Jesús".[10] El Salvador había salido de Galilea por última vez y ahora predicaba a millares en Perea. Como Herodes Antipas gobernaba Galilea y Perea, los fariseos vinieron a Jesús y le dijeron: "Vete de aquí, porque Herodes te quiere matar" (Luc. 13:31). El incidente debe haber sorprendido a los discípulos de Cristo. Los mismos que deseaban ver muerto a su Maestro, ahora le avisaban que huyera para salvar su vida. "Pero como Herodes temía a Jesús (ver com. Mat. 14:1-2) y a la vez tenía deseos de verle (Luc. 23:8), es muy poco probable que realmente procurara matarlo. Los fariseos quizá se valieron de este ardid con el intento de asustar a Jesús para que se fuera de Perea a Judea, donde ellos podrían apresarlo. Los dirigentes de los judíos habían estado tramando durante casi dos años la muerte del Salvador, y los judíos hacía poco habían intentado dos veces apedrearlo".[11]

Jesús les contestó: "Decid a ese zorro: 'Yo echo demonios y realizo sanidades hoy y mañana, y al tercer día termino mi obra'. Sin embargo, es necesario que hoy, mañana y pasado mañana camine; porque no es posible que un profeta muera fuera de Jerusalén" (Luc. 13:32, 33). Jesús indicó a los fariseos que su ministerio estaba por terminar. Su destino era morir en una cruz por la humanidad. Fue en la oración del Getsemaní donde pronunció por primera vez las palabras: "Yo te he glorificado [a Dios el Padre] en la tierra. He acabado la obra que me encargaste" (Juan 17:4). Entonces su misión sería "perfeccionada" o completada. Herodes no impediría prematuramente lo que todavía le faltaba hacer a Jesús: "Jesús no tenía temor de que algo le ocurriera mientras trabajaba en el territorio que gobernaba Herodes, pues sabía perfectamente que moriría en Jerusalén".[12]

Jesús sabía el futuro que le esperaba, y conoce el destino que nos prepara. Confiemos en él y todo resultará como fue planeado para nuestro beneficio final.

El Lugar Menos Importante

Un sábado Jesús entró a comer en casa de uno de los principales
fariseos. Y ellos lo acechaban. Lucas 14:1.

Mientras Jesús comía un sábado con un fariseo de alta influencia y respeto, se presentó un hombre hidrópico, esperando ser sanado. Volviéndose a los "doctores de la ley", Jesús les preguntó: "¿Es lícito sanar en sábado? Pero no contestaron. Jesús sanó la enfermedad del hombre y les dijo: "¿Quién de vosotros, si se le cae un hijo o un buey en un pozo, no lo saca en seguida, aunque sea sábado?" Pero los doctores de la ley no admitieron que se preocupaban más de su ganado que de un ser humano.

Cuando Jesús miró a su alrededor, notó que la mayoría de los invitados habían escogido los mejores asientos, cerca del invitado de honor y del anfitrión. Entonces dijo que era mejor sentarse en un lugar menos prestigioso que ser humillado por buscar los puestos mejores. Sería bochornoso si el anfitrión pidiera a alguien que cediera su lugar a otra persona más importante que acababa de llegar. Pero al tomar un puesto menos honorable, el anfitrión podría ofrecerles un lugar más importante. "Porque el que se enaltece, será humillado; y el que se humilla, será enaltecido" (Luc. 14:11). El deseo de exaltación propia fue el pecado de Lucifer. Jesús se humilló a sí mismo, y se hizo obediente hasta la muerte (Fil. 2:8).

Volviéndose a su anfitrión, Jesús le dijo: "Cuando ofrezcas una comida o una cena, no llames a tus amigos, ni a tus hermanos, ni a tus parientes, ni a vecinos ricos; para que también ellos te vuelvan a convidar, y seas recompensado. Cuando ofrezcas un banquete, llama a los pobres, mancos, tullidos y ciegos, y serás dichoso, porque no te pueden retribuir; sino que te será recompensado en la resurrección de los justos" (Luc. 14:12-14). La hospitalidad no debiera surgir de nuestros motivos egoístas. Así que si convidamos a los que realmente necesitan alimentos o amistad y no pueden devolver, seremos recompensados en la resurrección de los "justos". La declaración también implica una resurrección de los "injustos". Pablo mencionó las dos resurrecciones en Hech. 24:15: "Tengo la misma esperanza en Dios que ellos, que ha de haber resurrección de los muertos, así de justos como de injustos".

"¡Dichoso y santo el que tiene parte en la primera resurrección!"
(Apocalipsis 20:6).

La Gran Cena

Al oír esto, un comensal le dijo: "¡Dichoso el que participe del banquete en el reino de Dios!" Lucas 14:15.

La declaración del comensal no era sincera. Por no querer considerar el invitar a los pobres y los destituidos a su mesa, decidió enfatizar la recompensa en vez de la tarea. Jesús le respondió con una parábola de un gran banquete. El anfitrión había invitado a muchos, y cuando la comida estaba lista, un siervo fue a recordar a los invitados el compromiso que tenían. Pero todos tuvieron una excusa para no asistir. El primero había comprado un terreno y deseaba ir a verlo. El segundo había comprado yuntas de bueyes y deseaba probarlas. El tercero se acababa de casar y dijo que no podía ir. Cuando el siervo informó a su amo que ninguno vendría, el amo se enojó y lo envió a las calles a invitar a los pobres, a los inválidos, y a los ciegos. Los que habían despreciado la primera invitación no fueron incluidos en la segunda.

En el Medio Oriente se acostumbra después de la primera invitación, enviar un mensaje de cortesía a los invitados para recordarles su compromiso de asistir. "En muchos países se considera que rechazar una invitación —salvo cuando es realmente imposible aceptarla— es despreciar la amistad que se ofrece".[13] Ninguna de esas tres excusas del relato eran buenas, porque se basaban en intereses egoístas. El hombre que había comprado la hacienda no lo había hecho sin antes examinarla. Sólo deseaba darle otra mirada para asegurarse que había hecho una buena compra. De igual forma el segundo hombre no había comprado las yuntas sin haberlas probado antes. Por lo menos los dos primeros se habían disculpado con cortesía, pero el tercero declaró con rudeza que simplemente no asistiría.

"Por medio de la gran cena, Cristo presenta los privilegios ofrecidos mediante el Evangelio. La provisión consiste nada menos que en Cristo mismo".[14] Dios ofreció primero a los principales religiosos de Israel, el regalo más grandioso que podamos imaginar —su Hijo— y ellos lo despreciaron. Hoy nos invita a venir a Cristo. "Todos los recursos del cielo han sido invertidos en la obra de la salvación, y lo menos que pueden hacer los seres humanos es apreciar y aceptar lo que Dios ha proporcionado".[15] Pero permitimos que nuestros intereses temporales, nuestros esposos o esposas, y nuestras relaciones sociales nos estorben. Triste es decirlo, pero la gente todavía usa las mismas excusas para rechazar el Evangelio.

"El corazón que se halla absorto en los afectos terrenales no puede rendirse a Dios".[16]

Caminos y Vallados

El Señor dijo al siervo: "Sal a los caminos y vallados, y aprémialos
a entrar, hasta que se llene mi casa". Lucas 14:23.

Los dirigentes judíos rechazaron a Jesús. Dios les ofreció a Cristo, el Pan de vida en la fiesta, y ellos rehusaron participar de su mensaje o de su Espíritu. Ahora Jesús les dijo que la invitación sería para los que ellos despreciaban: los pobres, los destituidos, los cojos y los ciegos. Jesús nunca aceptó la forma como pensaban los judíos con referencia a los afligidos de alguna enfermedad. Negó que fueran despreciados de Dios. Aunque fueran culpables de muchos pecados, los invitó a venir a la fiesta. Los caminos y los vallados representaban el mundo más allá de la nación judía. El evangelio debía ir a los gentiles, a "toda nación, tribu, lengua y pueblo" (Apoc. 14:6).

El maestro dijo a su siervo: "Aprémialos a entrar". Esto no quiere decir que Dios fuerza a hombres y mujeres a venir a él, en contra de su voluntad. "Aprémialos" más bien implica urgencia en el pedido. Las personas no deberían demorarse en aceptar la invitación. Todo el que "tenga sed y quiera, venga y reciba el agua de la vida gratuitamente" (Apoc. 22:17). La Escritura no apoya en ningún modo que se use la fuerza para imponer la religión a otros, ni que se use la persecución religiosa para llevar a la gente a seguir a Cristo. Jesús "guía" a sus ovejas a que lo sigan. "El Evangelio nunca emplea la fuerza para llevar los hombres a Cristo".[17]

Se trata de algo muy sencillo, que todavía el mundo tiene que descubrir. "La salvación consiste en la invitación que Dios extiende y la aceptación del hombre. Ambas se complementan".[18]

Vivimos ahora en los últimos días del llamado misericordioso de Dios. La humanidad está demasiado ocupada con intereses personales. Considera innecesario dejar las tareas diarias por atender las espirituales. "Cada vez que rehusáis escuchar el mensaje de misericordia, os fortalecéis en la incredulidad. Cada vez que dejáis de abrir la puerta de vuestro corazón a Cristo, llegáis a estar menos y menos dispuestos a escuchar su voz que os habla. Disminuís vuestra oportunidad de responder al último llamamiento de la misericordia.

No se escriba de vosotros como del antiguo Israel: 'Efraín es dado a
los ídolos; déjalo' Oseas 4:17".[19]

La Construcción de una Torre

"El que no carga su cruz y viene en pos de mí, no puede ser mi discípulo". Lucas 14:27.

Jesús indicó claramente a la multitud que el discipulado no es para los que no están dispuestos a sacrificarse. Consiste en cuatro principios. 1) Cada uno de nosotros debemos llevar nuestra cruz, abandonarlo todo y ser completamente leales a Cristo y su misión. No podemos entregarnos a medias. 2) Antes de hacer esa clase de entrega, debemos calcular los gastos. 3) El reino del cielo debe contar con nuestra lealtad. 4) Como discípulos debemos sacrificar siempre nuestra ambición personal y las posesiones terrenales. Los que dan prioridad a los asuntos triviales antes que al servicio de Dios, no pueden ser discípulos de Cristo. El problema no está en las posesiones terrenales, sino en acariciarlas al punto de excluir la obra del Señor. Si pretendemos ser discípulos del Señor, pero damos prioridad a nuestros negocios terrenales, realmente no somos verdaderos discípulos de él.

Jesús presentó dos parábolas, la de la construcción de una torre y la del rey que fue a la guerra. Ambas nos advierten que debemos calcular el costo del discipulado desde el comienzo y prepararnos para permanecer hasta el final, en vez de dejar la tarea a medias. El relato de la fiesta nos muestra claramente que los que habían sido invitados, estuvieron de acuerdo en asistir, pero al último momento rehusaron presentarse. No tomaron en serio su compromiso. En todas las iglesias hay cristianos tibios. La temperatura máxima que muchos de ellos alcanzan para el Señor, apenas alcanza para entibiar sus asientos cada sábado. "Ser discípulo de Cristo equivale a renunciar completa y permanentemente a las ambiciones personales y a los intereses mundanos".[20] La Escritura alude a la iglesia de Laodicea como "tibia". Representa una feligresía que ni es caliente ni fría, simplemente calienta las bancas.

Los ejemplos de Jesús abarcan tanto los negocios como la política. Para construir un edificio caro, necesitamos primero hacer los planos y pedir presupuestos. De igual forma no decidiríamos afrontar a un ejército invasor de fuerza superior a la nuestra, sin primero hacer una proposición de paz.

"Ser discípulo de él implica colocar completamente sobre el altar todo lo que el hombre tiene en esta vida —planes, ambiciones, amigos, parientes, posesiones, riquezas—, cualquier cosa y todas las cosas que puedan interferir con su servicio para el reino de los cielos".[21]

El requisito del verdadero discípulo es la entrega total.

La Oveja Perdida

Y él les contó esta parábola: "¿Quién de vosotros, si tuviera cien ovejas y perdiera una de ellas, no dejaría a las noventa y nueve en el campo, e iría a buscar la que se perdió, hasta encontrarla?" Lucas 15:3, 4.

Faltaban dos cortos meses para la crucifixión. Los arrogantes rabinos se quejaban de que los que más escuchaban a Jesús eran los publicanos y los pecadores. Si bien los rabinos se sentían incómodos en la presencia de Jesús, los pecadores y los publicanos parecían sentirse atraídos a él. "Encolerizaba a esos guardianes de la sociedad el que Aquel con quien estaban continuamente en disputa, pero cuya pureza de vida los aterrorizaba y condenaba, se juntara, con una simpatía tan visible, con los parias de la sociedad. No aprobaban sus métodos. Se consideraban a sí mismos como educados, refinados y preeminentemente religiosos; pero el ejemplo de Cristo presentaba al desnudo su egoísmo".[22] Era inevitable que los pecadores se sintieran atraídos a Jesús, porque él no los despreciaba.

Mirando en torno suyo a los extensos terrenos de pastoreo al este del Jordán, Jesús presentó la parábola de las noventa y nueve ovejas, para beneficio de los pastores y dueños de ovejas que estaban entre la multitud. "Como el pastor busca a su rebaño, el día que las ve esparcidas, así buscaré a mis ovejas, y las libraré de todos los lugares donde fueron esparcidas el día nublado y oscuro" (Eze. 34:12). "Si sólo hubiera habido un alma perdida, Cristo habría muerto por esa sola".[23] El Creador de hombres y mujeres los consideraba de valor inestimable.

Cristo buscó con paciencia perseverante a su oveja perdida. "La oveja que se ha descarriado del redil es la más impotente de todas las criaturas. El pastor debe buscarla, pues ella no puede encontrar el camino de regreso. Así también el alma que se ha apartado de Dios, es tan impotente como la oveja perdida, y si el amor divino no hubiera ido en su rescate, nunca habría encontrado su camino hacia Dios".[24] El éxito corona el resultado final de la parábola. También nosotros tenemos una obra que hacer por nuestros familiares, iglesias y comunidades.

"Los que aman a Jesús amarán también a aquellos por los cuales Cristo murió. Si muchos de los pecadores que nos rodean hubiesen recibido la luz que nos ha bendecido a nosotros, se habrían regocijado en la verdad, y estarían más avanzados que los que han tenido larga experiencia y grandes ventajas. Tomemos a las ovejas perdidas como nuestra carga especial, y cuidemos las almas por las que tendremos que dar cuenta".[25]

¿Quién Busca a Quién?

"Os digo, que así hay más alegría en el cielo por un pecador que se arrepiente, que por noventa y nueve justos, que no necesitan arrepentimiento". Lucas 15:7.

Para el dueño del rebaño, perder una oveja significaba no sólo una pérdida financiera sino la pérdida de uno de los miembros de su rebaño que habían confiado en él. Por eso dejó sin guardián en el aprisco a las 99 y salió en busca de su oveja perdida. Esta simboliza tanto al pecador individual como a este mundo, tan sólo un átomo en los vastos dominios de Dios. "Alma desalentada, anímate aunque hayas obrado impíamente. No pienses que quizá Dios perdonará tus transgresiones y permitirá que vayas a su presencia. Dios ha dado el primer paso. Aunque te habías rebelado contra él, salió a buscarte".[26]

Los judíos enseñaban que antes de recibir la aceptación de Dios, era necesario experimentar el arrepentimiento. Por eso los fariseos no podían comprender cómo Jesús podía relacionarse con los pecadores. Él usó su parábola para enseñar que "la salvación no se debe a nuestra búsqueda de Dios, sino a su búsqueda de nosotros... No nos arrepentimos para que Dios nos ame, sino que él nos revela su amor para que nos arrepintamos".[27] "Pero Dios demuestra su amor hacia nosotros, en que siendo aún pecadores, Cristo murió por nosotros" (Rom. 5:8).

Los rabinos creían que el cielo se regocijaba cuando Dios destruía a un pecador. "Pero Jesús enseñó que la obra de destrucción es una obra extraña; aquello en lo cual todo el cielo se deleita es la restauración de la imagen de Dios en las almas que él ha hecho".[28] "Todo el cielo se interesa en la obra de la salvación de los perdidos. Los ángeles observan con gran interés para ver quién dejará las noventa y nueve, e irá en medio de la tempestad, la tormenta y la lluvia al desierto para buscar a la oveja perdida. Los perdidos perecen, tristes y abandonados a nuestro alrededor. Pero son valiosos ante Dios, comprados con la sangre de Cristo... Debemos buscar y salvar a los perdidos. Debemos tratar de encontrar a la oveja perdida y traerla de vuelta al redil; lo cual representa el esfuerzo personal".[29] Después de la ascensión de Cristo, por fin muchos fariseos "se unieron con los discípulos precisamente en la obra bosquejada en la parábola de la oveja perdida".[30]

Busquemos la oveja perdida y traigamos gozo al cielo.

Diez Monedas de Plata Menos Una

"O, ¿qué mujer que tenga diez dracmas, y pierde una dracma, no enciende la lámpara, y barre la casa, y la busca con diligencia hasta hallarla?" Lucas 15:8.

Cristo dio la parábola de la oveja perdida para los hombres de su audiencia, y la parábola de la moneda perdida para las mujeres que lo escuchaban. Las mujeres de los tiempos bíblicos, consideraban su dote matrimonial como su posesión más querida. A veces podían ser monedas, que ella preservaba cuidadosamente como su posesión más valiosa, para transmitirla a la hija mayor cuando se casaba. La pérdida de una de esas monedas era considerada una grave calamidad. "En el Oriente, las casas de los pobres por lo general consistían en una sola habitación, con frecuencia sin ventanas y oscura. Raras veces se barría la pieza, y una moneda al caer al suelo quedaba rápidamente cubierta por el polvo y la basura. Aun de día, para poderla encontrar, debía encenderse una vela y barrerse diligentemente la casa".[31]

"La oveja extraviada sabe que está perdida. Se ha apartado del pastor y del rebaño y no puede volver. Representa a los que comprenden que están separados de Dios, que se hallan dentro de una nube de perplejidad y humillación, y se ven grandemente tentados. La moneda perdida simboliza a los que están perdidos en sus faltas y pecados, pero no comprenden su condición. Están apartados de Dios, pero no lo saben. Sus almas están en peligro, pero son inconscientes e indiferentes. En esta parábola, Cristo enseña que aun los indiferentes a los requerimientos de Dios, son objeto de su compasivo amor".[32]

El descuido hizo que la moneda se perdiera. Ahora, procurando revisar cada pulgada del piso de tierra, "su dueña la buscó porque tenía valor. Así también toda alma, por degradada que esté por el pecado, es preciosa a la vista de Dios. Como la moneda llevaba la imagen y la inscripción del monarca reinante, así también el hombre cuando fue creado recibió la imagen y la inscripción de Dios. Aunque empañada y deteriorada por el pecado, el alma humana guarda aún vestigios de dicha inscripción. Dios desea recuperar esta alma, y estampar nuevamente en ella su propia imagen en justicia y santidad".[33]

Nuestra conducta hacia nuestros seres amados, debiera conducirlos hacia su bienestar espiritual. A veces nuestros hijos se pierden dentro de nuestros propios hogares, y nuestros miembros dentro de nuestras iglesias. ¡Debemos encender una lámpara y buscarlos hasta encontrarlos!

El Hijo Perdido

"Y levantándose, volvió a casa de su padre. Y cuando aún estaba lejos, su padre lo vio venir, y se enterneció. Corrió, se echó sobre su cuello, y lo besó". Lucas 15:20.

Jesús continúa con las parábolas de los "perdidos": la oveja, la moneda y ahora un muchacho. La parábola del hijo pródigo es una de las más hermosas que él presentó. Un padre ama a sus dos hijos, pero el amor no es suficiente. No importa cuán comprensivo, misericordioso, justo o compasivo haya sido el padre, el hijo menor duda de sus intenciones, se rebela y exige su herencia. La división de una herencia por lo regular ocurría después de la muerte del padre, cuando la familia dividía o vendía la tierra. De modo que el pedido del muchacho era completamente fuera de lugar. Según la ley, el hijo mayor recibía dos terceras partes de la herencia y el menor la tercera parte restante. Este muchacho quería la liquidación de todo para obtener dinero efectivo, mientras el padre todavía estaba vivo. Entonces, tomando su parte, se fue a un "país lejano".

Hubo hambre en la comarca, y el muchacho pronto gastó su dinero. Sus amigos se derritieron como nieve bajo el sol. Encontrándose solo, se convirtió en siervo de un gentil y le tocaba cuidar a los animales inmundos. Difícil para un judío imaginar un trabajo más denigrante. "Y deseaba llenar su estómago de las algarrobas que comían los cerdos, pero nadie se las daba. Al fin volvió en sí, y pensó: '¡Cuántos jornaleros en casa de mi padre tienen abundancia de pan, y yo aquí padezco hambre! Me levantaré, e iré a mi padre' " (Luc. 15:16-18). ¿Qué fue lo que cambió? Ciertamente no lo que lo rodeaba, sino su actitud hacia su padre. Reconociendo que su padre era un hombre justo, tenía la esperanza que lo recibiera con compasión. Finalmente, decidió volver a su hogar.

En las parábolas de la oveja y de la moneda, Dios inició la búsqueda. Y en la del hijo pródigo, vemos a Dios saliendo al encuentro de los que decidieron dejarlo. "Nunca se ofrece una oración, aun balbuceada, nunca se derrama una lágrima, aun en secreto, nunca se acaricia un deseo sincero, por débil que sea, de llegar a Dios, sin que el Espíritu de Dios vaya a su encuentro. Aun antes de que la oración sea pronunciada, o el anhelo del corazón sea dado a conocer, la gracia de Cristo sale al encuentro de la gracia que está obrando en el alma humana".[34]

Dios nos ve mientras "todavía estamos alejados" y se compadece de nosotros. Olvidándose aun de la dignidad de su condición, este Padre corre con gozo y entusiasmo para dar la bienvenida a su hijo perdido.

El Otro Hijo

"Entonces el hermano mayor se enojó, y no quería entrar. Por eso, su padre salió, y le rogaba que entrase". Lucas 15:28.

"*La* parábola del hijo pródigo destaca la parte que tiene el ser humano en responder al amor de Dios y actuar en armonía con él... El hijo menor representa en la parábola a los publicanos y los pecadores; y el mayor, a los escribas y los fariseos".[35]

El padre saludó a su hijo extraviado, cubrió sus andrajos con su propia túnica, colocó un anillo en su dedo y sandalias en sus pies descalzos. Luego ordenó a sus siervos que prepararan una fiesta. "Traed el becerro grueso, y matadlo. Y comamos, y hagamos fiesta. Porque este hijo mío estaba muerto, y ha revivido; se había perdido, y ha sido hallado" (Luc. 15:23, 24). Hasta este punto, la parábola parecía tener un final feliz. Sin embargo, no todo andaba bien en el hogar.

Al volver de los campos, el hijo mayor escuchó música y danzas. Luego descubrió que su hermano menor había vuelto y que estaban celebrando su regreso. Entonces se enojó y no quería entrar. Su padre salió a buscarlo y le rogó que se uniera a él en la celebración. En seguida el hermano mayor comenzó a reclamar que él siempre había sido fiel. Que nunca había salido del hogar hacia tierras extrañas como un tonto, ni tampoco le había exigido dinero de sus propiedades. Siempre cumplió los reglamentos del hogar. "Entonces el padre le dijo: 'Hijo, tú siempre estás conmigo, y todas mis cosas son tuyas. Pero era necesario hacer fiesta y alegrarnos, porque tu hermano estaba muerto, y ha revivido; estaba perdido, y ha sido hallado' " (Luc. 15:31, 32).

El hijo mayor no había caído en los vicios y su apariencia exterior era justa, pero en su interior sentía envidia por el estilo de vida que su hermano había seguido. En lo profundo de su corazón sentía rencor por su hermano que había vivido una vida pecaminosa mientras que él había tenido que permanecer en un ambiente religioso "aburrido". No estaba actuando movido por el amor hacia su padre. Pensaba que todos deberían aparentar obediencia y sentirse tan mal como él se sentía. El hermano mayor no se alegró porque su hermano fue recibido de nuevo en la familia.

Nuestro Padre celestial da la bienvenida a todo hijo pródigo que vuelve al hogar, pero muy a menudo los "cristianos" estrictos no se alegran cuando un apóstata vuelve a la iglesia. Es triste decir que muchos de nosotros somos hipócritas que disfrutamos odiando al pecador porque secretamente anhelamos el pecado.

El Plan Para Librarse

"Entonces el mayordomo dijo dentro de sí: '¿Qué haré? Mi Señor me quita la mayordomía'". Lucas 16:3.

Jesús deseaba presentar una lección sobre la preparación. Basando su relato en un caso real que acababa de suceder entre los publicanos, Jesús contó de un hombre sin escrúpulos que había formulado un plan para librarse de una dificultad que él mismo se había acarreado. El relato de Cristo no era una parábola que debemos aplicar literalmente. No hay virtud en la falta de honradez.

Había un hombre rico que había dejado todas sus posesiones en las manos de un mayordomo. Después de un tiempo, el amo descubrió que su siervo le había estado robando y que sus bienes no habían sido administrados con honradez. Al principio, su mayordomo vio sólo tres vías de escape. Podría trabajar duro para reemplazar el dinero antes de ser descubierto. Podía tal vez rogar a su amo que se apiadara de él y quedar a su merced, o podía salir de la casa. Por no tener referencias, esta última opción lo llevaría a morirse de hambre. Pero en vez de entregarse a la desesperación, maquinó un nuevo plan.

En seguida el mayordomo juntó a todos los deudores de su amo. Era tan mal contador que tuvo que preguntar a cada uno cuánto era lo que debía, porque no llevaba registro (vers. 5); luego les sugirió que pagaran sólo una fracción de la deuda. "Este siervo infiel hizo participar a otros de su falta de honradez. Defraudó a su amo para beneficiarlos, y ellos, aceptando este beneficio, se colocaban bajo la obligación de recibirlo como amigo en sus casas".[36] El amo se sorprendió cuando lo supo. "El rico no justificó el fraude de su mayordomo, pues lo estaba despidiendo por ser fraudulento; sin embargo, la astucia con que había culminado su carrera delictiva el hábil estafador del mayordomo era tan impresionante, y la minuciosidad con la cual había llevado a cabo su plan era tan digna de propósitos más nobles, que el rico no pudo menos que admirar la astucia y la diligencia de su ex mayordomo".[37] "En la parábola, el siervo no había hecho provisión para lo futuro. Los bienes a él confiados para beneficio de otros, los había empleado para sí mismo. Pero había pensado solamente en lo presente".[38]

"La lección de esta parábola es para todos. Cada uno será tenido por responsable de la gracia a él dada por medio de Cristo".[39]

El Destino Arreglado

"Pero Abrahán le dijo: 'Hijo, acuérdate que recibiste tus bienes en tu vida, y Lázaro males. Ahora él es consolado aquí, y tú atormentado'". Lucas 16:25.

*J*esús continuó hablando de las oportunidades de la vida presente y cómo determinan el destino. Dando la espalda a sus discípulos, se dirigió directamente a los fariseos. La parábola del rico y Lázaro habla de un hombre que "tan absorto estaba en la sociedad de sus amigos que perdió todo sentido de su responsabilidad de cooperar con Dios en su ministración de misericordia".[40] No existiría tanta controversia por esta parábola si la considerásemos en el contexto de las otras parábolas que la rodean. El pobre Lázaro sufría con paciencia cada día, y se preguntaba por qué el rico no lo ayudaba. Finalmente ambos murieron. Es aquí donde a menudo la gente hace mal uso de la parábola para apoyar las posiciones no bíblicas.

"Interpretar que esta parábola enseña que los hombres reciben su recompensa inmediatamente después de morir, contradice claramente lo que Jesús mismo enseñó: "El Hijo del Hombre vendrá en la gloria de su Padre con sus ángeles, y entonces pagará a cada uno conforme a sus obras" (Mat. 16:27; 25:31-41)".[41] (En 1 Corintios 15:51-55; 1 Tesalonicenses 4:16, 17 y Apocalipsis 22:12 encontramos más apoyo al concepto según el cual recibimos nuestra recompensa en la segunda venida de Cristo). "La doctrina de un estado de existencia consciente entre la muerte y la resurrección era sostenida por muchos de aquellos que estaban escuchando las palabras de Cristo. El Salvador conocía esas ideas, e ideó su parábola de manera tal que inculcara importantes verdades por medio de esas opiniones preconcebidas".[42]

El rico no había hecho ningún mal a Lázaro, pero lo había privado de su misericordia. Al no hacer el bien, era culpable de hacer el mal. Creyendo que Dios concentraba su ira sobre los pobres y los afligía, los fariseos también los descuidaban. Esto a la vez los hacía sentirse orgullosos de sus puestos y posesiones. Jesús deseaba mostrarles que "ningún hombre es estimado por sus posesiones; pues todo lo que tiene le pertenece en calidad de un préstamo que el Señor le ha hecho. Y un uso incorrecto de estos dones lo colocará por debajo del hombre más pobre y más afligido que ama a Dios y confía en él. Cristo desea que sus oyentes comprendan que es imposible que el hombre obtenga la salvación del alma después de la muerte...

"Así Cristo presentó lo irremediable y desesperado que es buscar un segundo tiempo de gracia. Esta vida es el único tiempo que se le ha concedido al hombre para que en él se prepare para la eternidad".[43]

¿Una Parábola que Confirma el Infierno?

Los vivos saben que han de morir, pero los muertos nada saben.
Eclesiastés 9:5.

En su parábola, Jesús llevó a Lázaro al paraíso y al rico al infierno. Muchos judíos creían que al morir irían al reino celestial donde Abrahán les daría la bienvenida en la puerta, un concepto muy similar a la creencia que muchos cristianos hoy tienen de que Pedro saludará a los santos en las puertas celestiales. Los judíos indebidamente creían y confiaban en la vida eterna basada en Abrahán antes que en Dios. La salvación no viene de nadie más, sino exclusivamente de Cristo. "En ningún otro hay salvación" (Hech. 4:12).

Atormentado por la sed, el rico miró al cielo y vio a Lázaro en el seno de Abrahán. Dando voces al ex limosnero, le rogó que se apiadara de él, y mojara la punta de su dedo en agua para refrescar su lengua ardiente. ¿Creemos realmente que el cielo está a la vista del infierno? ¿Es esto lo que Jesús enseñó? "¿Están acaso tan cerca el cielo y el infierno que se pueda hablar desde uno al otro, y que los que están en el cielo pueden contemplar el sufrimiento de sus amigos y amados en el infierno sin poder aliviar su tormento, mientras que los que están en el infierno pueden observar la dicha de los justos en el cielo? No. Sin embargo, esto es lo que esta parábola enseña si se la interpreta literalmente".[44] La parábola es figurada. Jesús comparó la muerte con el sueño (Juan 11:11, 14). No debemos vincular selectivamente la verdad bíblica, sino tomar todo el contexto.

La parábola debiera hacernos comprender que la muerte determina para siempre nuestro destino. Aunque Lázaro les hubiera advertido a los hermanos del rico que se arrepintieran de su egoísmo, ellos no habrían captado el mensaje. Si no escuchaban la Palabra de Dios, mucho menos iban a atender alguna advertencia de alguien que había resucitado de los muertos. "Hay muchos hoy día que están siguiendo la misma conducta. Aunque son miembros de la iglesia, no están convertidos... pero quieren vivir para sí mismos, no para Dios. El no se halla en sus pensamientos; por consiguiente se los clasifica con los incrédulos. Si les fuera posible entrar por las puertas de la ciudad de Dios, no podrían tener derecho al árbol de la vida; porque cuando los mandamientos de Dios fueron presentados ante ellos con todos sus requerimientos dijeron: No. No han servido a Dios aquí; por consiguiente no lo servirían en lo futuro. No podrían vivir en su presencia, y no se sentirían a gusto en ningún lugar del cielo".[45]

La parábola del rico es una advertencia para nosotros.

Fe Como un Grano de Mostaza

Dijeron los apóstoles al Señor: "Auméntanos la fe". Lucas 17:5.

Las preguntas y pedidos de los discípulos muestran un aspecto interesante en el desarrollo de su apostolado. "¡Señor sálvanos!" (Mat. 8:25) "¿Por qué les hablas por medio de parábolas?" (Mat. 13:10). "Explícanos la parábola de la cizaña del campo" (vers. 36). "¿Dónde conseguiremos suficiente pan en este despoblado para tanta gente?" (Mat. 15:33). "¿Por qué nosotros no lo pudimos echar?" (Mat. 17:19). "¿Quién es el mayor en el reino de los cielos?" (Mat. 18:1). "¿Cuántas veces perdonaré a mi hermano que peque contra mí? ¿Hasta siete?" (Vers. 21). "¿Quién podrá salvarse" (Mat. 19:25). "Señor, enséñanos a orar" (Lucas 11:1). Quizás la declaración más intrigante sea la de Lucas 17:5: "Auméntanos la fe". ¿A quién no le gustaría tener más fe?

El pedido concerniente a la fe es erróneo. Implica que debemos tener cierta "cantidad" de fe. Jesús señala que el punto importante es la calidad. "Una persona tiene fe o no la tiene. Una cantidad ínfima de fe es suficiente para llevar a cabo tareas aparentemente imposibles. Lo que importa en la fe no es tanto la cantidad, sino que sea verdadera".[46] El éxito está en la calidad y no en la cantidad. Pueda ser que la planta de mostaza produzca semillas pequeñas, pero dentro de ellas se esconde la fuerza para crecer y convertirse en un frondoso arbusto. Los discípulos tenían mucha fe en sí mismos y muy poca fe en Dios. ¡Nosotros somos iguales! "La fe es estar seguros de lo que esperamos, y ciertos de lo que no vemos" (Heb. 11:1).

Los que recibían los milagros de Cristo tenían que tener fe. El sanamiento era condicional. Dependía de la fe que ejercitaran. Dios capacitaba a la persona a que captara la promesa de salud y salvación, pero Jesús pedía a la persona que creyera. "Miles se equivoca en esto: no creen que Jesús les perdona personal e individualmente. No toman la palabra de Dios tal cual es. Es privilegio de los que cumplen las condiciones, saber que se les extiende el perdón para cubrir cada pecado".[47]

Limitamos a Dios al olvidar que para él lo imposible es perfectamente posible. Con Dios todas las cosas son posibles. "No se turbe vuestro corazón. Creéis en Dios, creed también en mí" (Juan 14:1).

Tienen su Pago

"¿Da gracias al siervo porque hizo lo que había sido mandado?
Pienso que no". Lucas 17:9.

*U*n día Jesús mencionó a sus discípulos el asunto de los salarios. Un hombre empleó siervos, y los envió a trabajar. Los siervos recibieron su pago según el trabajo que hicieron. "El amo ha recibido lo que ellos le deben, pero nada más digno de mencionarse. No ha sido beneficiado por su servicio hasta el punto de que debe sentirse obligado a honrarlos de una manera especial. Tienen su jornal, y eso es todo lo que deben esperar. No tiene ninguna obligación particular para con ellos. En otras palabras, Jesús tenía derecho de esperar mucho de sus discípulos. Dios tiene derecho de esperar mucho de nosotros hoy".[48]

"Miremos la vida de muchos de los que aseveran ser cristianos. El Señor los ha dotado de capacidad, poder e influencia; les ha confiado dinero, a fin de que sean colaboradores con él en la gran redención. Todos estos dones han de ser empleados en beneficiar a la humanidad, en aliviar a los dolientes y menesterosos. Debemos alimentar a los hambrientos, vestir a los desnudos, cuidar de la viuda y los huérfanos, servir a los angustiados y oprimidos. Dios no quiso nunca que existiese la extensa miseria que hay en el mundo. Nunca quiso que un hombre tuviese abundancia de los lujos de la vida mientras que los hijos de otros llorasen por pan. Los recursos que superan las necesidades reales de la vida, son confiados al hombre para hacer bien, para beneficiar a la humanidad".[49] Muchos ven el éxito en los negocios como una señal de aprobación divina, sin darse cuenta que Dios no tiene ninguna obligación con ellos; al contrario, ellos están endeudados con él por todo lo que poseen.

"Pablo refleja el espíritu del verdadero servicio cuando destaca que todo lo que ha sufrido y soportado por la causa de Cristo no es nada de que deba gloriarse (1 Cor 9:16). Su servicio fue motivado por un profundo sentido de obligación a su Maestro. Cuando predicaba el evangelio estaba cumpliendo con una imperiosa obligación: '¡Ay de mí si no anunciare el evangelio!' (1 Cor. 9:16)".[50] Tristemente, pocos cristianos reconocen que la deuda que tienen con el Maestro es demasiado grande para pagarla. Por el contrario, la mayoría parece sentir que Dios les debe a ellos la vida eterna por cualquier cosita que hacen para él una o dos veces al año.

"Cada año, millones y millones de almas humanas pasan a la
eternidad sin haber sido amonestadas ni salvadas".[51] ¿Por qué?

Lázaro Está Muerto

Enviaron, pues, sus hermanas a decir a Jesús: "Señor, aquel a quien amas está enfermo". Juan 11:3.

Jesús todavía estaba en Perea, a unos 40 kilómetros de Betania, cuando le llegó el mensaje. Lázaro, el hermano de María y Marta, el amigo querido del Maestro, se había enfermado. Con frecuencia Jesús descansaba en su hogar para hallar refugio de las sospechas y el odio que rodeaban su ministerio. En compañía de esa familia, Jesús sentía libertad de compartir con sus oidores cosas más profundas acerca del cielo. Entre esos amigos él podía hablar sin recurrir a las parábolas. Ahora la enfermedad había invadido el hogar de su querido amigo y las dos hermanas lo mandaron a llamar para que los ayudara.

El mensajero se apresuró a llevar al Maestro el sencillo mensaje: "Señor, aquel a quien amas está enfermo". Los discípulos pensaban que Jesús iría inmediatamente al lecho de su amigo; sin embargo, permaneció dos días en el lugar donde estaba antes de ir a Betania. Durante esos días nunca habló de Lázaro y los discípulos no pudieron evitar recordar la muerte violenta de Juan el Bautista. ¿Era esa la suerte que correrían todos los que seguían al Maestro? La demora los intrigaba. "¿Los abandonaría en la prueba? Algunos se preguntaban si no habían estado equivocados acerca de su misión. Todos estaban profundamente perturbados".[52] Especialmente las hermanas que esperaban, y observaban hora tras hora cómo la condición de su hermano empeoraba hasta que exhaló el último suspiro.

Después de dos días Jesús dijo: "Volvamos a Judea" (Juan 11:7). Para entonces los discípulos ya se habían olvidado de Lázaro, pero no del odio de los dirigentes judíos hacia ellos. Al volver a Judea corrían mucho peligro, y Tomás contemplaba una muerte segura para todos ellos. Aunque tímido y temeroso, decidió ser leal a su Maestro y lo siguió a Judea. Jesús simplemente dijo: "Nuestro amigo Lázaro se ha dormido, pero voy a despertarlo del sueño" (Juan 11:11). Los discípulos pensaron que Jesús quería decir que Lázaro ahora estaba durmiendo tranquilamente y que la crisis había pasado. Jesús comprendía que Lázaro había caído en el sueño inconsciente de la muerte (Ecl. 9:5, 6). Su aliento había salido y sus pensamientos habían perecido (Sal. 146:4). Para que no lo entendieran mal, Jesús dijo claramente: "Lázaro ha muerto" (Juan 11:14).

"Cristo presenta a sus hijos creyentes la muerte como un sueño. Su vida está oculta con Cristo en Dios, y hasta que suene la última trompeta los que mueren dormirán en él".[53]

La Resurrección y la Vida

Jesús le dijo: "Yo soy la resurrección y la vida". Juan 11:25.

Por fin Jesús llegó a Betania. Para María y Marta "el momento de mayor desaliento es cuando más cerca está la ayuda divina".[54] "Entre los que lloraban estaban los parientes de la familia, algunos de los cuales ocupaban altos puestos de responsabilidad en Jerusalén. Entre ellos se contaban algunos de los más acerbos enemigos de Cristo".[55] Jesús deseaba estar con las hermanas fuera de la confusión. Marta recibió su mensaje con reserva y rápidamente salió a recibir a su Maestro. "Señor, si hubieras estado aquí, mi hermano no habría muerto" (vers. 21). "Jesús respondió: "Tu hermano resucitará". Marta sabía que Lázaro resucitaría la mañana de la resurrección. Jesús continuó probando su fe al decir: "Yo Soy la resurrección y la vida. El que cree en mí, aunque muera, vivirá. Todo el que vive y cree en mí, no morirá para siempre. ¿Crees esto?" Marta contestó: "Sí, Señor. Yo he creído que tú eres el Cristo, el Hijo de Dios, que iba a venir al mundo".

Marta llamó en secreto a María. Al encontrarse ésta con Jesús lo saludó en la misma forma que Marta (vers. 32). El pesar fingido que algunos de los que seguían a María expresaban, indignó a Jesús; sin embargo "en su humanidad, Jesús fue conmovido por el dolor humano y lloró con los afligidos".[56]

Al llegar al sepulcro, Jesús ordenó que se quitase la piedra que estaba frente a la entrada, pero Marta objetó. Después de haber estado sepultado cuatro días, el cuerpo ya había empezado a corromperse. La tradición decía que un alma regresaba por tres días con la esperanza de reencarnarse de nuevo al cuerpo. Al cuarto día los parientes dejaban de velar a sus muertos. Los fariseos habían hecho circular falsas declaraciones acerca del milagro de la hija de Jairo, diciendo que sólo había estado durmiendo. Ninguno se atrevía a contradecirles.

Elevando su vista al cielo, Jesús agradeció a su Padre por la manifestación de su poder y entonces ordenó en alta voz: "¡Lázaro! ¡Sal fuera!" "Su voz, clara y penetrante, entra en los oídos del muerto. La divinidad fulgura a través de la humanidad... Hay agitación en la tumba silenciosa, y el que estaba muerto se pone de pie a la puerta del sepulcro. Sus movimientos son trabados por el sudario en que fuera puesto, y Cristo dice a los espectadores asombrados: 'Desatadle, y dejadle ir'".[57] Ahora Lázaro, rebosante de salud, se arroja a los pies del Salvador para adorarle. Al transformar la tristeza en gozo, la multitud expresa su agradecimiento. Mientras tanto, Jesús silenciosamente se retiró de la escena y cuando lo buscaron, no lo pudieron encontrar.

Pronto Jesús llamará del sepulcro a los que duermen en él. ¿Crees esto?

Un Enemigo Compartido

Entonces Caifás, que era el sumo sacerdote de aquel año, les dijo:
"Vosotros no sabéis nada, ni os dais cuenta de que conviene que un
hombre muera por el pueblo, y no que toda la nación perezca". Juan
11:49, 50.

La noticia de la resurrección de Lázaro no demoró en llegar a oídos de los dirigentes judíos de Jerusalén. Convocaron inmediatamente una reunión del Sanedrín, para decidir lo que debía hacerse. La mayoría de los sacerdotes eran saduceos y no creían en la resurrección de los muertos. Ahora se había puesto de manifiesto su ignorancia. Por otro lado, aunque los fariseos creían en la resurrección, estaban ansiosos de detener la influencia de Jesús. El milagro de la resurrección de Lázaro ahora unía a los fariseos y saduceos en su odio común por él.

"Nicodemo y José habían impedido en concilios anteriores la condenación de Jesús, y por esta razón no fueron convocados esta vez. Había en el concilio otros hombres influyentes que creían en Cristo, pero nada pudo su influencia contra la de los malignos fariseos".[58] El concilio no estuvo de acuerdo en todo. Muchos, que recordaban sucesos de la vida de Cristo, estaban atemorizados y perplejos. "Bajo la impresión del Espíritu Santo, los sacerdotes y gobernantes no podían desterrar el sentimiento de que estaban luchando contra Dios. Mientras el concilio estaba en el colmo de la perplejidad, Caifás, el sumo sacerdote, se puso de pie. Era un hombre orgulloso y cruel, despótico e intolerante. Entre sus relaciones familiares, había saduceos soberbios, atrevidos, temerarios, llenos de ambición y crueldad ocultas bajo un manto de pretendida justicia".[59] Argumentó que aunque Jesús fuera inocente de todos los cargos, era necesario eliminarlo del camino para el bien del pueblo. Sus palabras resonaron en la sala: "Vosotros no sabéis nada, ni os dais cuenta de que conviene que un hombre muera por el pueblo, y no que toda la nación perezca" (Juan 11:49, 50). Caifás tenía interés en mantener su autoridad y preservar la vida de la nación. ¡Cuán inconscientemente, y con cuánta exactitud, proclamó la verdadera misión de Cristo!

Por su muerte Cristo reuniría de todas las naciones de la tierra a
todos los que creyeran en él. "Así, desde aquel día decidieron darle
muerte" (Juan 11:53).

Sentenciado a Muerte

Así, desde aquel día decidieron darle muerte. Por eso Jesús ya no
andaba abiertamente entre los judíos; sino que se retiró a la región
contigua al desierto, a una ciudad llamada Efraín, y se quedó allí
con sus discípulos. Juan 11:53, 54.

Mientras el Sanedrín debatía el problema de Cristo, Satanás traía ahora a la memoria de sus miembros los perjuicios que ellos habían sufrido. "Cuán poco había honrado él su justicia. Cristo presentaba una justicia mucho mayor, que debían poseer todos los que quisieran ser hijos de Dios. Sin tomar en cuenta sus formas y ceremonias, él había animado a los pecadores a ir directamente a Dios como a un Padre misericordioso y darle a conocer sus necesidades. Así, en opinión de ellos, había hecho caso omiso de los sacerdotes. Había rehusado reconocer la teología de las escuelas rabínicas. Había desenmascarado las malas prácticas de los sacerdotes y había dañado irreparablemente su influencia. Había menoscabado el efecto de sus máximas y tradiciones, declarando que aunque hacían cumplir estrictamente la ley ritual, invalidaban la ley de Dios".[60]

Aunque el Sanedrín ansiaba eliminar a Jesús, temían capturarlo a plena luz del día, así que decidieron postergar su ejecución y prenderlo a una hora tranquila. "Jesús había consagrado ahora al mundo tres años de labor pública. Ante el mundo estaba su ejemplo de abnegación y desinteresada benevolencia. Su vida de pureza, sufrimiento y devoción era conocida por todos. Sin embargo, sólo durante ese corto período de tres años pudo el mundo soportar la presencia de su Redentor.

Su vida fue una vida sujeta a persecuciones e insultos. Arrojado de Belén por un rey celoso, rechazado por su propio pueblo en Nazaret, condenado a muerte sin causa en Jerusalén, Jesús, con sus pocos discípulos fieles, halló temporariamente refugio en una ciudad extranjera. El que se había conmovido siempre por el infortunio humano, que había sanado al enfermo, devuelto la vista al ciego, el oído al sordo y el habla al mudo, el que había alimentado al hambriento y consolado al afligido, fue expulsado por el pueblo al cual se había esforzado por salvar. El que anduvo sobre las agitadas olas y con una palabra acalló su rugiente furia, el que echaba fuera demonios que al salir reconocían que era el Hijo de Dios, el que interrumpió el sueño de la muerte, el que sostuvo a miles pendientes de sus palabras de sabiduría, no podía alcanzar el corazón de aquellos que estaban cegados por el prejuicio y el odio, y rechazaban tercamente la luz".[61]

¿Nos atrae la vida de Cristo? Con esto sabremos si somos sus
discípulos.

Un Samaritano Agradecido

Al entrar en una aldea, vinieron a su encuentro diez leprosos, que se pararon lejos. Lucas 17:12.

Al salir de los alrededores de Betania por causa de la hostilidad de sus enemigos, Jesús hizo su último recorrido por los lugares donde había trabajado durante tres años. Al acercarse a una aldea, lo llamaron diez leprosos que vivían en los campos. La sociedad no permitía que los leprosos se mezclaran con los habitantes de cualquier ciudad ni con los que viajaban por los caminos. De lejos le rogaron: "¡Jesús! ¡Maestro! ¡Ten compasión de nosotros!" (Luc. 17:13).

Jesús se apiadó de ellos, y para contemporizar con la ley mosaica, les ordenó que "fuesen y se mostrasen a los sacerdotes". Los sacerdotes actuaban como oficiales de salud pública. Sólo ellos podían diagnosticar la lepra y ordenar la segregación, y sólo ellos podían levantar la orden de cuarentena y extender un certificado de limpieza. Inmediatamente los diez hombres se fueron al templo para mostrarse a los sacerdotes. Mientras iban recibieron la sanidad. "La curación dependía de que actuaran con fe. No fueron sanados mientras permanecieron en presencia de Jesús, sino cuando procedieron a cumplir las instrucciones del Maestro. Cuando se apartaron de Jesús aún eran leprosos".[62] Al comenzar su jornada hacia Jerusalén toda la evidencia de la enfermedad había desaparecido de sus cuerpos. Pero sucedió algo curioso. Uno de los diez regresó a Jesús y se postró a sus pies. Alabó a Dios por su generosa bendición. "Los otros nueve posiblemente creyeron que como eran hijos de Abrahán, merecían ser curados. Pero este samaritano, que quizá consideraba que no merecía la bendición de la salud que tan repentina e inesperadamente había recibido, apreció el don que el cielo le había concedido".[63]

Mirando al hombre, Jesús le preguntó: "¿No son diez los que fueron limpiados? Los otros nueve, ¿dónde están? ¿No hubo quien volviera a dar gloria a Dios, sino este extranjero?" Los otros nueve también deberían haber vuelto, agradecidos por su sanamiento. "Levántate y vete. Tu fe te ha salvado" (Luc. 17:17-19). A Dios le importa que seamos agradecidos por los dones que nos da.

"Los que se olvidan de agradecer a Dios por las bendiciones que reciben y no aprecian verdaderamente lo que Dios hace por ellos, corren el grave peligro de olvidarlo por completo. (Romanos 1:21-22)".[64]

¿Relámpago Secreto?

"Porque como el relámpago resplandece y brilla desde un extremo del cielo hasta el otro, así también será el Hijo del Hombre en su día".
Lucas 17:24.

*P*ocas semanas antes de la Pascua, algunos fariseos buscaron nuevamente a Jesús. Esta vez querían que les dijera "cuándo había de venir el reino de Dios". Cuatro años antes, Juan el Bautista había declarado: "¡Arrepentíos, que el reino de los cielos se ha acercado!" (Mat. 3:2). Jesús había dicho lo mismo. "El tiempo se ha cumplido, el reino de Dios está cerca. ¡Arrepentíos, y creed al evangelio!" (Mar. 1:15). Ahora los fariseos deseaban saber cuándo realmente ocurriría. Al hacer esa demanda rehusaban aceptar a Jesús como el tan esperado Mesías. Lo que ellos buscaban era un reino político y no un reino de gracia. Jesús pacientemente explicó otra vez que "el reino de Dios principia en el corazón. No busquéis aquí o allí manifestaciones de poder terrenal que señalen su comienzo".[65]

Dirigiéndose a sus discípulos, Jesús les advirtió que el reino de gloria vendría en su segunda venida literal. Su regreso sería imposible de ocultar, como las descargas de los relámpagos. Durante una tormenta, ninguna persona sabe en qué parte del cielo va a irrumpir la luz del relámpago. De pronto una brillante luz encandila nuestros ojos y sacude nuestros sentidos. La rapidez y resplandor de la luz puede hacernos estremecer de sorpresa. Así será la segunda venida del Hijo del Hombre. "Sin embargo, es necesario que primero padezca mucho, y sea rechazado por esta generación" (Luc. 17:25). "No fue sino hasta después de la ascensión de Cristo al Padre y del derramamiento del Espíritu Santo sobre los creyentes, cuando los discípulos apreciaron plenamente el carácter y la misión del Salvador. Después de recibir el bautismo del Espíritu, comenzaron a comprender que habían estado en la misma presencia del Señor de gloria".[66] Las sombras se disiparían gradualmente, y anhelarían poder sentarse una vez más a sus pies, y escuchar sus palabras.

"Hoy es tan cierto como en los días apostólicos que sin la iluminación del Espíritu divino, la humanidad no puede discernir la gloria de Cristo. La verdad y la obra de Dios no son apreciadas por un cristianismo que ama el mundo y transige con él. No es en la comodidad, ni en los honores terrenales o la conformidad con el mundo donde se encuentran los que siguen al Maestro... Como en los días de Cristo, no son comprendidos, sino vilipendiados y oprimidos por los sacerdotes y fariseos del tiempo actual".[67]

Nada de Raptos

"Dos estarán en el campo, uno será llevado, y el otro dejado". Lucas 17:36.

Jesús levantó el telón del futuro ante sus discípulos y describió los sucesos anteriores a su segunda venida. Así como el diluvio sorprendió a los antediluvianos, y como los habitantes de Sodoma y Gomorra ignoraban su destino, "así será el día en que el Hijo del Hombre se manifieste" (Luc. 17:30). Lucas 17 y Mateo 24 contienen profecías similares. En Mateo 24 Jesús predijo la destrucción de Jerusalén por los ejércitos romanos en el año 70 d.C. Se calcula que en un período de tres meses, más de 100.000 judíos murieron en el saqueo de esa ciudad. Sin embargo, ningún cristiano pereció en la matanza. Jesús les había advertido que no volvieran del campo a buscar sus efectos personales, ni que bajaran de la azotea a buscar algo a sus hogares. Debían huir hacia las montañas con la ropa que llevaban puesta y no mirar hacia atrás. La semejanza a la experiencia de Lot y su familia es notable.

¿Qué hilo común vincula a Lucas 17 con Mateo 24? El tiempo. "¿Cuándo había de venir el reino de Dios?" El punto no estriba en cómo, sino cuándo sucederá. Cuando se lleve a cabo, algunos estarán preparados y otros no. No debemos apegarnos a las cosas de este mundo de manera que no podamos dejarlas en un instante. "Acordaos de la mujer de Lot" (Luc. 17:32). Según la apariencia, dos personas pueden parecer idénticas, pero una tiene su corazón en este mundo, mientras que la otra está lista para el cielo.

Muchas denominaciones toman estos textos para apoyar su creencia de que Dios raptará a los cristianos de esta tierra antes de la segunda venida literal de Cristo. La palabra "rapto" no aparece en la Biblia. No olvidemos que Cristo estaba destacando la preparación para "cuando" él venga: "Mirad que viene en las nubes; y todo ojo lo verá" (Apoc. 1:7). "Porque como el relámpago que sale del oriente y se muestra hasta el occidente, así será la venida del Hijo del Hombre" (Mat. 24:27). La Escritura no enseña una segunda venida secreta y luego una tercera venida gloriosa. La aparición del Señor no será a escondidas. El mensaje es simplemente este: "Velad, pues, porque no sabéis el día ni la hora en que el Hijo del Hombre ha de venir" (Mat. 25:13).

Todos los santos pasarán por la tribulación (Apocalipsis 7:14).
¡Alistémonos!

¿Encontrará Fieles?

Jesús les contó una parábola acerca de la necesidad de orar siempre, y no desmayar. Les dijo: "En cierta ciudad había un juez que no respetaba a Dios ni a los hombres". Lucas 18:1, 2.

*J*esús contó a sus discípulos la historia de una viuda que no podía obtener de cierto juez la justicia que le correspondía. "Es evidente que el esposo de la viuda le había dejado una propiedad, quizá hipotecada, pero alguien se negaba a devolvérsela en el tiempo estipulado por la ley. La viuda, al no tener quien defendiera sus derechos, sin duda dependía completamente del sentido de justicia y de misericordia del juez; pero éste ni era justo ni misericordioso. Era todo lo contrario de Dios".[68] ¡Dios es todo lo contrario de este juez! Y ese es el punto. El juez no representa a Dios. "Las súplicas de los menesterosos y angustiados son consideradas por él con infinita compasión".[69]

La viuda insistió hasta que finalmente el juez cedió a su petición y estuvo de acuerdo con el arreglo, porque estaba cansado de la insistencia de la viuda. Jesús desea que comprendamos que si esta clase de insistencia puede conmover aun a la persona más injusta, cuánto más dispuesto estará Dios de responder a los que le piden libertad. Somos sus elegidos, sus escogidos. Como cristianos a menudo no nos damos cuenta que Dios está contestando nuestras oraciones. A veces él hace preparativos que a la larga nos traerán mejores soluciones que cualquier respuesta rápida. Tal vez demore su respuesta para que aprendamos a apreciar nuestra verdadera necesidad. Puede ser que a veces esté perfeccionando nuestro carácter por medio de la adversidad y la prueba. O quizás use el sufrimiento de su pueblo para alcanzar a los que los persiguen.

"Mientras el mundo progresa en la impiedad, ninguno de nosotros necesita hacerse la ilusión de que no tendrá dificultades. Pero son esas mismas dificultades las que nos llevan a la cámara de audiencias del Altísimo... La oración mueve el brazo de la Omnipotencia".[70] "Si consagramos nuestra vida al servicio de Dios, nunca podremos ser colocados en una situación para la cual Dios no haya hecho provisión".[71] "Ninguna oración sincera se pierde. En medio de las antífonas del coro celestial, Dios oye los clamores del más débil de los seres humanos".[72]

"No hay peligro de que el Señor descuide las oraciones de sus hijos. El peligro es que, en la tentación y la prueba, se descorazonen, y dejen de perseverar en oración".[73]

Justificado

"Dos hombres subieron al templo a orar; uno fariseo, el otro publicano". Lucas 18:10.

Dos hombres oraban en el templo. El fariseo, con un alto concepto de su piedad, educado, orgulloso y lleno de justicia propia; y el publicano, humilde y desconfiado de sí mismo. El fariseo proclamó en voz alta: "Dios, te doy gracias, que no soy como los demás hombres, ladrones, injustos, adúlteros, ni aun como este publicano". El fariseo observaba estrictamente la ley porque buscaba la justicia por sus propios esfuerzos. Su conducta dejaba poco espacio para amar a Dios y nada para amar a sus semejantes. La promesa: "Bienaventurados los pobres en espíritu" (Mat. 5:3) no se aplicaba a él. "No hay nada que ofenda tanto a Dios, o que sea tan peligroso para el alma humana, como el orgullo y la suficiencia propia. De todos los pecados es el más desesperado, el más incurable".[74]

El publicano ofreció una oración distinta. Bajando la vista, clamó: "Dios, ten compasión de mí, que soy pecador, sólo tú tienes poder para redimirme de mi pecado". Reconociendo que era pecador, no se atrevió a alzar su rostro al cielo cuando oró porque no vio nada en su vida que lo recomendara ante Dios. Pero eso no es algo que descubrimos por cuenta propia (Jer. 17:9). Sólo Cristo puede capacitarnos a comprender plenamente cuán lejos estamos de ser justos. El Señor no toma en cuenta nuestra apariencia experior de piedad, sino valora un espíritu humilde y contrito. Cristo sólo puede salvar al que se reconozca como pecador. Al que calladamente hace la obra del Señor sin esperar recompensa, Dios lo recompensará exaltándolo en el cielo. Jesús concluyó diciendo: "Os digo que éste descendió a su casa justificado, pero el otro no. Porque el que se enaltece será humillado; y el que se humilla, será enaltecido" (Luc. 18:14). "El fariseo creía que era justo, pero Dios no lo consideraba así. El publicano se sentía pecador, y este reconocimiento abrió el camino para que Dios lo declarara sin pecado, un pecador justificado por la misericordia divina.

"La diferencia estaba en la actitud de los dos para consigo mismos y para con Dios".[75]

Matrimonio y Divorcio

Entonces se le acercaron algunos fariseos a tentarlo. Le preguntaron:
"¿Es lícito al hombre divorciarse de su esposa por cualquier causa?"
Mateo 19:3.

Durante casi dos años los espías habían estado tratando de desacreditar a Jesús e impedir su obra. Habían censurado a los discípulos por comer pan con las manos sin lavar (Mar. 7:2). En otra ocasión acusaron a Jesús por no pagar los impuestos del templo (Mat. 17:24). Acusando a una mujer, trataron de persuadirlo para que estuviera de acuerdo con ellos en apedrearla por adulterio (Juan 8:4, 5). Ahora lo enfrentaron con una pregunta sobre el matrimonio. "¿Es lícito al hombre divorciarse de su esposa por cualquier causa?" (Mat. 19:3).

Jesús les contestó con una declaración de la Escritura: "Por tanto, lo que Dios unió, no lo separe el hombre" (vers. 4-6). "La relación matrimonial fue instituida por Dios y santificada por él. El Creador omnisapiente dio los medios para que existiera la relación matrimonial. Él también la hizo posible y deseable. Por ende, todos los que participan de esta relación están unidos por toda la vida, según el plan original de Dios".[76] A menos que sea por inmoralidad sexual (vers. 9), Dios no permite el divorcio. Los judíos habían reducido la santidad de la relación a una simple legalidad que se podía disolver por la razón más sencilla.

"De acuerdo con la costumbre oriental, cada mujer estaba unida a un hombre, ya sea su padre o su esposo, y no estar unida a ninguno representaba una desgracia y significaba sufrir necesidad. Por ello, cuando un hombre despedía a su esposa, la dejaba sin amparo, y debía arreglarse sola en una sociedad que no tenía lugar para ella, que no le tenía simpatía, y aun le era hostil. Con el fin de mejorar la suerte de la mujer divorciada, Dios misericordiosamente ordenó que se le diera un certificado que la identificara como una mujer divorciada. Con esto, podía legal y apropiadamente llegar a ser la esposa de otro hombre sin que sobre ella pesara ningún estigma".[77] Los fariseos pensaban que si Jesús decía que el divorcio era ilegal, hablaba contra Moisés y el certificado de divorcio aprobado por el Señor. Pero si decía que el divorcio era legal, entonces socavaba la ley original de Dios. La pregunta parecía colocar a Jesús en una situación sin salida. Sin embargo, el Señor demostró que Dios nunca cambió su ley original del matrimonio y que el ignorar con dureza los derechos de la esposa indicaba un endurecimiento nacional del corazón.

En los tiempos de Cristo, Dios permitía el divorcio sólo por el
endurecimiento de los corazones de los que despedían a sus esposas.
Dios todavía es un Dios de amor, aunque el amor y el apoyo del
esposo o de la esposa hayan desaparecido.

Para que Pueda Tocarlos

Pero Jesús los llamó, y les dijo: "Dejad a los niños venir a mí, y
no les impidáis, porque de ellos es el reino de Dios".
Lucas 18:16.

Jesús amaba a los niños. "Aceptaba su simpatía infantil, y su amor franco y sin afectación. La agradecida alabanza de sus labios puros era música para sus oídos y refrigeraba su espíritu cuando estaba oprimido por el trato con hombres astutos e hipócritas. Dondequiera que fuera el Salvador, la benignidad de su rostro y sus modales amables y bondadosos le granjeaban el amor y la confianza de los niños".[78] Era costumbre que los padres llevaran a sus niños de un año a algún rabino para que los bendijera. Los discípulos pensaban que el trabajo de Jesús era demasiado importante para que él se detuviera y prestara atención a los niños. Consideraban a las madres y sus niños una desagradable distracción para el Maestro. Cierto día, "una madre con su hijo había dejado su casa para hallar a Jesús. En el camino habló de su diligencia a una vecina, y ésta quiso también que Jesús bendijese a sus hijos. Así se reunieron varias madres, con sus pequeñuelos. Algunos de los niños ya habían pasado de la infancia a la niñez y a la adolescencia. Cuando las madres expresaron su deseo, Jesús oyó con simpatía la tímida petición. Pero esperó para ver cómo las tratarían los discípulos".[79] No tuvo que esperar mucho. Pensando hacerle un favor, los discípulos reprendieron a las madres y sus niños diciéndoles que no molestaran al Maestro.

"Al verlo, Jesús se enojó, y les dijo: 'Dejad a los niños que vengan a mí. No se lo impidáis, porque de ellos es el reino de Dios' ". (Mar. 10:14, 15). Jesús puso sus manos sobre los niños y los bendijo. No los bautizó, pero los entregó al cuidado y el amor del Padre. Las palabras que dirigió a sus pequeñuelos consolaron, fortalecieron y bendijeron a sus madres. Cualquiera que impida que los niños se acerquen a Jesús, será blanco de su desagrado y severa represión. "La gracia de Cristo en el corazón... inducirá a los padres y las madres a tratar a sus hijos como seres inteligentes, como quisieran ellos mismos ser tratados".[80]

Conduzcamos nuestros niños a Jesús y tratémoslos con bondad,
cortesía y amor, como él lo hizo.

Requisitos Para el Cielo

Entonces un joven se acercó a Jesús y le preguntó: "Maestro bueno, ¿qué bien haré para tener la vida eterna?"
Mateo 19:16.

*E*ntre la multitud había una persona que observaba la bendición de los niños. "Se había conmovido tan profundamente que mientras Cristo iba por su camino, corrió tras él y arrodillándose a sus pies, le hizo con sinceridad y fervor esa pregunta de suma importancia para su alma y la de todo ser humano: "Maestro bueno, ¿qué haré para poseer la vida eterna?"[81] Jesús le citó los mandamientos. Es evidente que Cristo los obedecía porque los recomendaba para poder alcanzar la vida eterna. Rápidamente el joven abogado estuvo de acuerdo, porque él había obedecido la ley desde su juventud. "¿Cuáles debo guardar?" insistió el joven. Jesús le dio ejemplo de los últimos seis. Cada uno de ellos tenía que ver con las relaciones humanas. Para entonces el joven se sentía muy satisfecho. No había cometido adulterio ni asesinado a nadie. "¿Qué más me falta?" preguntó. Sabiendo que el hombre no comprendía bien la ley y que su salvación dependía de ello, rápidamente Jesús lo puso a prueba: "Si quieres ser perfecto, anda, vende lo que tienes, dalo a los pobres y tendrás tesoro en el cielo. Y ven, sígueme" (Mat. 19:21).

"En verdad, la letra de la ley es negativa en su forma, pero su espíritu demanda una acción positiva. No basta dejar de odiar o herir a nuestros prójimos; el Evangelio nos pide que los amemos y les ayudemos como nos amamos a nosotros mismos".[82] Lo que le faltaba al joven era un principio vital. Necesitaba que el amor de Dios le activara su espíritu de caridad. Jesús anhelaba que él respondiera, y la lucha fue intensa, pero tenía muchas posesiones y se fue triste. "Muchos que profesan ser seguidores de Cristo demuestran que no están preparados para el cielo".[83] Invertimos los talentos de Dios en las ganancias personales en vez de hacerlo en la obra del Señor. El temor a la escasez hace que muchos acumulen continuamente bienes porque desconfían de Dios y son egoístas.

"Unicamente aquellos que lleguen a ser colaboradores con Cristo, únicamente aquellos que digan: Señor, todo lo que tengo y soy te pertenece, serán reconocidos como hijos e hijas de Dios".[84]

Un Denario por Día

"Así, los primeros serán postreros, y los postreros, primeros; porque muchos son llamados, mas pocos escogidos" Mateo 20:16, RV 1960.

El joven rico descubrió, para su consternación, que no estaba preparado para sacrificarse por los demás, y por lo tanto, se hallaba descalificado para el cielo. Volviéndose hacia los discípulos, Jesús dijo: "Os aseguro que difícilmente un rico entrará en el reino de los cielos". Esa declaración les resultó chocante, puesto que los rabinos enseñaban que las riquezas indicaban el favor de Dios. Por eso se preguntaron, espantados: "Entonces, ¿quién podrá salvarse?" Y Pedro le dijo: "Nosotros hemos dejado todo, y te hemos seguido, ¿qué, pues, tendremos?" En otras palabras, "Señor, fuimos los primeros en seguirte. Esperamos una compensación adecuada por nuestro servicio". "A la luz de las palabras del Salvador, fue revelado su propio anhelo secreto de poder y riquezas".[1] "Aunque habían sido atraídos por el amor de Cristo, los discípulos no estaban completamente libres de farisaísmo. Todavía trabajaban con el pensamiento de merecer una recompensa en proporción a su labor. Acariciaban un espíritu de exaltación y complacencia propias, y hacían comparaciones entre ellos".[2]

Jesús les contó la parábola de los obreros de la viña. Un propietario fue al pueblo vecino a buscar trabajadores. Temprano por la mañana, contrató a varios hombres, prometiéndoles un denario por un día completo de trabajo. A las 9:00 contrató a varios más; lo mismo sucedió al mediodía, y luego a las 3:00 de la tarde. A la hora undécima, es decir, a las 5:00 de la tarde, contrató a los que aún esperaban que alguien los empleara. Llegó el atardecer, y el propietario llamó a su mayordomo, y le dijo: "Llama a los obreros y págales el jornal, empezando por los últimos hasta los primeros". Los que fueron contratados a las 5:00 de la tarde recibieron un denario por la hora que trabajaron hasta la puesta del sol. Al ver la generosidad del dueño de la viña, los que habían comenzado a trabajar más temprano pensaron que se les daría una remuneración mucho mayor por haber trabajado todo el día al calor del sol. Pero ellos también recibieron un solo denario. Cuando reclamaron, el dueño les recordó que ellos habían convenido en ese salario al ser contratados, y por lo tanto no tenían derecho a sentirse defraudados. "Toma lo que es tuyo, y vete". "El favor divino no se puede ganar, como lo enseñaban los rabinos".[3] El solo hecho de haber seguido a Jesús primero, no les daba ningún mérito adicional en el cielo. Los primeros y los últimos compartirán la recompensa eterna.

"No es la cantidad de tiempo que trabajamos, sino nuestra pronta disposición y nuestra fidelidad en el trabajo, lo que lo hace aceptable a Dios".[4]

Por Sexta Vez Te lo Digo

"Como veis, ahora vamos a Jerusalén, y el Hijo del Hombre será
entregado a los principales sacerdotes y a los escribas, que lo
condenarán a muerte. Y lo entregarán a los gentiles para que se
burlen de él, lo azoten y lo crucifiquen. Pero al tercer día resucitará".
Mateo 20:18, 19.

Mientras Jesús viajaba a Jerusalén a la cabeza de su pequeño rebaño, los discípulos iban asombrados y temerosos por su Maestro y por sí mismos. Les extrañaba ver que Jesús se les adelantaba con frecuencia, pues no era ésa su costumbre. Parecía como si quisiera estar solo. Por fin, hizo una pausa y los esperó. Llevándolos aparte de los otros peregrinos que viajaban con motivo de la Pascua, comenzó a decirles lo que sucedería en la semana próxima. Ese era por lo menos su sexto intento de explicarles que sería traicionado y condenado a morir. Su lenguaje era definido y gráfico (Mar. 10:33, 34).

Por dos años los dirigentes judíos habían conspirado para matar a Jesús. Desde el milagro en el estanque de Betesda, los espías seguían cada uno de sus pasos. Al expandirse su ministerio en Galilea, sus enemigos se habían vuelto cada vez más atrevidos en sus ataques públicos. En dos ocasiones separadas habían procurado apedrearlo. En Perea, habían tratado de asustarlo para que abandonara la zona por temor a Herodes. La resurrección de Lázaro unió a sus enemigos, cuyos planes tomaron un cariz más siniestro. Los discípulos sabían que en Jerusalén les aguardaban peligros, pero no podían imaginar que los enemigos de su Maestro tuvieran éxito en darle muerte.

"Por primera vez Jesús menciona específicamente el hecho de que los gentiles —las autoridades romanas— tomarían parte en su muerte. Tres años antes, Jesús le había dicho a Nicodemo que debía ser levantado, lo que implicaba la crucifixión. Ahora, por primera vez, predice claramente la forma en que habría de morir".[5] ";No habían predicho los profetas la gloria del reino del Mesías? Frente a estos pensamientos, sus palabras tocante a su entrega, persecución y muerte parecían vagas y confusas. Ellos creían que a pesar de cualesquiera dificultades que pudieran sobrevenir, el reino se establecería pronto".[6] Pero no debemos apresurarnos a juzgar el fracaso de los discípulos en comprender las palabras de Jesús.

¿Quiénes de entre nosotros vive como si de veras le creyera cuando
nos dice repetidamente: "Yo vengo pronto" (Apocalipsis 3:11)?

El Pedido de Salomé

Entonces la madre de los hijos de Zebedeo vino a Jesús con sus hijos,
y se postró ante él para pedirle algo. Y él le preguntó: "¿Qué deseas?"
Ella le dijo: "Ordena que estos dos hijos míos se sienten en tu reino,
uno a tu derecha y el otro a tu izquierda". Mateo 20:20, 21.

$\mathcal{E}$n cierta ocasión, Pedro le preguntó a Jesús qué podrían esperar los doce a manera de recompensa por haber seguido a Jesús. El Maestro respondió: "Os aseguro que en la regeneración, cuando el Hijo del Hombre se siente en el trono de su gloria, vosotros que me habéis seguido, también os sentaréis sobre doce tronos, para juzgar a las doce tribus de Israel" (Mat. 19:28). "Juan, hijo de Zebedeo, había sido uno de los dos primeros discípulos que siguieran a Jesús. Él y su hermano Santiago habían estado entre el primer grupo que había dejado todo por servirle... La madre de ellos era discípula de Cristo, y le había servido generosamente con sus recursos. Con el amor y la ambición de una madre por sus hijos, codiciaba para ellos el lugar más honrado en el nuevo reino".[7] Así comenzó otro de los sencillos incidentes que muestran que los discípulos no tenían la menor idea de lo que iba a sobrevenirles.

Lo más probable es que la madre de Santiago y Juan fuera Salomé (Mat. 27:56; Mar. 15:40; 16:1). Algunos piensan que acaso fuera hermana de María, la madre de Cristo (Juan 19:25). Haya o no sido parienta, el hecho es que pidió que sus hijos se sentaran a la mano derecha e izquierda del Señor en su reino. Jesús no los reprendió por su codicia. En vez de eso, les preguntó si podían beber la copa que él bebería, y ser bautizados como él sería. A pesar de no haber comprendido sus misteriosas palabras, rápidamente replicaron que considerarían un honor hacerlo. El Salvador les respondió: "A la verdad, de mi vaso beberéis, y con el bautismo con que yo soy bautizado, seréis bautizados; pero el sentaros a mi derecha y mi izquierda, no es mío darlo, sino a aquellos para quienes está preparado por mi Padre" (Mat. 20:23, RV 1960). Jesús iba a beber su copa de sufrimiento en el Getsemaní, y su bautismo sería su muerte en el Calvario. Santiago había de morir por la espada, el primer mártir entre los discípulos. Juan viviría más que todos los otros, pero moriría en Patmos, en el exilio.

"En el reino de los cielos, no se conceden puestos debido a influencia
ni a favoritismo; tampoco se los puede ganar. Se conceden
exclusivamente por la idoneidad, y ésta se mide por el espíritu de
servicio a los demás".[8]

El Servicio es Grandeza

"Porque el Hijo del Hombre tampoco vino para ser servido, sino para servir, y dar su vida en rescate por muchos". Marcos 10:45.

¡Los discípulos estaban furiosos! Cada uno se sentía muy molesto al ver que dos de sus compañeros aparentemente habían arrebatado para sí las mejores posiciones, mientras que ellos vacilaban en solicitarlas. La lucha por la supremacía no había cesado. Aquí, durante los últimos días del ministerio de Cristo, vemos perfilarse una triste realidad: los discípulos todavía no estimaban a sus prójimos como mayores que ellos. Parecían no poder liberarse de la creencia según la cual el que llega a mandar lo hace en virtud de su educación avanzada, su influencia, riqueza o posición familiar. Para ellos, la religión no era otra cosa que asunto de autoridad.

Jesús había enseñado que ninguna posición es superior a la del siervo. Los discípulos ya se habían olvidado de ese consejo que el Maestro les diera en Capernaúm. La disputa de ellos acerca de la grandeza había llevado a Jesús a decir: "Si alguno quiere ser el primero, debe ser el último de todos, y el servidor de todos" (Mar. 9:35). "El que se humilla como este niño, ése es el mayor en el reino de los cielos" (Mat. 18:3, 4). Nuestro mundo reconoce el poder, pero Cristo llama a los fuertes a ser apoyo y guía de los débiles. Dios nos concede su poder para nutrir y servir.

"Sabéis que los que son tenidos por gobernantes de las naciones, se enseñorean de ellas, y los grandes ejercen autoridad sobre ellas. Pero entre vosotros no será así. Antes, el que quiera ser grande entre vosotros, sea vuestro servidor. Y el que quiera ser el primero, sea siervo de todos. Porque el Hijo del Hombre tampoco vino para ser servido, sino para servir, y dar su vida en rescate por muchos" (Mar. 10:42-45). "Cristo estaba estableciendo un reino sobre principios diferentes. El llamaba a los hombres, no a asumir autoridad, sino a servir, a asumir los fuertes las flaquezas de los débiles. El poder, la posición, el talento y la educación, colocaban a su poseedor bajo una obligación mayor de servir a sus semejantes".[9] El amor abnegado es la medida de la verdadera grandeza.

"La vida de Cristo fue en primer lugar una vida de servicio. Durante el transcurso de su ministerio nunca tomó para sí ninguno de los privilegios que los rabinos solían atribuirse. No tenía nada que pudiera llamar suyo, y nunca ejerció el poder divino en su propio beneficio".[10] Jesús es nuestro ejemplo. Cuando se nos conceden oportunidades para compartir la misión de nuestro Señor, debemos buscar la verdadera recompensa.

Recordemos que la verdadera grandeza se halla en el servicio a los demás.

El Ciego Bartimeo

Jesús le dijo: "Puedes irte. Tu fe te ha sanado". Y en el acto recobró la vista, y siguió a Jesús por el camino. Marcos 10:52.

Jesús y sus discípulos cruzaron el Jordán a unos ocho kilómetros al oriente de Jericó y se unieron a las multitudes que iban rumbo a Jerusalén para celebrar la Pascua. Situada entre palmeras, jardines y muchos árboles frutales, Jericó atraía al viajero a detenerse y descansar antes de comenzar a subir la pronunciada y desolada pendiente que subía por el Wadi Qelt. Junto a las puertas de la ciudad se mantenía un ciego llamado Bartimeo, o mejor dicho, el hijo de Timeo. Al pasar la multitud junto a él, oyó que comentaban acerca del "Hijo de David". Cuando oyó que Jesús se acercaba, comenzó a gritar: "¡Hijo de David! ¡Ten compasión de mí!" La gente procuró hacerlo callar. Si lo oían las autoridades romanas, o aun las judías, podrían surgir problemas. Pero lo único que consiguieron fue hacer que el ciego gritara aún más fuerte: "¡Hijo de David! ¡Ten misericordia de mí!"

Jesús se detuvo y mandó que le trajeran al ciego. Los que estaban cerca de Bartimeo le dijeron: "Ten confianza. Levántate, te llama". Dejando entonces su capa, el ciego siguió a los que lo llevaban ante Jesús. Hasta este punto, el relato se asemeja a otros milagros que Cristo realizó durante su ministerio. Sin embargo, presenta características únicas, porque muestra asombrosa claridad de visión por parte de quien estaba desprovisto de la visión física, y una ceguera igualmente asombrosa de parte de quienes pretendían tener visión espiritual superior. "El ciego Bartimeo espera a la vera del camino; por mucho tiempo había anhelado encontrarse con Jesús. Multitudes de personas con la vista intacta pasan a su lado, pero no muestran ningún deseo de ver a Jesús".[11]

Jesús le pregunta: "¿Qué quieres que te haga?" "Era obvio que el ciego procuraba recobrar la vista. Sin embargo, como era su costumbre, Jesús deseaba que el suplicante presentara un pedido específico como reconocimiento de su necesidad y como demostración de su fe. Sin embargo, no fue sólo por Bartimeo mismo que Jesús hizo esta pregunta. Deseaba que los testigos del suceso entendieran mejor el significado del milagro".[12] Cristo le dijo: "Puedes irte. Tu fe te ha sanado".

"Todos los que, como el ciego Bartimeo, sienten su necesidad de Cristo, y que son tan serios y determinados de propósito como él, recibirán también la bendición que anhelan".[13] "El sentimiento de la necesidad y de la dependencia de Cristo debe acompañar a la fe".[14]

No debemos tener una "fe ciega". ¡Más bien, debemos tener la "fe del ciego" (Bartimeo)!

Date Prisa, Desciende

Cuando Jesús llegó a ese lugar, miró hacia arriba, y le dijo: "Zaqueo, date prisa, desciende, porque conviene que hoy me hospede en tu casa". Lucas 19:5.

"Jericó era una de las ciudades apartadas antiguamente para los sacerdotes, y a la sazón un gran número de ellos residía allí. Pero la ciudad tenía también una población de un carácter muy distinto. Era un gran centro de tráfico, y había allí oficiales y soldados romanos, y extranjeros de diferentes regiones, a la vez que la recaudación de los derechos de aduana la convertía en la residencia de muchos publicanos. 'El principal de los publicanos', Zaqueo, era judío, pero detestado por sus compatriotas".[15] La extorsión, el soborno y las comisiones ilegales pueden producir un alto nivel de vida en lo material, pero no pueden rodearnos de amigos sinceros.

Zaqueo había escuchado la predicación de Juan el Bautista junto al Jordán. Sabía que su vida no se conformaba a las Escrituras, pero el poder del Espíritu estaba obrando en su corazón. Había oído hablar de Jesús, y estaba ansioso de conocer al Maestro entre cuyos discípulos se contaba un publicano llamado Mateo. Oyó decir que Jesús se acercaba a Jericó. "Las calles estaban atestadas, y Zaqueo, que era de poca estatura, no iba a ver nada por encima de las cabezas del gentío. Nadie le daría lugar; así que, corriendo delante de la multitud hasta donde un frondoso sicómoro extendía sus ramas sobre el camino, el rico recaudador de impuestos trepó a un sitio entre las ramas desde donde podría examinar la procesión que pasaba abajo. Mientras el gentío se aproximaba en su recorrido, Zaqueo escudriñaba con ojos anhelantes para distinguir la figura de Aquel a quien ansiaba ver".[16] De súbito, el grupo se detuvo justamente debajo del árbol, "... y miró arriba Uno cuya mirada parecía leer el alma. Casi dudando de sus sentidos, el hombre que estaba en el árbol oyó las palabras: 'Zaqueo, date prisa, desciende, porque hoy es necesario que pose en tu casa' ".[17] ¡Jesús conocía su nombre y los anhelos de su corazón! Estaba dispuesto a visitarlo aunque sus propios vecinos rehusaran hacerlo.

Los presentes no podían comprender las acciones de Jesús. ¡Zaqueo era un ladrón! Volviéndose a ellos, Zaqueo confiesa: "He aquí, Señor, la mitad de mis bienes doy a los pobres; y si en algo he defraudado a alguno, lo vuelvo con el cuatro tanto. Y Jesús le dijo: Hoy ha venido la salvación a esta casa" (Luc. 19:8, 9). La ley de Moisés requería que al principal se le añadiera un 20 por ciento como restitución. El añadir al principal cuatro veces su valor era una medida extrema, pero el arrepentimiento de Zaqueo había sido completo.

"Ningún arrepentimiento que no obre una reforma es genuino".[18]

Lázaro También Debe Morir

Los principales sacerdotes acordaron entonces matar también a Lázaro. Porque por causa de él muchos judíos iban a Jesús y creían en él. Juan 12:10, 11.

Jesús entró en Betania seis días antes de la pascua, mientras que muchos de los que viajaban con él siguieron su camino hasta Jerusalén y esparcieron la noticia de su venida. Jesús pasó el sábado en casa de Lázaro, María y Marta. "Muchos se dirigieron a Betania, algunos llevados por la simpatía para con Jesús, y otros por la curiosidad de ver al que había sido resucitado. Muchos esperaban oír de Lázaro una descripción maravillosa de las escenas de ultratumba. Se sorprendían de que no les dijera nada. Nada tenía él que decir de esta naturaleza. La Inspiración declara: 'Los muertos nada saben... Su amor, y su odio y su envidia, feneció ya' (Ecle. 9:5, 6). Pero Lázaro tenía un admirable testimonio que dar respecto a la obra de Cristo. Había sido resucitado con este propósito. Con certeza y poder, declaraba que Jesús era el Hijo de Dios".[19]

Los principales sacerdotes de Jerusalén no podían acusar a Lázaro de ningún crimen; y sin embargo llegaron a la conclusión de que debían silenciarlo. El hombre era un reproche viviente de la negación que ellos hacían de la resurrección. La misma noche en que Jesús asistió a la fiesta en casa de Simón, se reunieron los sacerdotes y gobernantes. Ya habían decidido matar a Jesús a la primera oportunidad que se presentara, pero la resurrección de Lázaro los llenaba de gran temor. "Los acontecimientos de los primeros días de la semana de la crucifixión sólo sirvieron para intensificar el sentir del pueblo de que en Jesús la nación había encontrado al Líder de quien los profetas habían hablado. Genuinamente perplejos, los fariseos exclamaron: 'Ya veis que no conseguís nada. Mirad, el mundo se va tras él' (Juan 12:19). La crisis era inminente, y a menos que pudieran deshacerse de él, la caída de ellos parecía segura. Creyeron que debían actuar con rapidez y en secreto. Además, si había un levantamiento popular para apoyar a Jesús como Mesías-Rey, con toda seguridad el opresivo poderío romano se haría sentir más duramente sobre la nación. Por otra parte, si prendían a Jesús abiertamente, podría iniciarse una revuelta popular en su favor".[20] Muchos de esos mismos individuos habían llorado la muerte de Lázaro y pretendido compadecerse de sus hermanas. Ahora decidieron que tanto Lázaro como Jesús debían morir, para que ellos pudieran retener su posición sobre el pueblo.

El deseo de mantenerse en el poder es un peligroso intoxicante.

Embargado por la Vergüenza

Un fariseo rogó a Jesús que comiese con él. Así, fue a casa del fariseo,
y se sentó a la mesa. Lucas 7:36.

$\mathcal{S}$imón de Betania era uno de los pocos fariseos que seguían abiertamente a Jesús. "Reconocía a Jesús como maestro y esperaba que fuese el Mesías, pero no le había aceptado como Salvador. Su carácter no había sido transformado; sus principios no habían cambiado".[21] Jesús había curado de la lepra a Simón, y ahora éste quería honrarlo con una fiesta. Es posible que haya invitado también a María, Marta y Lázaro. María había oído a Jesús predecir su muerte inminente. La resurrección de su amado hermano y el gozo increíble con que Jesús había llenado su vida, la habían afectado profundamente. Reconocía sin dificultad a Cristo como su Salvador. "El era quien la había librado de la desesperación y la ruina. Siete veces ella había oído la represión que Cristo hiciera a los demonios que dirigían su corazón y mente".[22]

A costa de gran sacrificio personal, María había adquirido un vaso de alabastro, que contenía nardo líquido de mucho precio, con el cual se proponía ungir el cuerpo de su Señor. Ahora la gente decía que el Maestro sería coronado Rey. Confusa, y al mismo tiempo gozosa de que su Señor no sufriría la muerte, María procuró honrarlo. Rompiendo el vaso, derramó su contenido sobre los pies de Jesús. Luego, mezclando sus lágrimas con el ungüento, se arrodilló y le secó los pies con su larga cabellera. Como los pies de Jesús estaban separados de la mesa, en los primeros momentos su acción no fue notada, "... pero el ungüento llenó la pieza con su fragancia y delató su acto a todos los presentes. Judas consideró este acto con gran disgusto. En vez de esperar para oír lo que Jesús dijera sobre el asunto, comenzó a susurrar a sus compañeros más próximos críticas contra Cristo porque toleraba tal desperdicio".[23]

La crítica de Judas no dejó de influir en el ánimo de Simón. Sorprendido al ver que Jesús no rechazaba a María, no podía comprender por qué Cristo permitía que una mujer "cuyos pecados eran demasiado graves para ser perdonados", se le acercara de ese modo. Olvidó que él mismo era quien había inducido a María a caer en la tentación (DTG 519). Con bondad, Jesús señaló que había salvado a Simón de la muerte en vida que significaba la lepra, y a pesar de ello, éste dudaba de su divinidad. A María se le había perdonado mucho, pero Jesús no había demostrado menos compasión en su trato con Simón. La vergüenza embargó al fariseo. "Vio la magnitud de la deuda que tenía para con su Señor. Su orgullo fue humillado, se arrepintió, y el orgulloso fariseo llegó a ser un humilde y abnegado discípulo".[24]

¿Cuánto se nos ha perdonado a nosotros?

Su Corazón Tembló

Y a ella le dijo: "Tus pecados quedan perdonados".
Lucas 7:48.

"Judas era el tesorero de los discípulos, y de su pequeño depósito había extraído secretamente para su propio uso, reduciendo así sus recursos a una escasa pitanza. Estaba ansioso de poner en su bolsa todo lo que pudiera obtener. A menudo había que sacar dinero de la bolsa para aliviar a los pobres; y cuando se compraba alguna cosa que Judas no consideraba esencial, él solía decir: ¿Por qué se hace este despilfarro?"[25] Judas también fue el primero en quejarse de María. "¿Por qué no se ha vendido este ungüento por trescientos denarios, y se dio a los pobres? Mas dijo esto, no por el cuidado que él tenía de los pobres; sino porque era ladrón, y tenía la bolsa, y traía lo que se echaba en ella" (Juan 12:5, 6).

María oyó las palabras de crítica. Su corazón temblaba en su interior. Temía que su hermana la reprendiera como derrochadora. El Maestro también podía considerarla imprévida. Estaba por ausentarse sin ser elogiada ni excusada, cuando oyó la voz de su Señor: 'Dejadla, ¿por qué la fatigáis?' Él vio que estaba turbada y apenada. Sabía que mediante este acto de servicio había expresado su gratitud por el perdón de sus pecados, e impartió alivio a su espíritu. Elevando su voz por encima del murmullo de censuras, dijo: 'Buena obra me ha hecho; que siempre tendréis los pobres con vosotros, y cuando quisiereis les podréis hacer bien; mas a mí no siempre me tendréis. Esta ha hecho lo que podía; porque se ha anticipado a ungir mi cuerpo para la sepultura".[26]

María aprovechó la oportunidad de derramar su amor sobre el Maestro mientras éste aún vivía. Su acto de amor lo fortaleció. "Y cuando él penetró en las tinieblas de su gran prueba, llevó consigo el recuerdo de aquel acto, anticipo del amor que le tributarían para siempre aquellos que redimiera".[27] Todos necesitamos emular el ejemplo de María. Debemos hablar palabras de bondad y reconciliación ahora, sin esperar hallarnos junto a la tumba de quien hubiéramos querido honrar. Son aun menos los que aprecian lo que Cristo ha hecho por ellos.

"En el don de Jesús, Dios dio el cielo entero".[28] Muchos aplazan los dones de su devoción hasta que es demasiado tarde para ofrecer nada. ¡Tanto que nos ha concedido, y tan poco que nos pide!

La Regla Inflexible de Justicia

Y vuelto a la mujer, dijo a Simón: "¿Ves a esta mujer?... como sus pecados, que son muchos, le han sido perdonados, ella ama mucho. Pero a quien poco se le perdona, poco ama". Lucas 7:44, 47.

El don del perfume de nardo encendió una controversia. Simón se puso del lado de Judas. Rápido para juzgar, era lento para mostrar compasión o misericordia. En medio de las murmuraciones, Jesús se volvió hacia Simón, y le dijo: "Un acreedor tenía dos deudores. Uno le debía quinientos denarios, y el otro cincuenta. Y como no podían pagarle, perdonó a los dos. ¿Cuál de ellos lo amará más?" Sin vacilar, Simón respondió: "Pienso que aquel a quien perdonó más". Jesús respondió: "Has juzgado bien". Los dos deudores representaban a Simón y María. El propósito de la parábola no era establecer categorías de pecados, sino enseñar que cada uno debía mucho más de lo que jamás podría pagar. Simón necesitaba comprender que no era más justo de lo que era María. Sus propias transgresiones eran en todo tan serias como las de ella; y sin embargo él se veía a sí mismo con ojos llenos de justicia propia, y juzgaba a los demás con dureza. Muchos cristianos son como Simón. Es fácil vestirse con ropajes de justicia santurrona, pero es muy difícil despojarse de ellos.

El fariseo comprendió que Jesús podía leer los motivos de nuestras acciones. Había invitado a Jesús a cenar, no tanto por la gratitud que sentía por haber sido sanado, sino como una manera de aparecer importante ante los demás. "La frialdad y el descuido de Simón para con el Salvador demostraban cuán poco apreciaba la merced que había recibido. Pensaba que honraba a Jesús invitándolo a su casa. Pero ahora se vio a sí mismo como era en realidad".[29] "El Salvador con todo tacto había inducido al orgulloso fariseo a comprender que su pecado —cuando sedujo a María— había sido mayor que el pecado de ella, así como 500 denarios eran una suma mucho mayor que 50".[30] Si bien Simón se había portado de manera vergonzosa con María, se sintió profundamente conmovido al ver que Jesús no lo había avergonzado ante sus invitados. Un acto así habría endurecido contra Cristo el corazón del orgulloso fariseo. Ahora comprendió Simón lo que había expresado Cristo al decirle a María: "Tu fe te ha salvado. Vete en paz". "La hospitalidad de Simón era insignificante en comparación con la ilimitada gratitud de María".[31]

"Jesús conoce las circunstancias que rodean a cada alma. Tú puedes decir: 'Soy pecador, muy pecador'. Puedes serlo; pero cuanto peor seas, tanto más necesitas a Jesús. El no se aparta de ninguno que llora contrito".[32]

Censura y Venganza

Entonces Jesús dijo: "Déjala". Juan 12:7.

"Judas tenía un elevado concepto de su capacidad administrativa. Se consideraba muy superior a sus condiscípulos como hombre de finanzas, y los había inducido a ellos a considerarlo de la misma manera. Había ganado su confianza y tenía gran influencia sobre ellos. La simpatía que profesaba a los pobres los engañaba, y su artera insinuación los indujo a mirar con desagrado la devoción de María".[33] Jesús discernía los motivos del corazón del discípulo. Habría sido fácil exponerlo como traidor, pero "si Cristo hubiese desenmascarado a Judas, esto se hubiera considerado como un motivo de la traición. Y aunque acusado de ser ladrón, Judas hubiera ganado simpatía hasta entre los discípulos. El Salvador no le censuró, y así evitó darle una excusa para traicionarle. Pero la mirada que Jesús dirigió a Judas le convenció de que el Salvador discernía su hipocresía y leía su carácter vil y despreciable".[34]

Judas había adoptado una posición dramáticamente crítica de las acciones de María. Ahora, Jesús adoptó una actitud decididamente opuesta. El discípulo interpretó como un insulto el apoyo que Jesús le brindó a María. Sintió que había sido desprestigiado ante los otros; y sintiéndose reprendido, decidió vengarse. "De la cena fue directamente al palacio del sumo sacerdote, donde estaba reunido el concilio, y ofreció entregar a Jesús en sus manos".[35] Los sacerdotes se alegraron mucho, porque se les presentaba la oportunidad de apresar a Jesús discretamente y sin conmociones. Judas había tenido todas las oportunidades concedidas a los demás discípulos, y sin embargo, había permitido que la codicia lo dominara. Se resentía por el gasto hecho en honor de Jesús, y deseaba que ese dinero hubiera ido a parar a sus propias manos. En este sentido, duplicó el pecado de Satanás, quien codició la posición de Cristo y quiso ocuparla él. El hecho de que el frasco de perfume costara 300 denarios se desvaneció en el precio miserable que le asignó a su Señor. A pesar de su habilidad como tesorero, Judas hizo una transacción pobrísima. ¡Vendió a su Maestro por una fracción del costo del ungüento! Por 30 piezas de plata (equivalente a 120 denarios), el precio de un esclavo, traicionó a su Señor.

"La soledad de Cristo, separado de las cortes celestiales, viviendo la vida de los seres humanos, nunca fue comprendida ni apreciada por sus discípulos como debiera haber sido".[36] Quizás nosotros tampoco la comprendemos o apreciamos como debiéramos hacerlo.

Un Fraude Religioso

Entonces uno de los doce, Judas Iscariote, fue a los principales sacerdotes, y les dijo: "¿Qué me queréis dar, si os lo entrego?" Y ellos le asignaron 30 monedas de plata. Mateo 26:14, 15.

Uno no puede pensar en la vida de Judas sin preguntarse qué anduvo mal. Judas se había unido a los discípulos poco después que Jesús comenzara su ministerio. Su espíritu había sido impresionado. Jesús lo había aceptado como uno de los doce, lo había enviado como evangelista, y le había concedido poder para echar fuera demonios y sanar enfermos. "Pero Judas no llegó al punto de entregarse plenamente a Cristo. No renunció a su ambición mundanal o a su amor al dinero... Creyó que podía conservar su propio juicio y sus opiniones, y cultivó una disposición a criticar y acusar".[37]

Los discípulos consideraban que Judas era el más capaz y educado entre ellos. Pero el respeto que ellos le mostraban no era correspondido. "Así pasaba Judas revista a todos los discípulos, y se lisonjeaba porque, de no tener él su capacidad para manejar las cosas, la iglesia se vería con frecuencia en perplejidad y embarazo".[38] Al mismo tiempo, buscaba la forma de socavar la influencia de Jesús. A menudo confundía a los discípulos introduciendo textos que no tenían nada que ver con el contexto de las palabras de Jesús. Avivaba las esperanzas de un reino temporal y rebajaba el tono espiritual de las conversaciones. "La disensión en cuanto a cuál de ellos era el mayor era generalmente provocada por Judas".[39]

En su corazón, Judas se había apartado de Cristo después del sermón acerca del pan de vida. Comprendió entonces que el reino venidero era espiritual y no temporal. De todos modos, promovió a Cristo como rey, y planeaba de algún modo salvar a Juan el Bautista de su prisión. Pero nada de eso se cumplió. Pensó entonces que Jesús debía vengar la muerte de Juan. Una vez más, Jesús no hizo nada. A medida que cada paso en sus planes se desmoronaba, lo mismo sucedió con su fe. Judas nunca se imaginó que Jesús permitiría que lo arrestaran. Se propuso obligar a Jesús a que actuara, y obtener así el crédito por colocarlo en el trono de David. De ese modo Judas esperaba obtener la principal posición, junto a Cristo, en el nuevo reino. En toda ocasión, Judas preguntaba invariablemente: "¿Qué ventaja hay en esto para mí?" Fiel a su naturaleza, esta vez también preguntó: "¿Qué me queréis dar, si os lo entrego?"

¿Cuántos de nosotros somos fraudes religiosos, como Judas?

MINISTERIO EN LA MUERTE
Cristo, nuestro Sacrificio

La Semana de la Pasión – Primavera del 31 d.C.

Mateo 21:1-27:66

Marcos 11:1-5:47

Lucas 19:29-23:56

Juan 12:12-19:42

El Deseado de todas las gentes, pp. 523-724

Hosanna al Hijo de David

¡Alégrate mucho, hija de Sión! ¡Da voces de júbilo, hija de Jerusalén!
Tu Rey viene a ti, justo y salvador, humilde y cabalgando sobre un
asno, sobre un pollino, hijo de asna. Zacarías 9:9.

El domingo por la mañana, una multitud salió de Jerusalén rumbo a Betania, para ver a Jesús. El perfecto clima primaveral hacía más festivo el gozo de la gente. "Toda la naturaleza parecía regocijarse. Los árboles estaban vestidos de verdor y sus flores comunicaban delicada fragancia al aire. Nueva vida y gozo animaban al pueblo. La esperanza del nuevo reino estaba resurgiendo".[40] Los discípulos estaban llenos de entusiasmo al ver que su esperanza de un reino temporal parecía estar por cumplirse. Habían olvidado las palabras de su Señor acerca de sus sufrimientos y su muerte. ¡Hoy habría una coronación! La profecía de Zacarías, hecha 500 años antes, estaba por cumplirse.

Habitualmente Jesús evitaba la publicidad, pero ahora envió a dos discípulos en busca de un asna y su borriquillo. Antes, Jesús siempre había viajado a pie; ahora los discípulos se sorprendieron al ver que se proponía cabalgar. Cristo estaba siguiendo la costumbre judía, al cabalgar sobre el animal que los antiguos reyes de Israel habían usado en sus coronaciones. Lázaro guiaba al asnillo. Ese día, Jesús hizo algo más que era también diferente de lo habitual. Se llamó a sí mismo "Kurios", es decir, "Señor". Normalmente se refería a sí mismo como el "Hijo del Hombre".

Al salir de Betania rumbo a Jerusalén, la procesión comenzó a crecer. Felices y llenos de entusiasmo, los celebrantes aclamaban a Jesús como el Rey de los judíos. No pasaría mucho tiempo sin que ese título le fuera echado en cara y clavado sobre su cabeza en la cruz. "Los espectadores se mezclaban continuamente con la muchedumbre, y preguntaban: ¿Quién es éste? ¿Qué significa toda esta conmoción?"[41] Millares le daban la bienvenida a Jesús. Agitando palmas y cantando himnos de alabanza, muchos se quitaban sus mantos y los extendían ante el pollino. "Los sacerdotes hacen sonar en el templo la trompeta para el servicio de la tarde, pero pocos responden, y los gobernantes se dicen el uno al otro con alarma: 'He aquí, el mundo se va tras de él' ".[42] ¡Nunca había contemplado el mundo una procesión triunfal como ésa! Los fariseos trataron de calmar a la gente, pero sus ruegos y amenazas sólo aumentaron las alabanzas. Tratando de abrirse paso por entre la multitud, protestaban que los romanos no permitirían esas demostraciones. "Maestro, reprende a tus discípulos", demandaban. Jesús replicó: "Os digo que si éstos callaran, las piedras clamarían".

¿Cuántos de nosotros nos dejamos intimidar y reducir al silencio por
los que no desean oír acerca de Jesús?

¿Cómo Podría Abandonarte?

Y cuando llegó cerca de la ciudad, al verla, lloró sobre ella.
Lucas 19:41, RV 1960.

Los fuertes hosannas repercutían de colina en colina y a través del valle de Cedrón, hasta dejarse oír en Jerusalén. Pareciera como si toda la ciudad se hubiera preparado para encontrarse con su Rey. "Los ciegos a quienes había restaurado la vista abrían la marcha. Los mudos cuya lengua él había desatado voceaban las más sonoras alabanzas. Los cojos a quienes había sanado saltaban de gozo y eran los más activos en arrancar palmas para hacerlas ondear delante del Salvador. Las viudas y los huérfanos ensalzaban el nombre de Jesús por sus misericordiosas obras para con ellos. Los leprosos a quienes había limpiado extendían a su paso sus inmaculados vestidos y le saludaban Rey de gloria. Aquellos a quienes había despertado del sueño de la muerte estaban en la multitud".[43] La procesión llegó a la cumbre del monte de los Olivos. Delante de él yacía Jerusalén, bañada por la luz del sol poniente. Se veía claramente la Puerta de las Ovejas, al noreste de la ciudad, y más allá el Calvario. El Templo se destacaba entre todo con majestuosa grandeza.

"Jesús contempla la escena y la vasta muchedumbre acalla sus gritos, encantada por la repentina visión de belleza. Todas las miradas se dirigen al Salvador, esperando ver en su rostro la admiración que sentían. Pero en vez de esto observan una nube de tristeza. Se sorprenden y chasquean al ver sus ojos llenos de lágrimas, y su cuerpo estremeciéndose de la cabeza a los pies como un árbol ante la tempestad, mientras sus temblorosos labios prorrumpen en gemidos de angustia, como nacidos de las profundidades de un corazón quebrantado".[44] Jesús veía lo que se ocultaba a los ojos de la multitud. Mirando hacia el día cuando los ejércitos romanos circundaran la ciudad condenada, vio perecer a sus habitantes. Jerusalén había rechazado a los profetas, y aun entonces se preparaba para rechazar al Hijo de Dios. A no ser por el orgullo de los fariseos, por su hipocresía, su odio y sus celos, Jesús podría haber alcanzado a Israel con su mensaje de salvación. Ahora su condenación estaba por ser sellada. Si Jerusalén hubiera prestado oídos a los mensajes de Dios, podría haber sido la corona del mundo, pero la visión se estaba desvaneciendo.

Jesús lloró. ¿Cómo podría abandonarlos? La nación entera estaba
preparándose para rechazar la luz. ¿Cómo podría él abandonarnos?
Jesús todavía llora.

Su Día de Luz

Y Jesús entró en Jerusalén, en el templo. Marcos 11:11.

Cuando la procesión hizo una pausa sobre el monte de las Olivas, los gobernantes de Jerusalén llegaron para detener la marcha triunfal. "Jesús sabía que este acontecimiento lo llevaría inevitablemente a la cruz, y sin embargo participó resueltamente en la entrada triunfal. Era necesario que los ojos de todos se fijaran en él en los últimos días de su vida, a fin de que pudieran comprender, si así lo deseaban, la importancia de su misión en la tierra".[45] "Vino a lo que era suyo, y los suyos no lo recibieron" (Juan 1:11).

Los sacerdotes no traían ramas de palmeras, símbolos del triunfo. Ningún "¡Hosanna!" se escapó de sus labios. En cambio, les preguntaron a los discípulos: "¿Quién es éste?" "Los discípulos, llenos de inspiración, contestan. En elocuentes acordes repiten las profecías concernientes a Cristo: Adán os dirá: Esta es la simiente de la mujer, que herirá la cabeza de la serpiente. Preguntadle a Abrahán, quien os dirá: Es 'Melquisedec, rey de Salem', rey de paz (Gén. 14:18). Jacob os dirá: Es Shiloh, de la tribu de Judá. Isaías os dirá: 'Emmanuel', 'Admirable, Consejero, Dios fuerte, Padre eterno, Príncipe de paz' (Isa. 7:14; 9:6). Jeremías os dirá: La rama de David, 'Jehová, justicia nuestra' (Jer. 23:6). Daniel os dirá: Es el Mesías. Oseas os dirá: Es 'Jehová' 'Dios de los ejércitos: Jehová es su memorial' (Ose. 12:5). Juan el Bautista os dirá: Es 'el Cordero de Dios, que quita el pecado del mundo' (Juan 1:29). El gran Jehová ha proclamado desde su trono: 'Este es mi Hijo amado' (Mat. 3:17). Nosotros, sus discípulos, declaramos: Este es Jesús, el Mesías, el Príncipe de la vida, el Redentor del mundo. Y el príncipe de los poderes de las tinieblas lo reconoce, diciendo: 'Sé quien eres, el Santo de Dios' (Mar. 1:24)."[46]

¡Cuántas evidencias, y sin embargo los gobernantes rehusaban aceptar la divinidad de Cristo! En sus esfuerzos por aquietar a la multitud, los dirigentes mismos fueron acusados de fomentar la rebelión. Jesús entró inadvertido al templo, en el cual pasó poco rato. Era tarde, de modo que se retiró discretamente a Betania; y cuando la gente lo buscó para colocarlo en el trono, no lo pudieron hallar.

> *Dos grupos de personas se encontraron ese día: uno, el que avanzaba hacia Jerusalén cantando alabanzas, y el otro que salía de Jerusalén para rechazar a su Salvador. Dos grupos entonces, dos grupos ahora.*

Follaje Ostentoso

Al día siguiente, cuando salieron de Betania, Jesús sintió hambre.
Viendo de lejos una higuera con hojas, se acercó a ver si hallaba algo
en ella. Marcos 11:12, 13.

*L*a mañana siguiente a la entrada triunfal, mientras Jesús volvía al templo desde Betania, pasó junto a un bosque de higueras. Tenía hambre, y vio un árbol cuyo follaje prometía fruto. Era temprano como para que hubiera higos, pero lo natural es que una higuera dé higos antes de llenarse de hojas. "Al llegar nada halló sino hojas, porque no era tiempo de higos. Entonces Jesús dijo a la higuera: 'Nunca más coma nadie fruto de ti'. Y lo oyeron sus discípulos". Los discípulos se extrañaron mucho al oír cómo Cristo maldecía a la higuera. Hasta entonces, el Salvador siempre había restaurado y sanado, nunca destruido. ¿Por qué lo haría? Jesús vinculó la anterior parábola de la higuera con su acto de maldecir la higuera literal. El resultado de la parábola se revelaba en la maldición del árbol estéril. Aun después que el jardinero pidió más tiempo, Israel determinó su propia destrucción al rechazar a Cristo.

La higuera representaba la nación judía. Su despreocupación por el bienestar de los que perecían en el pecado a su alrededor mientras que ellos gozaban de gran luz, era sólo una parte de su maldad. "La religión judía, con su templo magnífico, sus altares sagrados, sus sacerdotes mitrados y ceremonias impresionantes, era hermosa en su apariencia externa, pero carente de humildad, amor y benevolencia".[47] Los otros árboles del huerto representaban las naciones gentiles. Sin hojas, no despertaban expectativas de fruto, de modo que no provocaban al desengaño como los judíos. No expresaban pretensiones de servir a Dios. De hecho, todavía no conocían a Dios ni sus caminos, pero les llegaría su tiempo. Conocer la verdad y jactarse del favor de Dios, sin por ello dar fruto, es recibir la maldición divina. Jesús había venido a Israel en busca de "abnegación y compasión, celo en servir a Dios y una profunda preocupación por la salvación de sus semejantes. Si hubiesen guardado la ley de Dios, habrían hecho la misma obra abnegada que hacía Cristo. Pero el amor hacia Dios y los hombres estaba eclipsado por el orgullo y la suficiencia propia. Se atrajeron la ruina al negarse a servir a otros".[48]

¿Estamos nosotros también fracasando al esforzarnos por cumplir la
ley mientras rehusamos ministrar en favor de los demás? ¿Somos tan
sólo hojas? ¿Dónde está el fruto del Evangelio?

La Divinidad Fulguró a Través de la Humanidad

Les enseñaba diciendo: "¿No está escrito que mi casa será llamada casa de oración, para todas las naciones? Pero vosotros la habéis hecho una cueva de ladrones". Marcos 11:17.

Jesús había limpiado el templo al comienzo de su ministerio, en la primavera del año 28 d.C. Ahora volvió a contemplar con mirada penetrante el atrio exterior profanado. "El estado de cosas era peor aún que entonces. El atrio exterior del templo parecía un amplio corral de ganado. Con los gritos de los animales y el ruido metálico de las monedas, se mezclaba el clamoreo de los airados altercados de los traficantes, y en medio de ellos se oían las voces de los hombres ocupados en los sagrados oficios. Los mismos dignatarios del templo se ocupaban en comprar y vender y en cambiar dinero. Estaban tan completamente dominados por su afán de lucrar, que a la vista de Dios no eran mejores que los ladrones".[49]

Todos los ojos se volvieron hacia él. "Los sacerdotes y gobernantes, los fariseos y gentiles, miraron con asombro y temor reverente al que estaba delante de ellos con la majestad del Rey del cielo. La divinidad fulguraba a través de la humanidad, invistiendo a Cristo con una dignidad y gloria que nunca antes había manifestado. Los que estaban más cerca se alejaron tanto de él como el gentío lo permitía. Exceptuando a unos pocos discípulos suyos, el Salvador quedó solo. Se acalló todo sonido. El profundo silencio parecía insoportable. Cristo habló con un poder que influyó en el pueblo como una poderosa tempestad: 'Escrito está: Mi casa, casa de oración será llamada, mas vosotros cueva de ladrones la habéis hecho'. Su voz repercutió por el templo como trompeta. El desagrado de su rostro parecía fuego consumidor".[50] Jesús estableció su carácter de Dueño legítimo de los atrios del templo. Se irguió como Amo y Rey, mostrando claramente la majestad que la multitud había procurado otorgarle el día anterior.

Hacía tres años que los sacerdotes habían huido aterrados ante Cristo, y desde entonces perduraba en ellos la vergüenza de su ignominiosa retirada. Habían decidido que nunca más olvidarían su dignidad al punto de huir de un Hombre tan humilde. "Sin embargo, estaban ahora más aterrados que entonces y se apresuraron más aún a obedecer su mandato. No había nadie que osara discutir su autoridad. Los sacerdotes y traficantes huyeron de su presencia arreando su ganado".[51]

Si Jesús llegara al vestíbulo de nuestra iglesia, ¿qué sonidos llegarían a él? ¿Alabanzas, o el ruido de las conversaciones comunes? Pensemos en la actitud que asumimos al adorar en su casa.

Ofendidos por las Alabanzas

Pero los principales sacerdotes y los escribas, se indignaron al ver las maravillas que hacía, y a los muchachos que aclamaban en el templo: "¡Gloria al Hijo de David!" Mateo 21:15.

Los sacerdotes y mercaderes que huían del templo se encontraron con los que acudían llevando a sus enfermos. Al calmarse un tanto su terror, los sacerdotes volvieron calladamente, curiosos por ver qué estaba haciendo Jesús. "Al entrar, quedaron estupefactos ante la maravillosa escena. Vieron sanos a los enfermos, con vista a los ciegos, con oídos a los sordos, y a los tullidos saltando de gozo. Los niños eran los primeros en regocijarse. Jesús había sanado sus enfermedades; los había estrechado en sus brazos, había recibido sus besos de agradecido afecto, y algunos de ellos se habían dormido sobre su pecho mientras él enseñaba a la gente".[52] "Voces infantiles balbuceaban las alabanzas del poderoso Sanador. Sin embargo, para los sacerdotes y ancianos todo esto no fue suficiente para vencer su prejuicio y su celo".[53] Al oír las alabanzas, los gobernantes del templo se ofendieron. Muy agitados, exigieron que Jesús acallara el ruido y aquietara las aclamaciones de alabanza. "¿Oyes lo que éstos dicen?" le preguntaron al Salvador. "Sí", contestó él. "¿Nunca leísteis: 'De la boca de los niños y de los que maman perfeccionaste la alabanza?" (Mat. 21:16). Jesús les dirigió una poderosa represión a los líderes religiosos de Israel. La cita del Salmo 8:2 debiera haberlos hecho despertar al hecho de que los sucesos recientes eran todos un cumplimiento de las Escrituras.

"Los sacerdotes y gobernantes de Israel rehusaron proclamar su gloria, y Dios indujo a los niños a ser sus testigos. Si las voces de los niños hubiesen sido acalladas, las mismas columnas del templo habrían pregonado las alabanzas del Salvador".[54] Los mismos hombres que habían otorgado licencias para el tráfico ilegal y la algarabía del comercio en los atrios del templo, no podían comprender ni tolerar el ministerio de misericordia ni los sones de alabanza que se le tributaban al Señor. "Jesús había señalado su posición como guardián del templo... Nunca antes habían tenido sus palabras y obras tan gran poder. Él había efectuado obras maravillosas en toda Jerusalén, pero nunca antes de una manera tan solemne e impresionante. En presencia del pueblo que había sido testigo de sus obras maravillosas, los sacerdotes y gobernantes no se atrevieron a manifestarle abierta hostilidad. Aunque airados y confundidos por su respuesta, fueron incapaces de realizar cualquier cosa adicional ese día".[55] Jesús se retiró a Betania para pasar la noche del lunes entre amigos.

Aun hoy, no dejaremos de hallar en su presencia reposo, paz y salud para nuestros males espirituales.

Yo Tampoco Os Diré

Cuando Jesús vino al templo, los principales sacerdotes y los ancianos del pueblo se acercaron mientras enseñaba. Mateo 21:23.

*E*l martes de mañana, Jesús volvió al templo para enseñar. Los sacerdotes y ancianos lo confrontaron, y le exigieron explicaciones: "¿Con qué autoridad haces esto? ¿Quién te dio esta autoridad?" (Mat. 21:23). Era una pregunta que se les hacía a todos los que decían ser profetas de Dios. Nadie podía enseñar al pueblo sin permiso de los rabinos, a menos que fuera un verdadero profeta. En tal caso, los dirigentes esperaban que el profeta proveyera evidencias de su comisión divina. Los dirigentes religiosos le habían hecho la misma pregunta a Juan el Bautista hacía tan sólo tres años y medio (Juan 1:19). Ahora buscaban en la respuesta de Jesús algo que les permitiera condenarlo. Si decía venir de Dios, lo negarían. Jesús sabía que no iban a reconocer el carácter divino de su obra. Sabía que intentaban volver al pueblo contra él. Como resultado, evadió su pregunta y les hizo una a ellos, procedimiento aceptable en los debates rabínicos.

"Yo también os haré una pregunta. Si me contestáis, os diré con qué autoridad hago esto. El bautismo de Juan, ¿de dónde era? ¿Del cielo o de los hombres?" (Mat. 21:24, 25). Si procuraban explicar la misión de Juan el Bautista, se verían obligados a responder su propia pregunta. La médula de ambas preguntas involucraba su capacidad de evaluar las credenciales divinas. Formaron rápidamente un corrillo y conferenciaron entre sí. Estaban ante un dilema. Si respondían honradamente que el ministerio de Juan era del cielo, lo más probable era que Jesús les preguntara por qué no le habían creído a Juan cuando confesó que Jesús era el Mesías. Pero si decían que el ministerio de Juan era sólo humano, acarrearían sobre sí la ira del pueblo, que creía que Juan había sido un profeta de Dios.

"La multitud esperaba la decisión con intenso interés. Sabían que los sacerdotes habían profesado aceptar el ministerio de Juan, y esperaban que reconocieran sin reservas que era enviado de Dios. Pero después de consultarse secretamente, los sacerdotes decidieron no comprometerse. Simulando ignorancia, dijeron hipócritamente: 'No sabemos'. 'Ni yo os digo con qué autoridad hago esto', dijo Jesús".[56]

¿Cuántas evidencias requerimos nosotros antes de reconocer que Cristo es el Mesías?

Publicanos y Prostitutas

Jesús les dijo: "Os aseguro que los publicanos y las rameras van
delante de vosotros al reino de Dios". Mateo 21:31.

"Muchos de los que habían aguardado ansiosamente el resultado
de las preguntas de Jesús, serían finalmente sus discípulos, atraídos a él por
sus palabras de aquel día lleno de acontecimientos. Nunca se desvanecería
de sus mentes la escena ocurrida en el atrio del templo".[57] A
continuación, Jesús les dijo una parábola. "Pero, ¿qué os parece? Un hombre
tenía dos hijos. Se acercó al primero, y le dijo: 'Hijo, ve hoy a trabajar en
mi viña'. Y él respondió: 'No quiero'. Pero después se arrepintió, y fue. Se
acercó al otro, y le dijo de la misma manera. Y respondió: 'Iré'. Y no fue.
¿Cuál de los dos hizo la voluntad de su padre?" (Mat. 21:28-31). "En esta
parábola el padre representa a Dios, la viña a la iglesia. Los dos hijos
representan dos clases de personas. El hijo que rehusó obedecer la orden
diciendo: 'No quiero', representaba a los que estaban viviendo en abierta
transgresión, que no hacían profesión de piedad, que abiertamente
rehusaban ponerse bajo el yugo de la restricción y la obediencia que impone
la ley de Dios... El carácter de los fariseos quedó revelado en el hijo que
replicó: 'Yo, señor, voy', y no fue".[58] Los sacerdotes y fariseos no
comprendieron la verdad que contenían las palabras de Cristo, pero
respondieron por lógica. El hijo que cumplió la voluntad del padre fue "el
primero", dijeron.

Jesús declaró: "Os aseguro que los publicanos y las rameras van
delante de vosotros al reino de Dios" (Mat. 21:31). "Muchos pretenden
hoy día obedecer los mandamientos de Dios, pero no tienen en sus
corazones el amor de Dios que fluye hacia otros. Cristo los llama a unirse
con él en su obra por la salvación del mundo, pero ellos se contentan
diciendo: 'Yo, señor, voy'. Pero no van. No cooperan con los que están
realizando el servicio de Dios. Son perezosos... Una persona
verdaderamente convertida no puede vivir una vida inútil y estéril. No es
posible que vayamos al garete y lleguemos al cielo... Los que rehúsan
cooperar con Dios en la tierra, no cooperarían con él en el cielo. No sería
seguro llevarlos al cielo".[59]

El "pseudo-cristiano" es el que profesa ser un hijo o hija de Dios, y
sin embargo no cumple la voluntad divina. Sin acción, la profesión
es inútil.

Los Labradores Malvados

Entonces Jesús empezó a hablarles en parábolas. Marcos 12:1.

Jesús les dijo: "Oíd otra parábola: Un propietario [Dios] plantó una viña [el símbolo nacional de Israel], y la rodeó de una cerca [con su santa Ley]. Cavó en ella un lagar [el sistema de enseñanzas religiosas], edificó una torre [el templo], la arrendó a unos labradores [los sacerdotes y maestros], y se fue lejos. Cuando se acercó el tiempo de la cosecha, envió a sus siervos [los profetas] a los labradores, para recibir su fruto [los frutos del carácter]. Pero los labradores tomaron a los siervos, y a uno lo hirieron, al otro lo mataron, y al otro lo apedrearon. El dueño envió a otros siervos, en mayor número que los primeros. E hicieron lo mismo con ellos. Al fin envió a su hijo [Jesús], pensando: 'Respetarán a mi hijo'. Pero al ver al hijo, los labradores dijeron entre sí: 'Este es el heredero. Matémoslo, y quedaremos con la herencia...' [En esos mismos instantes, el Sanedrín estaba reunido, buscando la manera de matar a Jesús.] Cuando venga el señor de la viña, ¿qué hará a esos labradores?" (Mat. 21:33-40). Una vez más, los sacerdotes no se vieron reflejados en la parábola. "Respondieron: 'Matará sin compasión a esos malvados, y rentará su viña a otros labradores que paguen el fruto a su tiempo'" (vers. 41). Con sus propias bocas pronunciaron la sentencia que recaería sobre ellos por el asesinato del Hijo de Dios.

La parábola de la viña tiene una lección para la iglesia de hoy. "Hay muchos cuyos nombres están en los libros de la iglesia, pero que no están bajo el dominio de Cristo. No hacen caso de sus instrucciones ni cumplen con su obra... No están haciendo un bien positivo; por lo tanto están realizando un daño incalculable".[60] El Señor desea que apreciemos el plan de redención. Por tener el elevado privilegio de ser llamados hijos de Dios, debiéramos gozarnos en las oportunidades de servicio que se nos presentan. "El alabar a Dios de todo corazón y con sinceridad, es un deber igual al de la oración".[61] Debemos ser fieles obreros en la viña del Señor, mostrando nuestra gratitud por sus bendiciones por medio de nuestros diezmos y ofrendas, y sirviéndole con nuestro ministerio personal en favor de los demás. Cada uno de nosotros debe trabajar por la salvación de su prójimo.

Dios tiene un lugar y una obra para todos. Toda la tierra es la viña del Señor.

La Piedra Angular

"¿Ni aun esta Escritura habéis leído: 'La piedra que desecharon los edificadores, vino a ser cabeza de esquina...'?" Marcos 12:10.

Los dirigentes religiosos reconocieron instantáneamente el pasaje mesiánico del Salmo 118:22. El relato de la piedra angular pertenecía a la historia de Israel. "Si bien es cierto que tuvo una aplicación especial en ocasión del primer advenimiento de Cristo, y debiera haber impresionado con una fuerza especial a los judíos, tiene también una lección para nosotros. Cuando se levantó el templo de Salomón, las inmensas piedras usadas para los muros y el fundamento habían sido preparadas por completo en la cantera. De allí se las traía al lugar de la edificación, y no había necesidad de usar herramientas con ellas; lo único que tenían que hacer los obreros era colocarlas en su lugar. Se había traído una piedra de tamaño poco común y de una forma peculiar para ser usada en el fundamento; pero los obreros no podían encontrar lugar para ella, y no querían aceptarla. Era una molestia para ellos mientras quedaba abandonada en el camino. Por mucho tiempo, permaneció rechazada. Pero cuando los edificadores llegaron al fundamento de la esquina, buscaron mucho tiempo una piedra de suficiente tamaño y fortaleza, y de la forma apropiada para ocupar ese lugar y soportar el gran peso que había de descansar sobre ella. Si hubiesen escogido erróneamente la piedra de ese lugar, hubiera estado en peligro todo el edificio...

Se habían escogido diversas piedras en diferentes oportunidades, pero habían quedado desmenuzadas bajo la presión del inmenso peso. Otras no podían soportar el efecto de los bruscos cambios atmosféricos. Pero al fin la atención de los edificadores se dirigió a la piedra por tanto tiempo rechazada. Había quedado expuesta al aire, al sol y a la tormenta, sin revelar la más leve rajadura. Los edificadores la examinaron. Había soportado todas las pruebas menos una. Si podía soportar la prueba de una gran presión, la aceptarían como piedra de esquina. Se hizo la prueba. La piedra fue aceptada, se la llevó a su posición asignada y se encontró que ocupaba exactamente el lugar. En visión profética, se le mostró a Isaías que esta piedra era un símbolo de Cristo. Isaías 8:13-15; 28:16".[62]

"Al oír sus parábolas, los principales sacerdotes y los fariseos entendieron que hablaba de ellos. Y trataron de prenderlo, pero temieron al pueblo, porque lo tenían por profeta" (Mat. 21:45, 46).

Jesucristo es nuestro firme Fundamento. Puede salvarnos y ser nuestro apoyo, pero sólo nosotros podemos elegir permitirle actuar así.

El Vestido de Boda

"Cuando el rey entró a ver a los convidados, vio allí a un hombre sin vestido de boda. Y le dijo: 'Amigo, ¿cómo entraste aquí sin vestido de boda?' Pero él cerró la boca". Mateo 22:11, 12.

*E*n esta ocasión Jesús presentó la parábola de la fiesta de bodas. Los judíos aplicaban el simbolismo de la fiesta de bodas al gozo del reino mesiánico. Tres invitaciones se hicieron a la gente para que asistiera al banquete. La invitación original a los judíos (la primera de la parábola) vino a través de los profetas del Antiguo Testamento. Juan el Bautista extendió la segunda a Israel, luego Jesús, y eventualmente los discípulos después de la crucifixión y resurrección de Cristo. Los invitados ni siquiera se molestaron en presentar excusas por no asistir. El tercer llamado de la parábola incluía a los gentiles. Dios quería que los más apartados del camino de la vida tuvieran la posibilidad de unirse a su pueblo.

El Rey (Dios) entró al salón del banquete lleno de invitados, para determinar quién podría asistir. "En un sentido especial [este acto] representa la obra del juicio investigador".[63] Los únicos que tienen derecho a quedar adentro son los que se han puesto el vestido de bodas. "El vestido de boda de la parábola representa el carácter puro y sin mancha que poseerán los verdaderos seguidores de Cristo".[64] A todos los que reciben a Cristo como su Salvador personal, Dios les imputa la justicia y el carácter del Señor. "Cuando nos sometemos a Cristo, el corazón se une con su corazón, la voluntad se fusiona con su voluntad, la mente llega a ser una con su mente, los pensamientos se sujetan a él; vivimos su vida. Esto es lo que significa estar vestidos con el manto de su justicia".[65]

"El hombre que vino a la fiesta sin vestido de bodas representa la condición de muchos de los habitantes de nuestro mundo actual. Profesan ser cristianos, y reclaman las bendiciones y privilegios del Evangelio; no obstante no sienten la necesidad de una transformación del carácter. Jamás han sentido verdadero arrepentimiento por el pecado. No se dan cuenta de su necesidad de Cristo y de ejercer fe en él... Piensan, sin embargo, que son bastante buenos por sí mismos, y confían en sus propios méritos en lugar de esperar en Cristo".[66]

No habrá un tiempo de gracia futuro en el cual prepararse para la eternidad. En esta vida hemos de vestirnos con el manto de la justicia de Cristo. Esta es nuestra única oportunidad de formar caracteres para el hogar que Cristo ha preparado para los que obedecen sus mandamientos".[67]

La Moneda Romana

"Dinos, pues: ¿Qué te parece? ¿Es correcto dar tributo al César, o no?" Mateo 22:17.

Los principales sacerdotes y los fariseos enviaron ahora a sus agentes para ver si podían entrampar a Jesús con una nueva pregunta. "No le mandaron a los ancianos fariseos a quienes Jesús había hecho frente muchas veces, sino a jóvenes, ardientes y celosos, y a quienes, pensaban ellos, Cristo no conocía. Iban acompañados por algunos herodianos, que debían oír las palabras de Cristo, a fin de poder testificar contra él en su juicio. Los fariseos y los herodianos habían sido acérrimos enemigos, pero ahora estaban unidos en la enemistad contra Cristo".[68] "La pregunta realmente tenía que ver con el problema de que un individuo fuera a la vez buen judío y también sumiso a la autoridad humana".[69] Si decía que no era lícito pagar tributo a Roma, las autoridades de ocupación podrían arrestarlo por incitar a la rebelión. Pero si decía que era legal pagar tributo, los sacerdotes planeaban acusarlo de oposición a la ley de Dios. Jesús expuso su duplicidad replicando: " '¿Por qué me tentáis, hipócritas? Mostradme la moneda del tributo'. Y ellos le presentaron un denario". En una cara aparecía la imagen del emperador, y en la otra la de una deidad pagana. Las naciones conquistadas podían acuñar monedas de cobre, pero Roma se reservaba el derecho de hacer todas las de plata. Las monedas judías llevaban el símbolo de un olivo o una palmera, respetando así el segundo mandamiento, que no permitía que ninguna imagen ocupara el lugar de Dios. Mirando el denario, Jesús preguntó: " '¿De quién es esa imagen, y la inscripción?' Dijeron: 'Del César'. Entonces Jesús respondió: 'Dad al César lo que es del César, y a Dios lo que es de Dios' " (Mat. 22:20, 21).

Dios es la autoridad suprema. Cuando la ley humana contraviene los mandatos divinos, la ley de Dios debe tener la precedencia. "En este pasaje Jesús presentó el principio fundamental que determina la relación del cristiano con el Estado. No debe desatender los justos requerimientos del Estado, porque existe "lo que es de César".[70] Los judíos no le habían dado a Dios lo que era legítimamente suyo. Como resultado de su infidelidad, ahora vivían bajo el poder de una nación extranjera. "Al oír esto, quedaron maravillados y lo dejaron, y se fueron" (Mat. 22:22). La multitud comprendió la enseñanza y vio claramente el principio involucrado.

No debemos ignorar los derechos justos del Estado, ni tampoco los que le debemos a Dios.

¿Es Real la Resurrección?

Jesús respondió: "Erráis, por no conocer las Escrituras, ni el poder de Dios. Porque en la resurrección, ni los hombres se casarán, ni las mujeres serán dadas en casamiento. Serán como los ángeles del cielo".
Mateo 22:29, 30.

*C*uando los saduceos vieron la retirada de los fariseos, ellos intentaron interrogar a Jesús. "Los saduceos negaban la existencia de los ángeles, la resurrección de los muertos y la doctrina de una vida futura, con sus recompensas y castigos. En todos estos puntos, diferían de los fariseos. Entre los dos partidos, la resurrección era un tema especial de controversia".[71] Por esta razón, los saduceos rechazaban naturalmente las enseñanzas de Jesús. Se molestaron mucho cuando Jesús levantó a Lázaro de la tumba, porque al hacerlo demostró que no tenían ninguna base para rechazar la resurrección. Ahora se acercaron con una astuta pregunta. Si Jesús se mostraba de acuerdo con ellos, ofendería a los fariseos. Pero si adoptaba una posición contraria, podrían ridiculizar sus enseñanzas.

Los saduceos creían que en sustancia, el cuerpo inmortal debía reflejar el estado mortal. Al resucitar de entre los muertos, la persona debía ser de carne y hueso, y continuar su existencia allí donde la muerte la había interrumpido. Según su razonamiento, si existía la vida después de una resurrección en el reino de Dios, debía ser la continuación de la misma existencia que una persona llevaba en este mundo. Y extendían esa manera de pensar a las relaciones terrenales, las cuales debían perdurar en el cielo. Citando la ley relativa al matrimonio que aparece en Deuteronomio 25, los saduceos compusieron un problema hipotético, con una mujer que habría tenido siete esposos consecutivos. ¿Cuál de ellos sería su cónyuge en el cielo? La pregunta era teología especulativa. Por cuanto se enorgullecían de su conocimiento de las Escrituras, la respuesta de Jesús los escandalizó. "Erráis, por no conocer las Escrituras, ni el poder de Dios".

Los seres humanos no pueden comprender a Dios basándose exclusivamente en sus propios razonamientos. "Las cosas secretas pertenecen al Señor nuestro Dios, pero las reveladas son para nosotros y nuestros hijos para siempre" (Deut. 29:29). "Los saduceos habían olvidado que un Dios suficientemente poderoso como para resucitar de entre los muertos, tendría también la sabiduría y el poder de implantar un nuevo orden social perfecto, en una tierra nueva, perfecta. Además, todos los que sean salvos estarán felices con ese glorioso orden, aunque no puedan comprender plenamente en esta vida lo que el futuro les depara" (ver 1 Cor. 2:9).[72]

Del mismo modo, nosotros tampoco deberíamos preocuparnos de tales detalles.

¿Cuál Es el Mandamiento Mayor?

Y uno de ellos, intérprete de la Ley, por tentarlo, le preguntó:
"Maestro, ¿cuál es el mayor Mandamiento de la Ley?"
Mateo 22:35, 36.

Los fariseos hicieron ahora un último intento de desacreditar a Jesús. Por mucho tiempo los rabinos se habían esforzado por ordenar los mandamientos de Dios de modo que formaran una estricta jerarquía de importancia. Pasaban horas enteras debatiendo cuál mandamiento tenía la precedencia, y bajo qué condiciones el mandamiento mayor podría invalidar a los secundarios. Jesús enseñó que los mandamientos de Dios no son preceptos separados, sino que la humanidad debe guardarlos como unidad. "Y uno de ellos, intérprete de la Ley, por tentarlo, le preguntó: 'Maestro, ¿cuál es el mayor Mandamiento de la Ley?' Jesús respondió: 'Amarás al Señor tu Dios con todo tu corazón, con toda tu alma y toda tu mente. Este es el primero y el mayor Mandamiento. Y el segundo es semejante a éste: Amarás a tu prójimo como a ti mismo. De estos dos Mandamientos penden toda la Ley y los Profetas" (Mat. 22:37-40).

"Los primeros cuatro mandamientos del Decálogo están resumidos en el primer gran precepto: 'Amarás al Señor tu Dios de todo tu corazón'. Los últimos seis están incluidos en el otro: 'Amarás a tu prójimo como a ti mismo'. Estos dos mandamientos son la expresión del principio del amor. No se puede guardar el primero y violar el segundo, ni se puede guardar el segundo mientras se viola el primero".[73] Los fariseos concedían gran importancia a los cuatro primeros mandamientos, suponiendo que eran más importantes que los otros seis. Por eso, tendían a descuidar a sus semejantes, y los aspectos prácticos de la religión. La respuesta de Jesús asombró al escriba. Comprendiendo que Jesús había demostrado gran entendimiento, replicó: "¡Bien, Maestro! Has dicho la verdad" (Mar. 12:32, 33).

"Sabía que la religión judía consistía de ceremonias externas más bien que de piedad interna. Sentía en cierta medida la inutilidad de las ofrendas ceremoniales, y del derramamiento de sangre para la expiación del pecado, si no iba acompañado de fe. El amor y la obediencia a Dios, la consideración abnegada para con el hombre, le parecían de más valor que todos estos ritos".[74] Jesús unió todo deber humano en una lección derivada de Deuteronomio 6:4, 5 y Levítico 19:18. Pero quedaba una cosa que el escriba debía comprender: "Necesitaba reconocer el carácter divino de Cristo, y por la fe en él recibir el poder para hacer las obras de justicia".[75]

La ley nos muestra cuál es nuestro deber para con Dios y la humanidad, pero sólo por intermedio de Cristo obtenemos el poder y el perdón necesarios para guardarla.

Cristo no Puede Ser el Hijo de David

Dijo el Señor a mi Señor: "Siéntate a mi diestra, hasta que ponga a tus enemigos por estrado de tus pies". Salmo 110:1.

Los fariseos se habían acercado hasta rodear estrechamente a Jesús mientras el Salvador respondía la pregunta del escriba. Ahora, volviéndose a ellos, Jesús les preguntó: "¿Cómo dicen que el Cristo es hijo de David? Y el mismo David dice en el libro de los Salmos: 'Dijo el Señor a mi Señor: Siéntate a mi diestra, hasta que ponga a tus enemigos por estrado de tus pies'. Si David lo llama Señor, ¿cómo es su hijo?" (Luc. 20:41-44). Jesús quería que la pregunta los obligara a evaluar si él era tan sólo un ser humano o el Hijo de Dios. "Cuando Jesús revelaba su divinidad por sus poderosos milagros, cuando sanaba a los enfermos y resucitaba a los muertos, la gente se había preguntado entre sí: '¿No es éste el Hijo de David?' La mujer sirofenisa, el ciego Bartimeo y muchos otros, habían clamado a él por ayuda: 'Señor, Hijo de David, ten misericordia de mí' (Mat. 15:22). Mientras cabalgaba en dirección a Jerusalén, había sido saludado con la gozosa aclamación: '¡Hosanna al Hijo de David! ¡Bendito el que viene en el nombre del Señor!' (Mat. 21:9). Y en el templo los niñitos se habían hecho eco ese mismo día de este alegre reconocimiento. Pero muchos de los que llamaban a Jesús Hijo de David, no reconocían su divinidad. No comprendían que el Hijo de David era también el Hijo de Dios".[76]

Si Cristo era el Hijo de David, ¿por qué entonces David lo llamó Señor? Los sacerdotes no le pudieron responder, y: "Desde aquel día nadie osó preguntarle más" (Mat. 22:46). "La única respuesta posible a la pregunta de Jesús era que Aquel que había de venir como Mesías había existido antes de su encarnación. Como 'Señor' de David, el Mesías no era otro sino el Hijo de Dios; como 'hijo' de David, el Mesías era el Hijo del hombre. Evidentemente, los dirigentes judíos no estaban preparados para responder a esta pregunta por causa de sus conceptos erróneos acerca del Mesías. Ellos no podían contestar legítimamente la pregunta sin admitir que Jesús de Nazaret era el Mesías, el Hijo de Dios. Por lo tanto, al formular esta pregunta, Jesús puso a los fariseos y escribas frente a frente con la esencia medular de su misión en la tierra. Si le hubiesen dado una respuesta sincera e inteligente, sin duda hubieran sido inducidos a reconocer el mesianismo de Jesús".[77]

¿Era Jesús más que humano, y está usted preparado para aceptarlo como el Hijo de Dios al igual que el Hijo de David?

El Diezmo de la Menta, el Anís y el Comino

> *"¡Ay de vosotros, escribas y fariseos hipócritas! Porque dais el diezmo de la menta, del eneldo y el comino; y dejáis lo más importante de la Ley, a saber, la justicia, la misericordia y la fidelidad". Mateo 23:23.*

La multitud seguía, absorta, el debate en el templo: "Allí estaba el joven galileo, sin honores terrenales ni insignias reales. En derredor de él estaban los sacerdotes con sus lujosos atavíos, los gobernantes con sus mantos e insignias que indicaban su posición exaltada, y los escribas teniendo en las manos los rollos a los cuales se referían con frecuencia. Jesús estaba serenamente delante de ellos con la dignidad de un rey. Como investido de la autoridad celestial, miraba sin vacilación a sus adversarios, que habían rechazado y despreciado sus enseñanzas, y estaban sedientos de su vida. Le habían asaltado en gran número, pero sus maquinaciones para entramparle y condenarle habían sido inútiles. Había hecho frente a un desafío tras otro, presentando la verdad pura y brillante en contraste con las tinieblas y los errores de los sacerdotes y fariseos".[78] A continuación, Jesús condenó directamente a los escribas y fariseos.

Esos religiosos amaban sus puestos y mostraban su parcialidad. Profesando obedecer las Escrituras, secretamente quebrantaban lo que obligaban a los demás a guardar. Codiciaban el título de "rabí", y usaban filacterias que contenían pequeños trozos de pergamino, colgándoselas alrededor de la cabeza y las muñecas. Pensaban que haciendo esto, la ley de Dios se arraigaría más firmemente en sus corazones y sus mentes. Pero defraudaban a las viudas y torcían la Palabra del Señor. Para llamar la atención a sus naturalezas piadosas, alargaban los flecos de sus mantos religiosos. "Su actitud mental era tan estrecha que pensaban que el reino de los cielos era una especie de club privado en el cual podrían entrar sólo aquellos que estuvieran a la altura de las exigencias que ellos establecían".[79]

Al exponer Cristo cada defecto, la gente se dio cuenta de que el liderazgo de ellos los había seducido. Les habían permitido establecer requerimientos como colar el agua potable para eliminar los pequeños insectos inmundos. Siete veces Jesús llamó "hipócritas" a esos falsos maestros.

> *Entre las iglesias de hoy todavía hay falsos maestros, y "estas denuncias se dan como una amonestación a todos aquellos que 'por fuera, a la verdad, os mostráis justos a los hombres, pero por dentro estáis llenos de hipocresía e iniquidad' ".[80]*

Todo lo que Tenía

Jesús se sentó frente al arca de la ofrenda, y miraba cómo la gente echaba dinero en el arca. Marcos 12:41.

"La compasión divina se leía en el semblante del Hijo de Dios mientras dirigía una última mirada al templo y luego a sus oyentes. Con voz ahogada por la profunda angustia de su corazón y amargas lágrimas, exclamó: ';Jerusalén, Jerusalén, que matas a los profetas, y apedreas a los que son enviados a ti! ¡Cuántas veces quise juntar a tus hijos, como la gallina junta sus pollos debajo de las alas, y no quisiste!'... Los fariseos y saduceos quedaron todos callados. Jesús reunió a sus discípulos y se dispuso a abandonar el templo, no como quien estuviese derrotado y obligado a huir de la presencia de sus enemigos, sino como quien ha terminado su obra. Se retiró vencedor de la contienda".[81]

Al pasar Jesús por el patio de las mujeres, vio allí a una pobre viuda. Hizo detenerse a los discípulos, y la observaron mientras avanzaba furtivamente hacia los cofres de las ofrendas. Vacilante, se acercó, temerosa de que los circunstantes criticaran su escasa ofrenda. Algunos, con ampulosos gestos, echaban grandes sumas, mientras que a ojos de ella su donativo le parecía muy pequeño. Apresuradamente, dejó caer sus dos moneditas, que juntas sumaban algo así como la cuarta parte de un centavo de dólar. No se podía usar en el templo monedas con inscripciones griegas. "Las dos blancas que la viuda pobre echó en el arca fueron las monedas macabeas más pequeñas, o las *leptá* emitidas por los gobernadores de Judea".[82] Jesús dijo: "Os aseguro que esta viuda pobre echó más que todos los demás en el arca. Porque todos dieron de sus sobras, pero ella, de su pobreza, echó todo lo que tenía, todo su alimento" (Mar. 12:43, 44). La mujer escuchó sus palabras de alabanza, y "lágrimas de gozo llenaron sus ojos al sentir que su acto era comprendido y apreciado".[83]

"En realidad, a la vista del cielo no es la magnitud de la dádiva lo que cuenta, sino el motivo que la impulsa. El cielo sólo está interesado en la cantidad de amor y consagración que representa la dádiva, no en su valor monetario. Esta es la única base que Dios emplea para recompensar a los hombres, como Jesús lo ilustró tan categóricamente mediante la parábola de los obreros de la viña (Mat. 20:15)".[84]

No es el valor monetario sino el motivo lo que el cielo anota en sus registros. ¿Qué motivo impulsa nuestras ofrendas a Dios?

Señor, Quisiéramos Ver a Jesús

"Señor, quisiéramos ver a Jesús". Juan 12:21.

*E*n sus últimas palabras a los escribas y fariseos, Jesús se refirió al templo llamándolo "vuestra casa" (Mat. 23:38), cuando tan sólo el día anterior lo había llamado "mi casa" (Mat. 21:13). No se trataba de un error. Ellos, y de hecho, toda la nación, se hallaban a la mitad de la semana profética de Daniel 9:27. El sacrificio y la ofrenda estaban a punto de cesar, porque en el sacrificio del Cordero de Dios, el tipo se iba a encontrar con el antitipo. Al rechazar al Mesías, la nación judía había sellado su suerte. Con motivo de la pascua, había en la ciudad muchos prosélitos de otros países, los cuales se veían confinados al atrio de los gentiles. Cuando Jesús se preparaba a dejar para siempre los recintos del templo, Felipe se le acercó a Andrés con un pedido, y juntos fueron a ver a Jesús.

Muchos de los prosélitos griegos habían oído hablar de la entrada triunfal del Señor a Jerusalén, y querían saber la verdad tocante a su ministerio. Jesús pasó al atrio exterior y sostuvo una entrevista personal con ellos. Les explicó que el grano de trigo debe morir si es que ha de renacer y llevar fruto. Así también él debía morir con el fin de llevar fruto para el reino de Dios. El sacrificio de Cristo recogería a muchos de todas las naciones, y al ver pasar ante su vista su obra de redención, Jesús quedó por un momento absorto en sus pensamientos. A la sombra de la cruz, lo sometió todo a la voluntad de su Padre. "Por eso mismo he llegado a esta hora. Padre, glorifica tu Nombre". Una voz del cielo dijo: "Lo he glorificado, y lo glorificaré otra vez" (Juan 12:28, 29). El nombre de Dios había sido glorificado en el ministerio y la vida de Jesús, y sería también glorificado en su muerte. "Dios puso de nuevo su sello sobre la misión de su Hijo".[85] Cristo dijo: "Y yo, si fuere levantado, a todos atraeré a mí mismo". En el pedido de una audiencia que hicieron los griegos, Jesús vio que otras naciones, aparte de los judíos, aceptarían su sacrificio. "Estos hombres vinieron del Occidente para hallar al Salvador al final de su vida, como los magos habían venido del Oriente al principio".[86] "¡Ay de aquellos que no conocieron el tiempo de su visitación! Lentamente y con pesar, Cristo dejó para siempre las dependencias del templo".[87]

Podemos resumir todo el plan de salvación en el pedido: "Señor, quisiéramos ver a Jesús". Una vez que lo hayamos visto —verdaderamente visto— nunca volveremos a ser los mismos de antes. ¡Compartámoslo con otros!

No Quedará Piedra Sobre Piedra

Cuando Jesús salía del templo, se acercaron sus discípulos y le señalaron los edificios del templo. Mateo 24:1

Las palabras de Jesús: "Vuestra casa quedará desolada", dejaron a los sacerdotes con una sensación de peligro inminente. También preocuparon a sus discípulos. Mientras salían con él del templo, llamaron su atención a la fortaleza y belleza del edificio. (Mar. 13:1.) "Las piedras del templo eran del mármol más puro, de perfecta blancura y algunas de ellas de tamaño casi fabuloso. Una porción de la muralla había resistido el sitio del ejército de Nabucodonosor. En su perfecta obra de albañilería, parecía como una sólida piedra sacada entera de la cantera. Los discípulos no podían comprender cómo se podrían derribar esos sólidos muros".[1] "Josefo compara las murallas de piedra blanca del templo con la hermosura de una montaña cubierta de nieve, y da las fabulosas dimensiones de algunas de las piedras empleadas en su construcción: 45 por 5 por 6 codos (es decir, unos 20 por 2 por 2,5 m)".[2] Jesús y sus discípulos bajaron la empinada cuesta que llevaba al valle de Cedrón. "Dinos, ¿cuándo serán estas cosas, y qué señal habrá de tu venida, y del fin del mundo?" (Mat. 24:3).

"Al formular su pregunta, los discípulos tenían en cuenta los mensajes mesiánicos de los profetas del AT. Sin embargo, ellos, al igual que muchos otros judíos, no comprendían que las promesas hechas por Dios a Israel sólo podían cumplirse si se daban las condiciones necesarias".[3] Ellos creían, al igual que muchos judíos, que el Mesías desaparecería por un corto tiempo y regresaría de algún lugar secreto. Después de una "segunda venida" así, el reino mesiánico permanecería para siempre. Jesús sabía que la destrucción final de los grandes muros del templo en el año 70 d.C. por las legiones romanas bajo la dirección de Tito (a pesar de sus esfuerzos para salvarlo) no ocurriría por manos humanas. "Ángeles de Dios fueron mandados para destruir el templo, de modo que no quedara ni una piedra sobre otra de las que no hubieran sido ya derribadas".[4]

¡Podemos confiar en las palabras de Cristo! Nuestra fe debe ser fortalecida mientras consideramos las profecías que todavía no se han cumplido.

¿Qué Señal Habrá de Tu Venida?

"Dinos, ¿cuándo serán estas cosas, y qué señal habrá de tu venida, y del fin del mundo?" Mateo 24:3.

Jesús descorrió las cortinas del futuro para que los discípulos pudieran ver la historia. Los mismos discípulos que habían estado teniendo dificultades para comprender los acontecimientos de los próximos días, de repente recibieron un sumario de los próximos dos milenios. Las escenas que Cristo les mostró deben haber sido abrumadoras y no entenderían algunas de ellas hasta mucho después.

"Mirad que nadie os engañe. Porque vendrán muchos en mi Nombre, diciendo: 'Yo soy el Cristo,' y a muchos engañarán" (Mat. 24:4,5). La nación judía siempre había sido vulnerable ante cualquiera que pretendiera ser el Mesías. Vez tras vez Jesús les había advertido que pusieran atención para no ser engañados por salvadores falsos. (Ver vers. 4-6, 11, 23-26, 36, 42-46). Las palabras de Jesús se cumplieron. Josefo nos dice que justo antes de la destrucción de Jerusalén, muchos pretendían ser salvadores de la nación y algunos de esos mesías falsos engañaron a muchos. (Josephus, *War* va. 5.4[312-315]). "Entre su muerte y el sitio de Jerusalén, aparecieron muchos falsos mesías. Pero esta amonestación fue dada también a los que viven en esta época del mundo. Los mismos engaños practicados antes de la destrucción de Jerusalén han sido practicados a través de los siglos, y lo serán de nuevo".[5]

"Oiréis guerras y rumores de guerras. ¡Cuidado! No os alarméis. Esto tiene que suceder, pero aún no es el fin" (Mat. 24:6). "Antes de la destrucción de Jerusalén los hombres contendían por la supremacía. Se mataban emperadores. Se mataba también a los que se creía más cercanos al trono".[6] "Porque se levantará nación contra nación, y reino contra reino; y habrá pestilencias, y hambres, y terremotos por los lugares. Y todo esto será principio de dolores" (Mat. 24:7, 8). "Los autores judíos y romanos describen el período que va del año 31 hasta el año 70 d.C. como un lapso de grandes calamidades... En Hechos 11:28 se hace alusión a una gran hambre en Judea en torno del año 44 D.C. ... Hubo una serie de fuertes terremotos entre el año 31 y el año 70. Los peores ocurrieron en Creta (46 ó 47), Roma (51), Frigia (60) y Campania (63). Tácito también menciona fuertes huracanes y tormentas en el año 65".[7]

Las profecías cumplidas establecen la profecía futura y aumentan nuestra confianza.

La Abominación Desoladora

*"Cuando veáis en el lugar santo, la abominación desoladora,
predicha por el profeta Daniel —el que lee, entienda—, "entonces
los que estén en Judea, huyan a los montes". Mateo 24:15, 16.*

Jesús continuó su discurso acerca de los sucesos del futuro. "Entonces
os entregarán para ser maltratados y muertos. Y seréis aborrecidos por todas las
naciones por causa de mi Nombre. (Mat. 24:9). Los que tomaron su nombre,
"Crist-ianos", sufrirían por su fe. Pedro y Juan (Hech. 4:3-7, 21) y Pedro y
Santiago (Hech. 12:1-4) sufrieron persecución a mano de las autoridades. La
tradición nos cuenta que Andrés fue martirizado en Grecia. Los primeros
cristianos sufrieron persecución a manos de los judíos y después los gentiles.
Jesús predijo que a pesar de tanta oposición, el mensaje alcanzaría a todo el
mundo. "Treinta años después de que Cristo pronunció estas palabras, Pablo
afirmó que el Evangelio había sido predicado a todo el mundo, confirmando
así el cumplimiento literal de esta predicción en sus días... El cumplimiento
global de esta predicción de nuestro Señor está aún por realizarse".[8]

Después de haberles dado a sus discípulos una visión general de la historia,
Jesús les dio una señal de la destrucción de Jerusalén, para la cual faltaban
menos de 40 años. "Cuando veáis a Jerusalén cercada de ejércitos, sabed entonces
que su destrucción ha llegado. Entonces los que estén en Judea huyan a los
montes; los que estén en la ciudad, váyanse; y los que estén en los campos, no
entren en ella" (Luc. 21:20, 21). Los judíos consideran a los ídolos una
abominación. "El acontecimiento predicho aquí es, evidentemente, la
destrucción de Jerusalén llevada a cabo por los romanos en el año 70 d.C.,
cuando se instalaron los símbolos de la Roma pagana dentro del predio del
templo".[9] Daniel profetizó: "Sus fuerzas profanarán el Santuario de la fortaleza,
quitarán el continuo, y pondrán la abominación asoladora" (Dan. 11:31).

Cuando los estandartes romanos circundaron la ciudad de Jerusalén al
sitiarla, los cristianos velaban y esperaban. "Durante un respiro temporario,
cuando los romanos inesperadamente levantaron el sitio de Jerusalén, todos
los cristianos huyeron, y se dice que ninguno de ellos perdió la vida".[10] Los
cristianos no se detuvieron para recoger sus posesiones. Los romanos regresaron
con mayor saña. "Más de un millón de personas perecieron durante el sitio y
después del mismo, y unas 97.000 más fueron llevadas cautivas... La tenaz
defensa de la ciudad enfureció de tal modo a los soldados romanos, que, cuando
finalmente pudieron entrar en la ciudad, su afán de vengarse no tuvo límites".[11]

Podemos confiar que Jesús protege a sus hijos cuando más lo necesitan.

Una Gran Tribulación

"Porque habrá entonces una gran tribulación, como nunca hubo
desde el principio del mundo, ni habrá después".
Mateo 24:21.

espués de la caída de Jerusalén vendrían "largos siglos de tinieblas, siglos que para su iglesia estarían marcados con sangre, lágrimas y agonía. Los discípulos no podían entonces soportar la visión de estas escenas, y Jesús las pasó con una breve mención."[12]

Con feroz oposición, Satanás intentó destruir la nueva iglesia. Fieras salvajes desgarraban a los primeros cristianos, o eran quemados vivos en los circos para diversión del público. Echados de sus casas, con sus posesiones confiscadas, muchos de ellos se escondieron en las catacumbas debajo de los cerros en Roma. Aunque vivían sus vidas físicas en oscuridad, la luz de la esperanza y la fe brillaba en sus corazones. La persecución continuó por casi tres siglos más.[13] Pablo lo expresó muy bien, al escribir: "Todos los que quieran vivir piadosamente en Cristo Jesús, serán perseguidos" (2 Tim. 3:12). "Y si esos días no fuesen acortados, nadie se salvaría. Pero por causa de los elegidos, aquellos días serán acortados" (Mat. 24:22). Ahora fue visto el cumplimiento de la profecía de Cristo: "Seréis entregados aun por vuestros padres y hermanos, parientes y amigos. Y matarán a algunos de vosotros. Y seréis aborrecidos por todos a causa de mi Nombre" (Luc. 21:16, 17).

Lentamente una amenaza más siniestra reemplazó la guerra contra los cristianos. La iglesia que no había sido conmovida por el fuego ni la espada, iba a verse minada a hurtadillas y en secreto. Rituales paganos empezaron a insinuarse en ella, y en sus doctrinas se incorporaron errores basados en teorías humanas. La sencillez del Evangelio fue reemplazada por la pompa y vanidad. De todas maneras, el compromiso entre la cristiandad y el paganismo no terminó con la persecución. La Edad Oscura, 1.260 años de supremacía religiosa y persecución predichos en Daniel 7:25 y Apocalipsis 13:5-7, comenzó en el año 538 d.C. Los creyentes pusieron su fe en el liderazgo humano, en vez de mantenerla firme en Cristo. Los líderes cambiaron el día de reposo, del sábado al primer día de la semana.

La ley del Creador contiene el cuarto mandamiento, que establece
para siempre el séptimo día como el verdadero día de descanso.

El Siervo Fiel

"Velad, pues, porque no sabéis cuando vendrá el señor de la casa".
Marcos 13:35.

Jesús exhortaba a sus discípulos a velar por su segunda venida. Él quería que sus seguidores comprendieran que aunque la hora de su venida era un secreto conocido sólo por su Padre en el cielo, la manera de su venida no sería un misterio. "Sin embargo, nadie sabe la hora, ni aun los ángeles del cielo, sino mi Padre solo" (Mat. 24:36). El discurso entero de Mateo 24 está dedicado al tiempo. ¡Varias veces Jesús les dice a sus discípulos que estén preparados!

Dios daría señales para ayudar a los que vivieran en los últimos días. "Pero en aquellos días, después de aquella tribulación, el sol se obscurecerá, la luna no dará su resplandor; las estrellas caerán del cielo, y los poderes del cielo serán conmovidos" (Mar. 13:24,25). Los estudiosos de la Biblia están de acuerdo en que el reino de la iglesia medieval terminó en 1798, cuando el papa murió en el exilio después que el ejército francés que invadió Roma lo tomó cautivo por orden de Napoleón. A pesar de que la iglesia pronto eligió un papa nuevo, el papado no volvió a tener la influencia que había tenido.

Inmediatamente después de la tribulación, apareció la primera señal de la segunda venida de Cristo. El 19 de mayo de 1780, el sol se oscureció en un evento que pasó a ser conocido como "el Gran Día Oscuro". "Desde el tiempo de Moisés, no se ha registrado jamás período alguno de oscuridad tan densa y de igual extensión y duración. La descripción de este acontecimiento que han hecho los historiadores no es más que un eco de las palabras del Señor, expresadas por el profeta Joel, dos mil quinientos años antes de su cumplimiento: 'El sol se tornará en tinieblas, y la luna en sangre, antes que venga el día grande y espantoso de Jehová' (Joel 2:31)".[14] Esa misma noche, la luna apareció roja como sangre. Una de las lluvias de meteoritos más grandes de toda la historia ocurrió el 13 de noviembre de 1833. "Los fenómenos celestiales del 19 de mayo de 1780 y del 13 de noviembre de 1833 cumplieron con precisión las predicciones de Jesús porque ocurrieron en el momento predicho".[15]

¿Estás vigilando para discernir la venida del Maestro, y te mantienes atento a las señales del tiempo?

Relámpagos

"Porque como el relámpago que sale del oriente y se muestra hasta el occidente, así será la venida del Hijo del Hombre". Mateo 24:27.

"*C*risto va a venir en las nubes y con grande gloria. Le acompañará una multitud de ángeles resplandecientes. Vendrá para resucitar a los muertos y para transformar a los santos vivos de gloria en gloria. Vendrá para honrar a los que le amaron y guardaron sus mandamientos, y para llevarlos consigo. No los ha olvidado ni tampoco ha olvidado su promesa".[16] Jesús "explicó claramente a sus discípulos que él mismo no podía dar a conocer el día o la hora de su segunda aparición. Si hubiese tenido libertad para revelarlo, ¿por qué habría necesitado exhortarlos a mantener una actitud de constante expectativa? Hay quienes aseveran conocer el día y la hora de la aparición de nuestro Señor. Son muy fervientes en trazar el mapa del futuro. Pero el Señor los ha amonestado a que se aparten de ese terreno. El tiempo exacto de la segunda venida del Hijo del hombre es un misterio de Dios".[17]

En aquel bello día conoceremos cara a cara a los ángeles responsables de cuidarnos durante nuestra morada terrenal. Cuando suene la trompeta, los muertos en Cristo se levantarán incorruptibles. "Porque el mismo Señor descenderá del cielo con voz de mando, con voz de arcángel y con trompeta de Dios, y los muertos en Cristo resucitarán primero. Luego nosotros, los que estemos vivos, los que hayamos quedado, seremos arrebatados junto con ellos en las nubes, a recibir al Señor en el aire. Y así estaremos siempre con el Señor" (1 Tes. 4:16, 17). Por fin veremos a Jesús, nuestro mejor Amigo. "Os voy a decir un misterio. No todos dormiremos, pero todos seremos transformados. En un instante, en un abrir de ojos, a la final trompeta; porque se tocará la trompeta y los muertos serán resucitados incorruptibles, y nosotros seremos transformados" (1 Cor. 15:51, 52).

Juan vio "una gran multitud que ninguno podía contar, de toda nación, tribu, pueblo y lengua. Estaban ante el trono y en presencia del Cordero, vestidos de ropa blanca y con palmas en sus manos" (Apoc. 7:9). Un mensajero celestial le dijo: "Estos son los que han venido de la gran tribulación. Han lavado su ropa y la han emblanquecido en la sangre del Cordero" (Apoc. 7:14).

"Un poco más y nos presentará 'delante de su gloria irreprensibles, con grande alegría' (Judas 24)".[18]

Los Días de Noé

"Como fue en los días de Noé, así será la venida del Hijo del Hombre". Mateo 24:37.

Nuestro Señor compara la condición del mundo en el tiempo del fin, con los días de Noé. "Cristo no presenta aquí un milenario temporal, mil años en los cuales todos se han de preparar para la eternidad".[19] En repetidas ocasiones, las parábolas de Jesús (las ovejas y los cabritos, el trigo y la cizaña, la red), muestran que el juicio sucede antes de su venida. Vendrá para reclamar a los que estén cubiertos por su justicia y sean declarados dignos. Jesús recalcó repetidamente que ahora es el tiempo que Dios nos ha dado para prepararnos. Nuestro mundo no se acerca a un milenario de gloria. Por el contrario, avanza cada vez más en dirección de la malignidad que causó la destrucción del mundo antediluviano.

"El Señor vio que la maldad de los hombres era mucha en la tierra, y que todo designio de los pensamientos del corazón de ellos era continuo sólo el mal" (Gén. 6:5).

A pesar de las amonestaciones de Noé, la gente vivía descuidando totalmente la profecía de su destrucción inminente. La gente de hoy también demuestra poco interés por el destino del mundo. Cristo vendrá como ladrón en la noche; es decir, la mayoría de las personas no lo estarán esperando. "La crisis se acerca gradual y furtivamente a nosotros".[20] Jesús repetidamente les dijo a sus discípulos, y ahora nos dice a nosotros, "mirad" (vers. 4), "velad" (vers. 42), "estad preparados" (vers. 44). "Está cerca, a las puertas" (Mat. 24:33). No se necesita ser un genio para ver claramente que el mundo ha alcanzado el mismo nivel de maldad que existía en los días de Noé.

"Hay quienes emplean los vers. 39-41 para fundamentar la doctrina del llamado 'rapto secreto', según la cual los santos serán arrebatados en forma secreta de esta tierra antes de la segunda venida de Cristo. Sin embargo, esta enseñanza no puede encontrarse ni aquí ni en ningún otro pasaje bíblico. La venida que se describe en Mateo 24 es siempre, sin excepción, una venida literal y visible de Cristo (vers. 3, 27, 30, 39, 42, 44, 46, 48, 50)... Todo lo que tiene que ver con venidas secretas, Cristo lo atribuyó a los falsos cristos (vers. 24-26)".[21]

La palabra alcanzará a todo el mundo, pero no todo el mundo será convertido. Tristemente, muy pocos escucharán las amonestaciones y obedecerán sus mandamientos. Así como fue en los días de Noé...

Prudencia y Necedad

"Entonces el reino de los cielos será semejante a diez vírgenes".
Mateo 25:1.

Las sombras de la noche descendían sobre el monte de las Olivas. "A plena vista se halla una casa profusamente iluminada, cual si lo fuera para alguna fiesta. La luz irradia en raudales de sus aberturas, y un grupo expectante aguarda en torno de ella, indicando que está a punto de aparecer una procesión nupcial".[22] Jesús describió una escena paralela. Diez vírgenes esperaban al novio. Cinco eran prudentes y habían comprado aceite adicional porque nadie sabía cuánto podría prolongarse la fiesta. Cinco vírgenes insensatas llegaron sólo con el aceite en sus lámparas. Y como el novio tardaba, todas se durmieron. A medianoche alguien anunció: "¡Ahí viene el novio!" Todas las vírgenes se levantaron y arreglaron sus lámparas. Pero las insensatas encontraron que se les había terminado el aceite y no tenían reserva. Las sabias sólo tenían suficiente para ellas mismas y no pudieron compartir con las otras. Las insensatas salieron a comprar aceite. Mientras se fueron llegó el novio, y las que estaban preparadas entraron con él a la boda. Y se cerró la puerta. Cuando regresaron las otras vírgenes, se encontraron excluidas. Desesperadas tocaban la puerta y rogaban "¡Señor, señor, ábrenos! Pero él respondió: 'Os aseguro que no os conozco'" (Mat. 25:11, 12).

El novio es Cristo. La fiesta de bodas es su venida para llevarnos a la cena de bodas del Cordero. "Las dos clases de personas que esperaban representan las dos clases que profesan estar esperando a su Señor. Se las llama vírgenes porque profesan una fe pura. Las lámparas representan la Palabra de Dios. El salmista dice: 'Lámpara es a mis pies tu palabra, y lumbrera a mi camino' (Sal. 119:105). El aceite es un símbolo del Espíritu Santo".[23] ¡Todas las vírgenes se duermen antes de la venida del Novio! Las insensatas estaban interesadas en la palabra y la verdad, pero no se habían preparado; no cambiaron sus vidas conforme a las enseñanzas de Cristo. "Ambas clases fueron tomadas desprevenidas; pero una estaba preparada para la emergencia, y la otra fue hallada sin preparación".[24] La crisis revela el carácter. El desarrollo espiritual de las vírgenes insensatas había sido superficial e inadecuado. La preparación debe empezar ahora, pues esperar hasta la medianoche es peligroso.

Cuando cierre el tiempo de prueba, será demasiado tarde para conseguir el aceite necesario para acompañar al Novio. Cada día debemos dejar que nos llene el Espíritu. Entonces estaremos preparados para encontrarnos con él.

La Parábola de los Diez Talentos

"El reino de los cielos es también como un hombre, que al salir de viaje, llamó a sus siervos y les confió sus bienes". Mateo 25:14.

La parábola de las diez vírgenes destaca la preparación personal para la venida de Cristo. La parábola de los talentos pone énfasis en nuestra responsabilidad de dar testimonio a otros. Un hombre salió de viaje a un país lejano. Antes de salir, les dio a sus tres siervos diferentes cantidades para invertir. Jesús ha ido al cielo (la tierra lejana) para prepararnos un lugar. Hemos de usar nuestro tiempo y nuestros talentos trabajando para el Señor. Cada uno de nosotros tiene alguna tarea que puede hacer para él. "Tan ciertamente como hay un lugar preparado para nosotros en las mansiones celestiales, hay un lugar designado en la tierra donde hemos de trabajar para Dios".[25]

"El desarrollo de todas nuestras facultades es el primer deber que tenemos para con Dios y nuestros prójimos".[26] La cantidad que recibió cada siervo no es tan importante en esta parábola. Lo que sí es de importancia primordial, es tomar los talentos que el Señor nos ha dado y usarlos para su gloria. "Un carácter noble se obtiene mediante esfuerzos individuales, realizados por los méritos y la gracia de Cristo. Dios da los talentos, las facultades mentales; nosotros formamos el carácter. Lo desarrollamos sosteniendo rudas y severas batallas con el yo. Hay que sostener conflicto tras conflicto contra las tendencias hereditarias. Tendremos que criticarnos nosotros mismos severamente, y no permitir que quede sin corregir un solo rasgo desfavorable".[27] Esta fue la tarea que el siervo perezoso rehusó.

"Un carácter formado a la semejanza divina es el único tesoro que podemos llevar de este mundo al venidero. Los que en este mundo andan de acuerdo con las instrucciones de Cristo, llevarán consigo a las mansiones celestiales toda adquisición divina. Y en el cielo mejoraremos continuamente. Cuán importante es, pues, el desarrollo del carácter en esta vida".[28] ¿Pero qué podemos hacer? "Hemos de obrar como lo hizo Cristo. Doquiera él estuviera: en la sinagoga, junto al camino, en un bote algo alejado de tierra, en el banquete del fariseo o en la mesa del publicano, hablaba a las gentes de la cosas concernientes a la vida superior".[29] "El carácter es poder. El testimonio silencioso de una vida sincera, abnegada y piadosa, tiene una influencia casi irresistible".[30] "El Señor está probando el carácter en la manera en que distribuye los talentos".[31]

"Mediante la fidelidad en los pequeños deberes, hemos de trabajar según el plan de adición, y Dios obrará en nuestro favor según el plan de multiplicación".[32]

A Mí lo Hicisteis

"Y el Rey les dirá: 'Os aseguro, cuanto hicisteis a uno de estos mis hermanos pequeños, a mí lo hicisteis'". Mateo 25:40.

La última parábola de Jesús delinea los requerimientos del juicio. Con palabras claras, les explicó que al final del milenio, los pecadores a su izquierda se "irán al castigo eterno" pero las ovejas de su derecha, los justos, "a la vida eterna" (Mat. 25:46). ¿Qué decide si somos oveja o cabrito? "Y su destino eterno quedará determinado por lo que hayan hecho o dejado de hacer por él en la persona de los pobres y dolientes".[33] Dios probará a cada uno para ver si su religión es verdadera o no. "La religión pura y sin mancha ante Dios el Padre es ésta: Visitar a los huérfanos y las viudas en sus tribulaciones, y guardarse sin mancha de este mundo" (Sant. 1:27). El espíritu de Cristo se manifiesta en una actitud exenta de egoísmo. Los justos demostrarán naturalmente esta actitud, y se sorprenderán al oír de los labios del Salvador, palabras de aprobación. (Mat. 25:37-40).

"El genuino amor a Dios se revela en el amor a los hijos de Dios que sufren. La verdadera religión comprende más que aceptar pasivamente ciertos dogmas".[34] El mundo de hoy enfatiza el materialismo y el egoísmo. Este modo de pensar es lo opuesto de la vida que el creyente dedicado a Cristo debe vivir. Los cristianos verdaderos deberían estar más interesados en la salvación de sus vecinos que en sus cuentas de banco o sus negocios. Dios nos llama a todos a ser obreros con él. "En el gran día del juicio, los que no hayan trabajado para Cristo, que hayan ido a la deriva pensando en sí mismos y cuidando de sí mismos, serán puestos por el Juez de toda la tierra con aquellos que hicieron lo malo. Reciben la misma condenación".[35]

"Muchos piensan que sería un gran privilegio visitar el escenario de la vida de Cristo en la tierra, andar donde él anduvo, mirar el lago en cuya orilla se deleitaba en enseñar y las colinas y valles en los cuales sus ojos con tanta frecuencia reposaron. Pero no necesitamos ir a Nazaret, Capernaúm y Betania para andar en las pisadas de Jesús. Hallaremos sus huellas al lado del lecho del enfermo, en los tugurios de los pobres, en las atestadas callejuelas de la gran ciudad, y en todo lugar donde haya corazones humanos que necesiten consuelo.

"Al hacer como Jesús hizo cuando estaba en la tierra, andaremos en sus pisadas".[36]

Satanás Entró en Judas

Entonces Satanás entró en Judas, llamado Iscariote, uno de los doce.
Este fue y trató con los principales sacerdotes y magistrados, acerca de
cómo les entregaría a Jesús. Lucas 22:3,4.

Jesús conocía el corazón de Judas. "Porque desde el principio Jesús sabía quiénes no creían, y quién lo iba a entregar". (Juan 6:64). Judas se había ido alejando paulatinamente del ministerio de Cristo. "En todo lo que Cristo decía a sus discípulos, había algo con lo cual Judas no estaba de acuerdo en su corazón. Bajo su influencia, la levadura del desamor estaba haciendo rápidamente su obra. Los discípulos no veían la verdadera influencia que obraba en todo esto; pero Jesús veía que Satanás estaba comunicando sus atributos a Judas y abriendo así un conducto por el cual podría influir en los otros discípulos".[37] Pero Judas no estaba completamente empedernido en la traición, ni aun después de haberse reunido por segunda vez con los escribas y sacerdotes. Todavía tenía tiempo de arrepentirse. No fue sino hasta la cena de Pascua que Judas hizo su decisión de resistir el tierno llamado de Cristo. Aunque Judas nunca se había entregado completamente a Cristo, Jesús no le desenmascaró. "Jesús sentía anhelo por su alma. Sentía por él tanta preocupación como por Jerusalén cuando lloró sobre la ciudad condenada. Su corazón clamaba '¿Cómo tengo de dejarte?' El poder constrictivo de aquel amor fue sentido por Judas."[38] Jesús sabía que entre sus seguidores había un traidor. Sin embargo, su amor por ese hombre nunca vaciló. El alma de Judas debe haberse visto atrapada entre la necesidad de ocultar lo que estaba haciendo, y la evidencia palpable de que Jesús leía su corazón.

El primer contrato que había hecho Judas con los sacerdotes, se había concretado durante la fiesta en Betania. Mientras Jesús cenaba con Simón, Judas estaba contando las piezas de plata que le habían dado para entregar a su Señor. "Un poco antes de la Pascua, Judas había renovado con los sacerdotes su contrato de entregar a Jesús en sus manos. Entonces se determinó que el Salvador fuese prendido en uno de los lugares donde se retiraba a meditar y orar. Desde el banquete celebrado en casa de Simón, Judas había tenido oportunidad de reflexionar en la acción que había prometido ejecutar, pero su propósito no había cambiado. Por treinta piezas de plata —el precio de un esclavo— entregó al Señor de gloria a la ignominia y la muerte".[39]

Resistir el llamado del Salvador al arrepentimiento es muy peligroso.
Uno está con él, o es su enemigo.

Id y Haced los Preparativos para la Pascua

Llegó el día del pan sin levadura en el cual era necesario sacrificar el cordero pascual. Y Jesús envió a Pedro y a Juan. Les dijo: "Id y haced los preparativos para que comamos la Pascua". Lucas 22:7, 8.

"**El** dijo: 'Id a la ciudad, a cierto hombre y decidle: El Maestro dice: Mi tiempo está cerca. En tu casa celebraré la Pascua con mis discípulos' " (Mat. 26:18, 19). Los judíos celebraban la Pascua cada año en el mes de Abib, ahora llamado Nisán. En el décimo día, cada familia escogía un cordero. Cuatro días después, sacrificaban el cordero al anochecer y lo comían esa misma noche. Lo asaban entero y lo comían con pan sin levadura y hierbas amargas. La fiesta representaba el paso del ángel del Señor. Esa noche murió el primogénito del faraón, quien "echó" a los israelitas antes que amaneciera el día 15.

Para el tiempo de Jesús, las reglas de la Pascua original habían sido modificadas. Los sacerdotes sacrificaban los corderos, y la gente se los llevaba a sus casas para asarlos. Los participantes se sentaban o reclinaban alrededor de mesas puestas en una manera específica, con vino, hierbas, y pan sin levadura. El significado del cordero pascual se centraba en la promesa de Cristo como "el Cordero de Dios, que quita el pecado del mundo" (Juan 1:29). "Porque nuestra Pascua, que es Cristo, fue sacrificada por nosotros" (1 Cor. 5:7). Dios instruyó a Moisés que ni un hueso debería ser quebrado del cordero del sacrificio. (Éxo. 12:46; Num. 9:12). "Estas cosas sucedieron así para que se cumpliese la Escritura: 'No se le quebrará hueso alguno' " (Juan 19:36).

"En el aposento alto de una morada de Jerusalén, Cristo estaba sentado a la mesa con sus discípulos. Se habían reunido para celebrar la Pascua. El Salvador deseaba observar esta fiesta solo con los doce. Sabía que había llegado su hora; él mismo era el verdadero Cordero pascual, y en el día en que se comiera la pascua, iba ser sacrificado. Estaba por beber la copa de la ira; pronto iba a recibir el bautismo final de sufrimiento. Pero le quedaban todavía algunas horas de tranquilidad, y quería emplearlas para beneficio de sus amados discípulos".[40]

Al acercarse su misión a su punto culminante, Jesús anhelaba que sus discípulos comprendieran que Dios se caracteriza por su amor y sacrificio por los demás.

Una Vida de Servicio Abnegado

Hubo entre ellos una discusión acerca de quién de ellos sería el mayor. Lucas 22:24.

"Las entrevistas de Jesús con sus discípulos eran generalmente momentos de gozo sereno, muy apreciados por todos ellos. Las cenas de Pascua habían sido momentos de especial interés, pero en esta ocasión Jesús estaba afligido. Su corazón estaba apesadumbrado, y una sombra descansaba sobre su semblante. Al reunirse con los discípulos en el aposento alto, percibieron que algo le penaba en gran manera, y aunque no sabían la causa, simpatizaban con su pesar".[41] La costumbre requería un mínimo de diez personas presentes para comer la cena pascual. Jesús estudió a los doce hombres que lo rodeaban. Anhelaba protegerlos del sufrimiento que venía, pero vio que no estaban preparados para soportar su mensaje. Las palabras no salieron de sus labios, y el silencio se volvió penetrante. Los discípulos se pusieron incómodos. Se miraban unos a otros y se preguntaban a sí mismos a cuál de ellos favorecería el Señor esa noche.

Hasta en las últimas escenas del ministerio de Cristo en la tierra, los discípulos todavía competían por la mejor posición. "La vida entera de Cristo había sido una vida de servicio abnegado. La lección de cada uno de sus actos enseñaba que había venido 'no... para ser servido, sino para servir' (Mat. 20:28). Pero los discípulos no habían aprendido todavía la lección".[42] Esa noche, los discípulos se acordaron de la petición de Juan y Santiago, de sentarse en lugares de honor en el reino de los cielos, y el pensamiento los llenó de celos. Judas era el más severo con Santiago y Juan, y ahora cuando se sentó Jesús, "Judas se mantenía al lado de Cristo, a la izquierda; Juan estaba a la derecha. Si había un puesto más alto que los otros, Judas estaba resuelto a obtenerlo, y se pensaba que este puesto era al lado de Cristo. Y Judas era traidor".[43] "Si se tienen en cuenta los acontecimientos que pronto ocurrirían, es trágico que los discípulos estuvieran discutiendo acerca de la categoría que ocuparían en un reino imaginario que Cristo no había venido a establecer".[44] Repetidamente, Jesús había enseñado: "El que desee ser grande entre vosotros, debe ser vuestro servidor" (Mat. 20:26; cf.18:4; Mar. 9:35). Pero en sus celos y anhelo de honor y posición, ignoraron sus instrucciones y se olvidaron del ejemplo siempre abnegado del ministerio de Cristo.

¿Qué más podía hacer Jesús para mostrar que el servicio humilde, hecho con amor, es la marca de verdadera grandeza en el cielo?

El Salvador se Ciñó

Jesús... se levantó de la cena, se quitó su manto, y tomando una toalla, se ciñó con ella. Juan 13:4.

Los discípulos notaron que ningún siervo extranjero esperaba para ejecutar el despreciado ritual de lavar los pies. Alguien había preparado un cántaro con agua, y toallas, "pero cada uno de los discípulos, cediendo al orgullo herido, resolvió no desempeñar el papel de siervo. Todos manifestaban una despreocupación estoica, al parecer inconscientes de que les tocaba hacer algo. Por su silencio, se negaban a humillarse".[45] Jesús esperó para ver qué harían los discípulos. "Luego, él, el Maestro divino, se levantó de la mesa. Poniendo a un lado el manto exterior que habría impedido sus movimientos, tomó una toalla y se ciñó".[46] "Luego puso agua en una vasija, y empezó a lavar los pies de los discípulos, y a secarlos con la toalla con que estaba ceñido" (Juan 13:5).

Los discípulos se llenaron de vergüenza y humillación. ¿Cómo pudieron haber dejado que su Maestro ocupara una posición que ellos deberían haber aceptado? Cuando Jesús trató de lavar a Pedro, él rehusó que Jesús lo sirviera, diciendo: "¡No me lavarás los pies jamás!" Jesús respondió: "Si no te lavo, no tendrás parte conmigo". "El servicio que Pedro rechazaba era figura de una purificación superior. Cristo había venido para lavar el corazón de la mancha del pecado. Al negarse a permitir a Cristo que le lavase los pies, Pedro rehusaba la purificación superior incluida en la inferior. Estaba realmente rechazando a su Señor".[47] El lavamiento de los pies simboliza la limpieza de los pecados que hemos cometido después de nuestro bautismo. Demuestra un espíritu cristiano de servicio y comunión. Simboliza la aceptación de la humildad necesaria para ser siervo del Señor. Tomado como un simple acto externo, el lavado de pies no es significativo. El significado está en la separación simbólica del pecado por la confesión y el arrepentimiento sincero, resultando en un espíritu de comunión con Cristo.

Jesús anhelaba rescatar a Judas. "Mientras las manos del Salvador estaban bañando aquellos pies contaminados y secándolos con la toalla, el impulso de confesar entonces y allí mismo su pecado conmovió intensamente el corazón de Judas. Pero no quiso humillarse. Endureció su corazón contra el arrepentimiento; y los antiguos impulsos, puestos a un lado por el momento, volvieron a dominarle... Judas quedó convencido de que no había nada que ganar siguiendo a Cristo. Después de verle degradarse a sí mismo, como pensaba, se confirmó en su propósito de negarle..."[48]

¿Dejamos que el orgullo nos impida seguir al Señor y servir a otros?

Una Ordenanza de Servicio

"Pues si yo, el Señor y el Maestro, he lavado vuestros pies, vosotros
también debéis lavar los pies, los unos a los otros. Ejemplo os he
dado, para que como yo os he hecho, vosotros también hagáis".
Juan 13:14,15.

Jesús avanzaba alrededor de la mesa, de izquierda a derecha, lavando el polvo de los pies contaminados de los discípulos. Como Judas se había acomodado en el primer puesto, Jesús le sirvió a él primero. "Juan, hacia quien Judas había tenido tan amargos sentimientos, fue dejado hasta lo último. Pero Juan no lo consideró como una represión o desprecio".[49] El discípulo vio claramente el ejemplo que ofrecía la vida de Cristo, y cómo sus enseñanzas se manifestaban en su humilde acción. El mensaje era muy claro: "Servíos unos a otros con amor" (Gál. 5:13). Jesús vino para mostrarnos al Padre. Dios nunca deja de prestar servicio. La misión que encomendó a su Hijo era un ministerio. "La única distinción se halla en la devoción al servicio de los demás".[50] El mundo valora y pone énfasis en la glorificación propia, pero el cielo realza la necesidad de buscar y proteger el bienestar del prójimo. El mundo entero necesita nuestro ministerio. A nuestro alrededor hay enfermos, pobres y despreciados, y es el deber bendito de cada cristiano ser un siervo de la humanidad.

El que Cristo les lavara los pies, impresionó a los discípulos. Todavía no comprendían el significado espiritual del acto, pero el servicio humilde y tierno de Cristo los conmovió. Jesús se volvió a cubrir con su manto, y tomó su lugar con los demás en la mesa. "¿Sabéis lo que os he hecho? Vosotros me llamáis 'Maestro' y 'Señor'. Y decís bien, porque lo soy. Pues si yo, el Señor y el Maestro, he lavado vuestros pies, vosotros también debéis lavar los pies, los unos a los otros. Ejemplo os he dado, para que como os he hecho, vosotros también hagáis" (Juan 13:12-15). Aquí Jesús estableció el ritual que sus discípulos debían emular antes de participar en la Santa Cena. "El rito de lavar los pies es un rito de servicio. Este es el ejemplo que el Señor quisiera que todos practicaran".[51] "Este rito es la preparación indicada por Cristo para el servicio sacramental. Mientras se alberga orgullo y divergencia y se contiende por la supremacía, el corazón no puede entrar en comunión con Cristo. No estamos preparados para recibir la comunión de su cuerpo y su sangre. Por esto, Jesús indicó que se observase primeramente la ceremonia conmemorativa de su humillación."[52]

Cristo nos invita a servir a otros. Cada cristiano debe ser siervo de su
prójimo.

Este es Mi Cuerpo

Y tomó el pan, dio gracias, lo partió y les dio. Lucas 22:19.

"Cristo se hallaba en el punto de transición entre dos sistemas y sus dos grandes fiestas respectivas. Él, el Cordero inmaculado de Dios, estaba por presentarse como ofrenda por el pecado, y así acabaría con el sistema de figuras y ceremonias que durante cuatro mil años había anunciado su muerte. Mientras comía la pascua con sus discípulos, instituyó en su lugar el rito que había de conmemorar su gran sacrificio. La fiesta nacional de los judíos iba a desaparecer para siempre. El servicio que Cristo establecía había de ser observado por sus discípulos en todos los países y a través de todos los siglos".[53]

Cristo estaba todavía en la mesa en la cual se había servido la cena pascual. Delante de él estaban los panes sin levadura que se usaban en ocasión de la Pascua. El vino de la Pascua, exento de toda fermentación, estaba sobre la mesa. "Estos emblemas empleó Cristo para representar su propio sacrificio sin mácula. Nada que fuese corrompido por la fermentación, símbolo de pecado y muerte, podía representar al 'Cordero sin mancha y sin contaminación'.

1 Pedro 1:19".[54] Judas estaba presente en el servicio sacramental. Aunque Cristo sabía que Judas era traidor, le sirvió sin reserva. El ejemplo de Cristo prohíbe la exclusividad en la cena del Señor. "Nadie debe excluirse de la comunión porque esté presente alguna persona indigna. Cada discípulo está llamado a participar públicamente de ella y dar así testimonio de que acepta a Cristo como Salvador personal".[55]

Jesús tomo el pan y lo bendijo. Partiéndolo en pedazos, lo repartió entre todos los discípulos diciendo: "Tomad, comed: esto es mi cuerpo que por vosotros es partido. Haced esto en memoria de mí" (1 Cor. 11:24). Muchos toman esto literalmente, pero es solamente en sentido metafórico que el pan simboliza su cuerpo quebrantado. "Por lo que leemos en Lucas 22:20 resulta evidente que Jesús hablaba en forma figurada del 'pan' cuando dijo: 'Esta copa es el nuevo pacto en mi sangre'. Siguiendo un criterio estrictamente literal, si el pan se convirtió realmente en cuerpo de Jesús, por el mismo proceso, la 'copa' debería haberse convertido en el nuevo pacto. La forma verbal 'es' —en la frase 'esto es mi cuerpo'— se emplea con el sentido de 'representa', como ocurre en Marcos 4:15-18; Lucas 12:1; Gálatas 4:24".[56] Durante su ministerio, Jesús dijo: "Yo Soy el pan vivo que descendió del cielo. El que come de este pan, vivirá para siempre. El pan que daré por la vida del mundo es mi carne" (Juan 6:51).

Comer la carne del Salvador es apropiar su vida por fe, recibiéndolo como Salvador personal, que nos perdona y nos hace completos en él.

El Nuevo Pacto en Mi Sangre

Lo mismo hizo con la copa. Después que hubo cenado, les dijo: "Esta copa es el nuevo pacto en mi sangre, que por vosotros se derrama".
Lucas 22:20.

Tomando la copa pascual que contenía el jugo puro de la vid, probablemente diluido con agua conforme a la tradición judía, Cristo dio gracias y la pasó a sus discípulos diciendo: "Bebed de ella todos. Porque esto es mi sangre del nuevo pacto, que va ser vertida a favor de muchos, para el perdón de los pecados" (Mat. 26:27, 28). Jesús no quería que alguno perdiera la oportunidad de beber la copa. Como el pan representa su cuerpo, el vino simboliza su sangre, que él vertió por el perdón de los pecados de todos los fieles que aceptan su sacrificio y creen en la expiación de sus pecados (Heb. 9:15). Solamente un sacrificio de sangre podía expiar el pecado humano. La sangre de un animal sacrificado confirmaba el pacto original de Dios con su pueblo. (Éxo. 24:5-7.) La sangre que derramó Jesús es la promesa del reino y la esperanza de nuestra salvación por fe en su palabra.

La Santa Cena no debería ser un tiempo de tristeza, sino uno de alegría. Debería servir para dirigir nuestros pensamientos a su segunda venida. "Porque cada vez que comáis este pan, y bebáis esta copa, la muerte del Señor anunciáis hasta que venga" (1 Cor. 11:26). "El rito de la Cena del Señor une el primer advenimiento con el segundo'.[57]

Cuando nos juntamos a conmemorar la muerte del Señor, recordamos sus palabras: "Porque os digo, que no beberé más del fruto de la vid, hasta que venga el reino de Dios"(Luc. 22:18). Juan las recordó: "¡Gocémonos, alegrémonos y démosle gloria; porque ha llegado la boda del Cordero... Dichosos los llamados a la cena de la boda del Cordero!" (Apoc. 19:7, 9).

"Demasiado a menudo los ritos que señalan la humillación y los padecimientos de nuestro Señor son considerados como una forma. Fueron instituidos con un propósito. Nuestros sentidos necesitan ser vivificados para comprender el ministerio de la piedad. Es patrimonio de todos comprender mucho mejor de lo que los comprendemos los sufrimientos expiatorios de Cristo. 'Como Moisés levantó la serpiente en el desierto', así el Hijo de Dios fue levantado, 'para que todo aquel que en él creyere, no se pierda, sino que tenga vida eterna'. (Juan 3:14, 15).

"Debemos mirar la cruz del Calvario, que sostiene a su Salvador moribundo. Nuestros intereses eternos exigen que manifestemos fe en Cristo".[58]

Un Pedazo de Pan Mojado

Y mojando el pan, lo dio a Judas Iscariote, hijo de Simón.
Juan 13:26.

Judas había estado esperando una buena oportunidad para traicionar a su Señor. Por esa razón, Jesús había esperado hasta el último momento para darles instrucciones a Pedro y Juan de cómo hacer las preparaciones para la Pascua. Tarde en el día, los dos regresaron de su mandado. Sólo hasta entonces supieron los discípulos la ubicación del aposento alto. Judas no tuvo oportunidad para planear la captura de Jesús allí.

"El traidor Judas estaba presente en el servicio sacramental. Recibió de Jesús los emblemas de su cuerpo quebrantado y su sangre derramada. Oyó las palabras: 'Haced esto en memoria de mí'. Y sentado allí en la misma presencia del Cordero de Dios, el traidor reflexionaba en sus sombríos propósitos y albergaba pensamientos de resentimiento y venganza".[59] "En la cena de la Pascua, el caso de Judas fue decidido. Satanás tomó control de su mente y corazón. El pensó que Cristo iba a ser crucificado, o tendría que salvarse él mismo de las manos de sus enemigos. De todas maneras, él haría uso de la transacción y cerraría un buen trato por traicionar a su Señor".[60]

Judas estaba convencido que Jesús leía sus propósitos secretos, especialmente cuando Cristo dijo: "No todos estáis limpios" (Juan 13:21). El temor y la desconfianza propia se apoderaron de los discípulos. "Con la más dolorosa emoción, uno tras otro preguntó: '¿Soy yo, Señor?' Pero Judas guardaba silencio".[61] Los discípulos estaban reclinados sobre sus costados izquierdos alrededor de la mesa, mirando hacia el centro. Juan, al cual Jesús amaba, estaba recostado al lado de Jesús. A éste, Simón Pedro hizo señas, para que le preguntara a Jesús cuál de ellos iba ser el traidor. "Al fin, Juan, con profunda angustia, preguntó: 'Señor, ¿quién es?' Y Jesús contestó: 'El que mete la mano conmigo en este plato, ése me ha de entregar... Y ahora el silencio de Judas atraía todos los ojos hacia él. En medio de la confusión de preguntas y expresiones de asombro, Judas no había oído las palabras de Jesús en respuesta a la pregunta de Juan. Pero ahora, para escapar al escrutinio de los discípulos, preguntó como ellos: '¿Soy yo, Maestro?' Jesús replicó solemnemente: 'Tú lo has dicho' ".[62] Apresuradamente, Judas se levantó y salió a las tinieblas de afuera.

Los sacerdotes compraron a Jesús con dinero del templo, del que se usaba para comprar sacrificios. ¡Cuán apropiado que sin saber, adquirieran de ese modo el sacrificio más grande por la humanidad!

Creed en Mí

"No se turbe vuestro corazón. Creéis en Dios, creed también en mí".
Juan 14:1.

Los discípulos pensaron que Jesús estaba mandando a Judas a comprar algo para la cena, o tal vez a ayudar a los pobres cuando le dijo: "Lo que vas a hacer, hazlo pronto" (Juan 13:27). Dejando el aposento alto, Judas se apresuró a encontrarse con los sacerdotes por la tercera y última vez. Jesús les dijo claramente a los discípulos que iba a dejarlos. "Hijos míos, aún estaré un poco con vosotros. Me buscaréis, pero lo que dije a los judíos, os digo a vosotros ahora: 'Donde yo voy, vosotros no podéis ir' " (Juan 13:33). "Los discípulos no podían regocijarse cuando oyeron esto. El temor se apoderó de ellos. Se acercaron aun más al Salvador. Su Maestro y Señor, su amado Instructor y Amigo, les era más caro que la vida... Ahora estaba por abandonarlos, a ellos que formaban un grupo solitario y dependiente. Obscuros eran los presentimientos que les llenaban el corazón".[63]

Pero Jesús no dejó que quedaran en un estado de temor, sino que les dirigió palabras llenas de esperanza. "No se turbe vuestro corazón, creéis en Dios, creed también en mí... Voy pues a preparar lugar para vosotros. Y cuando me vaya y os prepare lugar, vendré otra vez, y os llevaré conmigo, para que donde yo esté, vosotros también estéis" (Juan 14:1-3). "Mientras les estuviese edificando mansiones, ellos habían de edificar un carácter conforme a la semejanza divina".[64] Esa debe ser la tarea de cada creyente hoy día.

Tomás estaba confundido. "Señor, no sabemos adónde vas. ¿Cómo podemos saber el camino?" Jesús le respondió: "Yo Soy el camino, la verdad y la vida. Nadie viene al Padre, sino por mí. Si me hubiérais conocido a mí, también habríais conocido a mi Padre. Desde ahora lo conocéis, y lo habéis visto" (Juan 14:5-7). Ahora Felipe le dijo: "Señor, muéstranos al Padre, y nos basta" (Juan 14:8). "Asombrado por esta dureza de entendimiento, Cristo preguntó con dolorosa sorpresa: '¿Tanto tiempo ha que estoy con vosotros, y no mes has conocido, Felipe?' ¿Es posible que no veáis al Padre en las obras que hace por medio de mí? ¿No creéis que he venido a testificar acerca del Padre?' "[65]

La pregunta de Felipe es una que cada ser humano tiene que contestar en su corazón. ¿Cree usted en Cristo y en el Padre que lo mandó?

Si Algo Pedís en mi Nombre

"Si algo pedís en mi Nombre, yo lo haré". Juan 14:14.

"La promesa del Salvador a sus discípulos es una promesa hecha a su iglesia hasta el fin del tiempo. Dios no quería que su admirable plan para redimir a los hombres lograse solamente resultados insignificantes. Todos los que quieran ir a trabajar, no confiando en lo que ellos mismos pueden hacer sino en lo que Dios puede hacer para ellos y por ellos, experimentarán ciertamente el cumplimiento de su promesa".[66] El secreto de nuestro éxito consiste en pedir fuerza y gracia en su nombre. "La oración del humilde suplicante es presentada por él como su propio deseo a favor de aquella alma. Cada oración sincera es oída en el cielo. Tal vez no sea expresada con fluidez; pero si procede del corazón ascenderá al santuario donde Jesús ministra, y él la presentará al Padre sin balbuceos, hermosa y fragante con el incienso de su propia perfección. La senda de la sinceridad e integridad no es una senda libre de obstrucción, pero en toda dificultad hemos de ver una invitación a orar".[67]

Orar en el nombre de Cristo implica más que el hecho de usarlo al fin de nuestra plegaria. La oración es la ciencia de conocer a Dios. Orar en el nombre de Cristo significa que hemos de aceptar su carácter, manifestar su espíritu y realizar sus obras. La promesa del Salvador se nos da bajo cierta condición. "Si me amáis" nos dice, "guardad mis mandamientos". Él salva a los hombres, no en el pecado, sino del pecado; y los que le aman mostrarán su amor obedeciéndole. (1 Juan 3:22.) "Toda verdadera obediencia proviene del corazón. Y si nosotros consentimos, se identificará de tal manera con nuestros pensamientos y fines, amoldará de tal manera nuestro corazón y mente en conformidad con su voluntad, que cuando le obedezcamos estaremos tan sólo ejecutando nuestros propios impulsos. La voluntad, refinada y santificada, hallará su más alto deleite en servirle. Cuando conozcamos a Dios como es nuestro privilegio conocerle, nuestra vida será una vida de continua obediencia. Si apreciamos el carácter de Cristo y tenemos comunión con Dios, el pecado llegará a sernos odioso".[68]

"Los que decidan no hacer, en ningún ramo, algo que desagrade a Dios, sabrán, después de presentarle su caso, exactamente qué conducta seguir. Y recibirán no solamente sabiduría sino fuerza".[69]

Otro Consolador

"Y yo rogaré al Padre, para que os dé otro Ayudador (otro Consolador), que esté con vosotros siempre". Juan 14:16

$\mathcal{E}$n esa última noche con sus discípulos, Jesús les prometió que enviaría a otro que estaría con ellos para siempre. La palabra que usó fue "parakletos" o Consolador. Literalmente traducido, quiere decir, "uno llamado al lado". Jesús había sido Consolador y Amigo para los discípulos durante su estada en la tierra y ahora, les haría un regalo. Siete semanas, o 50 días, después de esta pascua, los discípulos se juntarían a celebrar la "fiesta de las semanas" o Pentecostés. En ese tiempo, el Espíritu Santo descendería con gran poder (Hech. 2:1-4), y ellos con todo fervor proclamarían el Evangelio de Cristo Jesús.

El Espíritu haría mucho más que consolar a los discípulos. También sería Maestro, enseñándoles (Juan 14:26) y ayudándoles a recordar las enseñanzas que Jesús les había dado. Las parábolas se harían más claras. El ministerio de Cristo a la humanidad, y sus palabras, tomarían un significado más profundo. El Espíritu testificaría de Cristo (Juan 15:26) y convencer "al mundo de pecado, de justicia y de juicio" (Juan 16:8). Convencería a la humanidad de su necesidad de salvación, y que la única forma de obtenerla es por medio del sacrificio de Cristo. Al guiar a la gente a toda la verdad y al mostrarnos lo por venir (Juan 16:13), el Espíritu glorificaría a Cristo (Juan 16:14) iluminando el plan de salvación. Cristo no podría haberles dado a sus seguidores un mejor regalo.

"Antes de esto, el Espíritu había estado en el mundo; desde el mismo principio de la obra de redención había estado moviendo los corazones humanos. Pero mientras Cristo estaba en la tierra, los discípulos no habían deseado otro ayudador. Y antes de verse privados de su presencia no sentirían su necesidad del Espíritu, pero entonces vendría. El Espíritu Santo es el representante de Cristo, pero despojado de la personalidad humana e independiente de ella. Estorbado por la humanidad, Cristo no podía estar en todo lugar personalmente. Por lo tanto, convenía a sus discípulos que fuese al Padre y enviase el Espíritu como su sucesor en la tierra. Nadie podría entonces tener ventaja por su situación o su contacto personal con Cristo. Por el Espíritu, el Salvador sería accesible a todos. En este sentido, estaría más cerca de ellos que si no hubiese ascendido a lo alto".[70]

Su promesa es también para los discípulos futuros: "Yo rogaré al Padre, y os dará otro Consolador, para que esté con vosotros siempre".

El que me Ama

"El que tiene mis Mandamientos, y los guarda, ése es el que me ama." Juan 14:21.

Hoy día, muchos citan equivocadamente Romanos 6:14 para decir que ya no estamos "bajo la Ley", porque Cristo clavó los mandamientos en la cruz. Dicen que la obediencia a los mandamientos es legalismo y que quienes los guardan, menosprecian el sacrificio de Cristo en la cruz. Es una creencia extraña, considerando el énfasis que Jesús puso en la obediencia a los mandamientos durante sus últimas horas con los discípulos. La ley de Dios es eterna e inalterable. El quebranto de la ley trajo muerte a la humanidad (Rom. 3:23). Jesús no hizo a un lado la base del gobierno de Dios, sino que nos salvó de la pena del pecado. "Porque la paga del pecado es la muerte. Pero el don gratuito de Dios es la vida eterna en Cristo Jesús nuestro Señor" (Rom. 6:23).

"En esto sabemos que conocemos a Dios, si guardamos sus Mandamientos. El que dice: 'Yo lo conozco', y no guarda sus Mandamientos, es mentiroso, y la verdad no está en él. Pero el amor de Dios se perfecciona en verdad, en el que guarda su Palabra. Por esto sabemos que estamos en él. El que dice que está en él, debe andar como él anduvo" (1 Juan 2:3-6). ¿Cómo anduvo Jesús? Él nos dice: "Porque el que me envió está conmigo. El Padre no me ha dejado solo, porque yo hago siempre lo que a él agrada" (Juan 8:29). "Si guardáis mis Mandamientos, permaneceréis en mi amor; como yo también he guardado los Mandamientos de mi Padre, y permanezco en su amor"(Juan 15:10). Él dice, "Dios mío, me deleito en hacer tu voluntad, y tu Ley está en medio de mi corazón" (Sal. 40:8).

"¿Qué diremos, pues? ¿Perseveraremos en pecado para que abunde la gracia? ¡De ninguna manera!" (Rom. 6:1, 2) "Pues, ¿qué? ¿Pecaremos porque no estamos bajo la Ley, sino bajo la gracia? ¡De ninguna manera!" (vers. 15). Si no hay ley para quebrantar, no hay necesidad de gracia. Por violar la ley, nos condenamos a nosotros mismos. Solamente cuando nos arrepentimos y pedimos perdón podemos recibir la gracia por el mérito de la sangre vertida de Cristo. Su gracia no nos da permiso para seguir pecando.

¿Estamos bajo la gracia? ¡Sí, gracias a Dios! ¿Todavía se requiere de nosotros respeto y obediencia a los Mandamientos de Dios? ¡Si lo amamos, la respuesta tiene que ser Sí! Es interesante que el último conflicto entre Satanás y Cristo se librará en torno a la obediencia a los Mandamientos.

Un Nuevo Mandamiento

"Un mandamiento nuevo os doy, que os améis unos a otros. Que os
améis como yo os he amado". Juan 13:34.

Ahora, en los últimos momentos con sus discípulos, Jesús se concentró en los puntos que él quería que se recordaran. Primeramente, no se debían sentir desamparados. Después de su crucifixión y sepultura, lo verían otra vez. "También vosotros ahora tenéis tristeza. Pero os volveré a ver, y se gozará vuestro corazón, y nadie quitará vuestro gozo" (Juan 16:22).

Entonces Jesús les dio a sus discípulos lo que él llamó un "nuevo" mandamiento. No era realmente nuevo, porque Moisés ya se lo había presentado a los israelitas. "No te vengues ni guardes rencor a los hijos de tu pueblo. No demandes contra la vida de tu prójimo: Yo soy el Eterno"(Lev. 19:18). Cristo les dijo a sus discípulos que el mandamiento de Levítico 19 iba ser extendido. "Mediante una revelación del carácter de su Padre, Jesús había presentado ante los hombres un nuevo concepto del amor de Dios. El nuevo mandamiento ordenaba a los hombres que preservaran la misma relación mutua que Jesús había cultivado con ellos y con la humanidad en general. El mandamiento antiguo ordenaba a los hombres que amaran a su prójimo como a sí mismos, pero el nuevo los instaba a amar como Jesús había amado. En realidad, el nuevo era más difícil que el antiguo, pero se daba abundantemente la gracia para poderlo cumplir".[71]

Juan, el discípulo amado, entendió las palabras de Jesús, porque después escribiría en 1 Juan 4:19: "Nosotros lo amamos, porque él nos amó primero". "En esto conocemos que amamos a los hijos de Dios, cuando amamos a Dios y guardamos sus Mandamientos. Porque en esto consiste el amor de Dios, en que guardemos sus Mandamientos. Y sus Mandamientos no son gravosos"(1 Juan 5:2). "Los seguidores de los grandes maestros reflejan las características de sus maestros. El amor era uno de los principales atributos de Jesús. La vida de Jesús había sido una demostración práctica del amor en acción. Si los discípulos manifestaban esa misma clase de amor, eso demostraría su íntima relación y comunión con su Maestro. Es el amor y no la profesión de fe lo que destaca a un cristiano".[72]

> *No somos capaces de amar de tal manera, porque ese amor viene del*
> *Señor. El amor es sufrido, benigno, no siente envidia, no es*
> *jactancioso, no es rudo, no se irrita, no guarda rencor. No se alegra*
> *de la injusticia sino se alegra de la verdad. Todo lo sufre, todo lo cree,*
> *todo lo espera, todo lo soporta. El amor nunca se acaba. ¡Tal amor es*
> *el mejor de todos los regalos! (1 Cor. 13:4-8).*

Alabanzas al Cordero

Cuando hubieron cantado el himno, salieron al monte de los Olivos.
Marcos 14:26.

"Según la Mishna, el ritual de la cena pascual era el siguiente: (1) El jefe de la familia o del grupo que celebraba la cena mezclaba la primera copa de vino y la servía a los otros, pronunciando una bendición sobre el día y sobre el vino. (2) Entonces se ponía la mesa. Los alimentos que se servían en la cena pascual eran el cordero, las hierbas amargas, pan sin levadura, lechuga y una salsa llamada *jaróseth,* hecha de almendras, dátiles, higos, pasas, especias y vinagre. (3) Se servía la segunda copa de vino y el jefe de familia explicaba el significado de la pascua. (4) Se cantaba la primera parte del *hallel* de la pascua, los Salmos 113 y 114. (5) Al servirse una tercera copa de vino, el jefe de familia pronunciaba la bendición sobre la comida. (6) Se servía una cuarta copa de vino y se entonaba la segunda parte del *hallel,* que incluye los Salmos 115 al 118".[73]

"Antes de salir del aposento alto, el Salvador entonó con sus discípulos un canto de alabanza. Su voz fue oída, no en los acordes de alguna endecha triste, sino en las gozosas notas del cántico pascual: 'Alabad a Jehová, naciones todas; pueblos todos, alabadle. Porque ha engrandecido sobre nosotros su misericordia; Y la verdad de Jehová es para siempre. Aleluya' (Salmo 117). Después del himno, salieron. Cruzaron por las calles atestadas, y salieron por la puerta de la ciudad hacia el monte de las Olivas".[74] El Salmo 118, una parte del cántico pascual, dice: "El Señor es Dios, él nos ilumina... Mi Dios eres tú, te alabaré. Dios mío, te exaltaré. ¡Dad gracias al Señor, porque es bueno! Porque su constante amor es para siempre" (Sal. 118:27-29).

> *"Habrá alabanza a Dios y al Cordero en nuestro corazón y en nuestros labios; porque el orgullo y la adoración del yo no pueden florecer en el alma que mantiene frescas en su memoria las escenas del Calvario".[75]*

Tres Negaciones Antes del Amanecer

Entonces Pedro le dijo, "Aunque todos se escandalicen, yo no".
Marcos 14:29.

Cuando salían de Jerusalén, Jesús dijo, en tono de la más profunda tristeza: "Todos vosotros os escandalizaréis de mí en esta noche. Porque escrito está: 'Heriré al Pastor, y las ovejas del rebaño se dispersarán'" (Mat. 26:31). En el aposento alto, Jesús había dicho que Pedro lo negaría. Ahora repitió de nuevo la profecía. Otra vez Pedro protestó por lo que le decía el Señor, y declaró su lealtad a Cristo. No fue el único que prometió seguir a Cristo hasta la muerte, sino que "todos dijeron lo mismo" (Mar. 14:31). En la confianza que tenían en sí mismos, porque todavía no comprendían su propia debilidad, negaron la repetida afirmación de Aquel que conocía el futuro.

"Cuando Pedro dijo que seguiría a su Señor a la cárcel y a la muerte, cada palabra era sincera; pero no se conocía a sí mismo. Ocultos en su corazón estaban los malos elementos que las circunstancias iban a hacer brotar a la vida. A menos que se le hiciese conocer su peligro, esos elementos provocarían su ruina eterna. El Salvador veía en él un amor propio y una seguridad que superarían aun su amor por Cristo... Pedro necesitaba desconfiar de sí mismo, y tener una fe más profunda en Cristo".[76] ¡Cuán verdadera era la amistad del Salvador con Pedro! ¡Cuán compadecida su amonestación! Pero la amonestación fue resentida. Lleno de confianza en sí mismo, Pedro declaró enfáticamente que nunca haría lo que Cristo le había advertido que iba hacer. 'Señor' le dijo, 'estoy listo a ir contigo a la cárcel o a la muerte'. Su orgullo sería su caída. El discípulo tentó a Satanás a que lo tentara a él, y cayó bajo las artes del astuto enemigo. Cuando Cristo más lo necesitaba, se puso del lado del enemigo, y abiertamente negó a su Salvador".[77]

Jesús había orado para que no le faltara la fe a Pedro. Satanás había poseído a Judas, y ahora tenía su mirada puesta en Pedro. Cristo hizo que Pedro advirtiera la proximidad del enemigo al decirle, "¡Simón, Simón! Satanás os ha pedido para zarandearos como a trigo" (Luc. 22:31). ¡Si tan sólo se hubiera acordado de su experiencia en el mar de Galilea! Cuando quitó sus ojos de Cristo, empezó a hundirse entre las olas. La mano de Cristo esperaba para salvarlo, pero él tuvo que pedirle socorro. "Señor, sálvame" (Mat. 14:30), debería haber sido su clamor ahora.

También ése debería ser nuestro clamor cuando somos tentados a pensar que podemos vencer al diablo con nuestra propia fuerza.

La Vid Verdadera

"Yo Soy la vid, vosotros los sarmientos". Juan 15:5.

Lentamente el grupo avanzaba hacia el monte de las Olivas. "El Salvador había estado explicando a sus discípulos la misión que le había traído al mundo y la relación espiritual que debían sostener con él. Ahora ilustró la lección. La luna resplandecía y le revelaba una floreciente vid. Llamando la atención de los discípulos a ella, la empleó como símbolo. 'Yo soy la Vid verdadera', dijo. En vez de elegir la graciosa palmera, el sublime cedro o el fuerte roble, Jesús tomó la vid con sus zarcillos prensiles para representarse. La palmera, el cedro y el roble se sostienen solos. No necesitan apoyo. Pero la vid se aferra al enrejado, y así sube hacia el cielo. Así también Cristo en su humanidad dependía del poder divino. 'No puedo yo de mí mismo hacer nada', declaró. Juan 5:30".[78]

Israel había adoptado la vid como símbolo nacional mucho tiempo atrás. "A la entrada del templo, había una vid de oro y plata, con hojas verdes y macizos ramos de uvas, ejecutada por los más hábiles artífices. Esta estructura representaba a Israel como una próspera vid".[79] Los judíos basaban la salvación en su herencia nacional. Ahora Jesús les explicó a sus discípulos que solamente una conexión viva, por fe en él como Salvador personal, les permitiría crecer espiritualmente. Los sarmientos deben mantener una conexión constante con la vid, o se mueren. Usando la misma fuerza de la vid, el sarmiento puede florecer y dar fruto. "Cuando vivamos por fe en el Hijo de Dios, los frutos del Espíritu se verán en nuestra vida; no faltará uno solo".[80]

Un carácter como el de Cristo le demuestra al mundo quiénes son los sarmientos de la Vid verdadera. El que toma el nombre de 'cristiano', debe desplegar los frutos de justicia (Fil. 1:1). "El profesar la religión coloca a los hombres en la iglesia, pero el carácter y la conducta demuestran si están unidos con Cristo".[81] Hombres y mujeres pueden desplegar una falsa conexión con Cristo y profesar gran piedad. Esto les puede asegurar un buen lugar en la iglesia, pero las pruebas y tentaciones eventualmente podarán esos sarmientos sin fruto. Es inútil tener nuestro nombre registrado en los libros de la iglesia, si no estamos creciendo en Jesús.

"No puede haber vida sin crecimiento. Mientras haya vida, habrá necesidad de un desarrollo continuo. El desarrollo del carácter es la obra de toda la vida".[82]

No de Este Mundo

"Si el mundo os aborrece, sabed que a mí me aborreció antes que a vosotros". Juan 15:18.

*E*n esta última reunión con sus discípulos, el gran deseo que Cristo expresó era que se amasen unos a otros como él los había amado... Para los discípulos, este mandamiento era nuevo; porque no se habían amado unos a otros como Cristo los había amado... El mandato de amarse unos a otros tenía nuevo significado a la luz de su abnegación. Toda la obra de la gracia es un continuo servicio de amor, de esfuerzo desinteresado y abnegado. Durante toda hora de la estada de Cristo en la tierra, el amor de Dios fluía de él en raudales incontenibles. Todos los que sean dotados de su Espíritu amarán como él amó".[83]

El amor fraternal caracteriza al discípulo verdadero. El mundo no es nuestro hogar, y de aquí a poco su furia completa se volverá contra nosotros. Pero no debemos sorprendernos. "Como Redentor del mundo, Cristo arrostraba constantemente lo que parecía ser el fracaso. Él, el mensajero de misericordia en nuestro mundo, parecía realizar sólo una pequeña parte de la obra elevadora y salvadora que anhelaba hacer".[84] Las influencias satánicas estaban obrando constantemente para oponerse a su avance. Cristo dijo: "Bienaventurados sois cuando os insulten y persigan, y digan de vosotros todo mal por mi causa, mintiendo. Gozaos y alegraos, porque vuestra recompensa es grande en el cielo, que así persiguieron a los profetas que fueron antes de vosotros" (Mat. 5:11, 12). Todos los que viven vidas justas padecerán persecución. El mundo no puede soportar la reprensión de una vida dedicada a Dios (1 Juan 3:13, 14).

Quienes profesan alabar a Dios pero no entienden su carácter y tuercen sus palabras "no lo conocen" (Juan 15:21). "Por lo tanto, el que sabe hacer lo bueno, y no lo hace, comete pecado" (Sant. 4:17). Pero la Palabra de Dios es pura y el ejemplo de su Hijo es claro. Jesús es el camino, la verdad y la vida (Juan 14:6). "En el juicio, los hombres serán condenados, no porque hayan estado en el error, sino por 'haber descuidado las oportunidades enviadas por el cielo para que aprendieran 'lo que es la verdad' (DTG 454)".[85] Por fin los discípulos aprendieron la lección de amor y eliminaron el espíritu de competencia entre ellos (Luc. 22:24; Hech. 2:2) y adquirieron valor para enfrentar la persecución (Hech. 5:41; 2 Cor. 4:8-12).

Su gracia también es suficiente para ti, ¡porque su poder se perfecciona en la debilidad! (2 Corintios 12:9).

Esta es la Vida Eterna

"Y ésta es la vida eterna, que te conozcan a ti, el único Dios
verdadero, y a Jesucristo a quien tú has enviado". Juan 17:3.

Jesús les dijo a sus discípulos: "Os aseguro que todo lo que pidáis al Padre en mi Nombre, os lo dará" (Juan 16:23). "Porque el mismo Padre os ama, ya que vosotros me habéis amado a mí, y habéis creído que yo salí de Dios" (vers. 27). Jesús es intercesor entre nosotros y el Padre. "Por eso puede también salvar por completo a los que por medio de él se acercan a Dios, ya que está siempre vivo para interceder por ellos" (Heb. 7:25). Dios ama al mundo entero (Juan 3:16); pero cuando hombres y mujeres responden con amor para su Hijo, derrama la mayor parte de ese amor sobre aquellos que aman a Jesús.

Juan 17 es la oración más larga de Jesús que haya sido registrada. Está dividida en tres partes: (1) la oración por sí mismo (vers. 1-5); (2) la oración por sus discípulos (vers. 6-19); y (3) la oración por todos los creyentes (vers. 20-26). Jesús alzó sus ojos hacia su Padre celestial cuando oró; algo raro, porque era la costumbre judía orar mirando hacia el templo. La oración de Jesús empezó con las palabras: "Padre, ha llegado la hora. Glorifica a tu Hijo, para que él te glorifique a ti" (Juan 17:1). El Padre y el Hijo estaban íntimamente unidos en el plan de salvación. Como Jesús sería glorificado al ser levantado en la cruz, y luego en su resurrección, tambien Dios sería glorificado en el cumplimiento de la misión de Jesús en este mundo. La salvación no es nuestra sólo por conocer a Jesús, sino que además, debemos seguirlo. La sabiduría y el desarrollo de un carácter cristiano son elementos necesarios para la vida eterna. Romanos 10:13 dice: "Porque 'todo el que invoque el Nombre del Señor, será salvo'". ¡Tal conocimiento de Cristo es vital! No queremos que se repita en nuestra experiencia lo que el Señor dijo del antiguo Israel: "Mi pueblo fue destruido porque le faltó sabiduría. Por cuanto desechaste la sabiduría, yo te echaré del sacerdocio. Porque olvidaste la Ley de tu Dios, también yo me olvidaré de tus hijos" (Ose. 4:6). Pero la salvación involucra mucho más que simplemente sabiduría.

Primeramente debemos adquirir conocimiento de Cristo, y amarlo
de tal modo que lo sigamos en obediencia. La obediencia demuestra
nuestro amor para Aquel que nos amó primero. La vida eterna es
tan sólo un don de la gracia.

Una Oración por Nosotros

"Santifícalos en la verdad. Tu Palabra es verdad".
Juan 17:17.

*C*uando Jesús estaba por dejar a sus discípulos, los puso en las manos de su Padre. Le pidió que los guardara seguros: "Yo no estoy más en el mundo. Yo voy a ti, pero ellos quedan en el mundo. Padre santo, a los que me has dado, guárdalos en tu Nombre, en ese Nombre que me has dado, para que sean uno, como lo somos nosotros" (Juan 17:11). Jesús continuó: "No ruego que los quites del mundo, sino que los guardes del maligno" (vers. 15). Los discípulos tenían una misión que completar. Escogidos para llevar el mensaje al mundo, necesitaban desarrollar caracteres como el de Cristo. ¿Cómo harían esto? Cristo contestó: "Santifícalos en la verdad. Tu Palabra es verdad" (vers. 17). En otras palabras, "Hazlos santos [un atributo de Dios] por tu verdad".

Por mucho tiempo, la humanidad ha procurado saber qué constituye la verdad. Hasta Pilato le preguntó a Jesús: "¿Qué es la verdad?" (Juan 18:38). Jesús dice: "Si vosotros permanecéis en mi Palabra, sois realmente mis discípulos. Y conoceréis la verdad, y la verdad os libertará" (Juan 8:31, 32). "La Palabra de Dios es declarada la 'verdad'. Las Escrituras nos revelan el carácter de Dios y de Jesucristo. Llegamos a ser nuevas criaturas haciendo de las verdades de la Palabra de Dios una parte de la vida".[86]

Si la sabiduría es importante, el desarrollo del carácter también es esencial. En su parábola de la vid verdadera, Jesús dijo: "El que no permanece en mí, es como el sarmiento que se desecha, y se seca. Y a esos sarmientos los juntan, los echan al fuego, y los queman" (Juan 15:6). Tal declaración ataca en su misma base el concepto "una vez salvo, siempre salvo". "Los que una vez fueron iluminados, gustaron el don celestial... y recayeron" (Heb. 6:4-6). "Es posible que los que han estado en Cristo corten su conexión con él y se pierdan (Heb. 6:4-6). La salvación depende de permanecer en Cristo hasta el fin".[87] "Si uno desea encontrarse con el Salvador, debe estudiar las Santas Escrituras".[88] "Es trabajo del corazón. La santificación bíblica no es la salvación degenerada de hoy, la cual no escudriña las Escrituras, sino que se basa solamente en sentimientos e impulsos, en vez de buscar la verdad como tesoro escondido. La santificación bíblica es conocer los requerimientos de Dios y obedecerlos".[89]

Las Escrituras hacen referencia al tipo de individuos que se creen salvos y piensan que pueden actuar como quieran sin preocuparce de las consecuencias: "Tendrán apariencia de piedad, pero negarán su eficacia. ¡A éstos evita!" (2 Timoteo 3:5).

Había un Huerto

Después de esta oración, Jesús pasó con sus discípulos al otro lado del torrente Cedrón, donde había un huerto, y entraron allí. Juan 18:1.

"**E**n compañía de sus discípulos, el Salvador se encaminó lentamente hacia el huerto de Getsemaní. La luna de Pascua, ancha y llena, resplandecía desde un cielo sin nubes. La ciudad de cabañas para los peregrinos estaba sumida en el silencio. Jesús había estado conversando fervientemente con sus discípulos e instruyéndolos; pero al acercarse a Getsemaní se fue sumiendo en un extraño silencio. Con frecuencia, había visitado este lugar para meditar y orar; pero nunca con un corazón tan lleno de tristeza como esta noche de su última agonía".[90] El Getsemaní tomó su nombre de los huertos de olivos que cubrían el monte de las Olivas. El nombre significaba "prensa de olivas" en Arameo, y abajo en la ladera occidental del monte había un huerto.

Al llegar, Jesús dejó a ocho de los discípulos a la entrada del portón. Llevando a Pedro, Santiago y Juan, Jesús se internó en el huerto, hasta un lugar más apartado. Ellos habían contemplado la gloria de Cristo en el monte de la transfiguración y ahora, en su terrible lucha, Cristo deseaba su presencia inmediata. Con frequencia habían pasado la noche con él en ese retiro. En esas ocasiones, después de unos momentos de vigilia y oración, se dormían apaciblemente a corta distancia de su Maestro. Pero ahora deseaba que ellos pasaran la noche con él en oración. "Quedaos aquí, y velad conmigo", les rogó.

"Fue a corta distancia de ellos —no tan lejos que no pudiesen verle y oírle— y cayó postrado en el suelo. Sentía que el pecado le estaba separando de su Padre. La sima era tan ancha, negra y profunda que su espíritu se estremecía ante ella. No debía ejercer su poder divino para escapar de esa agonía. Como hombre, debía soportar la ira de Dios contra la transgresión".[91] "Está tentado a temer que quedará para siempre privado del amor de su Padre. Sintiendo cuán terrible es la ira de Dios contra la transgresión, exclama: 'Mi alma está muy triste, hasta la muerte' ".[92]

Algo del peso de la culpabilidad que sufrió Jesús vino de ti y de mí. No debería pasar un día que no le agradezcamos. Cuando nos sintamos oprimidos por el dolor y el sufrimiento, debemos ir al obscuro Getsemaní y contemplar de nuevo a nuestro Salvador. ¡Regocíjate! Te amó tanto que sufrió por ti.

Quedaos Aquí y Velad Conmigo

Entonces volvió a sus discípulos, y los halló durmiendo. Mateo
26:40.

"**E**n su agonía, se aferra al suelo frío, como para evitar ser alejado más de Dios. El frío rocío de la noche cae sobre su cuerpo postrado, pero él no le presta atención. De sus labios pálidos, brota el amargo clamor: 'Padre mío, si es posible, pase de mí este vaso'. Pero aun entonces añade: 'Empero no como yo quiero, sino como tú' ".[93] "Era terrible la tentación de dejar a la familia humana soportar las consecuencias de su propia culpabilidad, mientras él permaneciese inocente delante de Dios. Si tan sólo pudiera saber que sus discípulos comprendían y apreciaban esto, se sentiría fortalecido".[94]

Anhelante de compañía humana, Jesús regresó a donde había dejado a sus discípulos, y los halló dormidos (Mar. 14:37, 38). "El Hijo de Dios volvió a quedar presa de agonía sobrehumana, y tambaleándose volvió agotado al lugar de su primera lucha. Su sufrimiento era aun mayor que antes. Al apoderarse de él la agonía del alma, 'fue su sudor como grandes gotas de sangre que caían hasta la tierra' ".[95] "Su voz se oía en el tranquilo aire nocturno, no en tonos de triunfo, sino impregnada de angustia humana. Estas palabras del Salvador llegaban a los oídos de los soñolientos discípulos: 'Padre mío, si no puede este vaso pasar de mí sin que yo lo beba, hágase tu voluntad' ".[96]

De nuevo regresó Jesús donde estaban los discípulos. Cuando despertaron y vieron su rostro cubierto de sangre, se llenaron de temor. "Muchos se asombrarán de él, al ver su semblante desfigurado, hasta perder toda apariencia humana" (Isa. 52:14). Apartándose, Jesús volvió a su lugar de retiro y cayó postrado. "Había llegado el momento pavoroso, el momento que había de decidir el destino del mundo. La suerte de la humanidad pendía de un hilo. Cristo podía aun ahora negarse a beber la copa destinada al hombre culpable. Todavía no era demasiado tarde. Podía enjugar el sangriento sudor de su frente y dejar que el hombre pereciese en su iniquidad. Podía decir: Reciba el transgresor la penalidad de su pecado, y yo volveré a mi Padre".[97] Pero Jesús sabía que sin él, los pecadores perecerían. Si Cristo rehusaba el sacrificio, no quedaría esperanza para la humanidad; pero en ese momento "su decisión queda hecha. Salvará al hombre, sea cual fuere el costo".[98]

¿Qué le debemos tú y yo? ¡Mucho más de lo que le podemos
recompensar!

Pase de Mí Esta Copa

"Padre mío, si es posible, pase de mí esta copa". Mateo 26:39.

Con intenso interés, miraban los cielos el conflicto de su amado Comandante. "Vieron a su Señor rodeado por las legiones de las fuerzas satánicas, y su naturaleza abrumada por un pavor misterioso que lo hacía estremecerse. Hubo silencio en el cielo. Ningún arpa vibraba. Si los mortales hubiesen percibido el asombro de la hueste angélica mientras en silencioso pesar veía al Padre retirar sus rayos de luz, amor y gloria de su Hijo amado, comprenderían mejor cuán odioso es a su vista el pecado".[1] "La naturaleza humana de Cristo era como la nuestra, pero él sintió un sufrimiento mucho más agudo porque su naturaleza espiritual era libre de cualquier mancha de pecado. Por tanto su deseo de ser librado de este sufrimiento era más intenso de lo que cualquier ser humano puede experimentar. Cuánto anhelaba la humanidad de Cristo escapar de la ira de un Dios ofendido, cuánto su alma deseaba sentir alivio, está revelado en las palabras: 'Padre mío, si esta copa no puede pasar de mí sin que yo la beba, hágase tu voluntad' ".[2]

"Los mundos que no habían caído y los ángeles celestiales habían mirado con intenso interés mientras el conflicto se acercaba a su fin. Satanás y su confederación del mal, las legiones de la apostasía, presenciaban atentamente esta gran crisis de la obra de redención. Las potestades del bien y del mal esperaban para ver qué respuesta recibiría la oración tres veces repetida por Cristo. Los ángeles habían anhelado llevar alivio al divino doliente, pero esto no podía ser".[3] Dios no se olvidó de su Hijo. "En esta terrible crisis, cuando todo estaba en juego, cuando la copa misteriosa temblaba en la mano del Doliente, los cielos se abrieron, una luz replandeció de en medio de la tempestuosa oscuridad de esa hora crítica, y el poderoso ángel que está en la presencia de Dios ocupando el lugar del cual cayó Satánas, vino al lado de Cristo. No vino para quitar de su mano la copa, sino para fortalecerle a fin de que pudiese beberla, asegurado del amor de su Padre".[4] "Gabriel vino para dar poder al divino Sufriente, y fortalecerlo al transitar por su camino ensangrentado. Y mientras el ángel soporta su cuerpo desfalleciente, Cristo toma la amarga copa y consiente en apurar su contenido".[5]

"Porque la paga del pecado es la muerte. Pero el don gratuito de Dios es la vida eterna en Cristo Jesús Señor nuestro" (Romanos. 6:23). Amén.

Centinelas Dormidos

Entonces apareció un ángel del cielo que lo confortó. Lucas 22:43.

"El Jardín del Edén con su detestable mancha de desobediencia, debe ser cuidadosamente estudiado y comparado con el Jardín del Getsemaní, donde el Redentor del mundo sufrió agonía sobrehumana cuando los pecados de todo el mundo fueron derramados sobre él... Adán no se detuvo a calcular el resultado de su desobediencia".[6] "El Hijo de Dios oraba en agonía. Gotas de sangre le brotaban del rostro y caían en tierra. Los ángeles se cernían sobre el lugar contemplando la escena, pero sólo uno fue enviado a consolar al Hijo de Dios en su agonía. No había alegría en el cielo. Los ángeles dejaron sus coronas y arpas a un lado, y con el más profundo interés, contemplaban en silencio a Jesús. Deseaban circundar al Hijo de Dios, pero los ángeles comandantes no se lo permitieron, no fuese que cuando contemplaran la traición, lo rescataran. El plan había sido establecido y tenía que ser cumplido".[7]

Dios sufrió la separación y sintió el dolor y la angustia tan intensamente como su Hijo único. El mensaje que trajo Gabriel no intentaba quitarle a Cristo el sufrimiento sino darle poder. "Le mostró los cielos abiertos y le habló de las almas que se salvarían como resultado de sus sufrimientos. Le aseguró que su Padre es mayor y más poderoso que Satánas, que su muerte ocasionaría la derrota completa de Satánas, y que el reino de este mundo sería dado a los santos del Altísimo. Le dijo que vería el trabajo de su alma y quedaría satisfecho, porque vería una multitud de seres humanos salvados, eternamente salvos".[8]

Pedro, Santiago y Juan vieron al ángel que se inclinaba sobre su Maestro postrado. Le vieron alzar la cabeza del Salvador contra su pecho y señalarle el cielo. Oyeron la dulce voz que pronunciaba palabras de consuelo y esperanza. Nuevamente se volvieron a dormir. Como no podían comprender el sufrimiento y angustia de su Maestro, no se daban cuenta de la tormenta que iba a destruir su débil fe.

Cuán pocos de nosotros vamos al oscuro Getsemaní con nuestro Señor, a vigilar y orar. Fallamos porque somos más como Pedro, Santiago y Juan, los discípulos durmientes. Como resultado, somos una iglesia durmiente. Cuando se nos amonesta a vigilar para no caer en tentación, muchos de nosotros nos dormimos.

Linternas, Antorchas y Armas

Judas, pues, llegó allá con una compañía de soldados y guardas de los principales sacerdotes y los fariseos. Traían linternas, antorchas y armas. Juan 18:3.

Cuando Jesús regresó por tercera vez y encontró a sus discípulos durmiendo, vio la luz de las antorchas de la turba que lo buscaba. Judas los guió al lugar preciso donde sabía que estaba el Maestro. Con dignidad y calma, Jesús enfrentó la multitud que avanzaba hacia él, y preguntó: "¿A quién buscáis?" Contestaron: "A Jesús Nazareno". Jesús respondió: "Yo soy". "Mientras estas palabras eran pronunciadas, el ángel que acababa de servir a Jesús, se puso entre él y la turba. Una luz divina iluminó el rostro del Salvador, y le hizo sombra una figura como de paloma. En presencia de esta gloria divina, la turba homicida no pudo resistir un momento. Retrocedió tambaleándose. Sacerdotes, ancianos, soldados, y aun Judas, cayeron como muertos al suelo. El ángel se retiró, y la luz se desvaneció. Jesús tuvo oportunidad de escapar, pero permaneció sereno y dueño de sí. Permaneció en pie como un ser glorificado, en medio de esta banda endurecida, ahora postrada e inerme a sus pies".[9] Rápidamente la turba se levantó. Volvió a preguntar el Redentor: '¿A quién buscáis?' Volvieron a contestar: 'A Jesús Nazareno'. El Salvador les dijo entonces: 'Os he dicho que yo soy: pues si a mí buscáis, dejad ir a éstos", y señaló a los discípulos. Jesús, queriendo protegerlos, propuso que la turba los dejara en paz.

El traidor Judas no se olvidó de la parte que debía desempeñar. "Cuando entró la turba en el huerto, iba delante, seguido de cerca por el sumo sacerdote. Había dado una señal a los perseguidores de Jesús diciendo: 'Al que yo besare, aquél es: prendedle' (Mat. 26:48). Ahora, fingiendo no tener parte con ellos, se acercó a Jesús, le tomó la mano como un amigo familiar, y diciendo: 'Salve, Maestro', le besó repetidas veces, simulando llorar de simpatía por él en su peligro".[10] Mirándolo con ojos tristes, Jesús le dice: "Judas, ¿con un beso entregas al Hijo del Hombre?" Judas se mostró audaz y desafiante. La turba se envalentonó al ver que Judas tocaba a Jesús. Los guardas del templo trajeron cuerdas y "procedieron a atar aquellas preciosas manos que siempre se habían dedicado a hacer bien".[11] A la luz incierta de las antorchas, los discípulos miraban cómo la turba empujaba y sujetaba a su Señor. La escena era realmente increíble.

¿A quién buscas tú?

Malco

Simón Pedro, que tenía espada, la sacó, hirió a Malco, siervo del sumo sacerdote, y le cortó la oreja derecha. Juan 18:10.

*E*l relato del arresto de Jesús en el libro de Juan es muy especial. "Juan, que conocía personalmente al sumo sacerdote (Juan 18:15), identifica como Malco al siervo (vers. 10). Posiblemente Malco fue uno de los que le 'echaron mano' a Jesús (Mat. 26:50)".[12] Jesús enfrentó a la turba con calma. Los discípulos estaban sorprendidos de que su Maestro permitiera que se lo llevaran. Ahora se chasquearon al ver cómo la turba le ataba sus manos.

"En su ira, Pedro sacó impulsivamente su espada y trató de defender a su Maestro, pero no logró sino cortar una oreja del siervo del sumo sacerdote. Cuando Jesús vio lo que había hecho, libró sus manos, aunque eran sujetadas firmemente por los soldados romanos, y diciendo: 'Dejad hasta aquí,' tocó la oreja herida, y ésta quedó inmediatamente sana".[13] "Los dirigentes de los judíos podrían haber interpretado fácilmente que el acto arrebatado de Pedro demostraba que Jesús y sus discípulos eran una banda de peligrosos revolucionarios, y esa acusación podría haberse empleado como una prueba válida de que Jesús merecía ser ajusticiado".[14] La única defensa que un cristiano debe tomar es la "espada del Espíritu, que es la palabra de Dios." (Efe. 6:17). Los cristianos no deben usar ni aprobar la fuerza (Mat. 5:39). "El Evangelio que da la vida no debe defenderse matando a personas por las cuales Cristo murió. La evidencia suprema del amor cristiano es estar dispuesto a morir por otros (Juan 15:13)".[15] "Volviéndose a los sacerdotes y ancianos, Jesús fijó sobre ellos su mirada escrutadora. Mientras viviesen, no se olvidarían de las palabras que pronunciara".[16] "Habéis salido con espadas y palos como si yo fuera un ladrón. Cada día estuve con vosotros en el templo, y no extendisteis la mano contra mí. Pero ésta es vuestra hora, en que reinan las tinieblas" (Luc. 22:52, 53). Entonces, volviéndose a Pedro le dijo: "Vuelve tu espada a su lugar; porque todos los que tomen espada, a espada perecerán. ¿Acaso no puedo orar a mi Padre, y en el acto me daría más de doce legiones de ángeles? Pero entonces, ¿cómo se cumplirían las Escrituras, de que así tiene que suceder?" (Mat. 26:52-54).

Por lo menos 80.000 ángeles esperaban listos para salvar a su Comandante, pero él eligió entregarse y morir por ti y por mí.

El Suegro de Caifás

Lo llevaron primero a Anás, suegro de Caifás, sumo sacerdote de ese año. Juan 18:13.

"Los discípulos quedaron aterrorizados al ver que Jesús permitía que se le prendiese y atase... No podían comprender su conducta, y le inculpaban por someterse a la turba. En su indignación y temor, Pedro propuso que se salvasen a sí mismos. Siguiendo esta sugestión, 'todos los discípulos huyeron, dejándole' ".[17] Pero Cristo había predicho esta deserción (Juan 16:32). Apaciblemente se entregó a los guardas del templo que rudamente lo empujaban por el sendero a Jerusalén, mientras el valiente Pedro huía con todos los otros discípulos.

"Llevaron apresuradamente a Jesús al otro lado del arroyo Cedrón, más allá de los huertos y olivares, y a través de las silenciosas calles de la ciudad dormida. Era más de medianoche, y los clamores de la turba aullante que le seguía rasgaban bruscamente el silencio nocturno. El Salvador iba atado y cuidadosamente custodiado, y se movía penosamente. Pero con apresuramiento, sus apresadores se dirigieron con él al palacio de Anás, el ex sumo sacerdote. Anás era cabeza de la familia sacerdotal en ejercicio, y por deferencia a su edad, el pueblo lo reconocía como sumo sacerdote".[18] "El debía estar presente al ser examinado el preso, por temor a que Caifás, hombre de menos experiencia, no lograse el objeto que buscaban. En esta ocasión, había que valerse de la artería y sutileza de Anás, porque había que obtener sin falta la condenación de Jesús".[19]

Anás trató primero de probar que Jesús estaba creando una sociedad secreta con el propósito de establecer un nuevo reino. Jesús negó el cargo. "Yo he hablado públicamente al mundo. Siempre enseñé en la sinagoga y en el templo, donde se reúnen todos los judíos. Nada hablé en oculto" (Juan 18:20). Sus acusadores tenían más delito que él, porque el arresto secreto a medianoche era ilegal. La ley de Israel consideraba inocente a un acusado hasta que su culpabilidad fuese probada. Al atarle las manos, significando culpabilidad, los sacerdotes violaron su propia ley. "Anás quedó acallado por la decisión de la respuesta. Temiendo que Cristo dijese acerca de su conducta algo que él prefería mantener encubierto, nada más le dijo por el momento. Uno de sus oficiales, lleno de ira al ver a Anás reducido al silencio, hirió a Jesús en la cara diciendo: '¿Así respondes al pontífice?' "[20] El ex sumo sacerdote sabía que la rapidez era esencial, antes que la indignación popular se excitara contra el juicio y corrieran el riesgo de que se dejase libre a Jesús. Ordenó que se llevaran el preso al Sanedrín inmediatamente.

¡Cuán a menudo se procura cubrir un error recurriendo a la necesidad de hacer "justicia"!

Ante el Sanedrín por Última Vez

Los que prendieron a Jesús, lo llevaron al sumo sacerdote Caifás,
donde los escribas y los ancianos estaban reunidos. Mateo 26:57.

"Era ahora de madrugada y muy oscuro; así que a la luz de antorchas y linternas, el grupo armado se dirigió con su preso al palacio del sumo sacerdote. Allí, mientras los miembros del Sanedrín se reunían, Anás y Caifás volvieron a interrogar a Jesús, pero sin éxito".[21] Los miembros del concilio no llamaron a José de Arimatea o a Nicodemo, porque sabían que su testimonio sería en defensa de Jesús y eso no les convenía. "Cuando el concilio se hubo congregado en la sala del tribunal, Caifás tomó asiento como presidente. A cada lado estaban los jueces y los que estaban especialmente interesados en el juicio. Los soldados romanos se hallaban en la plataforma situada más abajo que el solio a cuyo pie estaba Jesús. En él se fijaba toda la muchedumbre, él era el único que sentía calma y serenidad. La misma atmósfera que le rodeaba parecía impregnada de influencia santa".[22] Jesús ya había enfrentado dos juicios preliminares: primero delante de Anás, y otra vez delante de Anás y Caifás. Ahora enfrentaba el concilio entero de la nación judía para ser enjuiciado.

El Sanedrín estaba dividido entre fariseos y saduceos. Había acerba animosidad y controversia entre ellos. Caifás sabía que con unas pocas palabras, Jesús podría haber excitado sus prejuicios unos contra otros, y deseaba evitar que se levantase una contienda. Por esa razón, el juicio debía evitar tres cargos relativamente obvios: 1) Cristo había denunciado a los sacerdotes y escribas, llamándolos hipócritas y homicidas, pero los saduceos habían empleado un lenguaje similar y hasta peor en sus agudas disputas con los fariseos. Este testimonio no convenía. 2) Había abundantes pruebas de que Jesús había despreciado las tradiciones de los judíos y había hablado con irreverencia de muchos de sus ritos; pero acerca de la tradición, los fariseos y los saduceos estaban en conflicto; y estas pruebas no habrían tenido tampoco peso para los romanos. 3) Los enemigos de Cristo podían acusarlo de violar el sábado, pero no se atrevían, no fuese que un examen revelase el carácter de su obra. Cualquier acusación contra Jesús no debía excitar controversia, y Caifás tenía poca experiencia como presidente del Sanedrín. Muchos temían que no lograría obtener la condenación de Jesús. El universo fue entonces testigo de la mayor burla de la justicia que se haya visto.

En medio del tumulto, Jesús sintió calma y serenidad,
completamente confiado en su Padre. ¡Cuánta fe!

Silencioso Como un Cordero (Isaías 53:7)

Pero Jesús callaba. Mateo 26:63.

"Pero al mirar Caifás al preso, le embargó la admiración por su porte noble y digno. Sintió la convicción de que este hombre era de filiación divina. Al instante siguiente desterró despectivamente este pensamiento. Inmediatamente dejó oír su voz en tonos burlones y altaneros, exigiendo que Jesús realizase uno de sus grandes milagros delante de ellos. Pero sus palabras cayeron en los oídos del Salvador como si no las hubiese percibido".[23] Luego, testigos falsos acusaron a Jesús de incitar a la rebelión contra Roma, y de procurar establecer un gobierno separado, pero los testimonios sonaron confusos e inefectivos. Los sacerdotes lo acusaron de haber amenazado el bienestar del templo cuando Jesús dijo: "Destruid este templo y en tres días lo levantaré" (Juan 2:19). Jesús claramente se había referido a la muerte y resurrección de su propio cuerpo (Juan 2:21), pero los judíos habían tomado esta declaración literalmente. "Los romanos se habían dedicado a reconstruir y embellecer el templo, y se enorgullecían mucho de ello; cualquier desprecio manifestado hacia él habría de excitar seguramente su indignación. En este terreno podían concordar los romanos y los judíos, los fariseos y los saduceos; porque todos tenían gran veneración por el templo. Acerca de este punto, se encontraron dos testigos cuyo testimonio no era tan contradictorio como el de los demás".[24]

Ya eran casi las 4:00 de la madrugada. El juicio había proseguido por una hora sin resultado. La Mishna declaraba que cualquier juicio capital tenía que ser llevado a cabo durante las horas del día para darle oportunidad al acusado de localizar testigos para su defensa. "Por lo tanto, decidieron resolver el caso entregando a Jesús para que lo encarcelaran los romanos antes de que alguien pudiera tener la oportunidad de hablar en defensa de él".[25] "Pacientemente Jesús escuchaba los testimonios contradictorios. Ni una sola palabra pronunció en su defensa. Al fin, sus acusadores quedaron enredados, confundidos y enfurecidos. Caifás se desesperaba. Quedaba un último recurso; había que obligar a Cristo a condenarse a sí mismo. El sumo sacerdote se levantó del sitial del juez, con el rostro descompuesto por la pasión, e indicando por su voz y su porte que, si estuviese en su poder, heriría al preso que estaba delante de él. '¿No respondes nada? —exclamó—, ¿qué testifican éstos contra ti?'

'Angustiado él, y afligido, no abrió su boca; como cordero fue llevado al matadero; y como oveja delante de sus trasquiladores, enmudeció, y no abrió su boca'. Isaías 53:7".[26]

Sentenciado a Muerte

Entonces el sumo sacerdote rasgó su vestido, y dijo: "¡Ha blasfemado!" Mateo 26:65.

"*P*or fin, Caifás, alzando la diestra hacia el cielo, se dirigió a Jesús con un juramento solemne: 'Te conjuro por el Dios viviente, que nos digas si eres tú el Cristo, Hijo de Dios'. Cristo no podía callar ante esta demanda... su propia relación con el Padre había sido puesta en tela de juicio. Debía presentar claramente su carácter y su misión".[27] "Todos los oídos estaban atentos, y todos los ojos se fijaban en su rostro mientras contestaba: 'Tú lo has dicho'. Una luz celestial parecía iluminar su semblante pálido mientras añadía: 'Y aun os digo, que desde ahora habéis de ver al Hijo del hombre sentado a la diestra de la potencia de Dios, y que viene en las nubes del cielo'. Por un momento la divinidad de Cristo fulguró a través de su aspecto humano. El sumo sacerdote vaciló bajo la mirada penetrante del Salvador. Esa mirada parecía leer sus pensamientos ocultos y entrar como fuego hasta su corazón. Nunca en el resto de su vida, olvidó aquella mirada escrutadora del perseguido Hijo de Dios".[28]

Rasgando su vestido con fingido horror, Caifás ordenó que el concilio condenara al prisionero por blasfemia. "La acusación de blasfemia, base para que Caifás demandara pena de muerte (vers. 65-66), no tenía validez. Según la Mishnah Sanedrín 7.5, quien blasfema es castigado sólo si pronuncia el Nombre [divino]'; es decir, si decía el nombre Yahweh (Jehová), y el castigo por la blasfemia era la horca o el apedreamiento. Jesús no pronunció el sagrado nombre de Dios".[29] Ese detalle no le importó a Caifás. Jesús no saldría de la sala de justicia sin recibir sentencia de muerte. "Ellos respondieron: 'Es culpable de muerte'. Entonces le escupieron en el rostro, lo abofetearon y lo golpearon. Le decían: 'Adivina tú, Cristo, ¿quién te golpeó?' "

Caifás quebrantó más de una ley para obtener la convicción. Cristo le había dicho a Moisés: "No descubráis vuestra cabeza, ni rasguéis vuestro vestido, no sea que muráis, y se encienda la ira sobre toda la congregación" (Lev. 10:6). "Todo lo que llevaba el sacerdote había de ser entero y sin defecto. Estas hermosas vestiduras oficiales representaban el carácter del gran prototipo, Jesucristo. Nada que no fuese perfecto, en la vestidura y la actitud, en las palabras y el espíritu, podía ser aceptable para Dios".[30]

Por rasgar su vestido, Caifás mismo blasfemó. "Estando él mismo bajo la condenación de Dios, pronunció sentencia contra Cristo como blasfemo".[31]

La Mirada que Quebrantó un Corazón

Entonces el Señor se volvió y miró a Pedro... Y Pedro salió afuera, y lloró amargamente. Lucas 22:61, 62.

"Después de abandonar a su Maestro en el huerto, dos de [los discípulos] se habían atrevido a seguir desde lejos a la turba que se había apoderado de Jesús. Estos discípulos eran Pedro y Juan. Los sacerdotes reconocieron a Juan como discípulo bien conocido de Jesús, y le dejaron entrar en la sala esperando que, al presenciar la humillación de su Maestro, repudiaría la idea de que un ser tal fuese Hijo de Dios. Juan habló a favor de Pedro y obtuvo permiso para que entrase también. En el atrio, se había encendido un fuego; porque era la hora más fría de la noche, precisamente antes del alba".[32] Pedro, temiendo ser reconocido, se situó cerca del fuego para calentarse. "Pero al resplandecer la luz sobre el rostro de Pedro, la mujer que cuidaba la puerta le echó una mirada escrutadora. Ella había notado que había entrado con Juan, observó el aspecto de abatimiento que había en su cara y pensó que sería un discípulo de Jesús".[33] Le dijo: " 'Tú también estabas con Jesús el nazareno'. Pero él negó diciendo: 'No lo conozco, ni sé lo que dices'. Y salió fuera a la entrada. Y en eso cantó el gallo" (Mar. 14:67, 68).

Otra criada les dijo a los que estaban allí: "Este es de ellos"(vers. 69). Pedro la ignoró, pero la mujer insistió. Pero el negó otra vez con un juramento: "Mujer, no lo conozco". "Transcurrió una hora, y uno de los criados del sumo sacerdote, pariente cercano del hombre a quien Pedro había cortado una oreja, le preguntó: '¿No te vi yo en el huerto con él? Verdaderamente tú eres uno de ellos; porque eres galileo, y tu habla es semejante'. Al oír esto, Pedro se enfureció... negó ahora a su Maestro con maldiciones y juramentos. El gallo volvió a cantar. Pedro lo oyó entonces, y recordó las palabras de Jesús: 'Antes que el gallo haya cantado dos veces, me negarás tres veces' (Mar. 14:30).[34] En aquel momento, Jesús se desvió de sus ceñudos jueces y miró de lleno a su pobre discípulo. En aquel amable semblante, Pedro leyó profunda compasión y pesar, pero no había ira. Pedro salió corriendo con el corazón quebrantado.

Corremos verdadero peligro cuando estimamos en valor excesivo nuestras capacidades aparte de Cristo. Es igual de peligroso tratar de seguir al Señor a la distancia.

Una Angustia más Aguda

Llegada la mañana, todos los principales sacerdotes y los ancianos del pueblo, en consejo contra Jesús, acordaron entregarlo a la muerte.
Mateo 27:1.

$\mathcal{P}$édro salió corriendo y se perdió en la oscuridad sin rumbo. "Al ver ese rostro pálido y doliente, esos labios temblorosos, esa mirada de compasión y perdón, su corazón fue atravesado como por una flecha... siguió corriendo en la soledad y las tinieblas".[35] El discípulo se encontró atraído hacia el Getsemaní. Devastado, "se postró en el mismo lugar donde había visto postrado a su Salvador. Recordó con amargo remordimiento que él había estado durmiendo mientras Jesús oraba en esa hora penosa. Su corazón lleno de orgullo se quebrantó y sus lágrimas penitentes mojaron el mismo piso que recién había sido manchado por el sudor mezclado con sangre del Hijo amado de Dios. Cuando salió del huerto, era un hombre convertido".[36]

"El relato indica que las tres negaciones fueron hechas durante el primer juicio ante el Sanedrín, el cual se realizó probablemente entre las 3 y las 5 de la madrugada. La primera luz de la mañana se dejaría ver en torno de las 4 en esta época del año, en la latitud de Jerusalén, y el sol saldría aproximadamente a las 5:30".[37] Al Sanedrín le estaba prohibido por la ley judaica pronunciar un fallo legal durante la noche. Por esta razón, las autoridades llevaron a Jesús a una sala de guardia hasta que saliera el sol. "Mientras estaba en la sala de guardia aguardando su juicio legal, no estaba protegido. El populacho ignorante había visto la crueldad con que había sido tratado ante el concilio, y por tanto se tomó la libertad de manifestar todos los elementos satánicos de su naturaleza. La misma nobleza y el porte de Cristo lo enfurecían. Su mansedumbre, su inocencia y su majestuosa paciencia, lo llenaban de un odio satánico. Pisoteaba la misericordia y la justicia. Nunca fue tratado un criminal en forma tan inhumana como lo fue el Hijo de Dios. Pero una angustia más intensa desgarraba el corazón de Jesús; ninguna mano enemiga podría haberle asestado el golpe que le infligió su dolor más profundo. Mientras estaba soportando las burlas de un examen delante de Caifás, Cristo había sido negado por uno de sus propios discípulos".[38]

Tan pronto como fue el día, el sanedrín se volvió a reunir, y Jesús fue traído bruscamente de nuevo a la sala del concilio. Muchos de los presentes no lo habían escuchado la noche anterior. Otra vez le preguntaron: "¿Luego tú eres el Hijo de Dios?" Por un momento, Jesús guardó silencio. Por fin respondió: " 'Vosotros decís que soy'. Clamaron entonces: '¿Qué más testimonio deseamos? Porque nosotros lo hemos oído de su boca' " (Luc. 22:70, 71).

Y el sanedrín judío lo condenó a muerte, a la luz del nuevo día.

Precio de Sangre

"He pecado entregando sangre inocente". Mateo 27:4.

Con asombro vio Judas que el Salvador se dejaba llevar. Ansiosamente esperaba que el Maestro se librara a sí mismo, "pero mientras hora tras hora transcurría, y Jesús se sometía a todos los abusos acumulados sobre él, se apoderó del traidor un terrible temor de haber entregado a su Maestro a la muerte".[39] Al observar con horror los procedimientos en la sala del juicio, Judas sintió que había empezado una cadena de eventos trágicos que nada podría detener.

"De repente, una voz ronca cruzó la sala, haciendo estremecer de terror todos los corazones: '¡Es inocente; perdónale, oh, Caifás!' Se vio entonces a Judas, hombre de alta estatura, abrirse paso a través de la muchedumbre asombrada. Su rostro estaba pálido y desencajado, y había en su frente gruesas gotas de sudor. Corriendo hacia el sitial del juez, arrojó delante del sumo sacerdote las piezas de plata que habían sido el precio de la entrega de su Señor. Asiéndose vivamente del manto de Caifás, le imploró que soltase a Jesús y declaró que no había hecho nada digno de muerte. Caifás se desprendió airadamente de él, pero quedó confuso y sin saber qué decir. La perfidia de los sacerdotes quedaba revelada. Era evidente que habían comprado al discípulo para que traicionase a su Maestro".[40] Ese cohecho había violado directamente las leyes de Moisés (Éxo. 23:8).

Judas fue derrotado por la angustia. "He pecado entregando sangre inocente", gritaba. Pero el sumo sacerdote, recobrando el dominio propio, contestó con desprecio: "¿Qué se nos da a nosotros? Viéraslo tú". Judas se echó entonces a los pies de Jesús, reconociéndole como Hijo de Dios, y suplicando que se librase. El Salvador no reprochó a su traidor ni pronunció una sola palabra de condenación. Miró compasivamente a Judas y dijo: "Para esta hora he venido al mundo". "Un murmullo de sorpresa corrió por toda la asamblea. Con asombro, presenciaron todos la longanimidad de Cristo hacia su traidor. Otra vez sintieron la convicción de que ese hombre era más que mortal... Judas vio que sus súplicas eran vanas, y salió corriendo de la sala exclamando: ¡Demasiado tarde! ¡Demasiado tarde! Sintió que no podía vivir para ver a Cristo crucificado y, desesperado, salió y se ahorcó".[41]

Judas vendió a su Maestro por 30 piezas de plata. ¿Qué precio hubieras aceptado por negarle? Muchos se ofenden ante la idea de traicionar a su Señor. ¿Lo niega quizás tu estilo de vida?

Una Burla de la Justicia

Y llevaron a Jesús atado, y lo entregaron a Pilato. Marcos 15:1.

$\mathcal{E}$l tribunal más alto de la nación había condenado a Jesús a la muerte. Para ejecutar la sentencia, el Sanedrín tenía que entregar a Jesús a las autoridades romanas. "Cuando los jueces pronunciaron la condena de Jesús, una furia satánica se apoderó del pueblo. El rugido de las voces era como el de las fieras. La muchedumbre corrió hacia Jesús gritando: ¡Es culpable! ¡Matadle! De no haber sido por los soldados romanos, Jesús no habría vivido para ser clavado en la cruz del Calvario. Habría sido despedazado delante de sus jueces, si no hubiese intervenido la autoridad romana y, por la fuerza de las armas, impedido la violencia de la turba.

"Los paganos [los romanos] se airaron al ver el trato brutal infligido a una persona contra quien nada había sido probado. Los oficiales romanos declararon que los judíos, al pronunciar sentencia contra Jesús, estaban infringiendo las leyes del poder romano, y que hasta era contrario a la ley judía condenar a un hombre a muerte por su propio testimonio. Esta intervención introdujo cierta calma en los procedimientos; pero en los dirigentes judíos habían muerto la vergüenza y la compasión.

"Los sacerdotes y gobernantes se olvidaron de la dignidad de su oficio, y ultrajaron al Hijo de Dios con epítetos obscenos. Le escarnecieron acerca de su parentesco, y declararon que su aserto de proclamarse el Mesías le hacía merecedor de la muerte más ignominiosa. Los hombres más disolutos sometieron al Salvador a ultrajes infames. Se le echó un viejo manto sobre la cabeza, y sus perseguidores le herían en el rostro, diciendo: 'Profetízanos tú, Cristo, quién es el que te ha herido'. Cuando se le quitó el manto, un pobre miserable le escupió en el rostro.

"Los ángeles de Dios registraron fielmente toda mirada, palabra y acto insultantes de los cuales fue objeto su amado General. Un día los hombres viles que escarnecieron y escupieron el rostro sereno y pálido de Cristo, mirarán aquel rostro en su gloria, más resplandeciente que el sol".[42] Juan fue testigo de toda esa miserable parodia de juicio. "No fue interrogado, porque no asumió una falsa actitud y así no se hizo sospechoso. Buscó un rincón retraído, donde quedase inadvertido para la muchedumbre pero tan cerca de Jesús como le fuese posible estar. Desde allí pudo ver y oír todo lo que sucedió durante el proceso de su Señor".[43]

Los ángeles todavía registran cada acto y palabra que pronunciamos
a favor o en contra de Jesús.

Engañador del Pueblo

Entonces toda la asamblea se levantó, y llevaron a Jesús ante Pilato.
Lucas 23:1.

"Pilato fue despertado temprano por la mañana, quizá como a las seis o poco después".[44] "En el tribunal de Pilato, el gobernador romano, Cristo estaba atado como un preso. En derredor de él estaba la guardia de soldados, y el tribunal se llenaba rápidamente de espectadores. Afuera, cerca de la entrada, estaban los jueces del Sanedrín, los sacerdotes, los príncipes, los ancianos y la turba... Pero estos funcionarios judíos no querían entrar en el tribunal romano. Según su ley ceremonial, ello los habría contaminado y les habría impedido tomar parte en la fiesta de la Pascua... No veían que Cristo era el verdadero Cordero pascual, y que, por haberle rechazado, para ellos la gran fiesta había perdido su significado".[45]

El gobernador romano no estaba de buen humor. Había sido sacado con premura de su dormitorio, y estaba resuelto a despachar el caso tan pronto como fuese posible. Estaba preparado para tratar al preso con rigor. Pero cuando vió a Jesús, se detuvo bruscamente. Esperaba un criminal endurecido; en cambio, "en su cara no vio vestigios de culpabilidad, ni expresión de temor, ni audacia o desafío. Vió a un hombre de porte sereno y digno, cuyo semblante no llevaba los estigmas de un criminal, sino la firma del cielo. La apariencia de Jesús hizo una impresión favorable en Pilato... Había oído hablar de Jesús y de sus obras... Resolvió exigir a los judíos que presentasen sus acusaciones contra el preso".[46]

Volviéndose hacia los sacerdotes Pilato preguntó, "¿Quién es este hombre, y por qué le habéis traído? ¿Qué acusación presentáis contra él?" Los sacerdotes contestaron su pregunta diciendo: "Es Jesús nazareno, engañador del pueblo". Otra vez Pilato demandó: "¿Qué acusación presentáis contra él? Los sacerdotes rehusaron contestar la pregunta. "¿Cuál es vuestra sentencia?" persistió Pilato. "La muerte", contestaron. "Pero no nos es lícito darla a nadie. Confía en que si éste no fuera malhechor, no te lo habríamos entregado. Nosotros seremos responsables del acto". "Pilato no era un juez justo ni concienzudo; pero aunque débil en fuerza moral, se negó a conceder lo pedido. No quiso condenar a Jesús hasta que se hubiese sostenido una acusación contra él. Los sacerdotes estaban en un dilema. Veían que debían cubrir su hipocresía con el velo más grueso. No debían dejar ver que Jesús había sido arrestado por motivos religiosos. Si presentaban esto como una razón, su procedimiento no tendría peso para Pilato".[47]

Señalando a Cristo como engañador del pueblo, los sacerdotes
procuraban engañar a Pilato, escondiendo su verdadera intención.

¿Eres Tú el Rey de los Judíos?

Ahora Jesús estuvo ante el gobernador. Mateo 27:11.

Como los sacerdotes no podían entrar al pretorio, Pilato salió afuera donde estaban ellos y les pidió los cargos contra el prisionero. Los sacerdotes, Caifás en particular, presentaron una acusación triple contra Jesús: "A éste hemos hallado que pervierte la nación, y que veda dar tributo a César, diciendo que él es el Cristo, el rey'. (Lucas 23:2). Eran tres acusaciones, pero cada una sin fundamento".[48] Sus acusaciones no engañaron a Pilato. Volviéndose hacia Jesús, le pregunto, " '¿Eres tú el Rey de los Judíos?' Y Jesús le contesto, 'Tú lo dices' " (Mat. 27:11).

Inmediatamente Caifás invitó a Pilato a reconocer que Jesús había admitido el crimen que le atribuían. Con ruidosos clamores la muchedumbre exigía que fuese sentenciado a muerte. El ruido y el desorden confundieron a Pilato. Mirando a Jesús le preguntó: "¿No respondes algo? Mira de cuántas cosas te acusan" (vers. 13, 14). Pero Jesús "permanecía inconmovible ante la furia de las olas que venían a golpearle. Era como si una enorme marejada de ira, elevándose siempre más alto, se volcase como las olas del bullicioso océano en derredor suyo, pero sin tocarle. Guardaba silencio, pero su silencio era elocuencia. Era como una luz que resplandeciese del hombre interior al exterior. La actitud de Jesús asombraba a Pilato".[49]

Entrando al pretorio y llevando a Jesús aparte, Pilato le volvió a preguntar: "¿Eres tú el Rey de los Judíos?" Jesús sabía que el Espíritu Santo estaba contendiendo con Pilato y le contestó así: " '¿Dices tú esto de ti mismo, o te lo han dicho otros de mí?' Pilato le contestó: '¿Soy yo judío? Tu gente, y los pontífices, te han entregado a mí: ¿qué has hecho?' (Juan 18:34, 35). Jesús le dijo a Pilato que su reino no amenazaba al poder romano. "Si de este mundo fuera mi reino, mis servidores pelearían para que yo no fuera entregado a los judíos: ahora pues mi reino no es de aquí". Entonces Pilato le dijo: " '¿Luego rey eres tú?' Respondió Jesús, 'Tú dices que yo soy rey. Yo para esto he nacido, y para esto he venido al mundo, para dar testimonio a la verdad. Todo aquel que es de la verdad, oye mi voz'. Pilato le preguntó: '¿Qué cosa es verdad?' Diciendo esto salió a los judíos y declaró enfáticamente: 'Yo no hallo en él ningún crimen' " (Juan 18:36-38).

*El Camino, la Verdad y la Vida (Juan 14:6) estuvo frente a Pilato,
pero por conveniencia, el gobernante no quiso reconocer la verdad.
Muchos hoy día cometen el mismo error.*

Este Hombre es Galileo

Al oír de Galilea, Pilato preguntó si el hombre era galileo.
Lucas 23:6.

Cuando Pilato declaró: "Yo no hallo en él ningún crimen", se enfurecieron los sacerdotes y los ancianos. "Denunciaron en alta voz a Pilato, y le amenazaron con la censura del gobierno romano. Le acusaron de negarse a condenar a Jesús, quien, afirmaban ellos, se había levantado contra César".[50] La muchedumbre ahora murmuraba que la influencia sediciosa de Jesús era bien conocida en todo el país. Los sacerdotes dijeron: "Alborota al pueblo, enseñando por toda Judea, comenzando desde Galilea hasta aquí" (Luc. 23:5). "Cuando [Pilato] oyó que Cristo era de Galilea, decidió enviarlo al gobernador de esa provicia, Herodes, que estaba entonces en Jerusalén. Haciendo esto, Pilato pensó traspasar a Herodes la responsabilidad del juicio. También pensó que era una buena oportunidad de acabar con una antigua rencilla entre él y Herodes. Y así resultó. Los dos magistrados se hicieron amigos con motivo del juicio del Salvador".[51]

"Pilato estaba frente a un dilema. Estaba plenamente convencido de que Jesús era inocente, y había anunciado públicamente su parecer en este sentido. Su decisión de liberar a Jesús era superada solamente por la determinación de las autoridades judías de que Jesús fuera crucificado. Pilato había sido procurador de Judea (territorio que administrativamente comprendía también a Samaria) durante unos cinco años y durante ese período se había granjeado la enemistad de los judíos; y temía que si los desagradaba otra vez, pondría en peligro su cargo. Él sabía muy bien cuán traicioneros eran algunos de los dirigentes judíos. También sabía que el odio que sentían por Jesús se debía exclusivamente a la maldad de ellos. Por lo tanto, Pilato quizá creyó que cortaba el nudo gordiano al enviar a Jesús a Herodes, pues así esperaba conservar la buena voluntad de las autoridades judías y, a la vez, evadir la responsabilidad por la muerte de uno que evidentemente era inocente".[52]

Aunque era un hombre necio, inflexible y duro, Pilato era suficientemente político para saber que si quería mantener su puesto, no le quedaba más que hacer un arreglo injusto. Su conciencia y el deber le decían que librara a Jesús, pero su deseo de retener su influencia y posición impidió la justicia.

Igual les sucede hoy a los individuos que sacrifican el principio por la ganancia personal. Las Escrituras dicen que Jesús: "Fielmente traerá justicia. No se cansará, ni desmayará, hasta que establezca la justicia en la tierra, y las islas esperarán su Ley" (Isaías. 42:3, 4).
Amén.

Haz un Milagro

Entonces, con sus soldados, Herodes lo menospreció y lo escarneció.
Lo vistió con un espléndido manto, y lo devolvió a Pilato.
Lucas 23:11.

*L*os judíos odiaban a Herodes. Como era mitad samaritano y mitad idumeo, profesaba creer en el judaísmo porque le convenía políticamente. Él sabía que debía estar en Jerusalén para mantener las apariencias, pero no tenía ningún deseo de observar el festival. Pilato entregó a Jesús a los soldados, los cuales lo arrastraron hasta Herodes, y lo introdujeron a su gran sala de audiencias. Al rey Herodes le complacía poder finalmente conocer a Jesús.

"Un gran grupo de sacerdotes y ancianos había acompañado a Cristo hasta Herodes. Y cuando el Salvador fue llevado adentro, estos dignatarios, hablando todos con agitación, presentaron con instancias sus acusaciones contra él. Pero Herodes prestó poca atención a sus cargos. Les ordenó que guardasen silencio, deseoso de tener una oportunidad de interrogar a Cristo. Ordenó que le sacasen los hierros, al mismo tiempo que acusaba a sus enemigos de haberle maltratado. Mirando compasivamente al rostro sereno del Redentor del mundo, leyó en él solamente sabiduría y pureza. Tanto él como Pilato estaban convencidos de que Jesús había sido acusado por malicia y envidia".[53] Aunque lo interrogó por largo tiempo, el Salvador mantuvo un profundo silencio. Herodes prometió a Cristo que si hacía algún milagro en su presencia, lo libertaría. "De entre todas las cosas, lo que más temían [los sacerdotes] era una manifestación de su poder".[54] Pero Jesús permaneció en silencio.

"Herodes se irritó por este silencio. Parecía indicar completa indiferencia a su autoridad".[55] Como Jesús no quiso complacer el pedido del rey haciendo un milagro: "La pasión ensombreció el rostro de Herodes. Volviéndose hacia la multitud, denunció airadamente a Jesús como impostor. Entonces dijo a Cristo: 'Si no quieres dar prueba de tu aserto, te entregaré a los soldados y al pueblo. Tal vez ellos logren hacerte hablar. Si eres un impostor, la muerte en sus manos es lo único que mereces; si eres el Hijo de Dios, sálvate haciendo un milagro'. Apenas fueron pronunciadas estas palabras la turba se lanzó hacia Cristo… Jesús fue arrastrado de aquí para allá, y Herodes se unió al populacho en sus esfuerzos por humillar al Hijo de Dios. Si los soldados romanos no hubiesen intervenido y rechazado a la turba enfurecida, el Salvador habría sido despedazado".[56] Lo vistieron con un viejo manto real, y se inclinaban ante él y lo escarnecían.

Muy a menudo tratamos con desprecio lo que no entendemos.

"Yo No Hallo en él Delito Alguno"

Pero habiéndolo interrogado ante vosotros, no hallo en él delito alguno de lo que lo acusáis". Lucas 23:14.

$\mathcal{Y}$a eran las 8:00 de la mañana y Pilato estaba más afligido que antes. Haber sido despertado tan temprano este viernes de mañana, y haber tenido que enfrentar la doblez de los líderes judíos lo había puesto de mal humor. Y ahora, más encima, su solución para el problema no había resultado como él había planeado, porque Herodes le había devuelto el prisionero. "Les dijo: 'Habéis traído a este hombre como perturbador del pueblo. Pero habiéndolo interrogado ante vosotros, no hallo en él delito alguno de lo que lo acusáis. Ni aun Herodes, porque lo mandó de vuelta. Nada digno de muerte ha hecho este hombre. Así, lo castigaré, y lo soltaré' " (Lucas 23:14-16).

"En esto Pilato demostró su debilidad. Había declarado que Jesús era inocente; y, sin embargo, estaba dispuesto a hacerlo azotar para apaciguar a sus acusadores. Quería sacrificar la justicia y los buenos principios para transigir con la turba. Esto le colocó en situación desventajosa... Había buscado pretexto para no juzgar con justicia y equidad, y ahora se hallaba casi impotente en las manos de los sacerdotes y príncipes. Su vacilación e indecisión provocaron su ruina".[57] "Satanás y sus ángeles estaban tentando a Pilato y tratando de encaminarlo a su propia ruina. Le sugirieron que si no tomaba parte en condenar a Jesús, otros lo harían. La multitud estaba sedienta de su sangre. Y si no lo entregaba para ser crucificado, perdería su poder y honor, y sería denunciado como seguidor del impostor".[58]

Por segunda vez Jesús guardó silencio, con el manto descartado de Herodes sobre sus hombros. La guardia romana que lo había protegido dos veces de la violenta turba, lo rodeaba. Pilato vio a la multitud hirviente de pasión, y al Salvador silencioso ante él. El contraste entre ambos era notable. Tenía que actuar de alguna manera para mantener la paz, o perdería su puesto.

Con gran frecuencia sacrificamos los buenos principios en el altar de la conveniencia. Los que hacen esto se arriesgan a sí mismos y ponen en peligro al pueblo entero.

Un Sueño Inquietante

Cuando Pilato estaba sentado en el tribunal, su esposa le mandó decir: "No tengas nada que ver con ese justo; porque hoy he padecido mucho en sueño por causa de él". Mateo 27:19.

Pilato se enfrentaba con un dilema, pero Dios no lo dejó sin dirección. Un mensaje de Dios le amonestó acerca del acto que estaba por cometer. "La esposa de Pilato había sido visitada por un ángel del cielo, y en un sueño había visto al Salvador y conversado con él. La esposa de Pilato no era judía, pero mientras miraba a Jesús en su sueño no tuvo duda alguna acerca de su carácter o misión. Sabía que era el Príncipe de Dios... Oyó la condenación pronunciada por Pilato, y le vio entregar a Cristo a sus homicidas. Vio la cruz levantada en el Calvario. Vio la tierra envuelta en tinieblas y oyó el misterioso clamor: 'Consumado es'. Pero otra escena aún se ofreció a su mirada. Vio a Cristo sentado sobre la gran nube blanca, mientras toda la tierra oscilaba en el espacio y sus homicidas huían de la presencia de su gloria. Con un grito de horror se despertó, y en seguida escribió a Pilato unas palabras de advertencia. Mientras Pilato vacilaba en cuanto a lo que debía hacer, un mensajero se abrió paso a través de la muchedumbre y le entregó la carta de su esposa que decía: 'No tengas que ver con aquel justo; porque hoy he padecido muchas cosas en sueños por causa de él'. El rostro de Pilato palideció. Le confundían sus propias emociones en conflicto. Pero mientras postergaba la acción, los sacerdotes y príncipes inflamaban aun más los ánimos del pueblo. Pilato se vio forzado a obrar".[59]

Por una tradición romana, se acostumbraba soltar a algún preso que el pueblo eligiese como gesto conciliatorio a las provincias conquistadas. Los romanos tenían preso a un revolucionario llamado Barrabás, condenado a muerte. A Pilato se le ocurrió un plan. Si hacía un contraste entre ese criminal endurecido y el Hijo del hombre, tal vez podía lograr la liberación de Jesús.

Entonces Pilato le preguntó a la multitud: " '¿A quién queréis que os suelte? ¿A Barrabás o a Jesús llamado el Cristo?' " (Mat. 27:17). "Ellos respondieron, '¡Barrabás! ¡Barrabás!' " Pensando que no habían oído la pregunta, les repitió: " 'Entonces, ¿qué haré de Jesús, llamado el Cristo?' Dijeron todos: '¡Que sea crucificado!' " (Mat. 27:22).

Todavía tenemos que escoger. ¿Quien será: Barrabás o Cristo?

Azotado

Entonces Pilato tomó a Jesús y mandó que lo azotaran. Juan 19:1.

𝓔l plan de Pilato falló porque: "Buena parte del apoyo popular a Jesús venía de Galilea y de Perea, donde había trabajado hacía poco tiempo. Probablemente los peregrinos que venían de esas regiones no habían entrado aún en la ciudad a una hora tan temprana. Una cosa que los dirigentes temían era que los peregrinos que simpatizaban con Jesús intentaran liberarlo... la turba reunida ante el pretorio [Pilato] estaba compuesta en su mayoría, si no en su totalidad, por personas que no simpatizaban con Jesús o que le eran indiferentes".[60]

Ahora el procurador, respondiendo al clamor de la multitud, demandó: "¿Por qué? ¿Qué mal ha hecho?" (Mat. 27:23). "Pilato, representante del poder imperial romano, estaba discutiendo este asunto con la turba de Jerusalén. No sólo eso, sino que iba perdiendo terreno".[61] Procurando aún salvar a Jesús, decía: "Ningún delito de muerte he hallado en él. Lo castigaré y lo soltaré" (Luc. 23:22). "Jesús fue tomado, extenuado de cansancio y cubierto de heridas, y fue azotado a la vista de la muchedumbre".[62]

"El azote romano era un cruel instrumento de tortura. Para aumentar el sufrimiento, se fijaban pedazos de hueso o de metal en los extremos de las tiras de cuero. No sólo lo usaban para castigar, sino también para extraer confesiones. Los criminales condenados a muerte eran azotados antes de ser ejecutados, como se hizo en el caso de Jesús. La víctima era desnudada hasta la cintura y usualmente se le ataban las manos a un poste, y se le aplicaban en la espalda los golpes lacerantes".[63]

"La ley de Moisés disponía el castigo con azotes (Deut. 25:1-3). La pena máxima era de cuarenta azotes. Se acostumbraba dar sólo 39 azotes pues no dar el último azote insinuaba misericordia".[64] "Cuando Pilato entregó a Jesús para que fuese azotado y burlado, pensó excitar la compasión de la muchedumbre".[65] Pero la profecía había declarado que Jesús había de ser "despreciado y desechado entre los hombres, varón de dolores, experimentado en quebranto. Y como escondimos de él el rostro, fue menospreciado, y no lo estimamos" (Isa. 53:3). "Ofrecí mi espalda a los que me herían, y mis mejillas a los que me arrancaban la barba. No escondí mi rostro de los que me insultaban y escupían" (Isa. 50:6). "Pero él fue herido por nuestras rebeliones, molido por nuestros pecados, el castigo de nuestra paz fue sobre él, y por su llaga fuimos sanados" (Isa. 53:5).

"¡Aquí Está el Hombre!"

Y Jesús salió fuera, llevando la corona de espinas y la ropa de grana.
Pilato les dijo "¡Aquí está el Hombre!" Juan 19:5.

Jesús todavía traía el manto de púrpura que Herodes le había dado. Un soldado romano tejió una corona de espinas y la forzó rudamente en su cabeza. Poniendo una caña en su mano, los soldados lo sacaron al vestíbulo a plena vista de toda la multitud. Lo hicieron para burlarse de los judíos. "De vez en cuando, alguna mano perversa le arrebataba la caña que había sido puesta en su mano, y con ella hería la corona que estaba sobre su frente, haciendo penetrar las espinas en sus sienes y chorrear la sangre por su rostro y barba".[66] Llamando a Barrabás, Pilato presentó a los dos hombres lado a lado, y señalando solemnemente a Jesús anunció: " 'He aquí el hombre. Os le traigo fuera, para que entendáis que ningún crimen hallo en él' ".

"Allí estaba el Hijo de Dios, llevando el manto de burla y la corona de espinas. Desnudo hasta la cintura, su espalda revelaba los largos y crueles azotes, de los cuales la sangre fluía copiosamente. Su rostro manchado de sangre llevaba las marcas del agotamiento y dolor; pero nunca había parecido más hermoso que en ese momento. El semblante del Salvador no estaba desfigurado delante de sus enemigos. Cada rasgo expresaba bondad y resignación y la más tierna compasión por sus crueles verdugos... Algunos de los espectadores lloraban. Al mirar a Jesús, sus corazones se llenaron de simpatía. Aun los sacerdotes y príncipes estaban convencidos de que era todo lo que aseveraba ser. Los soldados romanos que rodeaban a Cristo no eran todos endurecidos. Algunos miraban insistentemente su rostro en busca de una prueba de que era un personaje criminal o peligroso. De vez en cuando, arrojaban una mirada de desprecio a Barrabás".[67]

Pilato se asombró al ver que la multitud no mostraba compasión por el Hombre inocente. Si sus ojos hubieran sido abiertos a la lucha entre el bien y el mal, habría visto que "Satanás indujo a la turba cruel a ultrajar al Salvador. Era su propósito provocarle a que usase de represalias, si era posible, o impulsarle a realizar un milagro para librarse y así destruir el plan de la salvación".[68] "¡He aquí el Hombre!" fue una gran verdad que Pilato proclamó sin saber, pues "Aquel que estaba ante él, el Verbo eterno, se había hecho hombre. Ciertamente era el Hijo del Hombre, pero también era el Hijo de Dios. Su encarnación y muerte ganaron para nosotros la salvación eterna".[69]

¡Milagro de milagros! ¡Cristo sufrió por ti y por mí!

No Eres Amigo del César

*"Si sueltas a éste, no eres amigo del César. El que pretende ser el rey,
al César se opone". Juan 19:12.*

Jesús soportó cada insulto, cada burla acerca de su origen, cada bofetada, cada llaga que le causaron en su espalda. "Nada podría haber persuadido a Cristo a dejar su honor y majestad en el cielo, llegar a un mundo lleno de pecado, ser ignorado, insultado y despreciado por aquellos a los cuales vino a salvar, y al final sufrir en la cruz, excepto su amor redentor, eterno, el cual siempre será un gran misterio".[70] Pilato quiso libertar a Jesús pero la turba gritaba: "Nosotros tenemos Ley. Según nuestra Ley debe morir, porque se hizo Hijo de Dios" (Juan 19:7). Pilato no tenía una idea correcta de Cristo y de su misión; pero tenía una fe vaga en Dios y en los seres superiores a la humanidad. Estudiando atentamente el rostro de Cristo, se preguntó si no sería un ser divino. Llevando a Jesús de vuelta al tribunal lo interrogó de nuevo. "¿De dónde eres tú?" Pero Jesús no le respondió. "Entonces Pilato dijo: '¿A mí no me hablas? ¿no sabes que tengo potestad para crucificarte, y que tengo potestad para soltarte?' " (Juan 19:10). Jesús respondió: "Ninguna potestad tendrías contra mí, si no te fuese dado de arriba: por tanto, el que a ti me ha entregado, mayor pecado tiene" (vers. 11). "Con estas palabras, Cristo indicaba a Caifás, quien como sumo sacerdote, representaba a la nación judía".[71] "Así, el Salvador compasivo, en medio de sus intensos sufrimientos y pesar, disculpó en cuanto le fue posible el acto del gobernador romano que le entregaba para ser crucificado. ¡Qué escena digna de ser transmitida al mundo para todos los tiempos! ¡Cuánta luz derrama sobre el carácter de Aquel que es el Juez de toda la tierra!"[72]

Llevando a Jesús al vestíbulo por última vez, Pilato trató de razonar con la turba que gritaba: "¡Crucifícalo! ¡Crucifícalo! Si sueltas a éste, no eres amigo del César. El que pretende ser rey, al César se opone" (Juan 19:12). "Al fin los judíos habían encontrado un argumento que iba a resultar eficaz. Su respuesta fue una amenaza, pues si el emperador sabía que Pilato había procurado amparar a un pretendiente al título de rey, iba a peligrar la posición del gobernante. Esa amenaza contra su seguridad indujo a Pilato a olvidar el temor religioso con que había considerado al preso".[73]

*Condonar el mal aunque no se participe directamente en él, no lava
la mancha del pecado.*

Un Lugar Llamado Calavera

El cargó su cruz, y salió al lugar llamado Calavera, y en hebreo
Gólgota. Juan 19:17.

Tomando su lugar en el estrado, Pilato preguntó, "¿A vuestro Rey he de crucificar?" Los sacerdotes respondieron: "¡No tenemos rey sino a César!" "Al escoger así un gobernante pagano, la nación judía se retiraba de la teocracia. Rechazaba a Dios como su Rey. De ahí en adelante no tendría libertador. No tendría otro rey sino a César. A esto habían conducido al pueblo los sacerdotes y maestros. Eran responsables de esto y de los temibles resultados que siguieron. El pecado de una nación y su ruina se debieron a sus dirigentes religiosos".[74] Dándose por vencido y lavándose las manos de la sangre inocente del prisionero, Pilato ordenó la sentencia de muerte que exigieron los sacerdotes y dirigentes religiosos.

A las 8:00 de la mañana, los soldados romanos responsables de ejecutar la sentencia de la corte se hicieron cargo de él. Otra vez fue castigado antes de ser crucificado. "Apenas había pasado la entrada a la casa de Pilato cuando la cruz que había sido preparada para Barrabás fue traída y puesta sobre sus hombros magullados y ensangrentados. Dos compañeros de Barrabás iban a sufrir la muerte al mismo tiempo que Jesús".[75] De su espalda corría la sangre, mientras cada paso que daba aumentaba la presión del instrumento cruel de tortura sobre sus músculos lacerados. Gotas de sangre caían al suelo marcando su camino. "El Salvador había sostenido su carga sólo unos pocos pasos cuando, vencido por la pérdida de sangre, el dolor y la fatiga excesiva, cayó desmayado al suelo. Cuando revivió, la cruz fue puesta sobre sus hombros de nuevo y fue obligado a caminar. Tambaleante, se adelantó unos pocos pasos, soportando su pesada carga, pero otra vez cayó al suelo, desfallecido. Fue declarado muerto, pero al fin revivió".[76]

"Los discípulos y creyentes de la región se juntaron con la multitud que seguía a Jesús al Calvario. La madre de Jesús, sostenida por el amado discípulo Juan, estaba allí. Su corazón estaba quebrantado y lleno de angustia inefable. Juntamente con los discípulos, acariciaba todavía la esperanza de que Jesús manifestara su poder y apareciera frente a sus enemigos como el Hijo de Dios".[77] Los soldados romanos rechazaban a la multitud inmensa que insultaba y se burlaba de los tres hombres que luchaban bajo sus cruces. Cada paso los llevaba más cerca del Gólgota y de la terrible prueba de la cruz.

Cuán livianas parecen nuestras cruces cuando comprendemos cuán
pesada fue la suya.

Simón el Cireneo

*Al salir, hallaron a un cireneo llamado Simón, y lo obligaron a
llevar la cruz. Mateo 27:32.*

$\mathcal{E}$s muy probable que los romanos hicieron el juicio de Jesús en la Torre de la fortaleza Antonia, localizada directamente al norte del templo. Según los Evangelios, el Calvario estaba fuera de la ciudad cerca de un huerto (Juan 19:41) y era un lugar bien visible (Mar. 15:40, Luc. 23:49). Muchos creen que el Calvario quedaba a no mucho más de una cuadra de la muralla norte de la ciudad. "Por eso también Jesús padeció fuera de la puerta, para santificar al pueblo mediante su propia sangre. Por la transgresión de la ley de Dios, Adán y Eva fueron desterrados del Edén. Cristo, nuestro substituto, iba a sufrir fuera de los límites de Jerusalén. Murió fuera de la puerta, donde eran ejecutados los criminales y homicidas".[78] La Puerta de las Ovejas quedaba cerca de la esquina noreste de la ciudad, no muy lejos del templo. Durante muchos siglos habían pasado por ella los animales ofrendados como sacrificio. Ahora se abrió para el gran Antitipo, el Cordero de Dios.

"Los sacerdotes y los gobernadores no sintieron ninguna compasión por el sufrimiento de la víctima; pero vieron que le era imposible llevar la cruz más lejos".[79] Cirene era una ciudad griega relativamente grande, la cual quedaba en el lugar que ahora se llama Libia, en el norte de África. Los judíos de Cirene, de Alejandría, Cilicia y Asia tenían su propia sinagoga llamada la Sinagoga de los Libertos (Hech. 6:9). "En ese momento, un forastero, Simón cireneo, que volvía del campo, se encontró con la muchedumbre. Oyó las palabras repetidas con desprecio: Abrid paso para el Rey de los judíos. Se detuvo asombrado ante la escena; y como expresara su compasión, se apoderaron de él y colocaron la cruz sobre sus hombros".[80] "La cruz que él [Simón] fue obligado a llevar se convirtió en el medio de su conversión. Sintió una profunda simpatía por Jesús; y los acontecimientos del Calvario y las palabras pronunciadas por el Salvador lo llevaron a reconocer que era el Hijo de Dios".[81]

"Agotado por sus recientes padecimientos, Jesús no pudo llevar su cruz, según lo exigía la costumbre. Los discípulos de Jesús podrían haberse adelantado y haberse ofrecido a hacerlo, pero el temor les impidió realizar cualquier demostración de lealtad a él. Qué gran privilegio fue el de Simón de llevar esa cruz y de tener así una parte con Jesús en sus sufrimientos.

*Hoy tenemos el privilegio de llevar la cruz de Jesús cuando somos
leales a los principios a pesar de la impopularidad, las palabras de
burla y los malos tratos".[82]*

"Padre, Perdónalos"

Y Jesús dijo: "Padre, perdónalos, porque no saben lo que hacen".
Lucas 23:34.

"**E**ntre la multitud que siguió al Salvador hasta el Calvario, había muchos que le habían acompañado con gozosos hosannas y agitando palmas, mientras entraba triunfantemente en Jerusalén. Pero no pocos de aquellos que habían gritado sus alabanzas porque era una acción popular participaban en clamar: 'Crucifícale, crucifícale' ".[83] La simpatía expresada por algunas mujeres en el camino atrajo la compasión de Cristo. "Al caer Jesús desfallecido bajo la cruz, prorrumpieron en llanto lastimero".[84] Jesús sabía que ellas no le compadecían como enviado de Dios, sino que eran movidas por sentimientos de compasión humana. Cristo miró hacia delante al tiempo de la destrucción de Jerusalén. "En ese terrible acontecimiento, muchas de las que lloraban ahora por él iban a perecer con sus hijos".[85] A pesar de su angustia, el pensamiento despertó en su corazón la simpatía por ellas. "Hijas de Jerusalén" dijo, "no lloréis por mí, llorad por vosotras y por vuestros hijos" (Luc. 23:28).

Al llegar al lugar de la ejecución, los soldados les ofrecieron a los prisioneros una mezcla de vinagre con hiel. Después de probar la bebida, Jesús la rehusó. No quería recibir algo que turbase su inteligencia. "Su fe debía aferrarse a Dios. Era su única fuerza. Enturbiar sus sentidos sería dar una ventaja a Satanás".[86] Los soldados se apoderaron de los ladrones y los ataron con cuerdas a sus cruces, pero Jesús no ofreció resistencia. Su madre lo había seguido y le había visto desmayar bajo la carga de la cruz. Había anhelado sostener con su mano la cabeza herida y bañarle su frente, pero no fue posible. Ahora lo vio echarse sobre la cruz voluntariamente, y extender sus manos. Esas manos siempre extendidas en un gesto de bendición, ahora fueron puestas sobre el madero. "Se trajeron el martillo y los clavos, y mientras éstos se hundían a través de la tierna carne, los afligidos discípulos apartaron de la cruel escena el cuerpo desfalleciente de la madre de Jesús. El Salvador no dejó oír un murmullo de queja. Su rostro permaneció sereno. Pero había grandes gotas de sudor sobre su frente... Mientras los soldados estaban realizando su terrible obra, Jesús oraba por sus enemigos: 'Padre, perdónalos, porque no saben lo que hacen' ".[87]

Gracias a Dios que esa misma oración por los soldados gentiles incluía a todo el mundo, y también nuestra culpabilidad por haberlo crucificado. ¡Su único pensamiento era de perdón! ¡Precioso Salvador, perdónanos!

Entre el Cielo y la Tierra

Cuando llegaron al lugar llamado La Calavera, lo crucificaron allí.
Lucas 23:33.

"Tan pronto como Jesús estuvo clavado en la cruz, ésta fue levantada por hombres fuertes y plantada con gran violencia en el hoyo preparado para ella. Esto causó los más atroces dolores al Hijo de Dios".[88] Cristo murió a la manera romana. "Al someterse a esa forma de muerte, Cristo se humilló a sí mismo (Fil. 2:8). Sobre todos los crucificados se pronunciaba una maldición (Deut. 21:23; Gál. 3:13)... La lenta muerte en la cruz era verdaderamente horrenda, porque las víctimas seguían viviendo muchas horas, y a veces hasta varios días".[89] El peso del cuerpo causaba mucha presión en los brazos y las costillas, haciendo casi imposible la respiración. En un esfuerzo desesperado por respirar, el condenado se impulsaba hacia arriba con las piernas. El esfuerzo continuo hacia arriba y abajo, junto con la dificultad para respirar y la tensión en los músculos, resultaba en la asfixia o el agotamiento completo. "Se dice que los crucificados algunas veces morían de fatiga y por quedar expuestos a la intemperie después de unas doce horas, aunque en algunos casos tardaban dos o tres días en morir. En Marcos 15:25 se afirma que Jesús fue crucificado a la hora tercera, según el cómputo judío, lo cual equivaldría aproximadamente a las nueve de la mañana".[90] Cuatro soldados romanos cumplieron la profecía sin saberlo. Cada uno tomó un artículo de la ropa de Jesús. Cuando vieron su túnica tejida sin costura, "dijeron: 'No la partamos, echemos suerte para ver de quién será'. Así se cumplió la Escritura: 'Repartieron mis vestidos entre sí, y sobre mi túnica echaron suerte' [Sal. 22:18]. Así lo hicieron los soldados" (Juan 19:24).

La autoridad romana había declarado una sentencia de muerte, por lo tanto había soldados romanos vigilando para asegurarse que fuera cumplida. El Creador del mundo colgaba entre el cielo y la tierra sobre un cruel instrumento de tortura. Aquellos que había venido a rescatar del pecado se paraban al pie de su cruz y se burlaban. Su cuerpo desnudo estaba expuesto a todas las miradas.

"He aquí Aquel colgado en la cruz durante esas terribles horas de agonía, hasta que los ángeles se cubren el rostro para no ver la horrible escena, y el sol esconde su luz, rehusando contemplarla. Piensa en estas cosas y pregunta, ¿Es muy estrecho el camino? No, no".[91]

"A Otros Salvó. Sálvese a Sí"

"Sálvese a sí, si es el Cristo, el elegido de Dios". Lucas 23:35.

Mientras Jesús colgaba de la cruz, los sacerdotes y gobernantes lo menospreciaban y se burlaban de él. " 'Tú que derribas el templo y en tres días lo reedificas, sálvate a ti mismo. Si eres el Hijo de Dios, desciende de la cruz'. De igual manera los principales sacerdotes con los escribas y los ancianos, se burlaban de él. Decían: 'A otros salvó, a sí mismo no se puede salvar. Si es el Rey de Israel, descienda ahora de la cruz, y creeremos en él. Confió en Dios. Líbrelo ahora si le quiere, ya que dijo: 'Soy Hijo de Dios' ". "Si eres el Hijo de Dios..." "Estas palabras recuerdan el desafío pronunciado por Satanás cuando se acercó a Jesús en el desierto de la tentación. De acuerdo con las apariencias, Jesús no podía ser el Hijo de Dios. Aun sus discípulos habían perdido completamente la esperanza de que lo fuera".[92]

"Ni una palabra pronunció Jesús como respuesta a todo esto. Aun mientras los clavos estaban siendo clavados en sus manos y la agonía forzaba gotas de sudor de sus poros, de los labios pálidos, temblorosos del inocente que sufría salió una oración de perdón y amor para sus homicidas".[93] "En ocasión del bautismo y de la transfiguración, se había oído la voz de Dios proclamar a Cristo como su Hijo. Nuevamente, precisamente antes de la entrega de Cristo, el Padre había hablado y atestiguado su divinidad. Pero ahora la voz del cielo callaba. Ningún testimonio se oía a favor de Cristo. Solo, sufría los ultrajes y las burlas de los hombres perversos... Y Satanás, con ángeles suyos en forma humana, estaba presente al lado de la cruz. El gran enemigo y sus huestes cooperaban con los sacerdotes y príncipes... Jesús, sufriendo y moribundo, oía cada palabra".[94]

Las palabras cumplieron directamente la profecía. Cualquiera que busca en las Escrituras, al fin entenderá la misión de Cristo cuando lea: "Los que me ven, se burlan de mí, estiran los labios, menean la cabeza, y dicen: 'Se encomendó al Eterno; líbrelo él; sálvelo, ya que en él se complacía' ". (Sal. 22:7, 8). "Esto es lo que el Señor habló de él: 'La virgen hija de Sión te menosprecia, te escarnece; mueve su cabeza a tus espaldas la hija de Jerusalén' " (Isa. 37:22).

"El hecho de que Cristo rehusara salvarse a sí mismo era la demostración suprema del amor divino. Precisamente debido a que prefirió no salvarse a sí mismo en ese momento, puede salvar a otros".[95]

Rey de los Judíos

Pilato escribió una inscripción, que puso sobre la cruz. Juan 19:19.

Mateo informa que el letrero decía: "Este es Jesús, rey de los judíos" (Mat. 27:37). Marcos nos dice que decía solamente "Rey de los judíos" (Mar. 15:26); y Lucas declara que decía: "Este es el Rey de los judíos" (Luc. 23:38). Juan (19:19, 20) presenta la inscripción completa, y explica que fue escrita "en hebreo (arameo) —el idioma común del pueblo—, en griego —el idioma del conocimiento y de la cultura— y en latín —idioma oficial del Imperio Romano—".[96]

La inscripción rezaba: "Jesús Nazareno, Rey de los judíos" (vers. 19).

Durante el juicio, los judíos habían vociferado: "¡Fuera! ¡Fuera! ¡Crucifícalo!" (Juan 19:15). Pilato les había preguntado, en son de burla: "¿A vuestro Rey he de crucificar?" Los principales sacerdotes habían respondido: "No tenemos más rey que César". Se acostumbraba colocar sobre la cruz del individuo considerado digno de muerte, la descripción de su crimen, para que los que lo vieran tomaran nota del castigo que se atraía quien desafiara la voluntad de Roma. Pero en el caso de Jesús no pusieron otra cosa que el título "Rey de los Judíos". "La inscripción era un reconocimiento virtual de la fidelidad de los judíos al poder romano. Declaraba que cualquiera que aseverase ser Rey de Israel, era considerado por ellos como digno de muerte. Los sacerdotes se habían excedido. Cuando maquinaban la muerte de Cristo, Caifás había declarado conveniente que un hombre muriese para salvar la nación. Ahora su hipocresía quedó revelada. A fin de destruir a Cristo, habían estado dispuestos a sacrificar hasta su existencia nacional".[97]

Fueron, pues, a Pilato y le exigieron que cambiara el letrero. Dijeron: "No escribas, Rey de los judíos sino, que él dijo: 'Soy rey de los judíos' " (Juan 19:21). Fríamente Pilato respondió: "Lo que escribí, queda escrito" (vers. 22). "Un poder superior a Pilato y a los judíos había dirigido la colocación de esa inscripción sobre la cabeza de Jesús. En la providencia de Dios, tenía que incitar a reflexionar e investigar las Escrituras. El lugar donde Cristo fue crucificado se hallaba cerca de la ciudad. Miles de personas de todos los países estaban entonces en Jerusalén, y la inscripción que declaraba Mesías a Jesús de Nazaret iba a llegar a su conocimiento. Era una verdad viva, transcrita por una mano que Dios había guiado".[98]

Hoy leemos: "Jesús, Rey de reyes, nuestro Salvador".

"Señor, Acuérdate de Mí"

Y dijo a Jesús: "Señor, acuérdate de mí cuando vengas en tu reino".
Lucas 23:42.

"**D**urante su agonía sobre la cruz, llegó a Jesús un rayo de consuelo. Fue la petición del ladrón arrepentido. Los dos hombres crucificados con Jesús se habían burlado de él al principio; y por efecto del padecimiento uno de ellos se volvió más desesperado y desafiante. Pero no sucedió así con su compañero. Había visto y oído a Jesús y se había convencido por su enseñanza, pero había sido desviado de él por los sacerdotes y príncipes".[99] Penetró de nuevo en su corazón la convicción de que Jesús era el Cristo.

"Uno de los malhechores crucificados lo insultaba, diciendo: '¿No eres tú el Cristo? Pues, sálvate a ti mismo, y sálvanos a nosotros'. Pero el otro lo reprendió, diciendo: '¿Ni aun temes a Dios, tú que estás en la misma condenación? A la verdad, nosotros padecemos justamente, porque recibimos lo que merecieron nuestros hechos; pero este Hombre no hizo ningún mal'. Y dijo a Jesús: 'Señor, acuérdate de mí cuando vengas en tu reino'" (Luc. 23:39-42). Los que estaban al pie de la cruz oyeron las palabras del ladrón cuando le habló a Jesús. Los soldados que habían estado disputándose la ropa de Cristo y echando suertes sobre su túnica, se detuvieron a escuchar. "Prestamente llegó la respuesta. El tono era suave y melodioso, y las palabras, llenas de amor, compasión y poder: 'De cierto te digo hoy: estarás conmigo en el paraíso'".[100] "Mientras pronunciaba las palabras de promesa, la obscura nube que parecía rodear la cruz fue atravesada por una luz viva y brillante. El ladrón arrepentido sintió la perfecta paz de la aceptación por Dios".[101]

"Cristo no prometió que el ladrón estaría en el paraíso ese día. Él mismo no fue ese día al paraíso. Durmió en la tumba, y en la mañana de la resurrección dijo: 'Aun no he subido a mi Padre'" (Juan 20:17). Pero en el día de la crucifixión, el día de la derrota y tinieblas aparentes, formuló la promesa. 'Hoy'; mientras moría en la cruz como malhechor, Cristo aseguró al pobre pecador: 'Estarás conmigo en el paraíso'".[102] "Hasta el final de su obra, Cristo perdona el pecado. En la más profunda medianoche... brilla allí, entre la oscuridad moral, con luz deslumbrante, la fe de un pecador moribundo mientras se aferra de un Salvador moribundo.

Tal fe está representada en los trabajadores de la hora undécima, que
reciben el mismo pago que aquellos que habían trabajado por
muchas horas".[103]

"¡Mujer, He Ahí tu Hijo!"

*Cuando Jesús vio a su madre y junto a ella, al discípulo que él
amaba, dijo a su madre: "¡Mujer, ahí tienes a tu hijo!" Después dijo
al discípulo: "Ahí tienes a tu madre". Y desde aquella hora el
discípulo la recibió en su casa. Juan 19:26, 27.*

"Cristo, al cargar el pecado de todo el mundo, parecía haber sido
abandonado; pero no lo estaba del todo. Juan estaba cerca de la cruz. María
se había desmayado en su angustia, y Juan se la había llevado a su casa,
lejos de la horrible escena. Pero vio que el final estaba cerca, y la trajo de
nuevo a la cruz".[104] Ahora, "mientras la mirada de Jesús recorría la multitud
que le rodeaba, una figura llamó su atención. Al pie de la cruz estaba su
madre, sostenida por el discípulo Juan. Ella no podía permanecer lejos de
su Hijo".[105]

Mirando el rostro pesaroso de su madre, le dijo: "Mujer, he ahí tu
hijo". Volviendo su mirada a Juan, su discípulo amado, le dijo: "He ahí tu
madre". Durante su vida, Jesús siempre había sido un hijo obediente, atento,
y cariñoso. Ahora, al final de esa vida, Jesús recordó a su madre con compasión.
"La relación entre Juan y Jesús era más íntima que la relación de Jesús con
cualquiera de los otros discípulos, y, por lo tanto, el apóstol podía cumplir
con los deberes de un hijo más fielmente que los otros. El hecho de que Jesús
dejara a su madre al cuidado de un discípulo, demuestra que José había
muerto, y algunos piensan que esto indica que María no tenía otros hijos,
por lo menos en condiciones de cuidar de ella. Los hermanos mayores de
Jesús —hijos de José, de un matrimonio anterior—, en ese tiempo no creían
en Cristo, y tal vez el Señor pudo haber pensado que el proceder de ellos para
con María habría sido de crítica y de falta de simpatía, como lo había sido
con él".[106]

"Juan comprendió las palabras de Cristo y aceptó el cometido. Llevó a
María a su casa, y desde esa hora la cuidó tiernamente... El perfecto ejemplo de
amor filial de Cristo resplandece con brillo siempre vivo a través de la neblina
de los siglos. Durante casi treinta años Jesús había ayudado con su trabajo
diario a llevar las cargas del hogar. Y ahora, aun en su última agonía, se acordó
de proveer para su madre viuda y afligida.

*El mismo espíritu se verá en todo discípulo de nuestro Señor. Los que
siguen a Cristo sentirán que es parte de su religión respetar a sus
padres y cuidar de ellos".[107]*

Entre las Horas Sexta y Novena

"Padre, en tus manos encomiendo mi espíritu". Lucas 23:46.

*L*a culpabilidad de cada ser humano desde Adán pesaba en el corazón de Jesús. Un sentido de la ira de Dios contra el pecado lo llenó de consternación. "Al sentir el Salvador que de él se retraía el semblante divino en esta hora de suprema angustia, atravesó su corazón un pesar que nunca podrá comprender plenamente el hombre".[108] Jesús no podía ver a través de los portales de la tumba. Temía que el pecado fuese tan ofensivo para Dios que su separación resultase eterna. "El Padre estaba con su Hijo. Sin embargo, su presencia no se reveló... Con esa densa oscuridad, Dios veló la última agonía humana de su Hijo... Durante largas horas de agonía, Cristo había sido mirado por la multitud escarnecedora. Ahora le ocultó misericordiosamente el manto de Dios. Un silencio sepulcral parecía haber caído sobre el Calvario".[109]

A las 3:00 de la tarde, las tinieblas se elevaron de la gente, pero siguieron rodeando al Salvador. Vívidos rayos fulguraban desde la nube, y parecían dirigirse contra el que pendía de la cruz. Entonces Jesús clamó algo que por el viento casi no se oyó. "Eloi, Eloi, ¿lama sabachthani?" "Dios mío, Dios mío, ¿por qué me has desamparado?" Cuando las tinieblas se alzaron del espíritu oprimido de Cristo, recrudeció su sentido de los sufrimientos físicos y dijo: "Sed tengo". Los soldados romanos, movidos a compasión al mirar sus labios resecos, colocaron una esponja sumergida en vinagre, y se la ofrecieron a Jesús, cumpliendo otra profecía: "Además, me dieron hiel por comida, en mi sed me dieron a beber vinagre" (Sal. 69:21).

Por seis horas Jesús pendió entre el cielo y la tierra. "De repente, la lobreguez se apartó de la cruz, y en tonos claros, como de trompeta, que parecían repercutir por toda la creación, Jesús exclamó: 'Consumado es'. 'Padre, en tus manos encomiendo mi espíritu'. Una luz circuyó la cruz y el rostro del Salvador brilló con una gloria como la del sol. Inclinó entonces la cabeza sobre el pecho y murió".[110] "Cuando Cristo exclamó: 'Consumado es', el velo interior del templo fue rasgado de arriba abajo por la mano invisible de Dios, que dejó expuesto a la mirada de la multitud un lugar que fuera una vez llenado por la presencia de Dios. Dios inclinó su cabeza, satisfecho. Ahora la justicia y la gracia podían reunirse... 'Consumado es. La raza humana tendrá otro juicio'. El precio de la redención fue pagado, y Satanás cayó como un rayo del cielo".[111]

"Dios mismo fue crucificado con Cristo; porque Cristo es uno con el Padre".[112]

Se Rompe el Velo

Por eso Jesús puede salvar por completo a los que por medio de él se
acercan a Dios, ya que está siempre vivo para interceder por ellos.
Hebreos 7:25.

Cuando Jesús inclinó su cabeza sobre su pecho y murió, los sacerdotes estaban oficiando en el templo. La gente se había reunido a las 3:00 de la tarde (la hora novena) para el sacrificio. La sangre del cordero del sacrificio, que representaba a Jesús, aguardaba ser derramada. Mientras los peregrinos de la Pascua observaban, el sacerdote levantó el cuchillo para quitar la vida al inocente cordero. Mientras tanto, los que rodeaban la cruz en el Gólgota, presenciaban la escena final de la pasión de Cristo. "La multitud permanecía paralizada, y con aliento en suspenso miraba al Salvador. Otra vez descendieron tinieblas sobre la tierra y se oyó un ronco rumor, como de un fuerte trueno. Se produjo un violento terremoto que hizo caer a la gente en racimos. Siguió la más frenética confusión y consternación. En las montañas circundantes se partieron rocas que bajaron con fragor a las llanuras. Se abrieron sepulcros y los muertos fueron arrojados de sus tumbas. La creación parecía estremecerse hasta los átomos. Príncipes, soldados, verdugos y pueblo yacían postrados en el suelo".[1] Mientras la tierra temblaba, Dios el Padre se acercó al templo. Una mano invisible rasgó de arriba abajo el velo que separaba el lugar santo del lugar santísimo, dejando expuesto a la mirada de la multitud un lugar que fuera una vez llenado por la gloria de Dios. "Ya no era más sagrado el lugar santísimo del santuario terrenal".[2]

"La misma mano que había trazado en la pared los caracteres que registraron la suerte de Belsasar y el fin del reino babilonio, rasgó el velo del templo de arriba abajo, abriendo un camino nuevo y vivo para todos, humildes y encumbrados, ricos y pobres, judíos y gentiles. De allí en adelante el pueblo podría venir a Dios sin necesidad de sacerdote o gobernante".[3] Por su propia sangre, Jesús "entró en ese Santuario una vez para siempre... y consiguió la eterna redención" (Heb. 9:12). Cuando el cuchillo cayó de las manos del sacerdote, el cordero del sacrificio escapó entre la multitud. El tipo se había encontrado con el antitipo. El verdadero Cordero de Dios había quitado el pecado del mundo.

La humanidad ya no necesitaba acercarse al Padre mediante un
sacerdote terrenal. Ahora tenía un Sumo Sacerdote celestial que
"entró en ese Santuario una vez para siempre, con su propia sangre,
y consiguió la eterna redención" (Hebreos 9:12).

"¡Realmente este Hombre era Justo!"

Cuando el centurión vio lo que había sucedido, alabó a Dios, diciendo: "¡Realmente este hombre era justo!" Lucas 23:47.

*E*l centurión de la guardia romana en la crucifixión no era un prosélito judío. Criado en una cultura que destacaba la invencibilidad romana, le daba poca importancia a la suerte de cualquier judío. Como líder de 50 a 100 avezados combatientes, soldados de una legión, el centurión se halló asignado a una guarnición que funcionaba en uno de los peores puestos fronterizos del imperio. Palestina era sinónimo de levantamientos y revueltas, nido de asesinatos e intrigas. Repetidamente le había tocado aplastar insurrecciones causadas por diversos "mesías", cada uno de los cuales afirmaba que salvaría a la nación judía de la opresión romana. Pero en medio de esos desórdenes, le tocó hacer algo que cambiaría su vida: ejecutar la sentencia de muerte de un hombre llamado Jesús.

"Cuando las tinieblas se alzaron de la cruz, y el Salvador hubo exhalado su clamor moribundo, inmediatamente se oyó otra voz que decía: 'Verdaderamente Hijo de Dios era éste'. Estas palabras no fueron pronunciadas en un murmullo. Todos los ojos se volvieron para ver de dónde venían. ¿Quién había hablado? Era el centurión, el soldado romano. La divina paciencia del Salvador y su muerte repentina, con el clamor de victoria en los labios, habían impresionado a ese pagano. En el cuerpo magullado y quebrantado que pendía de la cruz, el centurión reconoció la figura del Hijo de Dios. No pudo menos que confesar su fe. Así se dio nueva evidencia de que nuestro Redentor iba a ver el fruto del trabajo de su alma. En el mismo día de su muerte, tres hombres, que diferían ampliamente el uno del otro, habían declarado su fe: el que comandaba la guardia romana, el que llevó la cruz del Salvador, y el que murió en la cruz a su lado".[4]

Cayó la noche, y con ella sobrevino un silencio casi sobrenatural. La mayoría de los que rodeaban la cruz volvieron a sus hogares. La muchedumbre que había gritado: "¡Crucifíquenlo, crucifíquenlo!" se había calmado. Al oscurecer, muchos estaban convencidos que los sacerdotes habían condenado a un inocente. "El velo del templo, que se había desgarrado tan misteriosamente, produjo un cambio en las ideas religiosas de muchos de los sacerdotes judíos; y un gran grupo cambió su fe".[5] Muchos más creyeron que en Jesús habían visto al divino Hijo de Dios, crucificado.

En nuestros días, millones necesitan decidir si aceptarán la divinidad de Jesús y proclamarán con el centurión romano: "Verdaderamente éste era el Hijo de Dios".

Mirarán al que Traspasaron

Uno de los soldados le abrió el costado con una lanza, y en el acto salió sangre y agua. Juan 19:34.

"Si alguno comete algún pecado digno de muerte, y es muerto colgado de un madero, no se dejará su cuerpo por la noche en el madero. Sin falta lo enterrarás el mismo día" (Deut. 21:22). Los dirigentes judíos odiaban a Jesús hasta en la muerte. "Temían los resultados de la obra de ese día. Por ningún pretexto querían que su cuerpo permaneciese en la cruz durante el sábado. El sábado se estaba acercando y su santidad quedaría violada si los cuerpos permanecían en la cruz. Así que, usando esto como pretexto, los dirigentes judíos pidieron a Pilato que hiciese apresurar la muerte de las víctimas y quitar sus cuerpos antes de la puesta del sol".[6]

Pilato estuvo de acuerdo y dio la orden. Los soldados romanos quebraron las piernas de los dos ladrones, pero cuando se acercaron a Jesús descubrieron que ya había muerto, lo cual era algo inaudito. La muerte de cruz era un proceso lento; las víctimas pasaban días enteros con vida. Jesús colgó de la cruz sólo seis horas terribles. Conmovidos por lo que habían visto durante su agonía, los soldados no le quebraron sus huesos. Así, en la ofrenda del Cordero de Dios se cumplió la ley de la Pascua: "No dejará nada para la mañana, ni quebrará hueso en él" (Núm. 9:12). Al Cordero de Dios no debía quebrársele ningún hueso. "El guarda todos sus huesos, ni uno será quebrado" (Sal. 34:20).

Los sacerdotes querían estar seguros de la muerte de Jesús, por eso pidieron a un soldado que que le diera un lanzazo en su costado. Si Jesús todavía hubiese estado vivo, esta herida le habría causado una muerte instantánea. Pero Jesús no murió del lanzazo ni por los padecimientos de la cruz, sino que "murió por quebrantamiento del corazón. Su corazón fue quebrantado por la angustia mental. Fue muerto por el pecado del mundo".[7] Lo que el soldado hizo completó el cumplimiento de otra profecía: "Y derramaré sobre la casa de David, y sobre los habitantes de Jerusalén, espíritu de gracia y de oración. Me mirarán a mí, a quien traspasaron, y llorarán sobre mí, como se llora por unigénito. Se afligirán sobre mí como quien se aflige por primogénito" (Zac. 12:10).

¡Los que estaban presentes ese día, lo volverán a ver! "Mirad que viene con las nubes; y todo ojo lo verá, aun los que lo traspasaron" (Apocalipsis. 1:7).

La Tumba de José

Después de esto, José de Arimatea... rogó a Pilato que le permitiera llevar el cuerpo de Jesús. Pilato se lo concedió. Entonces fue, y llevó el cuerpo de Jesús. Juan 19:38.

La muerte de su Maestro angustió a los discípulos. "Miraban sus párpados cerrados y su cabeza caída, su cabello apelmazado con sangre, sus manos y pies horadados, y su angustia era indescriptible. Hasta el final no habían creído que muriese; apenas si podían creer que estaba realmente muerto. Abrumados por el pesar, no recordaban sus palabras que habían predicho esa misma escena".[8] Juan y las mujeres de Galilea anhelaban sepultar su cuerpo, pero no sabían cómo pedirlo. La traición contra Roma era el crimen por el cual Jesús había sido condenado, y las personas ajusticiadas por esta ofensa eran remitidas a un lugar de sepultura especialmente provisto para tales criminales. José de Arimatea y Nicodemo usaron su influencia para que el cuerpo de Jesús recibiese sepultura honrosa.

Jesús murió como a las 3:00 p.m. y en esa época del año el sol se ocultaba en esa latitud cerca de las 6:30 p.m. "José fue osadamente a Pilato y le pidió el cuerpo de Jesús. Por primera vez, supo Pilato que Jesús estaba realmente muerto. Informes contradictorios le habían llegado acerca de los acontecimientos que habían acompañado la crucifixión, pero el conocimiento de la muerte de Cristo le había sido ocultado a propósito... Al oír la petición de José, mandó llamar al centurión que había estado encargado de la crucifixión, y supo con certeza que Cristo había muerto. También oyó de él un relato de las escenas del Calvario que confirmaba el testimonio de José".[9]

Mientras Juan se preocupaba por la sepultura de su Señor, José volvió con la orden de Pilato de que entregasen el cuerpo de Cristo; y anticipando el éxito de la misión de José, Nicodemo trajo 72 libras de costosas especias para embalsamarlo. "Imposible habría sido tributar mayor respeto en la muerte a los hombres más honrados de toda Jerusalén. Los discípulos se quedaron asombrados al ver a estos ricos príncipes tan interesados como ellos en la sepultura de su Señor".[10] Isaías había profetizado: "Se dispuso con los impíos su sepultura, pero con los ricos fue en su muerte; porque nunca hizo maldad, ni hubo engaño en su boca" (Isa. 53:9).

El valor de José y Nicodemo durante la crisis debiera dar fortaleza a los cristianos que enfrentan un futuro incierto. El Señor tiene siervos en lugares de influencia. Siervos que todavía no han ayudado a los cristianos en sus batallas con Satanás.

Descansó el Sábado

Y vueltas, prepararon aromas y perfumes. Pero reposaron el sábado,
conforme al Mandamiento. Lucas 23:56.

Tristes y desanimados, los tres discípulos "con suavidad y reverencia, bajaron con sus propias manos el cuerpo de Jesús".[11]

"Y en el lugar donde había sido crucificado, había un huerto, y en el huerto un sepulcro nuevo, en el cual aún no había sido puesto ninguno" (Juan 19:41, 42). El nuevo sepulcro había sido excavado para la familia de José de Arimatea, pero lo dedicó a su Señor. Al llegar a la tumba, José, Nicodemo y Juan "enderezaron los miembros heridos y cruzaron las manos magulladas sobre el pecho sin vida. Las mujeres galileas vinieron para ver si se había hecho todo lo que podía hacerse por el cadáver de su amado Maestro. Luego vieron cómo se hacía rodar la pesada piedra contra la entrada de la tumba, y el Salvador fue dejado en el descanso".[12]

Mientras la enorme piedra cerraba el sepulcro para evitar el robo del cuerpo, los entristecidos discípulos pensaban que también había muerto toda esperanza para este mundo perdido. La humanidad quedaría sellada para siempre en el pecado, porque los que él creó y quiso redimir habían dado muerte al Hijo de Dios. "Pero no necesitaban temer, porque vi que las huestes angélicas vigilaban solícitamente el sepulcro de Jesús, esperando con vivo anhelo la orden de cumplir su parte en la obra de librar de su cárcel al Rey de gloria.[13] Los discípulos no sólo habían perdido la esperanza; ahora temían por sus propias vidas. Si los enemigos de Cristo pudieron matar al Maestro, ¿no podrían volver esos mismos hombres perversos para exterminar también a sus seguidores? "Estaban seguros de que el odio manifestado contra el Hijo de Dios no terminaría allí. Pasaron solitarias horas llorando la pérdida de sus esperanzas... En su triste desconsuelo, dudaban de si no les habría engañado. Aun su misma madre vacilaba en creer que fuese el Mesías".[14]

"A la puesta del sol, en la tarde del día de preparación, sonaban las trompetas para indicar que el sábado había empezado. La Pascua fue observada como lo había sido durante siglos, mientras que Aquel a quien señalaba, ultimado por manos perversas, yacía en la tumba de José".[15] Jesús dormía, pero los que habían planeado su muerte estaban por sentir la amargura de lo que habían hecho.

Hasta en la muerte, Cristo descansó el sábado.

Ladrones de Tumbas

Se juntaron los principales sacerdotes y los fariseos ante Pilato, y le dijeron:... "Manda, pues, que se asegure el sepulcro hasta el tercer día, para que no vengan sus discípulos de noche, [y] lo hurten".
Mateo 27:62-64.

El sábado había sido un desastre para los sacerdotes y gobernadores. Escuchaban el nombre de "Jesús" en todas las esquinas de las calles. "Muchos habían venido de lejos para hallar a Aquel que había sanado a los enfermos y resucitado a los muertos. Por todos lados, se oía el clamor: Queremos a Cristo el Sanador... Las manos amistosas de Jesús de Nazaret, que nunca negaron el toque sanador al asqueroso leproso, estaban cruzadas sobre su pecho. Los labios que habían contestado sus peticiones con las consoladoras palabras: 'Quiero; sé limpio', estaban callados. Muchos apelaban a los sumos sacerdotes y príncipes en busca de simpatía y alivio, pero en vano. Aparentemente estaban resueltos a tener de nuevo en su medio al Cristo vivo... Pero fueron ahuyentados de los atrios del templo, y se colocaron soldados a las puertas para impedir la entrada a la multitud que venía con sus enfermos y moribundos demandando entrada. Los que sufrían y habían venido para ser sanados por el Salvador quedaron abatidos por el chasco. Las calles estaban llenas de lamentos".[16] ¿Adónde se habían ido los que gritaban: "¡Crucifícalo, crucifícalo!"?

Los sacerdotes habían matado a Cristo para ganarse la simpatía del pueblo. Ahora habían perdido su objetivo, por culpa del mismo medio con que pretendieron obtenerlo. Se vieron forzados a creer que habían ejecutado al Mesías, y esto los enloquecía. Ahora los sacerdotes temían las profecías de Jesús, porque él "había dicho que resucitaría al tercer día, ¿y quién podía decir si esto también no acontecería? Anhelaban apartar estos pensamientos, pero no podían".[17] Fueron a Pilato para conseguir una guardia que cuidara el sepulcro. "Como los judíos, Pilato no deseaba que Jesús resucitara para castigar la culpa de los que lo habían destruido, por eso colocó un grupo de soldados romanos a la orden de los sacerdotes diciendo: 'Tenéis una guardia: id, aseguradlo como sabéis'. Mat. 27:65, 66".[18] "Una guardia de cien soldados fue entonces colocada en derredor del sepulcro a fin de evitar que se le tocase. Los sacerdotes hicieron todo lo que podían para conservar el cuerpo de Cristo donde había sido puesto. Fue sellado tan seguramente en su tumba como si hubiese de permanecer allí para siempre...

Los mismos esfuerzos hechos para impedir la resurrección de Cristo resultan los argumentos más convincentes para probarla".[19]

MINISTERIO PARA LA IGLESIA

Cristo, nuestro Redentor

De la Resurrección a la Ascensión Año 31 d. C.

Mateo 28:1-20

Marcos 16:1-20

Lucas 24: 1-53

Juan 20:1-31; Juan 21:24, 25

El Deseado de todas las gentes, pp. 725-775

El Primer Día de la Semana

Pasado el sábado, cuando amanecía el primer día de la semana,
María Magdalena y la otra María fueron a ver el sepulcro.
Mateo 28:1

Ese domingo en Jerusalén, el alba despuntó a las 4:00 de la mañana y el sol salió a las 5:30. María había pasado las horas del sábado con familiares y amigos, sumida en la aflicción en su hogar de Betania, que distaba del sepulcro poco más de 3 km. "Cristo estaba todavía preso en su estrecha tumba. La gran piedra estaba en su lugar; el sello romano no había sido roto; los guardias romanos seguían velando. Y había vigilantes invisibles. Huestes de malos ángeles se cernían sobre el lugar. Si hubiese sido posible, el príncipe de las tinieblas, con su ejército apóstata, habría mantenido para siempre sellada la tumba que guardaba al Hijo de Dios. Pero su ejército celestial rodeaba al sepulcro. Ángeles excelsos en fortaleza guardaban la tumba, y esperaban para dar la bienvenida al Príncipe de la vida".[20]

"El que murió por los pecados del mundo tuvo que permanecer en el sepulcro el tiempo estipulado. Estuvo en esa cárcel de piedra como prisionero de la justicia divina. Era responsable ante el Juez del universo. Llevaba los pecados del mundo, y únicamente su Padre podía libertarlo... Sin embargo, la profecía había dicho que Cristo resucitaría de los muertos el tercer día... Su cuerpo saldría del sepulcro sano y sin corrupción".[21]

"Antes que nadie llegara al sepulcro, hubo un gran terremoto. El ángel más poderoso del cielo, el que ocupó el lugar que Satanás dejó, obedeció el mandato del Padre, se vistió con la armadura del cielo y se abrió paso entre las tinieblas. Su rostro era como el relámpago y su ropaje blanco como la nieve. Tan pronto como sus pies tocaron el suelo, la tierra entera se estremeció. La guardia romana vigilaba tediosamente la tumba cuando esta escena maravillosa se llevó a cabo. Se les permitió vivir, para que pudieran ser testigos de la resurrección de Cristo. El ángel se acercó al sepulcro, rodó la piedra sin dificultad y sentóse encima. La luz del cielo rodeó el sepulcro, y el espacio se iluminó con la gloria de los ángeles. Luego se escuchó su voz que dijo: 'Tu Padre te llama. ¡Sal!' ".[22]

Una hueste angélica saludó a Jesús resucitado con cánticos de
alabanza. ¡Su resurrección es tan importante para nuestra salvación
como lo fue su muerte!

Las Primicias

¡Tus muertos volverán a vivir, tus cadáveres resucitarán! ¡Los que duermen en el polvo, despertarán y cantarán! Porque tu rocío es rocío luminoso, y la tierra devolverá sus muertos.
Isaías 26:19.

"Un terremoto señaló la hora en que Cristo depuso su vida, y otro terremoto indicó el momento en que triunfante la volvió a tomar... Cuando vuelva de nuevo a la tierra, sacudirá 'no solamente la tierra, mas aun el cielo' (Hebreos 12:26)".[23]

"Cristo surgió de la tumba glorificado, y la guardia romana lo contempló. Sus ojos quedaron clavados en el rostro de Aquel de quien se habían burlado tan recientemente. En este ser glorificado, contemplaron al prisionero a quien habían visto en el tribunal, a Aquel para quien habían trenzado una corona de espinas. Era el que había estado sin ofrecer resistencia delante de Pilato y de Herodes, Aquel cuyo cuerpo había sido lacerado por el cruel látigo, Aquel a quien habían clavado en la cruz, hacia quien los sacerdotes y príncipes, llenos de satisfacción propia, habían sacudido la cabeza diciendo: 'A otros salvó, a sí mismo no puede salvar'. Era Aquel que había sido puesto en la tumba nueva de José. El decreto del cielo había librado al cautivo. Montañas acumuladas sobre montañas y encima de su sepulcro, no podrían haberle impedido salir".[24]

"Cristo resucitó de entre los muertos como primicia de aquellos que dormían. Estaba representado por la gavilla agitada, y la resurrección se realizó en el mismo día en que esa gavilla era presentada delante del Señor... La gavilla dedicada a Dios representaba la mies. Así también Cristo, las primicias, representaba la gran mies espiritual que ha de ser juntada para el reino de Dios. Su resurrección es símbolo y garantía de la resurrección de todos los justos muertos. 'Porque si creemos que Jesús murió y resucitó, así también traerá Dios con él a los que durmieron en Jesús' ".[25]

¡Qué maravilloso día nos aguarda cuando los sepulcros se abran y los muertos en Cristo resuciten a la inmortalidad!

El Soborno

*Y reunidos con los ancianos, y habido consejo, dieron mucho dinero
a los soldados. Mateo 28:12.*

Al brillar en torno del sepulcro la luz de los ángeles, más refulgente
que el sol, los soldados romanos cayeron al suelo, impotentes para impedir la
resurrección de Cristo. Los ángeles malignos también presenciaron la
resurrección de Jesús, y amargamente se quejaron ante Satanás de que su cautivo
les había sido arrebatado. Su triunfo aparente sobre Cristo duró poco. "Porque
al resurgir Jesús de su cárcel como majestuoso vencedor, comprendió Satanás
que después de un tiempo él mismo habría de morir y su reino pasaría al poder
de su legítimo dueño... Mandó Satanás a sus siervos que fueran a los príncipes
de los sacerdotes y a los ancianos, y al efecto les dijo: 'Hemos logrado engañarlos,
cegar sus ojos y endurecer sus corazones contra Jesús... Hagámosles saber ahora
que si se divulga que Jesús ha resucitado, el pueblo los lapidará por haber
condenado a muerte a un inocente' ".[26]

Los guardias "iban adonde estaba Pilato, pero su informe fue llevado a
las autoridades judías, y los sumos sacerdotes y príncipes ordenaron que fuesen
traídos primero a su presencia. Estos soldados ofrecían una extraña apariencia.
Temblorosos de miedo, con los rostros pálidos, daban testimonio de la
resurrección de Cristo... Los rostros de los sacerdotes parecían como de muertos.
Caifás procuró hablar. Sus labios se movieron, pero no expresaron sonido alguno.
Los soldados estaban por abandonar la sala del concilio, cuando una voz los
detuvo. Caifás había recobrado por fin el habla. —Esperad, esperad —exclamó—,
no digáis a nadie lo que habéis visto. Un informe mentiroso fue puesto entonces
en boca de los soldados. 'Decid —ordenaron los sacerdotes—: 'Sus discípulos
vinieron de noche, y le hurtaron, durmiendo nosotros'".[27] Los sacerdotes
deseaban que los guardias admitieran que habían faltado a su deber. Dormir
en su puesto o perder a un prisionero eran delitos punibles con la muerte.

"A fin de acallar el testimonio que temían, los sacerdotes prometieron asegurar
la vida de la guardia diciendo que Pilato no deseaba más que ellos que circulase un
informe tal. Los soldados romanos vendieron su integridad a los judíos por dinero".[28]
Pilato supo la verdad directamente de los guardias, que insistieron en verlo. Por
temor a sus vidas, no se atrevieron a ocultar lo que había pasado. Ante la insistencia
de los sacerdotes, Pilato consintió en dejar el asunto así.

*La verdad quedó cubierta, pero ninguno de los participantes
volvería a tener paz en su corazón.*

Las Tres Mujeres

Cuando pasó el sábado, María Magdalena, María madre de
Santiago, y Salomé, compraron especias aromáticas para ir a ungir
el cuerpo de Jesús. Marcos 16:1.

"Cristo descansó en la tumba el día sábado, y cuando los seres santos del cielo y de la tierra estaban activos, en la mañana del primer día de la semana, Jesús salió de la tumba... Pero este hecho no santifica el primer día de la semana ni lo hace día de descanso. Antes de su muerte, en la celebración de la santa cena, Jesús estableció un memorial del quebrantamiento de su cuerpo y el derramamiento de su sangre por los pecados del mundo... Y el creyente que se arrepiente y da los pasos necesarios para la conversión, con su bautismo conmemora la muerte y el entierro de Cristo, y es levantado del agua en semejanza a su resurrección, no para volver a la antigua vida de pecado, sino para vivir una nueva vida en Cristo Jesús".[29]

Pero ahora las mujeres fueron al sepulcro. "Mientras andaban, relataban las obras de misericordia de Cristo y sus palabras de consuelo. Pero no recordaban sus palabras: 'Otra vez os veré' (Juan 16:22)".[30] Acercándose al sepulcro, se preguntaban en voz alta: "¿Quién nos revolverá la piedra de la puerta del sepulcro?" Cuando llegaron, notaron que una luz resplandecía en derredor de la tumba, pero el cuerpo de Jesús no estaba allí. Sin saber qué hacer, descubrieron por primera vez que no estaban solas. "Un joven vestido de ropas resplandecientes estaba sentado al lado de la tumba. Era el ángel que había apartado la piedra. Había tomado el disfraz de la humanidad, a fin de no alarmar a estas personas que amaban a Jesús. Sin embargo, brillaba todavía en derredor de él la gloria celestial, y las mujeres temieron".[31]

Al darse vuelta, les dijo que Jesús había resucitado y que debían anunciarlo a sus discípulos. Luego las invitó a que vieran de nuevo la tumba vacía. Otro ángel en forma humana estaba allí, y les recordó las palabras de Jesús: "Es menester que el Hijo del hombre sea entregado en manos de hombres pecadores, y que sea crucificado, y resucite al tercer día". De pronto captaron la importancia de la noticia. ¡Ha resucitado! Olvidándose de las especias que ya no necesitarían, corrieron con gran gozo a dar las buenas nuevas a los once.

"¡Ha resucitado!" debiera ser nuestro gran mensaje al mundo.

Juan, el Corredor

Entonces corrió, y fue a Simón Pedro y al otro discípulo, a quien Jesús amaba, y les dijo: "Han llevado del sepulcro al Señor, y no sabemos dónde lo han puesto". Juan 20:2.

María no sabía la buena noticia que las otras tres mujeres oyeran de labios del ángel, porque había llegado al sepulcro antes que ellas. Ahora corrió a bucar a Pedro y Juan para contarles lo que había visto. "El hecho relatado en los vers. 3-10 refleja notablemente los diferentes temperamentos de Pedro y Juan. Juan era tranquilo, reservado, de sentimientos profundos. Pedro era impulsivo, entusiasta y apresurado. Cuando recibieron la noticia de María, cada uno de ellos reaccionó en su forma característica".[32] Inmediatamente ambos se dirigieron hacia el sepulcro.

Pronto Juan se adelantó a Pedro. No debemos olvidar que, aunque Pedro hubiera dedicado toda su vida a la actividad física, era mayor que Juan. Y Juan "bajó a mirar, y vio los lienzos, pero no entró" (Juan 20:5). En cambio Pedro, que no conocía la timidez, "entró en el sepulcro, y vio los lienzos en el suelo; y el sudario, que había estado sobre la cabeza de Jesús, no estaba con los lienzos, sino doblado y aparte. Entonces entró también el otro discípulo [Juan], que había llegado primero al sepulcro, y al ver, creyó" (vers. 6-8). "No comprendía todavía la escritura que afirmaba que Cristo debía resucitar de los muertos; pero recordó las palabras con que el Salvador había predicho su resurrección. Cristo mismo había colocado esos lienzos mortuorios con tanto cuidado... A la vista de Aquel que guía tanto a la estrella como al átomo, no hay nada sin importancia. Se ven orden y perfección en toda su obra".[33]

Pedro fue más lento en comprender que el Señor había resucitado. Lucas nos dice que Pedro "corrió... y volvió maravillado de lo que había sucedido" (Luc. 24:12). Ninguno de los discípulos comprendía la profecía que declaraba: "Porque no me dejarás en el sepulcro, ni permitirás que tu Santo vea corrupción" (Sal. 16:10). La Escritura nos dice que Pedro y Juan "volvieron a su casa" (Juan 20:10). ¡Qué buenas noticias debe haber llevado el "discípulo amado de Jesús" a su madre! ¡Pudo informarle que su Hijo estaba vivo! ¡Qué emocionante debe haber sido llevar esperanza a los que lo amaban!

Todavía es emocionante compartirlo con los demás.

María Magdalena

*Después que Jesús resucitó en la madrugada del primer día de la
semana, apareció primero a María Magdalena. Marcos 16:9.*

María había seguido a Pedro y a Juan a la tumba. Cuando volvieron
a Jerusalén, ella quedó. "Mientras miraba al interior de la tumba vacía, el
pesar llenaba su corazón. Mirando hacia adentro, vio a los dos ángeles...
'Mujer, ¿por qué lloras?' le preguntaron. 'Porque se han llevado a mi Señor
—contestó ella—, y no sé dónde le han puesto...' Otra voz se dirigió a ella:
'Mujer, ¿por qué lloras? ¿A quién buscas?' A través de sus lágrimas, María
vio la forma de un hombre, y pensando que fuese el hortelano dijo: 'Señor,
si tú lo has llevado, dime dónde lo has puesto, y yo lo llevaré'. Si creían que
esta tumba de un rico era demasiado honrosa para servir de sepultura para
Jesús, ella misma proveería un lugar para él' ".[34]

La primera aparición de Jesús después de su muerte no fue a Pedro, a
Juan ni a su madre, sino a María Magdalena. Fue a María, la que lo había
amado tanto por su perdón y amor y que había ungido su cuerpo con perfumes costosos antes de su entierro. La que había permanecido al pie de la
cruz hasta el fin, que había seguido el cuerpo hasta el sepulcro, la primera
que fue a la tumba el domingo de mañana, y la que se había bañado en
lágrimas al descubrir que su Maestro no estaba. ¡Fue a María a quien Jesús
buscó primero!

"Pero ahora, con su propia voz familiar, Jesús le dijo: ¡María!' Entonces
supo que no era un extraño el que se dirigía a ella y, volviéndose, vio delante
de sí al Cristo vivo. En su gozo, se olvidó que había sido crucificado.
Precipitándose hacia él, como para abrazar sus pies, dijo: '¡Rabboni!' Pero
Cristo alzó la mano diciendo: No me detengas; 'porque aun no he subido a
mi Padre: mas ve a mis hermanos, y diles: Subo a mi Padre y a vuestro Padre,
a mi Dios y a vuestro Dios' ".[35] Jesús no le prohibió a María que tocara su
cuerpo resucitado. "Primero deseaba ascender a su Padre para recibir allí la
seguridad de que su sacrificio había sido aceptado. Después de su ascensión
temporaria, Jesús permitió sin ninguna protesta que lo tocaran; lo que ahora
le pedía a María era que pospusiera ese acto".[36] María procedió
inmediatamente a ver a los discípulos para decirles que había visto a Jesús,
pero ellos no le creyeron.

*¿Creemos que Jesús ha resucitado? Nuestra respuesta es crítica para
que lo aceptemos.*

"*Aún no he Subido*"

Entonces Jesús le dijo: "No me detengas, porque aún no he subido a mi Padre". Juan 20:17.

"*C*uando cerró sus ojos durante su muerte en la cruz, el alma de Cristo no subió en seguida al cielo, como muchos creen, pues en ese caso, ¿cómo podrían sus palabras ser ciertas: 'Aún no he subido a mi Padre'? El Espíritu de Jesús durmió en la tumba con su cuerpo, y no voló al cielo, para mantener una existencia separada... Todo lo que componía la vida e inteligencia de Jesús quedó con su cuerpo en el sepulcro; y cuando salió, su Ser estaba completo: No tuvo que conseguir su Espíritu del cielo. Tenía poder para entregar su vida y para recobrarla de nuevo".[37] "Cuando Cristo fue crucificado, su naturaleza humana fue la que murió. La Divinidad nunca pereció; eso hubiera sido imposible".[38]

"Inmediatamente Jesús ascendió al cielo y se presentó ante el trono de Dios, mostrando las marcas de vergüenza y crueldad que le impusieron en su frente, en sus manos y en sus pies. Sin embargo, rehusó recibir la corona de gloria y el manto real, y también rehusó la adoración de los ángeles como había rehusado el homenaje de María, hasta que que su Padre le hiciera saber que su ofrenda había sido aceptada. Además, tenía un pedido acerca de sus escogidos en la tierra. Quería definir claramente la relación que ellos tendrían desde entonces con el cielo y con su Padre. La respuesta del Padre a este ruego se expresa en la proclamación: 'Adórenle todos los ángeles de Dios'. Todos los comandantes de la hueste angélica obedecen la orden real, y la aclamación: '¡Digno, digno es el Cordero que fue inmolado, y que ha vuelto a vivir como triunfante conquistador!' resuena una y otra vez por los ámbitos celestiales. La innumerable compañía de ángeles se postra ante el Redentor. La petición de Cristo es concedida".[39]

"Para el creyente, la muerte es asunto trivial. Cristo habla de ella como si fuera de poca importancia. 'El que guardare mi palabra, no verá muerte para siempre', 'no gustará muerte para siempre'. Para el cristiano, la muerte es tan sólo un sueño, un momento de silencio y tinieblas... El mismo poder que resucitó a Cristo de los muertos resucitará a su iglesia y la glorificará con él, por encima de todos los principados y potestades, por encima de todo nombre que se nombra, no solamente en este mundo, sino también en el mundo venidero".[40]

En la segunda venida de Cristo, todos los muertos en él escucharán su voz, y saldrán gloriosos para vivir eternamente.

"Vayan a Galilea"

Entonces Jesús les dijo: "No temáis. Id, dad la gran noticia a mis hermanos, para que vayan a Galilea. Allá me verán". Mateo 28:10.

Mientras se esparcía la noticia del Salvador resucitado, Satanás tenía preparada una falsificación. Los guardias romanos dijeron a todos los que los escuchaban que los discípulos habían robado el cuerpo de Cristo durante la noche. Aunque la gente de Jerusalén parecía dispuesta a aceptar esa mentira, Dios se aseguró que las gentes no creyeran que este suceso tan importante para nuestra salvación era una falsedad. Los que resucitaron con Jesús fueron testigos de su resurrección. Tal como fue profetizado, muchos sacerdotes no creyeron a pesar de la evidencia presentada por los que resucitaron de los muertos (Luc. 16:27-31).

También a los discípulos les resultó difícil aceptar el mensaje de las mujeres. Los discípulos "habían oído tanto de las doctrinas y llamadas teorías científicas de los saduceos, que era vaga la impresión hecha en su mente acerca de la resurrección. Apenas sabían lo que podía significar la resurrección de los muertos. Eran incapaces de comprender ese gran tema".[41] Es prueba de la resurrección de Cristo lo que el ángel dijo a las mujeres: "Id, y decid a sus discípulos y a Pedro, que él va delante de vosotros a Galilea. Allá lo veréis, como os dijo" (Mar. 16:7). Sólo los que habían estado con Cristo reconocerían las palabras e instrucciones como suyas, las cuales eran dirigidas a Pedro. "El hecho de que Jesús lo mencionara por nombre era una indicación de que, a pesar de sus errores, Pedro todavía era reconocido e incluido entre los amigos íntimos de Jesús porque sinceramente se había arrepentido".[42]

Jesús envió tres mensajes a sus discípulos: el primero a través de las mujeres que hablaron con los ángeles en el sepulcro (Mar. 16:6); el segundo con María Magdalena (Juan 20:17); y el tercero por las mismas mujeres, cuando Jesús se encontró con ellas cuando iban a buscar a los discípulos, y ellas lo adoraron (Mat. 28:9, 10). Es importante notar que Jesús ahora aceptó de las mujeres el homenaje que antes había rechazado de María. Entre las dos apariciones, Jesús había ascendido a su Padre y su sacrificio había sido aprobado. Los discípulos necesitaban ejercitar su fe. Sus mensajes requerían que no sólo creyeran, sino que, basados en esa creencia, fueran a Galilea.

A menudo se nos pide que "vayamos a Galilea". En tales circunstancias, debemos recordar sus palabras y ejercer fe.

Camino a Emaús

En ese mismo día, dos discípulos iban a una aldea llamada Emaús.
Lucas 24:13.

"Hácia el atardecer del día de la resurrección, dos de los discípulos se hallaban en camino a Emaús, pequeña ciudad situada a unos doce kilómetros de Jerusalén. Estos discípulos creían fervientemente en [Cristo]. Habían venido a la ciudad para observar la Pascua, y se habían quedado muy perplejos por los acontecimientos recientes. Habían oído las nuevas de esa mañana, de que el cuerpo de Cristo había sido sacado de la tumba, y también el informe de las mujeres que habían visto a los ángeles y se habían encontrado con Jesús. Volvían ahora a su casa para meditar y orar. Proseguían tristemente su viaje vespertino, hablando de las escenas del juicio y de la crucifixión. Nunca antes habían estado tan descorazonados. Sin esperanza ni fe, caminaban en la sombra de la cruz. No habían progresado mucho en su viaje cuando se les unió un extraño, pero estaban tan absortos en su lobreguez y desaliento, que no le observaron detenidamente".[43] El Personaje caminó lentamente con ellos la mayor parte de las dos horas del camino a su hogar.

Entablando conversación, Jesús les preguntó: "¿Qué conversáis entre vosotros mientras andáis?' Uno de ellos llamado Cleofas, respondió: '¿Eres tú el único en Jerusalén que no sabe lo que ha sucedido en estos días?' '¿Qué cosa?' Ellos le dijeron: 'Lo de Jesús nazareno, un profeta poderoso en obra y en palabra ante Dios y ante todo el pueblo. Y los principales sacerdotes y nuestros gobernantes lo sentenciaron a muerte, y lo crucificaron'" (Luc. 24:17-20). Los dos hombres temían que de alguna forma hubiesen estado equivocados al creer en Jesús; sin embargo, no habían perdido la esperanza de que fuera el Mesías.

"Una fe hipotética en Cristo, que no esté firmemente arraigada en las enseñanzas de la Biblia, no puede permanecer firme cuando soplen las tormentas de la duda".[44]

Entonces Jesús, comenzando con los primeros cinco libros de la Biblia, les expuso las profecías concernientes a su misión y muerte. "Quienes erradamente desprecian el Antiguo Testamento parecen tener poco conocimiento de la alta estima en que Cristo tenía esos escritos sagrados e inspirados.

Los que estudian el Antiguo Testamento, escrito por Moisés y otros autores, y creen esas enseñanzas, encontrarán allí a Cristo. Cristo mismo advirtió que quienes restan importancia y valor al Antiguo Testamento no creen realmente en él (Juan 5:47)".[45]

"Quédate con Nosotros"

> *Llegaron a la aldea a donde iban... Pero ellos lo apremiaron a quedarse, diciendo: "Quédate con nosotros, porque se hace tarde, y el día ha declinado". Lucas 24:28, 29.*

*J*esús continuó explicando la Escritura mientras caminaban juntos en la oscuridad. Lentamente fueron comprendiendo la humanidad de Jesús y su misión de sufrimiento para rescatar a la humanidad. Ahora se daban cuenta que el sacrificio de Cristo y el derramamiento de su sangre ratificaban el antiguo pacto. Con mucho cuidado Jesús señaló los pasajes que se referían a su muerte y resurrección. Esos textos incluían: Génesis 3:15; Éxodo 12:5; Números 21:9; 24:17; Deuteronomio 18:15; Salmo 22:1, 8, 16, 18; Isaías 7:14; 9:6, 7; 50:6; Isaías 53; Jeremías 23:5; Miqueas 5:2; Zacarías 9:9; 12:10; 13:7; y Miqueas 3:1; 4:2.

"Los discípulos estaban cansados, pero la conversación no decaía. De los labios del Salvador brotaban palabras de vida y seguridad. Pero los ojos de ellos estaban velados... Poco sospechaban quién era su compañero de viaje... Pensaban que era alguno de aquellos que habían asistido a la gran fiesta y volvía ahora a su casa. Andaba tan cuidadosamente como ellos sobre las toscas piedras, deteniéndose de vez en cuando para descansar un poco. Así prosiguieron por el camino montañoso, mientras andaba a su lado Aquel que habría de asumir pronto su puesto a la diestra de Dios".[46]

Cuando los discípulos estaban por entrar en casa, su nuevo amigo pareció querer continuar su viaje, pero ellos lo invitaron a que se quedara con ellos. Prepararon una sencilla cena y la sirvieron a su invitado. "Entonces alzó las manos para bendecir el alimento. Los discípulos retrocedieron asombrados. Su compañero extendía las manos exactamente como solía hacerlo su Maestro. Vuelven a mirar, y he aquí que ven en sus manos los rastros de los clavos. Ambos exclaman a la vez: ¡Es el Señor Jesús! ¡Ha resucitado de los muertos!"[47] Olvidándose de su cansancio, vuelven a tomar el mismo camino por el cual vinieron de Jerusalén para dar la noticia a los demás discípulos.

> *"Si los discípulos no hubiesen insistido en su invitación, no habrían sabido que su compañero de viaje era el Señor resucitado. Cristo no impone nunca su compañía a nadie. Se interesa en aquellos que le necesitan. Gustosamente entrará en el hogar más humilde y alegrará el corazón más sencillo. Pero si los hombres son demasiado indiferentes para pensar en el Huésped celestial o pedirle que more con ellos, pasa de largo".[48]*

Un Mensaje de Esperanza

Y cuando ellos estaban aún contando estas cosas, Jesús mismo se puso entre ellos... Lucas 24:36.

Los discípulos habían experimentado cosas maravillosas durante las últimas 72 horas y les parecían fantásticas y difíciles de creer. "Una dificultad parecía acumularse sobre otra. El sexto día de la semana habían visto morir a su Maestro, el primer día de la semana siguiente se veían privados de su cuerpo, y se les acusaba de haberlo robado para engañar a la gente. Desesperaban de poder corregir alguna vez las falsas impresiones que se estaban formando contra ellos. Temían la enemistad de los sacerdotes y la ira del pueblo. Anhelaban la presencia de Jesús, quien les había ayudado en toda perplejidad".[49] Lejos estaban los diez discípulos de saber que esa misma noche verían cosas aún mayores.

El sol se ponía cuando Cleofas y su amigo invitaron al Extraño a cenar con ellos. Después de la interrumpida cena, un manto de tinieblas cubrió las colinas del lugar. La luna salía tarde en esa noche primaveral, por eso el viaje de regreso a Jerusalén lo hicieron en plena oscuridad. "La noche es oscura, pero el Sol de justicia resplandece sobre ellos. Su corazón salta de gozo. Parecen estar en un nuevo mundo. Cristo es un Salvador vivo... Llevan el mayor mensaje que fuera jamás dado al mundo, un mensaje de alegres nuevas, de las cuales dependen las esperanzas de la familia humana para este tiempo y para la eternidad".[50]

"Al llegar a Jerusalén, los dos discípulos entraron por la puerta oriental, que permanecía abierta de noche durante las fiestas. Las casas estaban oscuras y silenciosas, pero los viajeros siguieron su camino por las calles estrechas a la luz de la luna naciente. Fueron al aposento alto, donde Jesús había pasado las primeras horas de la última noche antes de su muerte. Sabían que allí habían de encontrar a sus hermanos. Aunque era tarde, sabían que los discípulos no dormirían antes de saber con seguridad qué había sido del cuerpo de su Señor".[51] Según el calendario judío, se supone que era la madrugada del lunes cuando tocaron el portón suavemente y dieron sus nombres. Alguien abrió cautelosamente y los dejó entrar al cuarto. Rápidamente, la puerta se volvió a cerrar. Agitados y excitados, les contaron de su encuentro con el Señor en camino a Emaús.

De pronto, aparece una tercera Persona entre ellos. Todos los ojos se vuelven hacia el extraño... Nuestros ojos también deben volverse al Salvador.

"Paz a Vosotros"

Al anochecer de ese día, el primero de la semana, estando los discípulos juntos, con las puertas cerradas por miedo de los judíos, vino Jesús, se puso en medio de ellos, y les dijo: "¡Paz a vosotros!"
Juan 20:19.

Apenas habían terminado su relato los discípulos de Emaús, cuando otro Hombre se paró frente a ellos. "Todos los ojos se fijaron en el extraño. Nadie había llamado para pedir entrada. Ninguna pisada se había dejado oír. Los discípulos, sorprendidos, se preguntaron lo que esto significaba. Oyeron entonces una voz que no era otra que la de su Maestro. Claras fueron las palabras de sus labios: 'Paz a vosotros'".[52] Inmediatamente se llenaron de temor. Algunos pensaron que veían un espíritu. No debemos olvidar que eran los mismos que bajo otras circunstancias desesperadas, habían creído ver un espíritu caminando sobre el mar de Galilea.

Jesús les dijo: "¿Por qué estáis turbados y suben esos pensamientos a vuestro corazón? Mirad mis manos y mis pies, que soy yo mismo. Palpad, y ved. Que un espíritu ni tiene carne ni huesos, como veis que yo tengo" (Luc. 24:38, 39). Acercándose a ellos, Jesús extendió sus manos para que observaran la marca de los clavos en sus muñecas, entre los huesos largos de sus brazos. Levantó el borde de su túnica para que vieran los orificios en sus pies. Jesús deseaba que usaran todos sus sentidos para que se convencieran de que era una Persona real. Ciertamente su aspecto era el del Maestro, y también reconocieron su voz. Pudieron tocar las marcas crueles de los clavos, y saber que estaban en su cuerpo resucitado. Mientras luchaban por comprender la experiencia, Jesús les preguntó: " '¿Tenéis aquí algo de comer?' Entonces le dieron parte de un pescado asado, y un panal de miel. Y él lo tomó, y comió ante ellos" (Luc. 24:41-43).

"La resurrección de Cristo fue una figura de la resurrección final de todos los que duermen en él. El semblante del Salvador resucitado, sus modales y su habla eran familiares para sus discípulos. Así como Jesús resucitó de los muertos, han de resucitar los que duermen en él. Conoceremos a nuestros amigos como los discípulos conocieron a Jesús...

En los rostros radiantes con la luz que emana del rostro de Jesús, reconoceremos los rasgos de aquellos a quienes amamos".[53] "¡Amén! ¡Ven, Señor Jesús!" (Apocalipsis 22:20).

El Desconfiado Tomás

Él contestó: "Si no veo la señal de los clavos en sus manos, y pongo mi dedo allí, y mi mano en su costado, no creeré". Juan 20:25.

Cuando Jesús apareció por primera vez a los discípulos, Tomás no estaba presente. A pesar de sus aseveraciones, rehusaba creer que Jesús estuviese vivo. Pasó una semana y Tomás se sentía más desesperado que nunca. Dijo a los discípulos: "Si no veo la señal de los clavos en sus manos, y pongo mi dedo allí, y mi mano en el costado, no creeré" (Juan 20:25). Algunos discípulos hicieron del aposento alto su morada temporal, y todos se reunían allí con cierta regularidad, menos Tomás. Una semana después que Jesús se presentó a los diez, Tomás decidió unirse a ellos. De pronto apareció Jesús saludándolos con las palabras: "¡Paz a vosotros!" Nadie había hablado a Jesús de la incredulidad de Tomás, pero el Salvador, volviéndose hacia el discípulo, le dijo: "Pon tu dedo aquí, y mira mis manos. Acerca tu mano, y ponla en mi costado. Y no seas incrédulo, sino creyente. Entonces Tomás exclamó: '¡Señor mío, y Dios mío!' " (Juan 20:27, 28).

"Dios siempre da a los hombres suficiente evidencia en la cual fundamentar su fe, y los que están dispuestos a aceptarla, siempre pueden hallar el camino para llegar al Señor. Al mismo tiempo, el Altísimo no obliga a los hombres para que crean en contra de la voluntad de ellos, pues si así procediera él, los despojaría del derecho de usar su libre albedrío. Si todos los hombres fueran como Tomás, las generaciones posteriores nunca podrían llegar a un conocimiento del Salvador. En realidad, nadie —fuera de los pocos centenares que con sus propios ojos vieron al Señor resucitado— habría creído en él. Pero a todos los que lo reciben por fe y creen en su nombre, el cielo les reserva una bendición especial: 'Bienaventurados los que no vieron, y creyeron' (Juan 20:29).[54]

"En su forma de tratar a Tomás, Jesús dejó una lección a sus seguidores en cuanto a la forma como deberían tratar a los que tuvieran dudas sobre la verdad religiosa, y que las hicieran prominentes. El no amontonó sobre Tomás palabras de reproche, ni entró en controversia con él; en cambio, con ternura condescendiente, se reveló al que dudaba...

La controversia persistente rara vez debilita la incredulidad; más bien la lleva a la defensa propia, donde hallará nuevo apoyo y más excusas. Jesús, revelado en su amor y misericordia como el Salvador crucificado, hará brotar de muchos labios que antes no creían, el reconocimiento de Tomás: ¡Mi Señor, y mi Dios! "[55]

Desayuno a Orillas del Mar

Después, Jesús se manifestó otra vez a sus discípulos junto al mar de
Tiberias. Juan 21:1.

Al terminar la Pascua, siete de los discípulos volvieron sobre sus
pasos hacia su hogar en Galilea, escenario de su asociación con Cristo.
Mientras descendían hacia la orilla del mar, los asaltaron los recuerdos. "La
noche era agradable, y Pedro, que todavía amaba mucho sus botes y la
pesca, propuso salir al mar y echar sus redes. Todos acordaron participar en
este plan; necesitaban el alimento y las ropas que la pesca de una noche de
éxito podría proporcionarles. Así que salieron en su barco, pero no
prendieron nada. Trabajaron toda la noche sin éxito... Al fin amaneció. El
barco estaba cerca de la orilla, y los discípulos vieron de pie sobre la playa
a un extraño".[56]

El extraño les preguntó: "Mozos, ¿tenéis algo de comer?" Ellos le
contestaron "No". La pesca había sido mala y ahora con la luz del día que
comenzaba a disipar las sombras, sería aún más difícil. El Hombre les aconsejó:
"Echad la red a la derecha de la barca, y hallaréis". Después de haber lanzado
la red del lado más cercano a Jesús, los discípulos no podían sacarla por la
multitud de peces. Juan recordaba la escena cuando alguien les había ordenado
que lanzaran sus redes a un lado y habían atrapado tantos peces que la red
estuvo a punto de romperse (Luc. 5:1-11). Volviéndose a Pedro, Juan dijo:
"El Señor es". El impetuoso Pedro apresuradamente se lanzó al agua y nadó
hacia la orilla. Los otros seis siguieron luchando por llevar su botín los 100
metros que les faltaban para llegar a la orilla, y Pedro se unió a ellos para
ayudarles a sacar la red llena de peces. Cuando llegaron a la playa, vieron
carbones encendidos, un pescado encima de ellos, y pan. ¡Jesús les había
preparado desayuno! Él sabía que estaban cansados y hambrientos. Una vez
más les recordó su primer llamado a ser "pescadores de hombres". "Mientras
estuviesen haciendo su obra, proveería a sus necesidades. Y Jesús tenía un
propósito al invitarlos a echar la red hacia la derecha del barco. De ese lado
estaba él, en la orilla. Era el lado de la fe. Si ellos trabajaban en relación con
él y se combinaba su poder divino con el esfuerzo humano, no podrían
fracasar".[57]

Nosotros tampoco fracasaremos.

"¿Me Amas?"

Por tercera vez le preguntó: "Simón, hijo de Juan, ¿me amas?" Pedro
se entristeció de que le preguntara por tercera vez, "¿me amas?", y
respondió: "Señor, tú sabes todas las cosas. Tú sabes que te amo".
Jesús le dijo: "Apacienta mis ovejas". Juan 21:17.

*T*odos sabían que Pedro había deshonrado a su Maestro, y por eso
desconfiaban de él. Mientras en silencio comían juntos alrededor del fuego,
Jesús se volvió a Pedro y le dijo: "Simón, hijo de Juan, ¿me amas [*agape*, en
griego] más que éstos?" Jesús usó la palabra *agape*, o amor del tipo más elevado.
Pedro se acordó de las palabras temerarias que pronunciara: "Aunque todos
sean escandalizados en ti, yo nunca seré escandalizado". Ahora, menos seguro
de sí mismo, le contestó: "Sí, Señor. Tú sabes que te amo [*fileo*, en griego]".
Pedro replicó con el término *fileo*, o amor basado en la emoción o amistad
común. El Maestro le dijo: "Apacienta mis ovejas". De nuevo Jesús le preguntó:
"Simón, hijo de Juan, ¿Me amas [*agape*]?" "Sí Señor", contestó Pedro. "Tú
sabes que te amo [*fileo*, sentir afecto]". Después de decir a Pedro "Apacienta
mis ovejas", Jesús le preguntó por tercera vez: "Simón, hijo de Juan, ¿me
amas [*fileo*, como a un amigo]?" Pedro se entristeció. ¿Cómo podía convencer
a Jesús que lo amaba si el Maestro claramente dudaba de su amistad? Pedro
humildemente le suplicó a Jesús que leyera su corazón. Todo sentimiento de
vanagloria se había desvanecido. Ni siquiera contestó la pregunta con un
"Sí". En cambio, dijo: "Señor, tú sabes todas las cosas. Tú sabes que te amo
[*fileo*]". Pedro recordó las tres veces que negara a su Señor. Ahora había recibido
tres oportunidades para afirmar ante los demás que era leal y que se había
arrepentido de su error. Una vez más Jesús le dijo: "Apacienta mis ovejas".

"La pregunta que Cristo había dirigido a Pedro era significativa. Mencionó
sólo una condición para ser discípulo y servir. '¿Me amas?' dijo. Esta es la
cualidad esencial. Aunque Pedro poseyese todas las demás, sin el amor de Cristo
no podía ser pastor fiel sobre el rebaño del Señor".[58] Cristo nunca exaltó a
Pedro a una posición superior a la de los demás discípulos. De hecho, Pedro
mismo declaró: "Ruego a los ancianos que están entre vosotros, yo también
anciano con ellos, testigo de las aflicciones de Cristo, y también participante de
la gloria que ha de ser revelada" (1 Ped. 5:1).

Existe sólo un Pastor y una Roca sobre la cual la iglesia está
fundada: ¡Cristo mismo, y las ovejas y corderos son suyos!

La Muerte de Pedro

"Sígueme". Juan 21:19.

Jesús invitó a Pedro para que lo acompañara a la playa, lejos de los que rodeaban el fuego. "Antes de su muerte, Jesús le había dicho: 'Donde yo voy, no me puedes ahora seguir; mas me seguirás después'. A esto Pedro había contestado: 'Señor, ¿por qué no te puedo seguir ahora? Mi alma pondré por ti'(Juan 13:36, 37)... Pedro había fracasado cuando vino la prueba... A fin de que quedase fortalecido para la prueba final de su fe, el Salvador le reveló lo que le esperaba. Le dijo que después de vivir una vida útil, cuando la vejez le restase fuerzas, habría de seguir de veras a su Señor".[59] Usando términos ilustrativos, Jesús dijo a Pedro que extendería sus manos, dando a entender que sería crucificado por seguir a su Señor. Luego tranquila y bondadosamente Jesús dijo a su discípulo: "Sígueme". Antes Pedro trataba de hacer las cosas a su manera, pero ahora comprendió que no debía adelantarse a su Señor, sino que debía esperarlo.

Pedro vio que Juan los estaba siguiendo a cierta distancia. Sintiendo curiosidad, Pedro le preguntó: " 'Señor, ¿Y qué de éste?' Jesús le dijo: 'Si quiero que él quede hasta que yo venga, ¿qué a ti? Tú, sígueme' ". Jesús no le estaba diciendo a Pedro que Juan viviría hasta la segunda venida. Juan el discípulo amado viviría hasta ser un anciano exilado en la Isla de Patmos. Él escribiría el libro de Apocalipsis y los hermosos sentimientos de sus tres epístolas. Pedro, "que antes era audaz, impulsivo y seguro de sí mismo, llegó a ser sumiso y dócil. Siguió a su Señor, al cual había negado. Para Pedro, el hecho de que Cristo no lo hubiera negado ni rechazado fue una fuente de luz, de consuelo y bendición. Estuvo dispuesto a morir crucificado, pero con la cabeza hacia abajo. Y aquel que experimentó un sufrimiento parecido al de Cristo, participará de su gloria cuando se siente 'en el trono de su gloria' ".[60]

> *"¡Cuántos son hoy semejantes a Pedro! Se interesan en los asuntos de los demás, y anhelan conocer su deber mientras que están en peligro de descuidar el propio. Nos incumbe mirar a Cristo y seguirle. Veremos errores en la vida de los demás y defectos en su carácter. La humanidad está llena de flaquezas. Pero en Cristo hallaremos perfección. Contemplándole, seremos transformados".[61]*
> *¡No desviemos nunca nuestra vista de Jesús!*

La Gran Comisión

"Por tanto, id a todas las naciones, haced discípulos bautizándolos en el Nombre del Padre, del Hijo y del Espíritu Santo, y enseñadles a obedecer todo lo que os he mandado. Y yo estoy con vosotros todos los días, hasta el fin del mundo". Amén. Mateo 28:19, 20.

Jesús pidió que se reunieran en una montaña de Galilea, en la cual se congregaron todos los creyentes que los discípulos pudieron llamar. "Concurrieron al lugar de reunión por caminos indirectos, viniendo de todas direcciones para evitar la sospecha de los judíos envidiosos. Vinieron con el corazón en suspenso, hablando con fervor unos a otros de las nuevas que habían oído acerca de Cristo. Al momento fijado, como quinientos creyentes se habían reunido en grupitos en la ladera de la montaña, ansiosos de aprender todo lo que podían de los que habían visto a Cristo desde su resurrección. De un grupo a otro iban los discípulos, contando todo lo que habían visto y oído de Jesús, y razonando de las Escrituras como él lo había hecho con ellos. Tomás relataba la historia de su incredulidad y contaba cómo sus dudas se habían disipado. De repente Jesús se presentó en medio de ellos".[62]

Muchos de los presentes nunca antes le habían visto. Jesús aseguró a sus discípulos que su misión había sido cumplida. Había hecho el sacrificio por la humanidad. Nuestra salvación había sido comprada con la sangre del Hijo de Dios. El Padre había aceptado el sacrificio y la expiación había sido completada. Ahora Jesús dejaba una gran comisión a esos discípulos y a todos los demás del futuro (Mat. 28:18-20). Asignó a todos sus discípulos la tarea de llevar el mensaje de un Salvador crucificado y resucitado a todo corazón. Este mensaje no era sólo para los judíos sino para todo el mundo. Sus seguidores debían predicar el evangelio del reino "en todo el mundo, por testimonio a todas las naciones" (Mat. 24:14).

Todo el que lleva el nombre de "cristiano" asume la responsabilidad de esparcir las buenas nuevas de salvación mediante Jesucristo. "Es un error fatal suponer que la obra de salvar almas sólo depende del ministro ordenado. Todos aquellos a quienes llegó la inspiración celestial, reciben el Evangelio en cometido. A todos los que reciben la vida de Cristo se les ordena trabajar para la salvación de sus semejantes. La iglesia fue establecida para esta obra, y todos los que toman sus votos sagrados se comprometen por ello a colaborar con Cristo".[63]

Nuestra misión es todo ser humano, y nuestro campo misionero es el mundo.

Fue Llevado Arriba al Cielo

Después Jesús los llevó a Betania, y alzando sus manos, los bendijo. Y
mientras los bendecía, se fue alejando de ellos. Y fue llevado arriba al
cielo. Lucas 24:50, 51.

Después de la reunión en la ladera de la montaña de Galilea, los
discípulos volvieron a Jerusalén. Jesús pasó con ellos 40 días maravillosos. Les
explicó el plan de salvación revelado en la cruz, de modo que ahora comprendían
que la naturaleza de la misión de Cristo era salvar a la humanidad caída. Cristo
llevó los pensamientos de los discípulos más allá de la tumba, hacia un Salvador viviente. Ahora había llegado el tiempo para que llevaran el Evangelio a
todas las naciones. Jesús debía dejarlos, y eligió con mucho cuidado el lugar de
su partida. El monte de las Olivas siempre había ocupado un lugar muy especial en su corazón.

Al llegar al monte de las Olivas, Jesús condujo al grupo un poco más
allá de la cumbre, bajando por la ladera oriental en dirección a Betania. Allí
se detuvo, y los discípulos lo rodearon. "Cristo había estado en el mundo
durante treinta y tres años; había soportado sus escarnios, insultos y burlas;
había sido rechazado y crucificado".[64] ¿Cuál sería su reacción hacia los que
había venido a salvar? ¿Retiraría su amor de los que rechazaron su sacrificio?
¿Abandonaría a sus discípulos sin importarle su bienestar? ¡No! "Rayos de
luz parecían irradiar de su semblante mientras los miraba con amor. No los
reprendió por sus faltas y fracasos; las últimas palabras que oyeron de los
labios del Señor fueron palabras de la más profunda ternura. Con las manos
extendidas para bendecirlos, como si quisiera asegurarles su cuidado protector, ascendió lentamente de entre ellos, atraído hacia el cielo por un poder
más fuerte que cualquier atracción terrenal. Y mientras él subía, los discípulos
llenos de reverente asombro y esforzando la vista, miraban para alcanzar la
última vislumbre de su Salvador que ascendía. Una nube de gloria le ocultó
de su vista; y llegaron hasta ellos las palabras: 'He aquí, yo estoy con vosotros
todos los días, hasta el fin del mundo' ".[65]

> *Jesús nunca los dejaría ni abandonaría. Las marcas de su amor*
> *están esculpidas permanentemente en sus manos y pies y él nos lleva*
> *escondidos en su Persona. No importa lo que suceda, su promesa: "Yo*
> *estoy con vosotros todos los días" es nuestra, hasta el mismo fin del*
> *mundo y por la eternidad.*

Asciende a la Diestra de Dios

Después que el Señor les habló, fue recibido arriba en el cielo, y se
sentó a la diestra de Dios. Marcos 16:19.

"Cristo había ascendido al cielo en forma humana. Los discípulos habían contemplado la nube que le recibió. El mismo Jesús que había andado, hablado y orado con ellos; que había quebrado el pan con ellos; que había estado con ellos en sus barcos sobre el lago; y que ese mismo día había subido con ellos hasta la cumbre del monte de las Olivas, el mismo Jesús había ido a participar del trono de su Padre. Y los ángeles les habían asegurado que este mismo Jesús a quien habían visto subir al cielo, vendría otra vez como había ascendido. Vendrá 'con las nubes, y todo ojo le verá' (Apoc. 1:7)... Cuando el Hijo del hombre venga en su gloria, y todos los santos ángeles con él, entonces se sentará sobre el trono de su gloria' (Mat. 25:31)' ".[66]

Los discípulos volvieron a Jerusalén completamente transformados. Los que se encontraban con ellos esperaban verlos chasqueados por la muerte de su Maestro, pero estaban triunfantes y gozosos. Los discípulos sabían que Jesús había vencido la tumba y la muerte y que había ascendido al Padre para representar la raza humana. Por lo tanto, era un Amigo para todos los que proclamaran su nombre, habiendo prometido representarlos ante su Padre. Para los discípulos el cielo parecía muy cercano y no se sentían abandonados ni olvidados. Aunque todavía estaban en este mundo de sombras y dificultades, su Dios estaba preparando un lugar celestial para ellos. Jesús había prometido volver y llevarlos al cielo con él. Su muerte y resurrección eran la garantía de su promesa. No pasaría mucho tiempo hasta volver a contemplar el rostro que tanto amaban. En su corazón sabían que una vez más volverían a escuchar esas palabras de vida que salieran de su Señor y Maestro. Confiando en el Señor, se dispusieron a llevar a cabo su obra mientras esperaban.

"Hermanos, tened paciencia hasta la venida del Señor. Mirad cómo
el labrador espera el precioso fruto de la tierra. Aguarda con
paciencia hasta recibir la lluvia temprana y tardía. Vosotros también
tened paciencia, afirmad vuestro corazón, porque la venida del
Señor se acerca" (Santiago 5:7, 8).

El Cielo Recibe a su Rey

Alzad, oh puertas, vuestras cabezas, y alzaos vosotras, puertas
eternas, y entrará el Rey de gloria. Salmo 24:7.

"El cielo entero aguardaba la hora triunfal en que Jesús ascendería a su Padre. Vinieron ángeles a recibir al Rey de gloria y escoltarlo triunfalmente hasta el cielo. Después de bendecir Jesús a sus discípulos, separóse de ellos y ascendió a los cielos seguido de numerosos cautivos libertados cuando él resucitó. Acompañábale una numerosísima hueste celestial, mientras una innumerable cohorte de ángeles esperaba su llegada en el cielo. Según iban ascendiendo hacia la santa ciudad, los ángeles que escoltaban a Jesús exclamaban: 'Alzad, oh puertas, vuestras cabezas, y alzaos vosotras, puertas eternas, y entrará el Rey de gloria'. Los ángeles de la ciudad exclamaban arrobados: '¿Quién es este Rey de gloria?' Los ángeles de la escolta respondían con voz de triunfo: 'Jehová el fuerte y valiente, Jehová el poderoso en batalla. Alzad, oh puertas, vuestras cabezas, y alzaos vosotras, puertas eternas, y entrará el Rey de gloria'. Nuevamente los ángeles del cielo preguntaban: '¿Quién es este Rey de gloria?' Y los de la escolta respondían en melodiosos acentos: 'Jehová de los ejércitos, él es el Rey de la gloria'. Y la celeste comitiva entró en la ciudad de Dios".[67]

Cuando Moisés estaba por morir en el monte Nebo, Dios le concedió una visión. Desde el nacimiento de Jesús en Belén hasta su muerte en la cruz, la vida de Cristo pasó ante el gran dirigente hebreo. Se le permitió mirar los sucesos futuros, vio el triunfo de Cristo, "le vio salir vencedor de la tumba y ascender a los cielos escoltado por los ángeles que le adoraban, y encabezando una multitud de cautivos. Vio las relucientes puertas abrirse para recibirle, y la hueste celestial dar en canciones de triunfo la bienvenida a su Jefe supremo. Y allí se le reveló que él mismo sería uno de los que servirían al Salvador y le abriría las puertas eternas. Mientras miraba la escena, su semblante irradiaba un santo resplandor. ¡Cuán insignificantes le parecían las pruebas y los sacrificios de su vida, cuando los comparaba con los del Hijo de Dios! ¡Cuán ligeros en contraste con el 'sobremanera alto y eterno peso de gloria' (2 Cor. 4:17)!"[68]

Jesús desea darnos la bienvenida en las mismas cortes celestiales.
Entonces "después de tanta aflicción verá la luz, y quedará
satisfecho" (Isaías 53:11). ¡Qué llegada al cielo nos aguarda!

Un Gran Sumo Sacerdote

Porque Cristo no entró en el Santuario hecho por mano de hombre,
que era sólo copia del Santuario verdadero, sino que entró en el
mismo cielo, donde ahora se presenta por nosotros ante Dios.
Hebreos 9:24.

"Cuando en la ascensión Jesús entró por su propia sangre en el santuario celestial para derramar sobre sus discípulos las bendiciones de su mediación, los judíos fueron dejados en oscuridad completa y siguieron con sus sacrificios y ofrendas inútiles. Había cesado el ministerio de símbolos y sombras. La puerta por la cual los hombres habían encontrado antes acceso cerca de Dios, no estaba más abierta. Los judíos se habían negado a buscarle de la sola manera en que podía ser encontrado entonces, por el sacerdocio en el santuario del cielo. No encontraban por consiguiente comunión con Dios. La puerta estaba cerrada para ellos. No conocían a Cristo como verdadero sacrificio y único mediador ante Dios; de ahí que no pudiesen recibir los beneficios de su mediación. La condición de los judíos incrédulos ilustra el estado de los indiferentes e incrédulos entre los profesos cristianos, que desconocen voluntariamente la obra de nuestro misericordioso Sumo Sacerdote".[69]

"Pero Cristo ya vino, y ahora es el Sumo Sacerdote de los bienes definitivos. El Santuario donde él ministra es más grande y más perfecto; y no es hecho por mano de hombre, es decir, no es de este mundo. Y Cristo entró en ese Santuario una vez para siempre, no con sangre de machos cabríos ni de becerros, sino con su propia sangre, y consiguió la eterna redención" (Heb. 9:11, 12). La ley de Dios es eterna e inmutable. Si Dios pudiera haberla abreviado o abrogado, Cristo no hubiera necesitado morir. Pero se requirió la muerte de Cristo para salvar del pecado a la humanidad. ¡La sangre de Cristo nos redime!

"La gran verdad que enseñaba la prescripción de que era necesario el derramamiento de sangre para el perdón, era que la salvación de los seres humanos exigía en su debido momento la muerte del Hijo de Dios. Cada sacrificio de animales anticipaba el supremo sacrificio del 'Cordero de Dios, que quita el pecado del mundo' (Juan 1:29)".[70] "De no haberse producido la muerte vicaria de Cristo, el plan de salvación nunca hubiera sido una realidad. Aun los que se salvaron en los tiempos del antiguo Testamento, fueron redimidos en virtud del sacrificio venidero (Heb. 9:15). Fueron salvos porque anticiparon con fe la muerte de Jesús".[71]

No obtenemos la salvación al observar las leyes ceremoniales, sino por
fe en la sangre expiatoria de Jesucristo.

Alabanza, Honra, Gloria y Poder

Y a todos los que estaban en el cielo, en la tierra, en el mar y debajo de la tierra, y a todas las cosas que hay en ellos, les oí cantar: "Al que está sentado en el trono y al Cordero, sean la alabanza, la honra, la gloria y el poder, por los siglos de los siglos". Apocalipsis 5:13.

"Allí está el trono, y en derredor el arco iris de la promesa. Allí están los querubines y los serafines. Los comandantes de las huestes angélicas, los hijos de Dios, los representantes de los mundos que nunca cayeron, están congregados. El concilio celestial delante del cual Lucifer había acusado a Dios y a su Hijo, los representantes de aquellos reinos sin pecado, sobre los cuales Satanás pensaba establecer su dominio, todos están allí para dar la bienvenida al Redentor. Sienten impaciencia por celebrar su triunfo y glorificar a su Rey. Pero con un ademán, él los detiene. Todavía no; no puede ahora recibir la corona de gloria y el manto real. Entra a la presencia de su Padre. Señala su cabeza herida, su costado traspasado, sus pies lacerados; alza sus manos que llevan la señal de los clavos. Presenta los trofeos de su triunfo; ofrece a Dios la gavilla de las primicias, aquellos que resucitaron con él como representantes de la gran multitud que saldrá de la tumba en ocasión de su segunda venida... Ahora declara: Padre, consumado es. He hecho tu voluntad, oh Dios mío. He completado la obra de la redención. Si tu justicia está satisfecha, 'aquellos que me has dado, quiero que donde yo estoy, ellos estén también conmigo' (Juan 17:24). Se oye entonces la voz de Dios proclamando que la justicia está satisfecha... Los brazos del Padre rodean a su Hijo, y se da la orden: 'Adórenlo todos los ángeles de Dios' (Hebreos 1:6)".[72]

No existen palabras que puedan describir esa escena, donde el cielo, en pública ceremonia, entronizó al Hijo de Dios en el lugar de honra y gloria que voluntariamente abandonara para hacerse hombre. "Cristo ascendió al cielo vestido de una humanidad santificada. La llevó consigo a las cortes celestiales y por la eternidad, como Aquel que redimió a todo ser humano en la ciudad de Dios, Aquel que suplicó al Padre: 'Los llevo grabados en la palma de mis manos'...

Si estamos heridos y golpeados, si enfrentamos problemas difíciles de soportar, recordemos cuánto sufrió Cristo por nosotros".[73]

Recibiréis Poder

*"Pero recibiréis el poder cuando venga sobre vosotros el
Espíritu Santo, y me seréis testigos en Jerusalén, en toda
Judea, en Samaria, y hasta lo último de la tierra".
Hechos 1:8.*

El enemigo no rindió fácilmente el dominio de nuestro mundo
sólo porque Cristo triunfara en su misión de rescatar a la humanidad.
"Satanás tuvo otra vez consejo con sus ángeles y con acerbo odio contra el
gobierno de Dios les dijo que mientras él retuviera su poder y autoridad en
la tierra, debían decuplicar sus esfuerzos contra los discípulos de Jesús. No
habían prevalecido contra Cristo, pero de ser posible debían vencer a sus
discípulos. En cada generación deberían procurar engañar a quienes creyeran
en Jesús. Les dijo Satanás a sus ángeles que Jesús había conferido a sus
discípulos la potestad de reprenderlos y expulsarlos, y de sanar a cuantos
afligieran. Entonces los ángeles de Satanás salieron como leones rugientes
a procurar la destrucción de los seguidores de Jesús".[74]

Jesús no dejó a sus discípulos indefensos contra los nuevos ataques
de Satanás y sus legiones. Les prometió poder, y en obediencia a la orden
de Cristo, esperaron en Jerusalén la promesa del derramamiento del
Espíritu. Sin embargo, no esperaban ociosos. Los registros nos dicen que
"estaban siempre en el templo, alabando y bendiciendo a Dios" (Luc.
24:53). Los primeros discípulos "se prepararon para su obra. Antes del
día de Pentecostés, se reunieron y apartaron todas sus divergencias.
Estaban unánimes. Creían la promesa de Cristo según la cual la bendición
les sería concedida, y oraban con fe. No pedían una bendición solamente
para sí mismos; los abrumaba la preocupación por la salvación de las
almas. El Evangelio debía proclamarse hasta los últimos confines de la
tierra, y ellos pedían que se les dotase del poder que Cristo había
prometido. Entonces fue derramado el Espíritu Santo, y millares se
convirtieron en un día. Así también puede ser ahora. En vez de las
especulaciones humanas, predíquese la Palabra de Dios. Pongan a un
lado los cristianos sus disensiones y entréguense a Dios para salvar a los
perdidos. Pidan con fe la bendición, y la recibirán.

*"El derramamiento del Espíritu en los días apostólicos fue la 'lluvia
temprana', y glorioso fue el resultado. Pero 'la lluvia tardía' será más
abundante" (Joel 2:23).*[75]

¡Todo Está en Creer en Él!

*También hizo Jesús muchas otras señales en presencia de sus
discípulos, que no están escritas en este libro. Pero éstas fueron
escritas para que creáis que Jesús es el Cristo, el Hijo de Dios; y para
que creyendo, tengáis vida en su Nombre. Juan 20:30, 31.*

"**E**ste es el discípulo que da testimonio de estas cosas, y las escribió.
Y sabemos que su testimonio es verdadero. Además, hay muchas otras cosas
que hizo Jesús. Si se escribieran una por una, pienso que en el mundo no
cabrían los libros que se habrían de escribir" (Juan 21:24, 25). Juan explicó
que pudo haber dicho mucho más acerca de los tres años del ministerio de
Jesús: Su descripción física, otros milagros que realizó y las maravillosas
enseñanzas que presentaba. Muchos de los que leyeron sus escritos conocían
otras cosas que Jesús había hecho, pero a través de los años, los registros
han desaparecido. Sin embargo, al presentar al mundo al Salvador que
había seguido, Juan no tenía la intención de presentar una historia detallada.
Escogió ciertas "señales" para compartir con sus lectores lo que formaba la
base del mensaje que deseaba compartir. El mensaje del discípulo era
sencillo. Deseaba que comprendiésemos que el Jesús histórico era y es el
Hijo de Dios, el Mesías, el Creador viviente y el Salvador crucificado. El
discípulo compartió con nosotros el plan de salvación. Deseaba que
creyésemos en Jesús como el Cristo, el Hijo de Dios, y que al creer
obtuviéramos vida en su nombre.

Elena de White nos recuerda que los "ángeles de Dios fueron
comisionados para que guardasen con cuidado especial las verdades sagradas
e importantes que habían de servir como ancla a los discípulos de Cristo
durante toda generación".[76] "Y ésta es la vida eterna, que te conozcan a ti, el
único Dios verdadero, y a Jesucristo a quien tú has enviado" (Juan 17:3). ¡El
humilde Carpintero de Nazaret ciertamente cambió el mundo! Ninguno ha
hecho mayor contribución a la historia del mundo como él. Han pasado
2.000 años desde que él vivió su maravillosa vida en esta tierra, y sin embargo, jamás existió hombre alguno que haya tenido más impacto en la
sociedad como lo tuvo él.

*¿Qué hubiera sido de la historia de la humanidad si el Salvador no
hubiese elegido vivir entre nosotros? Todos los autores de los
Evangelios declaran que Jesús de Nazaret era "Dios encarnado en la
humanidad". Amén.*

¿Qué Debemos Hacer?

"El fin de todas las cosas se acerca. Sed, pues, sensatos y
sobrios, para que podáis orar. 1 Pedro 4:7. No desechéis,
pues, vuestra confianza, que tiene grande recompensa.
Hebreos 10:35.

"Antes que Cristo viniese al mundo, su hogar estaba en el reino de gloria, entre seres que jamás habían caído. Ellos lo amaban, y él pudo haber permanecido allá y gozar de su amor. Pero no lo hizo. Dejó las cortes reales y salió solo a enfrentar el reproche del pecado. Vino a un mundo atado y marchitado por la maldición para salvar a las ovejas perdidas; y reunió en su divino regazo a todos los que vinieran a él. Era Varón de dolores y tristezas. Caminó el escabroso sendero de la negación propia, siendo nuestro ejemplo. Esa fue la obra de Cristo para nosotros. Si no lo hubiera hecho, hubiéramos perecido sin esperanza en Dios. Encontramos aquí un deber que nos corresponde a todos; ninguno está exento. Los que contemplen la hermosura del amor del Salvador en su sacrificio de la cruz, los que comprendan su valor como ha sido revelado, estarán fervientes y ansiosos de llegar a ser colaboradores con Cristo en la búsqueda de los perdidos. No estamos aquí sólo para buscar nuestra propia recompensa. Hay pecadores que salvar, y todos están a nuestro alrededor... Los que perecen en los últimos días nos rodean; y debemos sentir tan profundo amor por las almas por las cuales Cristo murió, que no podamos quedar en casa... No debemos pensar que no tenemos ninguna responsabilidad... Mientras más cerca de Cristo estén nuestras vidas, más ayuda daremos a los que nos rodean, y más felicidad podemos llevar a sus vidas. Se nos ha llamado a trabajar por la humanidad caída. Y poco a poco, cuando el Hombre de Nazaret 'vea el dolor de su alma, y esté satisfecho', entraremos en el gozo de nuestro Señor. Pero debemos ser fieles en la obra que se nos ha encomendado; porque sólo los que hayan hecho bien, escucharán las palabras: 'Bien hecho' ".[77]

Que Dios te bendiga durante el nuevo año mientras compartes con
otros el relato de lo que la "Brillante Estrella de la Mañana" ha
hecho por ti.

Índice de Textos Bíblicos

A menos que en el texto se indique otra cosa, los textos bíblicos provienen de la versión *Nueva Reina-Valera 2000*. Usados con permiso de la Sociedad Bíblica Emanuel. Se exceptúan los textos que forman parte de citas del espíritu de profecía y el *Comentario bíblico adventista*.

Referencias

En las páginas siguientes están enlistadas las fuentes de las cuales se han extraído las 1.062 referencias que aparecen en este libro. Las iniciales indican las abreviaturas de diversos libros, folletos y revistas que se han usado. La mayoría son obras publicadas en español; el resto sólo existe en inglés.

HA	*Hechos de los apóstoles*	DTG	*El Deseado de todas las gentes*
HAd	*Himnario adventista*	EV	*El evangelismo*
CBA1	*Comentario bíblico adventista, tomo 1*	PE	*Primeros escritos*
PVGM	*Palabras de vida del gran Maestro*	EC	*La educación cristiana*

CS	*El conflicto de los siglos*	RH	*Review and Herald*
Carta	Carta de Elena G. de White	CC	*El camino a Cristo*
DM	*El discurso maestro de Jesucristo*	MS1	*Mensajes selectos, tomo 1*
MC	*El ministerio de curación*	SP1	*Spirit of Prophecy, tomo 1*
MS	Manuscrito de Elena G. De White	SR	*Story of Redemption*
MJ	*Mensajes para los jóvenes*	T1	*Testimonios para la iglesia, tomo 1*
PR	*Profetas y reyes*	TM	*Testimonios para los ministros*
PP	*Patriarcas y profetas*	YI	*Youth Instructor*

Enero
1 DTG 11, 12
2 HA 32
3 EV 446
4 EV 447
5 DTG 11
6 CBA5 879
7 DTG 18
8 HAd 294
9 MS1 25
10 DTG 23
11 DTG 28
12 CBA5 658
13 DTG 73
14 CS 547
15 DTG 201
16 CBA7 414
17 CBA5 667
18 CBA5 669
19 CBA5 674
20 PR 352
21 CBA5 279
22 CBA5 42
23 CBA5 39
24 DTG 30
25 *Ibid.*
26 CBA5 682
27 ST 7/30/1896
28 CS 359, 360
29 CS 360
30 DTG 34
31 DTG 36
32 DTG 37
33 *Ibid.*
34 CBA5 281
35 DTG 42
36 DTG 43, 44
37 RH 12/24/1872
38 CBA5 282
39 RH 12/24/1872
40 DTG 46
41 DTG 47, 48
42 DTG 47
43 YI Feb. 1873
44 MJ 76
45 DTG 50
46 DTG 65

47 *Ibid.*
48 DTG 69
49 DTG 67
50 CBA5 695
51 DTG 52
52 CBA5 690
53 DTG 57
54 CBA5 691
55 DTG 60
56 DTG 61
57 DTG 55
58 DTG 53
59 EV 278
60 DTG 84
61 YI 8/22/1901
62 YI Ene. 1874
63 FCE 402
64 DTG 51
65 DTG 66
66 DTG 55
67 DTG 331
68 DTG 82
69 DTG 79
70 DTG 186
71 DTG 82
72 DTG 84
73 *Ibid.*
74 DTG 85
75 *Ibid*
76 CBA5 295
77 DTG 85

Febrero
1 DTG 86
2 *Ibid.*
3 DTG 87-88
4 DTG 90
5 CBA5 708
6 DTG 92
7 DTG 98
8 DTG 121
9 DTG 93
10 DTG 94
11 *Ibid.*
12 DTG 99
13 MS1 331
14 DTG 100

15 DTG 101
16 DTG 102
17 DTG 105
18 *Ibid.*
19 MS1 339
20 DTG 33
21 DTG 637, 638
22 JT1 408
23 CB5 702
24 CB5 1053
25 DTG 110
26 DTG 111
27 DTG 112
28 *Ibid.*
29 DTG 112
30 DTB 112, 113
31 CBA5 271-CBA8 262, 263
32 CS 395
33 DTG 113
34 DTG 114
35 CC 65
36 *Ibid.*
37 T4 534
38 T4 533
39 DTG 125
40 DTG 127
41 SP2 99, 100
42 DTG 119
43 DTG 121
44 DTG 120
45 DTG 121
46 CBA5 899
47 CBA5 899-900
48 CBA5 900
49 DTG 123
50 DTG 122
51 DTG 123, 124
52 DTG 128
53 DTG 128-129
54 DTG 130
55 CB8 1146
56 DTG 131
57 *Ibid.*
58 DTG 132
59 *Ibid.*
60 DTG 137
61 DTG 137

62 DTG 141
63 *Ibid.*
64 DTG 143
65 *Ibid.*
66 DTG 143, 144
67 DTG 147
68 DTG 148
69 *Ibid.*
70 DTG 149
71 CBA5 908
72 DTG 150
73 *Ibid.*
74 T8 332
75 DTG 151
76 CBA5 910
77 DTG 151
78 T5 224, 225
79 T5 224
80 DTG 153
81 CBA8 1045
82 DTG 158, 159
83 DTG 163, 164

Marzo
1 PP 203
2 *Ibid.*
3 PP 535
4 DTG 155
5 *Ibid.*
6 *Ibid.*
7 DTG 155
8 DTG 156
9 *Ibid.*
10 DTG 157
11 DTG 158
12 TM 390
13 TM 391
14 DTG 159
15 DTG 160
16 CBA5 918, 919
17 DTG 161
18 *Ibid.*
19 T3 217
20 DTG 162
21 MC 17
22 DTG 165
23 *Ibid.*

[24]HA 88
[25]DTG 167
[26]DTG 167, 168
[27]DTG 169
[28]CBA5 922
[29]CBA5 921
[30]DTG 169
[31]DTG 170
[32]DTG 185
[33]*Ibid.*
[34]DTG 187
[35]DTG 196
[36]CBA5 926
[37]DTG 171
[38]DTG 172
[39]DTG 95
[40]DTG 174
[41]DTG 175
[42]DTG 176
[43]CBA5 928
[44]DTG 177
[45]*Ibid.*
[46]CBA5 931
[47]DTG 373
[48]DTG 182-183
[49]DM 8
[50]DTG 198
[51]DTG 184
[52]DTG 199
[53]*Ibid.*
[54]DTG 203
[55]CBA5 712
[56]DTG 204
[57]DTG 206
[58]*Ibid.*
[59]DTG 207
[60]DTG 217
[61]*Ibid.*
[62]DTG 226
[63]DTG 218
[64]RH, 19 de jul., 1887
[65]DTG 219
[66]DTG 219, 220
[67]DTG 218
[68]DTG 211
[69]*Ibid.*
[70]*Ibid.*
[71]MC 13
[72]CB5 1109
[73]CBA8 478
[74]DTG 213
[75]DTG 212
[76]DTG 213
[77]DTG 214
[78]CBA5 722
[79]*Ibid.*

[80]DTG 216
[81]MC 382
[82]DTG 220
[83]DTG 221
[84]CBA5 558
[85]*Ibid.*
[86]MC 19
[87]MC 14
[88]MC 12, 13
[89]CBA5 559
[90]CB5 1104
[91]DTG 225
[92]DTG 179
[93]CBA5 559
[94]MC 407
[95]DTG 23
[96]DTG 228
[97]DTG 229
[98]DTG 231, 232
[99]DTG 230
[100]*Ibid.*
[101]DTG 231
[102]DTG 233
[103]DTG 234
[104]DTG 237
[105]CBA5 569
[106]DTG 239
[107]DTG 238
[108]DTG 239

Abril
[1]DTG 251
[2]DTG 251
[3]CBA5 574
[4]DM 8
[5]CBA5 574
[6]*Ibid.*
[7]CC 51
[8]JT1 219
[9]DTG 262
[10]DTG 263
[11]DTG 261
[12]CBA5 582
[13]CBA5 583
[14]CBA5 582
[15]*Ibid.*
[16]T5 224, 225
[17]DTG 260
[18]DTG 261
[19]ST 20 de mayo, 1897
[20]DTG 265, DM 10
[21]DM 10
[22]CBA5 314
[23]DTG 266
[24]DM 11
[25]CBA5 315

[26]DTG 267
[27]DTG 268
[28]DM 15
[29]DTG 269
[30]DM 18
[31]DM 19
[32]DM 20
[33]DM 21
[34]PVGM 254
[35]DM 24
[36]T6 262
[37]DM 25
[38]CBA5 318
[39]DM 26
[40]*Ibid.*
[41]T2 437-438
[42]DM 34
[43]*Ibid.*
[44]DTG 272
[45]CBA5 321
[46]DM 34
[47]*Ibid.*
[48]DM 35
[49]DM 36
[50]DTG 273
[51]DM 39
[52]DM 45
[53]DTG 274
[54]CBA5 322
[55]CBA5 324
[56]DTG 275
[57]ST, 4 de sept., 1884
[58]DM 52
[59]DTG 277
[60]DM 54
[61]DM 62
[62]DM 63
[63]CBA5 331
[64]CBA5 334
[65]DM 70
[66]DM 75
[67]RH 28 de mayo, 1895
[68]*Ibid.*
[69]DM 73
[70]DM 106
[71]DM 107
[72]DM 109
[73]DM 116
[74]DM 119
[75]DM 124
[76]DTG 281
[77]DM 126
[78]DTG 282-283
[79]DTG 284
[80]MC 43
[81]MC 20

[82]MC 43
[83]DTG 288
[84]DTG 294
[85]DTG 126
[86]CBA5 738
[87]DTG 285
[88]CBA5 738
[89]DTG 285

Mayo
[1]DTG 117
[2]DTG 373
[3]DTG 288
[4]DTG 66-67
[5]CBA5 389
[6]PVGM 13
[7]PVGM 12
[8]DTG 289
[9]PVGM 17
[10]PVGM 24
[11]PVGM 39
[12]PVGM 16
[13]PVGM 44
[14]PVGM 46
[15]PVGM 47
[16]PVGM 55
[17]*Ibid.*
[18]CBA5 398
[19]PVGM 68
[20]CBA5 398
[21]PVGM 73
[22]PVGM 50
[23]*Ibid.*
[24]PVGM 53
[25]PVGM 93-94
[26]CBA5 401
[27]CBA5 400
[28]PVGM 87
[29]PVGM 88
[30]CBA5 400
[31]RH 1 de ago., 1899
[32]PVGM 96
[33]PVGM 97
[34]PVGM 99
[35]PVGM 103
[36]DTG 296
[37]DTG 297
[38]*Ibid.*
[39]DTG 301
[40]*Ibid.*
[41]DTG 302
[42]DTG 303
[43]RH, 14 de jul., 1910
[44]MC 67
[45]DTG 306
[46]DTG 307

[47] DTG 239-240
[48] JT2 439
[49] DTG 240
[50] CBA5 571
[51] DTG 244
[52] DTG 245
[53] DTG 246
[54] *Ibid.*
[55] DTG 310
[56] DTG 311
[57] *Ibid.*
[58] DTG 117
[59] DTG 312-313
[60] PVGM 95
[61] DTG 315
[62] Manuscrito 19, 1910
[63] RH, 1 de feb., 1898
[64] DTG 317
[65] DTG 321
[66] DTG 185-186
[67] DTG 187
[68] DTG 188
[69] DTG 189
[70] DTG 190
[71] DTG 191
[72] DTG 191-192
[73] DTG 207-208
[74] DTG 209
[75] *Ibid.*
[76] DTG 326
[77] DTG 328
[78] DTG 330
[79] DTG 331
[80] DTG 192
[81] RH, 11 de mar., 1873
[82] DTG 193
[83] DTG 194
[84] RH, 8 de abril, 1873
[85] DTG 194
[86] RH, 8 de abril, 1873
[87] DTG 195
[88] DTG 196
[89] DTG 197

Junio
[1] DTG 332
[2] DTG 333
[3] DTG 339
[4] DTG 334
[5] *Ibid.*
[6] DTG 336
[7] DTG 337
[8] DTG 340
[9] DTG 666
[10] CBA5 404
[11] DTG 341-342

[12] DTG 341
[13] DTG 343
[14] DTG 344
[15] *Ibid.*
[16] ST 11 de ago., 1898
[17] *Ibid.*
[18] DTG 344
[19] CBA5 406
[20] DTG 345-346
[21] DTG 346
[22] DTG 347
[23] CBA5 942
[24] DTG 348
[25] CBA5 944
[26] DTG 356
[27] DTG 357
[28] *Ibid.*
[29] CB5 119
[30] DTG 357, 358
[31] CBA5 608
[32] CBA5 608, 609
[33] DTG 361
[34] DTG 365
[35] *Ibid.*
[36] DTG 367
[37] DTG 367-368
[38] DTG 369
[39] CBA5 613
[40] DTG 371
[41] CBA5 414
[42] DTG 372
[43] CBA8 440
[44] DTG 376
[45] DTG 373
[46] *Ibid.*
[47] DTG 374
[48] DTG 375
[49] DTG 376-377
[50] CBA8 535
[51] CBA8 536
[52] PVGM 167
[53] DTG 378
[54] DTG 379
[55] DTG 380
[56] CBA5 419
[57] *Ibid.*
[58] DTG 380
[59] CBA5 421
[60] DTG 381
[61] DTG 384
[62] DTG 22
[63] DTG 385
[64] CBA8 283
[65] DTG 385
[66] DTG 386
[67] DTG 388

[68] DTG 389
[69] *Ibid.*
[70] PE 162
[71] PE 164
[72] DTG 391
[73] DTG 394
[74] DTG 395
[75] DTG 396
[76] CBA5 620
[77] DTG 397
[78] CS 567
[79] CS 564

Julio
[1] CBA5 432
[2] *Ibid.*
[3] DTG 402
[4] DTG 404
[5] CBA5 438
[6] PVGM 196
[7] PVGM 191
[8] CBA5 439
[9] CBA5 621
[10] DTG 405
[11] DTG 406
[12] DTG 412
[13] CBA8 1125
[14] DTG 412-413
[15] DTG 413
[16] DTG 414
[17] DTG 416
[18] CBA5 955
[19] DTG 423
[20] DTG 418
[21] DTG 419
[22] DTG 423
[23] CBA5 959
[24] *Ibid.*
[25] CB5 1110
[26] DTG 424
[27] CBA5 962
[28] MC 57, 58
[29] MC 58
[30] *Ibid.*
[31] MC 58, 59
[32] DTG 427
[33] DTG 428
[34] DTG 429
[35] DTG 432
[36] DTG 435
[37] DTG 436
[38] *Ibid.*
[39] DTG 437
[40] DTG 438
[41] DTG 440
[42] *Ibid.*

[43] DTG 446
[44] *Ibid.*
[45] CBA5 980
[46] ST 4 de dic., 1893
[47] DTG 444
[48] ST 4 de dic., 1893
[49] DTG 446
[50] CBA5 442
[51] DTG 451
[52] DTG 452-453
[53] DTG 260
[54] CBA5 758
[55] *Ibid.*
[56] DTG 452
[57] ST 10 de Dic. 1894
[58] DTG 461
[59] CBA5 763
[60] PVGM 311
[61] CBA5 763
[62] DTG 462
[63] DTG 464
[64] CBA5 764
[65] DTG 464
[66] DTG 465
[67] DTG 482
[68] DTG 483
[69] CBA5 983
[70] PVGM 105
[71] CBA5 337
[72] CBA5 769-770
[73] PVGM 109
[74] PVGM 108
[75] DTG 376
[76] CBA5 776
[77] *Ibid.*

Agosto
[1] DTG 588
[2] PVGM 299
[3] CBA8 626
[4] PVGM 169
[5] DTG 537
[6] DTG 538
[7] PVGM 171
[8] CBA5 781
[9] CBA5 782
[10] DTG 327
[11] CBA5 783-784
[12] CBA5 784
[13] CBA5 788
[14] PVGM 176
[15] CBA5 789
[16] PVGM 176
[17] PVGM 186
[18] CBA5 791
[19] PVGM 188-189

20 CBA5 792
21 *Ibid.*
22 PVGM 144
23 PVGM 146
24 *Ibid.*
25 RH 30 de junio, 1896
26 PVGM 147
27 PVGM 148
28 PVGM 148-149
29 RH 30 de junio, 1896
30 PVGM 151
31 *Ibid.*
32 PVGM 152
33 MC 120
34 PVGM 162
35 CBA5 797
36 PVGM 302
37 CBA5 805
38 PVGM 304
39 PVGM 307
40 PVGM 206
41 CBA5 810
42 PVGM 206-207
43 PVGM 207
44 CBA5 812
45 PVGM 214, 215
46 CBA5 816
47 CC 52
48 CBA5 817
49 PVGM 304-305
50 CBA5 817
51 PVGM 307
52 DTG 485
53 DTG 486
54 DTG 487
55 DTG 488
56 CBA5 991
57 DTG 493
58 DTG 497
59 DTG 497-498
60 DTG 499
61 DTG 500
62 CBA5 818
63 *Ibid.*
64 *Ibid.*
65 DTG 467
66 *Ibid.*
67 DTG 469, 470
68 CBA5 823
69 PVGM 130
70 PVGM 136
71 *Ibid.*
72 PVGM 137
73 PVGM 138
74 PVGM 155
75 CBA5 827

76 CBA5 443
77 CBA8 335
78 DTG 472
79 *Ibid.*
80 DTG 474-475
81 DTG 477
82 CBA5 447
83 T2 680
84 DTG 480

Septiembre
1 PVGM 325
2 PVGM 326
3 CBA5 452
4 PVGM 332
5 BC 453
6 DTG 501
7 DTG 501-502
8 CBA5 454
9 DTG 504
10 CBA5 454
11 RH 15 de mar., 1887
12 CBA5 626
13 RH 15 de mar., 1887
14 CBA5 745
15 DTG 506
16 DTG 507-508
17 DTG 508
18 DTG 509
19 DTG 511
20 CBA5 506
21 DTG 511
22 DTG 521
23 DTG 513
24 DTG 521
25 DTG 513
26 DTG 514
27 *Ibid.*
28 DTG 518
29 DTG 520
30 CBA5 744
31 CBA5 745
32 DTG 521-522
33 DTG 514
34 DTG 516
35 *Ibid.*
36 DTG 517
37 DTG 664
38 *Ibid.*
39 DTG 667
40 DTG 523
41 DTG 524
42 DTG 525
43 DTG 526
44 DTG 528
45 CBA5 458

46 DTG 531-532
47 DTG 535
48 DTG 536
49 DTG 540
50 DTG 541-542
51 DTG 542
52 DTG 542-543
53 PVGM 217
54 DTG 543
55 *Ibid.*
56 DTG 544
57 DTG 545
58 PVGM 218-219
59 PVGM 221-223
60 PVGM 245
61 PVGM 241
62 DTG 549
63 CBA5 480
64 PVGM 252
65 PVGM 253
66 PVGM 256
67 PVGM 259
68 DTG 553
69 CBA5 470
70 *Ibid.*
71 DTG 555
72 CBA5 471
73 DTG 559
74 DTG 560
75 *Ibid.*
76 DTG 561
77 CBA5 473
78 DTG 562
79 CBA5 477
80 TM 79
81 DTG 572-573
82 CBA8 173
83 DTG 566
84 CBA5 634
85 DTG 578
86 DTG 574
87 DTG 580

Octubre
1 DTG 581
2 CBA5 484
3 CBA5 485
4 CB5 1074
5 DTG 582
6 *Ibid.*
7 CBA5 485, 486
8 CBA5 487
9 *Ibid.*
10 *Ibid.*
11 CBA5 487-488
12 DTG 584

13 CS 44
14 CS 353-354
15 CBA5 490
16 DTG 586
17 *Ibid.*
18 *Ibid.*
19 DTG 586, 587
20 DTG 590
21 CBA5 492
22 PVGM 335
23 PVGM 336
24 PVGM 339
25 PVGM 262
26 PVGM 264
27 PVGM 266
28 PVGM 267
29 PVGM 273
30 PVGM 275
31 PVGM 290
32 PVGM 294
33 DTG 592
34 CBA5 501
35 DTG 597
36 DTG 595
37 DTG 667
38 DTG 601
39 DTG 663
40 DTG 598
41 *Ibid.*
42 *Ibid.*
43 DTG 600
44 CBA5 846
45 DTG 600
46 *Ibid.*
47 DTG 602
48 DTG 601
49 DTG 602
50 DTG 605
51 CB5 1112
52 DTG 605
53 DTG 608
54 DTG 609
55 DTG 613
56 CBA5 511
57 CBA5 512
58 DTG 615
59 DTG 609
60 ST 24 de dic., 1894
61 DTG 610
62 *Ibid.*
63 DTG 617
64 DTG 618
65 *Ibid.*
66 DTG 620
67 *Ibid.*
68 DTG 621

[69] DTG 622
[70] Ibid.
[71] CBA5 1007
[72] Ibid.
[73] CBA5 510
[74] DTG 626-627
[75] DTG 616
[76] DTG 627, 628
[77] CB5 1097, 1098
[78] DTG 628-629
[79] DTG 528
[80] DTG 630, 631
[81] Ibid.
[82] CBA5 1017
[83] DTG 631-632
[84] DTG 632
[85] CBA5 1020
[86] CBA5 1028
[87] CBA5 1018
[88] CC 88
[89] CB5 1121
[90] DTG 636
[91] DTG 637
[92] DTG 636
[93] DTG 638
[94] DTG 639
[95] DTG 640
[96] DTG 641
[97] Ibid.
[98] DTG 642

Noviembre
[1] DTG 642
[2] Ibid.
[3] Ibid.
[4] DTG 643
[5] ST 9 de Dic., 1897
[6] Manuscrito 1, 1892
[7] SR 210
[8] DTG 642-643
[9] DTG 644
[10] DTG 644-645
[11] DTG 645
[12] CBA5 515
[13] DTG 645
[14] CBA5 516
[15] CBA5 847
[16] DTG 646
[17] Ibid.
[18] DTG 647
[19] Ibid.
[20] DTG 649
[21] DTG 651
[22] DTG 651
[23] Ibid.
[24] DTG 652, 653

[25] CBA5 526
[26] DTG 653
[27] Ibid.
[28] Ibid.
[29] CBA5 527
[30] DTG 656
[31] Ibid.
[32] DTG 657
[33] DTG 657, 658
[34] DTG 659
[35] DTG 659, 660
[36] ST 11 de Nov., 1897
[37] CBA5 519
[38] DTG 657
[39] DTG 668, 669
[40] DTG 669
[41] DTG 669-670
[42] DTG 661, 662
[43] DTG 658
[44] CBA5 526
[45] DTG 671
[46] DTG 671-672
[47] DTG 673
[48] DTG 673, 674
[49] DTG 674
[50] DTG 676
[51] Ibid.
[52] CBA5 852
[53] DTG 677
[54] Ibid.
[55] DTG 678
[56] DTG 679
[57] DTG 680
[58] SR 218-219
[59] DTG 680-681
[60] CBA5 532
[61] CBA5 533
[62] DTG 682
[63] 8BC 988
[64] CBA5 366
[65] DTG 683
[66] DTG 682
[67] DTG 684
[68] DTG 683
[69] CBA5 1036
[70] T2 207
[71] DTG 686
[72] DTG 685, 686
[73] CBA5 1037
[74] DTG 687
[75] SR 220
[76] SR 220-221
[77] SR 220
[78] DTG 690
[79] SR 221
[80] DTG 691

[81] CBA5 1082
[82] CBA5 535
[83] DTG 692
[84] Ibid.
[85] Ibid.
[86] DTG 695
[87] DTG 693
[88] DTG 694
[89] CBA8 283
[90] CBA5 535
[91] T1 241
[92] CBA5 536
[93] ST 21 de Ago., 1879
[94] DTG 696
[95] CBA5 536
[96] CB5 535
[97] DTG 694
[98] DTG 695
[99] DTG 697
[100] DTG 697, 698
[101] DTG 699
[102] Ibid.
[103] CB5 1099
[104] Ibid.
[105] DTG 700
[106] CBA5 1038
[107] DTG 700
[108] DTG 701
[109] DTG 702
[110] DTG 704
[111] CB5 1123
[112] ST 26 de mar., 1894

Diciembre
[1] DTG 704
[2] DTG 705
[3] Manuscrito 101, 1897
[4] DTG 714-715
[5] Manuscrito 91, 1897
[6] DTG 716
[7] DTG 717
[8] Ibid.
[9] DTG 718
[10] DTG 718-719
[11] DTG 719
[12] Ibid.
[13] PE 180
[14] PE 179
[15] DTG 720
[16] DTG 721-722
[17] DTG 723
[18] SR 228-229
[19] DTG 724
[20] DTG 725
[21] CB5 1088
[22] CB5 1085

[23] DTG 726
[24] Ibid.
[25] DTG 729-730
[26] PE 182
[27] DTG 727
[28] DTG 727-728
[29] 3SP 204
[30] DTG 732
[31] Ibid.
[32] CBA5 1041
[33] DTG 733
[34] DTG 733-734
[35] DTG 734
[36] CBA5 1041-1042
[37] 3SP 203-204
[38] Carta 280, 1904
[39] 3SP 202-203
[40] DTG 731
[41] DTG 735
[42] CBA5 643-644
[43] DTG 738
[44] CBA5 860
[45] CBA5 861
[46] DTG 741
[47] DTG 741-742
[48] DTG 741
[49] DTG 736
[50] DTG 742
[51] DTG 743
[52] Ibid.
[53] DTG 744
[54] CBA5 1043
[55] 3SP 222
[56] DTG 749, 750
[57] DTG 751
[58] DTG 753
[59] DTG 753-754
[60] YI 22 de Dic. 1898
[61] DTG 755
[62] DTG 757-758
[63] DTG 761
[64] DTG 770
[65] DTG 770, 771
[66] DTG 771-772
[67] PE 190
[68] PP 508
[69] CS 483-484
[70] CBA7 470
[71] CBA5 511
[72] DTG 773-774
[73] CB5 1100
[74] PE 191
[75] DTG 767
[76] PE 196
[77] ST 3 de dic., 1885